JN035688

「開く」ことができる
人・組織・国家だけが
生き残る

OPEN

ヨハン・ノルベリ
山形浩生　森本正史 訳
山形浩生 解説

OPEN：「開く」ことができる人・組織・国家だけが生き残る

こちらのやる気などお構いなしに
私がオープンであり続け、学習を止めないよう確かめてくれる
フリーダに

OPEN
The Story of Human Progress
by Johan Norberg

目次

第Ⅰ部 オープン

第1章 オープンな交流

人類史上最大の発明は「交易」だ。これが21世紀にいたるまで、私たちにすさまじい進歩をもたらす。

第2章 オープンな門戸

ローマ、モンゴル、スペイン帝国の興亡と、現代の移民問題が教えるものとは。
多様性がある集団ほど問題解決がうまくなる。

第3章 オープンな精神

なぜ科学と啓蒙主義は、ヨーロッパで生きのび発展したのか?
西洋人が特別有能だったからではない。「ある条件」がそろっていたからだ。

第4章 オープンな社会

なぜ産業革命は、技術と人材に恵まれた中国ではなく、イギリスで起きたのか？ 無能な当局と無礼講精神のおかげだ。

第Ⅱ部 クローズド

第5章 「ヤツら」と「オレたち」

なぜ世界は「敵と味方」に分かれるのか？　なぜ戦争やヘイトは起こるのか？
21世紀の今なお、進化が生んだ「部族主義本能」に私たちは動かされている。

第6章 ゼロサム

「オレたちが貧しいのは誰かが搾取しているから」というゼロサム思考は、人類の本能。だが直感に反して、経済は「プラスサム」なのだ。

第7章 将来への不安

「昔はよかった。それに引きかえ今は……」。古代から人類はそうボヤいてきた。この「過去の美化」は、事実に反するだけでなく、技術の進歩と社会改善を妨げる。

第8章

戦うか、逃げるか

自集団の危機を感じると、私たちは強いリーダーを求める。
メディア報道とSNSが、右派左派を問わず、この「部族主義」を強化する。

はじめに：交易者と部族人

昔々、45歳の身長155センチの男性が、いまのイタリアとオーストリアにまたがるアルプスを越えようとして死亡した。その直後に嵐がやってきて、その死体は氷に封印されて保存され、発見されたのは5000年以上もたってからだった。ハイキング中のドイツ人たちが、エッツィ（アルプスのエッツ渓谷にちなんだ名前）を1991年に発見したとき、それは現代人に、驚異的な過去をのぞかせてくれるものとなった。銅器時代の生活、その暮らしぶりや食べ物がどんなものかわかったのだ。同時にそれは、彼らの文化経済生活もあらわにしてくれた。

なぜエッツィが悪条件をおしてまで、その日にアルプスを越えようとしたのか、確実にはわからない。海抜3000メートルを超える、山がちの雪だらけの道のりだ。だが、どうしてそんなに遠くまでたどりつけたかはわかる。一人で歩いていたようだとはいえ、決して完全にひとりぼっちではなかったからだ。

エッツィはあらゆる行動に、何千人もが生み出したアイデア、イノベーション、作業の成果を抱えていた。自分でやったのではない発見の恩恵を受け、自分が作ったのではない道具を使っていたのだった。

彼の帽子はクマの毛皮製で、ズボンと上着はヤギ革製だった。幅の広い防水靴は雪の上を歩けるように設計され、靴底がクマの皮、上部はシカの革だった。それがあまりに複雑にできているので、研究者たちは5300年前にすら、ヨーロッパには専業の靴作り職人がいて、みんなの靴を作っていたのだろうと推測している。

エッツィはまた、火打ち石、黄鉄鉱、1ダース以上もの植物が入った着火セットを携帯し、医療用のキノコも持っていた。61ヶ所に刺青があり、これは鎮痛治療と関連したものかもしれない。また自分で作ったのではない石刃、矢尻や短刀を持っていた。おそらくは石刃加工業者が作ったもので、かなりの時間をかけて自分の技能を磨いたはずだ。その原材料は、南アルプス地域の3ヶ所で採掘されたもので、最大60キロメートルも離れていた。研究者たちはこう書いている。「これほどの多様性は、この地元社会に運ばれる実に広範な供給ネットワークの存在を示唆している。これはレッシニ山地に限られるものではまったくない」[1]。彼の銅製の斧に使われる金属は、アルプス地域の鉱石から得られたものではなく、南トスカナ地方という遠方からのものだった。

おもしろいことに、こうした道具の設計は、南アルプスと北アルプスの両方の伝統を反映したものになっている。矢尻はイタリア北部の典型だが、先刃式掻器は、スイスのホルゲン文化の道具に近い。つまり5000年前ですら、エッツィは大陸のかなり広い地域に広がった、きわめて複雑な分業の恩恵を受けていた——そうした交易のおかげで、人々は専門特化して何かを完成させ、それを他人の専門化された財やサービスと交換できるようになったのだ。

ホモ・サピエンスは協力的な生物種だ。他の多くの動物に比べると、人は特に強くもないし足も遅いし、外皮も弱いし空も飛べず、泳ぐのもあまり上手ではない。だが、圧倒的な優位性をもたらす別のものがある。他の人間たちだ。言語の発達と、社会関係を把握する過大な脳のおかげで、大規模な協力が可能になり、他人のアイデア、知識、労働が使えるようになった。この協力のおかげで、人工的な強さ、速度、衣服や医療という優れたものが得られた。そして動物界のどんな生物よりも速く空を飛び、海を渡れるようにすらなった。

人は生まれながらの交易者だ。たえず他人とノウハウや頼みごとや財を交換し、自分一人の才能や経験に限定された場合よりずっと多くのことを実現できる。そしてそのために大した努力もいらない。人はたえず機会を探していて、まったくの他人とすら、新しい提携や協力関係を開始するのは実に簡単だ。知識や財の共有は人が地球上の様々な過酷な気候の下で生き延び、繁栄できるようにしてくれた。これが科学を生み出した。科学は知識の交換、批判、比較、蓄積に基づいている。また技術も生み出した。これは科学を実務的な問題解決に適用することだ。

協力と移動性が与えてくれる便益が痛感されるのは、それがいきなり止まったときだ。世界銀行は、豚インフルエンザ、ＳＡＲＳ、最近の新型コロナウイルス感染症といった疫病からくる最大の経済被害は、死者や病気、治療、それにともなう生産低下ではないと計算している。むしろ、他人とのつながりに対する恐怖の増大が大きいのだ。被害の最大９割は、回避行動から生じる。これは生産現場、輸送、港湾や空港の閉鎖をもたらす。[2]

人類はイノベーションを起こし、真似して改良して繰り返し、やがて特別なものを生み出す。17世紀と18世紀の啓蒙主義思想は、知的、経済的なオープン性への障壁を破壊し、それがイノベーションを大躍進させて空前の繁栄をもたらした。過去２００年で、期待寿命は30年未満から、

70年以上に延び、極貧者は世界人口の9割だったのが、いまや9％だ。

今日（こんにち）のグローバル化は、この協力を国境を超えて拡大し、世界中に広げて、ますます多くの人々が、世界中のどこにいようとも他人のアイデアや仕事を活用できるようにしただけの話だ。これが現代グローバル経済を可能にし、それが過去25年にわたり、毎日13万人近い人々を貧困から引き上げ続けている。

これから見るように、専制主義の中国は、進歩がオープン性に依存するのだという主張の反証にはならない。中国が最もオープンだったとき、それは富、科学、技術で世界の最先端にあったが、500年前に世界に対して港湾と心を閉ざすことで、地球上で最も豊かな国はすぐに、最も貧しい国の一つになった。中国の現在の復活は、1979年以来の新しい部分的な開放の結果であり、開放された部分ではすさまじい成功をとげているのに対し、開放されていない部分では悲惨な失敗を続けている。中国の学者たちが、共産党の認める領域で研究を進めると、一流科学誌に次々に掲載されるが、彼らが新しいウイルスなど、指導者たちの面目をつぶすような警告を発すると、投獄されてしまう。中国共産党は、オープン性の便益と統制の確実性の両取りを目指している。中国の未来は、最終的にどちらの傾向が勝利するかにかかっている。

グローバル化は世界の「西洋化」と表現されてきた。私もかつてはその通りだと思っていた。初めて歴史に関心を持ったときには、ほとんどの人と同じく、それを時代をさかのぼる形で研究した。だから現代から始めて、時代をさかのぼってそのルーツを探した。おかげで、ヨーロッパの特異性についてゆがんだ見方をするようになってしまった。啓蒙主義と産業革命はヨーロッパ発だったから、これまでの人々と同じように、なぜそれが起きたかヒントを探し求めた。そしてもちろん、答えはすぐに見つかった。ルネサンス、マグナカルタ、ローマ法などを経由して、はるかギリシャの哲学や民主主義の発見まで話はさかのぼる。

これは哲学者兼文化理論家のクワメ・アンソニー・アッピアが、歴史の「金塊」理論と呼んだものだ。[3] 昔々、ギリシャ人たちが地中から金塊を掘り出しました。ローマ人がギリシャを征服したら、この金塊を奪ってそれに磨きをかけました。ローマ帝国が滅びたら金塊は分割され、そのかけらがヨーロッパ各地の宮廷、都市国家、学問の中心に散らばり、やがてそれが欧米の大学で再びつなぎあわされたのです、というわけだ。

この金塊への私の信仰が揺らいだのは、他の文化にもルネサンスの例があったのに出くわしはじめたときだった。他の文化も法治や科学進歩、急速な経済発展の独自の時代を持っていたのだ。ギリシャ哲学は実は、イスラム世界と共通の遺産なのだったと知った。そして中国人は、こうした科学技術的な驚異を、西洋人よりはるか昔に独自に発見していたことも知った。これらを見たとき、西洋文明の直系の子孫として現代を見るやり方は、ますます擁護しづらくなった。特に、この説明はローマ時代からルネサンスまでの１０００年ほどを、何やら異常な暗黒時代だったと強弁せざるを得ないものだからだ。

歴史には金塊などない。でも創造性と成果の黄金時代はある。それも大量に。歴史学者ジャック・ゴールドストーンはそれを「開花」と呼んでいる。人口と一人あたり所得が同時に増大する、急速でしばしば予想外の上昇期だ。そこに共通するのは、人々の居場所や民族性や信仰などではない。様々な場所や時代や信仰の下でそれは生じている。異教のギリシャ、アッバース朝カリフ制のイスラム圏、儒教の中国、カトリックのルネサンス期イタリア、カルヴァン主義のオランダ共和国などだ。むしろ共通する要素は、それが新しい思想や洞察、習慣、人々、技術、ビジネスモデルにオープンで、それがどこから来たかなど気にしなかったことだった。

これから論じるように、啓蒙主義と産業革命が西欧で始まったのは、世界のこの地域がたまたま最もオープンだったからで、それも一部は単なるツキでしかない。似たような制度変化を経験したあらゆる場所で、同じことが起きている。西洋の勝利などではなく、オープン性の勝利なのだ。

これは世界にとっては朗報だ。というのも、この発展が他の文化でも起こり得ることを示しているからだ。だが西洋にとっては悪い知らせだ。というのも私たちの地位が運命によって定められたものではなく、ある種の制度のおかげでしかなくて、西洋においてもそれが破壊されかねないことを示しているからだ。世界の他の部分でも、かつてそれは破壊され、歴史のそれまでの繁栄をつぶしてしまった。

オープン性は現代世界を創り出し、それを前進させる。予想外のところからくるアイデアやイノベーションにオープンだと、それだけ進歩できるからだ。哲学者カール・ポパーはそれを「開かれた社会」と呼んだ[4]。それはオープンエンドな社会だ。というのも何か一つの統合する思想や集合的な計画、ユートピア的な目標を持つ有機組織ではないからだ。オープンな社会における政府の役割は、もっとよいアイデアの探索と、人々が自分個人の計画にしたがって生き、独自の目標を追求する自由を、あらゆる市民に平等に適用されるルール体系を通じて保護することなのだ。

それは文化や知的生活、市民社会、家族生活、さらには技術やビジネスにおける「勝者の選別」をしない政府だ。むしろ、あらゆる人々に新しいアイデアや手法を試す権利を与え、それが何かニーズに応えるものなら、既存の利権をおびやかしても勝利を与えるような政府が求められる。だからオープンな社会は決して完成することはない。常に現在進行形となる。

　これで、人間の行動の結果ではあっても、人間が設計したのではない人的秩序の形が生じる余地が生まれる。文化、経済、技術における最も重要な制度は、中央が計画したのではなく、協力と競争、実験や試行錯誤の結果として生じたものだ。最高の解決策を受け容れた集団――これはときに偶然の結果だったりする――は成功し、拡大して模倣されるが、失敗した実験は滅び去る。ノーベル賞を受賞したオーストリアの思想家フリードリッヒ・ハイエクが強調した通り：

> 人間としてのプライドは傷つくかもしれないが、文明の進歩、いや維持ですら、偶発時が起こる機会を最大化することに依存しているのだという点は認識する必要がある。[5]

　経験へのオープンさは心理学的な性質で、人格傾向の分類学における「ビッグファイブ」の一つだ。これは想像力、知的好奇心、多様性重視と関連した性質となる。だが本書が扱うのは制度のオープン性であって、個人のオープン性ではない。この二つはしばしば相関はしている。目新しいものにオープンな人々は、通常はそれを禁止したがらない。だが必ずしもそうとは限らない。無秩序でリスクを好む人々は、ときに自分たちを誘惑から守るため、強いルールと大きな政府が必要だと感じる。無数の個人伝記でもわかるとおり、人々が反動主義に走るのは、その人が、たとえばセックスやドラッグやロックンロールを嫌っているからではない。むしろそれが好きすぎて自滅しそうになるからだ。同じように、多くの規律正しく個人としては保守的な人物でも、政治的にはオープンで寛容になる。それはその性格にもかかわらず、ではなく、まさにそういう性格だから、なのだ。その人たちは、自由のおかげで立派な行動ができるし善行が可能となるのだということを自分の目で見るのだ。

私の主張は、**オープンな制度の下なら人々は、その人格的な傾向などがどうあれ、作り出すより多くの問題を解決し、ちがった性質の人々が出会う可能性を高め、そしてその思想や仕事がお互いを豊かにする可能性も高まるのだ**、ということだ。

プログラミングの世界には、目玉の数さえ多ければあらゆるバグは浅はかなものだ、という格言がある。同じことが社会についても言える。人類の累積知識や問題を見る目玉の数が増えれば、そしてその知識に独自の創造性で付け加える脳みその数が多ければ、バグが修正される可能性はそれだけ高まる。

新しいアイデアや技術、ビジネスモデルを試すのに、中央当局からお許しを得なくてもよくなって、(それが人々や支配集団の神経を逆なでする場合でも)自由に作って競争できるようになれば、人間の進歩も高まる。世界は巨大だ。**洞察の数、アイデアや解決策の組み合わせは、潜在的に無数にある。あらゆる知識を使い、あらゆるアイデアを試す唯一の方法は、みんなの好きにさせて、自由に協力しやりとりができるようにすることだ。**そしてよい知らせとして、エッツィの服や道具が明らかにしているとおり、人間はそれが驚くほど上手だ。

が、落とし穴がある。

調和ある協力という美しい能力をヒトが発達させたのは、殺して盗むためだった。

2001年にレントゲンとCTスキャンによって、エッツィはアルプスで単に迷子になったり突然の嵐に遭ったりしたわけではないことが明らかになった。映像を見ると、エッツィの左肩には矢尻がはっきりと、深々と刺さっていた。また皮膚にも、その矢の軌跡と一致する切り傷があった。その後、研究者たちは彼の右手と手首にも傷を発見した。これは、彼が攻撃者から身を守ろうとしていたことを示唆している。また脳内出血の痕跡も見られ、おそらく激しく頭を殴られたらしい。彼の短刀や矢尻には、他の3人の血のDNAがついていた。

エッツィは当初思われていたのとはちがい、雪嵐で凍死したのではなかった。敵との対決で殺されたのだった。

なぜそんなひどい死に方をしたのかは、知るよしもない。自分の部族内の争いでエッツィは逃げ出したのでは、と考える人もいる。また村が別の部族に攻撃されて、エッツィはその復讐に出かけたと考える人もいる。あるいは単に、知らない連中に待ち伏せをくらったのかもしれない。

確実にわかっているのは、当時の人間の運命として、これは珍しいものではなかったということだ。狩猟採集民の間で、暴力的な死の比率は、現代社会の戦時中の死亡率に匹敵する。現代まで、人生は、哲学者トマス・ホッブズがかつて述べた通り、悲惨で、荒々しく、短かったのだった。

人々が協力を始めたのは、それが他の動物や他の人間集団に対する競争優位を与えてくれたからだ。協力することで、他人と折り合いの悪い相手は倒しやすくなる。そしてあらゆる集団は、収奪品を享受したいがその生産には貢献しない連中からの自衛手段を必要とした。したがって、ヒトは「オレたち」と「ヤツら」を区別する方法を学んだ。

これから見るように、新しい提携や同盟を結ぶ能力はきわめて高いため、ヒトは新しい集団に一瞬で忠誠心を抱くようになる。これは、その集団がまったく恣意的な基準で形成された場合ですら成り立つ。そして自分の集団にいる人々のほうが、他の連中よりも賢く、優秀で道徳的だと思いこみはじめる。

人間は交易者である一方で、部族人でもある。協力はするが、それは他人を倒すためだ。どちらの属性も人間性の本質的な一部だが、反対方向にヒトを向かわせようとする。片方は、新しい機会や新しい人間関係、相互に利益のある新しい取引を行うための、プラスサムのゲームを見つけさせてくれる。もう片方は、人々にゼロサムゲームに用心しろと伝える。ゼロサムゲームでは、他人が得をするのはこちらが犠牲になる場合だけだからだ。これは他人をつぶし、取引と移動性を阻止しようという欲望を動かす。

これが**「オープンとクローズド」の戦い**となる。これはポピュリズム、ナショナリズム、トランプとイギリスのＥＵ離脱(ブレグジット)の文脈で大いに議論されたものだ。これは二つのちがう集団の間での戦いではない。グローバル派とナショナリスト、自由なエリートと土地にしばられた人々との戦いでもない。むしろみんなの心の中で、常に続いている戦いなのだ。

おびやかされると、ヒトは部族の安全性へと逃れたくなり、がっちりと守りを固めたくなる。そうなると、ヒトは従属的になって強い指導者を求めるようになる。驚くべきことに、わずかな不安や不快を感じるだけでもヒトは他集団に対して不寛容になる——たとえば汚い室内で他集団について意見を求められると、被験者はより厳しい意見を口にする、という心理学実験がある。自分の文化、生き様や社会全体が、疫病や移民、外国、狡猾なエリートどもにおびやかされているとなったらどうだろう？　世界全体がたるんでいるように思えたら？

金融危機や移民危機の後で、人々は自分がそうした状態にあると感じる。地政的な緊張が高まり、アラブの春以後の政治的な解放がもはや、安定化と民主化につながるとは思われず、混沌と流血につながると思われている状態だとそうなる。時代を象徴するイメージがもはやベルリンの壁崩壊ではなく、ニューヨークの世界貿易センタービル崩壊ならそうなる。そしてこれは、気候変動で生じる潜在的に迫った大災厄を持ち出すまでもない。

過去には、歴史上の大いなる開花——オープン性と進歩の大きな逸話——が尻すぼみになったのは、いわゆるカードウェルの法則のせいだった。これは技術史研究者ドナルド・S・カードウェルにちなんだものだ。[6] イノベーションは常に、自分たちが損失を受けると思う人々から抵抗を受ける。それは守旧派の政治宗教エリートかもしれないし、古い技術を持つ企業かもしれず、陳腐化した技能を持つ労働者かもしれず、懐古趣味のロマン派かもしれないし、人々が昔ながらのやり方をしないので不安になった年寄りかもしれない。彼らには禁止令、規制、独占、船舶の焼き払いや壁の建設により、変化をとどめようとするインセンティブがある。そして他の人々が世界についてパニックを起こすと、そうした連中が好き放題やることになる。そして、歴史上のオープン性とイノベーションの時代はすべて、こうして終わりを告げた。

だが例外が一つある。私たちがいまいるこの時代だ。

現代は、オープンな世界だ。ただし、これを維持できればの話だ。

コロナ大流行は、何が起きる可能性があるか、何がかかっているかを示している。国際貿易と移動性は、世界を豊かにしただけでなく、微生物の便乗拡散も可能にした。歴史的に、指導者たちはこうした大疫病を利用して人々への支配を強化し、跳ね橋を引き上げて、ユダヤ人や外国人、魔女といったスケープゴートを攻撃した。

新しいコロナウイルス疫病が世界を襲う中で、それがオープン性に背を向ける決定的な転回点となりうるのはすぐに想像がつく。企業は国際サプライチェーンを見直さざるを得なくなったし、国民はアウトサイダーや国外旅行に疑惑の目を向けるようになり、政府は新たな権限を自らに与えた。本書の執筆時点では、コロナのせいで選挙を「先送り」した国はないが、歴史的な先例はある。

パニックは政治をナショナリズムの方向に変える。たとえば医薬品や医療機器の輸出に対する禁止令などがその例だ。そして、これは自国市民を守る手段に思えるだろうが、他の国も同じことをするように強いることになり、結果としてだれもが物資不足に直面する。2010〜2011年の世界的な食糧価格危機の際に、食品禁輸措置がいくつか実施され、地元の供給を確保しようとしたが、結果的にそれはコムギの世界価格上昇の4割の原因となり、トウモロコシ価格上昇の4分の1近くも禁輸措置のせいなのだった。[7]

だから世界は危機時にはしばしばナショナリズムの方向に動くが、それは近隣窮乏政策を避けるという国際的な合意が最も緊急に必要とされているときなのだ。みんな、めったにそういう考え方はしない。だがグローバル化はそもそもパンデミックと戦う最も有効な手段なのだ。というのも富、通信技術、オープンな科学のおかげで、新たな疫病に対する反応は空前の速さとなったからだ。[8]

世界中の病院、研究者、保健当局、製薬会社は、いまや即座にお互いに情報提供して、問題を分析して取り組む活動を協調させることができる。

何週間にもわたり、感染発生を隠そうとしてから、中国は２０２０年1月2日に新型コロナウイルスを発見したと発表した。地球の裏側で開発された技術を使い、中国の科学者たちはウイルスのゲノムを完全に解読して、それを医学研究の新しいグローバルなハブに、1月10日に発表した。そのたった6日後に、ドイツの研究者たちはこの情報を使って、新規感染を検出するための診断法を開発して発表した。そしてだれかがウイルスの機構を明らかにすると、他の人々は即座にその弱点を見つける作業にかかる。すると世界中の研究者や人工知能が、まさにそうした点を攻撃できそうな医薬品やワクチンの研究を開始する。たった1ヶ月半の作業で、アメリカのバイオ技術企業が真新しいワクチンを臨床治験に送り出せた。4月2日、中国が新ウイルスの拡散を認めたたった3ヶ月後に、アメリカの全米医薬ライブラリーには、この新ウイルスに使えそうな見込みを持ち、治験用の患者を募集したり、その準備をしたりしている医薬品やワクチン２８２種類が登録されていた。

大量輸送手段のないもっと貧しくクローズドな社会では、微生物の拡散はずっと遅かったが、その拡散を止めるものはずっと少なく、何百年にもわたり流行が続いて、あらゆる人が一人ずつ感染して殺されかねない。今日では、対応のほうもグローバルであり、したがって人類は初めて対抗できるようになった。これは驚異的な成果であり、それを無視するのは自分の首を絞めるに等しい。

本書は、２０１６年の拙著『進歩：人類の未来が明るい10の理由』（邦訳は晶文社刊、２０１８年）の前編でもあり続編でもある。あの本は、現代世界で起きた驚異的で、驚くほど知られていない発展を記録しようというものだった。だが、人類が過去２００年で、それまでの２万年を上回る進歩をいきなりとげた理由については、匂わせる以上のことはしていない。本書は、オープン性こそが進歩を可能にしたのだという話となる。

同時に本書では話を進めて、進歩の未来の不確実性を検討する。過去、現在、未来において進歩をおびやかす力を検討するのだ。それらはいまでも、進歩をひっくり返しかねない。『進歩』を書いたのは、ポピュリストやナショナリストがオープンな世界秩序に最初の攻撃を加えている時期に、それがつぶしかねないものが何かを明らかにするためだった。今回私は、**なぜ未来の展望をつぶすのがそんなに魅力的に思えるのか**を検討している。

本書の前半では、自由貿易、移民、自由な思想、オープンな社会が現代世界をどのように形成したかを見よう――個人が自分の生活を改善しようとしたとき、オープン性がその自然な結果になることを示し、それが社会全体と自分自身を、一般に認識されているよりもはるかに多様な形で改善させるのだということを示そう。

実は、私たちが重要だと思っているほとんどあらゆるもの、多くの人がいまやオープン性におびやかされていると思い込んでいるものが、かつてオープン性によって作り出されたのだ。これは文化保護主義者にとってのジレンマだ。彼らが擁護しているものは常に、かつての保護主義者たちがうまく阻止できなかったものなのだ。

私の主張は、部分的にはグローバル史の検討に基づいている。啓蒙主義、産業革命、初のオープン社会は西欧で始まったが、別に西欧であるべき理由はなかった。ヨーロッパの支配者だって、他の支配者たちと同じくオープン性と進歩を阻止しようとした。彼らだって、安定性と秩序を擁護して、国民の上前(うわまえ)をピンハネし続けたかったのだ。幸運なことに、彼らはあまり有能ではなく、おかげでコスモポリタン的な啓蒙思想と革命の余地が生まれ、それが現代社会につながった。

グローバル史は、各国史が人間の体験を愛国的な狙いで囲い込もうとするのを補正しようとする分野だ。グローバル史はまた、辺境地域とのつながりを検討し、文化同士の相互作用を見てそれが双方を、しばしば同時に変えた様子も考える。ヨーロッパ人たちが、征服したイスラム圏の図書館でギリシャ哲学を学び、中国から科学思想を得て、アメリカ新大陸で奇妙なものを見つけたことで、宇宙についての確信を失った様子にも注目する。

最近の反グローバル化運動のため、グローバル史なんて始まる以前に終わってしまったと考える人もいる。だがそれはまったくの杞憂だ。いまやそうした反発も含め、世界を理解することが空前の重要性を持ちつつある。そうした反発ですらグローバルなのだ。それは金融危機や移民危機といった国境を超える出来事に刺激され、自国主義者たちですら、たえず国境を越えて移動しては、お互いを励ましあっている。ブレグジットの国民投票はトランプ運動に勢いを与え、トランプの大統領選出はヨーロッパ中のポピュリストたちを活気づけた――そうしたポピュリストというのは、真のまとまった人民がたった一つだけ存在しているのに、その一般意志が腐敗したエリートにじゃまされているのだと主張する、煽動者や煽動政党だ。

またプーチンのロシアから出たお金やメディア支援もそれに一役買った。ロシアは、西洋リベラリズムなんてもう古いと示したくてたまらないのだ。一方、西側の反リベラル派は、プーチンをお手本にしたがる。プーチンは、トランプの側近だった政治戦略家スティーヴ・バノンの表現を借りるなら「伝統的な制度の味方」だからだ。[9]

オープン性なしには生きられないが、問題は私たちがオープン性とともに暮らせるかということだ。本書の後半では、**なぜオープン性が歴史的にも現在でも、常におびやかされているのか**を検討する。

現代社会は意図されたものではなく、それが実現したのはほとんど偶然のおかげだというのが私の主張だ。それが実現したのは、王や聖職者やギルドの統制があまりに穴だらけだったため、人々の創造性をすべて止められなかったからなのだ。それがもっと広く受容されたのは、それがかなり長続きを許され、やがてその影響が社会や人々の生活水準において明らかになってきたからだ。こんなやり方では、今後も発展が続くかどうかあまり自信がもてない。

歴史からの教訓を、進化心理学の知見と組み合わせることで、人々がこのオープン性をいかに居心地悪く思っているか示そう。私たちはみんな、部族主義や専制主義、ノスタルジアに引きよせられる心理的な傾向を抱えている。特に不景気や外国人やパンデミックにおびやかされているときにはそれが顕著だ。世界を「オレたち」と「ヤツら」に分割したいという傾向は、世界をゼロサムゲームだと考え、生産や移動性や貿易でみんなが等しく恩恵を受けることなどあり得ないと思ってしまうと、強化されてしまう。人々は、一見すると混沌とした現在と不確実な未来を居心地悪いと考え、それが秩序を回復させてアメリカやロシア、インド、中国、ヨーロッパを再び偉大(グレート)にすると約束するデマゴーグたちのつけいる隙(すき)を生み出す。

一連の危機、特に重要なものとして金融危機が、「自分たちは攻撃されている」という感覚を作り出し、どんな犠牲を払っても自衛しなければと感じさせる様子を見よう。そうなると、ヒトの遺伝的な「戦うか逃げるか」というデフォルトの選択肢が、敵を見つけ出して戦うか、関税や壁の背後の集団の中に逃げてしまえと告げることになる。人間の本性はこの現代世界とその驚異すべてを作り出したが、その本性には、そのすべてを破壊する潜在力も秘められているのだ。

またオープン性への最も深刻な反論にも注目しよう。つまり、それが共同体や生活手段をダメにしてしまい、格差と環境破壊を作り出すのでは、という懸念だ。こうした問題は確かに本物で深刻だが、それに対処し、進歩を続ける唯一の方法は、オープンさを増すことなのだ、というのが私の主張だ。自由は確実性と統制は与えてくれないが、もっと重要なことをしてくれる。それは予想外のこと、予測不能なことの余地を残してくれる。そして進歩と問題解決が期待できる唯一の場所はそこなのだ。

私たちが恐れるべきなのは、こうした問題への恐れによって人類がオープン性に背を向けるようになるというリスクだ。それは課題への取り組み手段を奪うことになるし、すでに達成したものも覆(くつがえ)しかねない。現在の生活水準、健康、豊かさ、識字率、自由を歴史的な文脈で見るなら、今のこの世界が黄金時代にあるのはまちがいない。だが歴史を見れば、長続きしなかった黄金時代がいくらでもある。

現代最高の古典リベラル思想家の一人、トム・G・パーマーは、最近になって次のように警告している。

亡霊が世界をおびやかしている。各種の過激な反自由至上主義(リバタリアン)運動という亡霊だ。そのすべてが、びんに入れられたサソリたちのようにお互いに争い、そのすべてが自由の制度を解体しようと先を争っている。一部は大学などのエリートセンターに安住しているし、一部はポピュリスト的な怒りから力を得ている。共通の反リバタリアン運動の左派版と右派版は相互につながっていて、お互いに強化しあっているのだ。(中略)

専制主義より憲法主義を好み、恩顧主義や社会国家主義よりは自由市場を好み、専制主義よりは自由貿易を好み、抑圧より寛容、相容れない対立より社会的調和を好む人々は、目を覚ます必要がある。私たちの大義や、それが生み出す繁栄と平和が、いまや深刻な危機にさらされているからだ。[10]

追加するなら、「再び」深刻な危機にさらされている、と言おう。あなたや私を協力的な交易者に変えた進化は、同時に私たちを地位を求める部族主義者にしてしまい、他のみんなの進歩を不安に思うようにさせている。だからこそ歴史上の様々なオープン社会は、いきなり、ときには何の兆候もなしに、集団抗争やナショナリズムと保護主義に後退してしまうのだ。戦争になることさえある。

歴史が繰り返すことはない。だが、人間の本性は繰り返されるのだ。

第1部

オープン

第1章

オープンな交流

人類史上最大の発明は「交易」だ。これが21世紀にいたるまで、私たちにすさまじい進歩をもたらす。

2017年7月、アメリカ大統領ドナルド・トランプは、秘書官と、来る演説の原稿を練っていた。その余白に、彼は演説で強調したい内容を示す3語を殴り書いた。それは彼のアメリカ・ファースト的な世界観を総括するものでもあった。「貿易はダメ」[1]

トランプや、世界中で台頭しつつある右派と左派の新ポピュリストたちの見方によると、自由貿易は外国からの輸入品として最悪のものなのだった。それは安い製品の洪水で国内産業を破壊しようとする強力な外人たちによって××(お住まいの国どこでもいいから入れる)の無垢な国民たちに押しつけられたものなのだった。それは中国人、世界貿易機関(WTO)、欧州連合(EU)により、低品質でヘタをすると危険な輸入品を押しつける陰謀なのだ。皮肉なことだが、ヨーロッパでは長きにわたり、多くの評論家はグローバル化をアメリカの陰謀だと語っていた。一部の人はグローバル化を「アメリカ化」と呼んでいた。

私がトランプの殴り書きについて読んで間もなく、友人が彼の子供の学校から送られた、おやつ箱をめぐる問題を転送してくれた。どうやら子供たちは、おたがいにおやつを交換しはじめたらしい。そしてその箱のおせんべいが何よりも問題になっていた。というのも学童たちは、それを使って他の財を買ったり、手助けやサービスまで買ったりするようになっていたからだ。学校としては、子供たちが自由取引を行うのを親の支援でやめさせようとしていた。子供たちは、物々交換で手持ちよりも自分が好きなものを食べられるようになることに気がついた。だから取引をしたら、どちらのおやつ箱も改善される。彼らは交換媒体――おせんべい――すら発達させた。そのほうが市場を拡大するのに使えると気がついたからだ。

取引は外国から押しつけられるものではない。市場は場所ではないし経済システムですらない。それは人々がどこでも、あらゆる時代に、子供ですらやることだ――政府や親に止められない限り。

歴史的な証拠を検討した結果、イギリスの科学ジャーナリストのマット・リドレーはこう結論している。

交易しない人間の部族は未だに知られていない。西洋の探検家は、コロンブスからクック船長まで、孤立した人々とファーストコンタクトをしたときに、多くの混乱や誤解に直面した。だが交易の原理についてはだれも迷わなかった。あらゆる場合に出会った人々は、モノを交換するという概念を持っていたからだ。新しい部族に出会ってものの数時間、数日で、あらゆる探検家は物々交換している。[2]

なぜ人は交易するのか？

経済学者チャールズ・ウィーランはかつて、考えられる最高の機械を想像してほしいと述べた[3]。その機械は大豆をコンピュータに変えるのだ。これは農家にとってすばらしい話だ。自分たちの得意なことをやって、それでも灌漑(かんがい)システムの制御に必要なコンピュータが手に入る。そしてさらにすばらしいことに、同じ機械は本を衣服に変えられる。本書を5冊そこに入れると、新しいシャツが出てくる。驚異的なことに、この機械をプログラムすると、家具を自動車に、医療サービスを電気に、航空機を金融サービスに、炭酸水をワインに変えられる。そしてそれぞれ逆もできる。実は、手持ちのどんなものでも、ほしいものに変えてしまえるのだ。

この機械は貧困国でも機能する。そこでは人々が、大量の資本や教育がなくても生産できるものをこの機械に入れる――たとえば牛肉や繊維製品などだ――そして反対側からはハイテク医療やインフラが出てくる。貧困国を豊かにする最高の方法は明らかに、こうした機械へのアクセスを提供することだ。

これは魔法じみて聞こえるが、実はこの機械は既に存在する。それは交易と呼ばれるものだ。どこでも設置できるし、人間の想像力だけで動き、保護主義者（あるいは親たち）を近づけなければ問題もない。外国の陰謀などではなく、自分で生産できるものを使ってもっと繁栄を遂げる最速の方法だし、貧困国が豊かになり、富裕国がもっと豊かになる唯一の方法でもある。

人類は、「運び、交換し取引する性向」を持っている、とスコットランドの哲学者で経済学者アダム・スミスは考えた[4]。歴史を振り返ればどこでも人々は交換をしている――恩義やアイデア、財、サービスをやりとりするのだ。そして考古学者が深掘りすると、それだけ人間取引の証拠もさかのぼる。何千年も過去にさかのぼるし、最近の驚異的な発見によれば、交易は有史以来ずっとあるのだ。

ホモ・メルカトル

ホモ・サピエンス初の化石はおよそ30万年前のものだ。そして最近発見された、初の長距離交易の証拠もそのくらい前となる。[5] 古代ケニアの湖のいまや干上がった湖底オロルゲサイリエは、考古学者にとって宝箱のような場所だ。過去数年にわたり、様々なものが発見されたが、30万年以上昔の慎重に成形された専門道具、槍の先端、掻器、突きキリなどほど魅了されるものはない。驚異的なのはその古さだけではない。その材料もすごい。黒曜石だ。この黒い火山性のガラスはきわめて珍重されていた。簡単にくだいて、カミソリのようにするどい切削ツールや武器を作れるからだ。

黒曜石は考古学者や歴史学者にも珍重されている。というのも、それが産出されるのはごく少数の火山性の場所だけだから、それが他の場所で見つかれば、それは移動と交易のパターンを示すものとなるからだ。驚異的ながら、こうした火山性の産地でオロルゲサイリエの近くにあるものはない。実はその黒曜石はおそらく、最大88キロメートル離れた山地からやってきたと思われるし、それですら山越えの近道が必要となる。研究者たちは、オロルゲサイリエの住民がそこまで足を運んだとはきわめて考えにくいとしており、むしろ長距離の交易ネットワークの一部だったのだろうと推定している。ほしい黒曜石と、他の財やリソースを交換したのだ。この解釈は、彼らが染料として色鮮やかな石を使ったことからも裏づけられる。そうした石もまた遠くから輸入されているのだ。

輸送、交換、取引——それが30万年前だ。

人類は常に協力してきた。初期人類は単に黒曜石や道具をやりとりしただけではない。ノウハウ、頼みごと、忠誠もやりとりした。育児、防衛、狩猟採集で協力した。もっとも重要な点として、この協力は血族ではない他の人間にも広がる。部族内の血縁関係のない個人や、山の向こうの黒曜石の持ち主も含まれ、その関係は絶えず変わり続ける。単なる血縁選択ではなく互恵性、相互の便益のためのやりとりなのだ。イヌイット文化のある説明が述べたように「余ったモノを貯蔵する最高の場所はだれか他の人の腹の中だ。というのも遅かれ早かれ、その人はその贈り物のお返しを求めるから」ということだ。[6]

人はお返しするのが大好きで、親切に対して親切で（あるいは悪意に対して悪意で）応える機会がないと不安になる。オンラインショップがしっかりした支払い方法を提供したとたんに、利用者は驚いたことに無料のものにすらお金を支払いたがる。だからこそ、バザールでの販売員はいつもコーヒーをくれるのだ。そうすれば、少なくとも商品をしっかり見るくらいの借りができたように思わせられるからだ。伴侶でない相手からのきわめて高価な贈り物を受け取るのは、よく考えたほうがいいというのもこれが理由だ。[7]

協力と交換は人間にとってあまりに本質的なので、交易とホモ・サピエンスのどっちが先かもはっきりしない。そして、これは言葉の綾（あや）などではない。人間は交易を形成したが、交易もまたいまの人間を形成したのだ。これは、人間が世界を征服し、環境に個別対応した遺伝適応がほとんどないのに、あらゆる種類の気候下で居住できるようになった理由を理解する上で鍵となる。
進化心理学者スティーヴン・ピンカーは、ホモ・サピエンスの特異性は知識の利用と、社会的に相互依存する「認知的ニッチ」で説明できると考えている。数十万年前に、ヒトは三つの独特な性質を同時に発達させた。知能、言語、協力だ。これらは相互に強化しあう。一つに漸進的な改善が生じたら、他の二つの価値が高まり、社会物理環境が変わる――そしてそれにより、追加の適応をもたらす進化的な圧力も高まる。[8]
知能は情報や技能を学習して蓄積できるようにする。文法的に発達した言語は、そうした情報や技能を他人に伝えられるようにする。するとその相手もこちらの経験をさらに進めて、同じまちがいを繰り返したり、車輪を発明しなおしたりする必要がなくなる。すると双方に、お互いと協力する手段とインセンティブが生じる――それも相手が血族でない場合でもそれが可能になる。オープンエンドなコミュニケーションは、あまりコストをかけずにノウハウを共有し、行動を協調できるようにする。知能は交渉を可能にする。それはときには暗黙のものだ。頼みごとや財を別の時点でやりとりするという取引ができるようになる。ヒトが相互に利益にある協力で恩恵を受けるようになった瞬間に、それは知能と言語の価値を劇的に高め、それがもっと発達した協力を可能にし、といった具合だ。
だが当初から、私たちの先祖をその進化経路に押しやったのは何だったのだろうか？　７００万年前に、初のチンパンジーもどきの生物が木から下りてきて、二足歩行になった瞬間にまでさかのぼることで、それを説明しようとする説得力のある（少なくとも私にとっては）仮説が存在する。なぜヒトがそもそも木から下りたのかというのは、ダーウィンの時代から多くの論争の的だった。チンパンジーは木の上ではしっかり守られているが、動きが鈍く小さいので、地上ではライオン、ヒョウ、サーベルタイガーなどの餌食(えじき)になってしまう。いまや、かなり激しい地殻活動が東の大地溝帯を作り出し、機構を変えたことがわかっている。これが峡谷の東の熱帯雨林を干上がらせ、かわりにサバンナを作り出した。心理学者ウィリアム・フォン・ヒッペルによれば「結局ヒトは木を下りたりはしなかったのだ。木のほうがヒトから去ったのだった」[9]。

厳しい環境に投げ込まれた、これらのチンパンジーもどきたちは、大型肉食獣の中でなんとか生き延びる新しい方法を見つけねばならなかった。その後300万年で、そのほとんどは確かに失敗したが、一部は運動にもはや必要なくなった手を使う方法を考案した。それが草地での生存に役立ち、彼らの身体と精神を変え、ヒトの先祖にしたのだった。その解決策とは石を投げることだった。

世界で最も有名なアウストラロピテクス・アファレンシスであるルーシーの遺骸を見ると、重要な解剖学的変化が少なくとも320万年前に起きた。彼女はチンパンジーより動く手と手首を持っており、上腕部の柔軟性も高く、肩ももっと水平で、腰とあばら骨の下端との距離も離れていた。これらはすべて、力をこめて正確に石を投げられるような見事な適応だ。

これほどの優れた関節や筋肉があっても、ルーシーはライオンにかなう相手ではないが、他のアウストラロピテクスたちと防御を協調させれば、石の雨を降らせて大型ネコを叩きつぶせる。すぐに、同じやり方で狩りができることに気がついただろう。協力の発明により、かつては自衛もできない獲物だったご先祖たちは、食物連鎖の頂点にやってきたのだった。

これがフォン・ヒッペルの呼ぶ「社会的飛躍」だ。石投げで協力することを学んだ個体は、すぐに「あらゆるチンパンジーもどきは自分で自分を守れ」という古い戦略にこだわった個体よりも子孫を増やした。このため進化は、協力がうまい生物になる変化を好むようになった。たとえば他人を理解して社会的な課題に対処できる大きな脳などだ。

人類の独特な社会性の証拠がほしければ、鏡を見てみよう、チンパンジーなどの類人猿たちは、他のチンパンジーから視線を隠すため、茶色い鞏膜（きょうまく）（目の中で角膜を取り巻く部分）を持っている。チンパンジーたちは主に競争関係にあり、集団の他の連中に、潜在的な伴侶やおいしい食べ物を見つけたことを知られたくない。他のだれかがその考えを盗んで先回りしかねないからだ。ヒトはこれに対し、白い鞏膜を発達させ、自分の視線の方向を集団のみんなに広めてしまう。これは情報を秘密にしておくより共有するほうが恩恵が多かったことを示唆している。ヒトは脅威に気がつくと、他のみんなにそれを知ってもらい、防御を強化する支援をしたいと考える。獲物を見つけたら、みんなに知ってもらって、協力して捕まえようと考える。

人間は意図を共有し、他人も同じ考えだということを理解する。チンパンジーはこれができないし、協力するのは自分の利益になるときだけだ。ときには、集団でサルを狩るように見えることもあるが、チンパンジーの認知専門家マイケル・トマセロが述べるように、それはむしろ、ある混沌とした場面において、それぞれのチンパンジーが自分に最も有利なことをしている騒乱のようなものだ。お互いに意思疎通を試みることはないし、集団全員が参加することもない。他人が作業をするのを横で待っているだけの個体もいるし、獲物をめぐって他の連中とケンカしたりする個体もいるのだ[10]。

文化の進化

ヒトの社会能力は新しい進化形態の舞台を作り出す。哲学者カール・ポパーによると「文化進化は別の手段で遺伝的進化を続けるものである」[11]。たとえば嗅覚が鋭くなる突然変異のためにあるオオカミが狩りがうまくなっても、オオカミの種（しゅ）はそいつとその子孫がもっとうまく子孫を残し、他のオオカミを圧倒するのを待たねばならない。もしヒトがもっと優れた狩りの手法を考案したら——たとえばもっとよい槍を作るとか——他のみんなはあっさりそれを真似る。だからこそ遺伝的進化は遅々として進まず、文化進化は一瞬で起こる——人のやることを見て、その通りにするだけだ。

じゃんけんをしたことがあれば、ときに緊張した相手が、ほんの一瞬だけはやく手を明かしてしまうことがあるのを見たことがあるだろう。相手は簡単に勝ち手を選べるから、俄然（がぜん）有利になると思うのが人情だ。だが驚いたことに、実際には相手はそうしない。結果はむしろ、あいこになる。グーにはグーが出てしまうのだ。人はたとえそれが自分に不利になる場合でも、無意識のうちに相手を真似てしまう[12]。同様に、ゲーム理論の実験では、人々の意思決定の時間が短いほうが協力しやすいことがわかっている。それが自然に出てしまうのだ。

1歳児は、自分が生まれ落ちた奇妙な世界がまったくわかっていないので、文化学習に絶えず頼っている。研究によれば、目新しい状況やおもちゃに直面したとき、子供は常に親の顔色をうかがう回数が増え、親が承認を示すか恐怖を示すか見ている。もっと驚くことに、子供たちが母親と知らない人となじみのない物体といっしょに部屋にいるとき、母親よりは知らない人の顔色をうかがう。おそらく母親もこの状況になじみがなく、したがって判断があてにならないと1歳児に見ぬかれているのだろう（ホント、すぐに大きくなりますよね？）[13]。

子供は年上の兄や姉やいとこの近くにいようとするし、大人は最も業績の高い仲間とつるもうとするし、みんなわけしり顔の人間に近づこうとする。最も有能で成功しているように見える人間の真似をしたがる副作用として、その人たちのヘアスタイルだの、趣味だの、朝食シリアルのブランドだのも真似ようとするのかもしれない。そして残念ながら、セレブが自殺すると、同じ手法による自殺数がはねあがる。他人を真似るのは人間の本性なのだ。

ある個人が手法を改善したら、部族全体がやがてそれを手に入れ、ある集団や村がもっと成功につながる行動に出くわしたら、やがて他のところにもそれが広まる。これは長距離の取引を行ったり、紛争の間などであたりを見回すからだ。古代の人々が使えた原始的な移動手段ですら、手法や技術――埋葬儀式、彩色土器、新作物や兵器――が導入から間もなく何百キロメートルも離れた村で登場するのは驚くべきことだ。

人口が増えれば、だれかが有益なアイデアや技術を思いつく可能性も高まるので、イノベーションは相互につながった人口の規模に依存する。これはつまり、社会を停滞させる確実な方法は人々を停滞させることだ、ということだ。大きな人間集団が知識を追求したり生産に貢献したりするのを止められると、その社会は自発的に本来使えるはずのアイデア、創造性、労働を制限していることになる。

ほとんどの社会は女性を差別してきたので、進歩する能力を実質的に半減させてきた。179

2年、女性権利のパイオニアの一人メアリー・ウルストンクラフトは、ジェンダー平等は単なる人権の話ではなく、人類の半分の能力を無駄にしないという話なのだと説明した。多くの人は女性の美徳について語ったが、「その私的な美徳を公的な便益にする」唯一の方法は、あらゆる立派な地位を女性にも開くことだった。「医師として開業したり、農場を管理したり店主になったりして、自分の生産性に支えられて背を伸ばして立てたはずのいかに多くの女性が、不服の獲物となって人生を無駄にしたのでしょうか」とウルストンクラフトは問う。[14]

人類の初期に、文化進化は自己強化した。人々が成功するソリューションを見つけたら、その分だけ人口は増え、それがさらにイノベーションを生み出した。研究者たちは、高度な道具づくり、芸術、文化が4万5000年前の西ユーラシアで突然発達したのは、人口密度で説明できると示唆している。この地域はやっと、常に技能や知識を集団間で移転できる水準に近い人々を擁するようになったのだった。そして研究者たちは、「現代的」な人間行動が登場したときのアフリカや中東でも同じくらいの人口密度があったことを示した。だから、人々の差をもたらすのは遺伝子ではない。他の人々に属する遺伝子にどれだけ近接しているかが差をもたらすのだ。[15]

チャールズ・ダーウィンはこう説明した。「先史人は分業を実践した。各人は自分の道具や粗雑な土器をすべて自分で作ったりはしなかった。一部の個人がそうした作業に専念し、狩猟の産物をそのかわりに受け取ったのはまちがいない」[16]。私が道具作りがうまく、あなたが狩猟上手なら、どちらも比較優位に特化すれば、お互いに自分で両方やる場合よりもよい道具と多くの食べ物が得られる。そしてそれをやれば、おそらくその自分の作業の能力を高めるため、もっと多くの手間暇をかけられる。

また、両方の分野であなたのほうが技能が高い場合ですら、どちらも取引で利益が得られる。というのもこちらも、片方が他より少しはうまいからだ。

ボブとデイヴが友人の夕食用に、ナイフとウサギが必要だったとしよう。ボブはナイフを作るのにたった2時間、ウサギを捕まえるのに1時間しかかからないが、デイヴはナイフ作りに3時間、また狩人としてもできが悪いので1羽6時間かかるとする。ボブはどちらの作業にも長けているが、デイヴよりも狩猟がずっと上手で、製造業では少ししかうまくない。どちらも同じ時間を自分の比較優位に費(つい)やせば、ボブは3時間でウサギを3羽捕まえ、デイヴは9時間かけてナイフを3本作る。そしてそれを共有する。以前よりも労働時間や努力を増やさなくても、総生産はナイフ2本とウサギ2羽から、ナイフ3本とウサギ3羽に増える。これで2人は、友人にもっと豪華な夕食を提供できるし、あるいは昔と同じだけの生産量でよければ、はやめに仕事を切り上げて、もっとはやく焚(た)き火の横の発酵飲料を楽しみにでかけられる。

現実の生活では、人々は間もなくその余った産物を、他の部族からの黒曜石や彩色用の粉と交換するのに使えることを発見した。そしてさらに利得が高まる。

貿易は、財やサービスに留まるものではない。それは知識をめぐるものでもある。きわめて原始的な狩猟採集社会や自給自足農業では、ほとんどの人々はだいたい同じことをやり、自然や農法についてだいたい同じ知識を持っている。こうした文化で各個人が保有する情報量は、驚愕するほどのものだ――動植物について、何が食べられて何が食べられないか、どんな農法を使えばいいか等々。だがそうした文化におけるノウハウの総体は驚くほど限られている。だれもがひどく似たり寄ったりの情報しか持っていないからだ。

人々が極貧に甘んじているのは、彼らがみんなルネサンス人だからだ。分業が複雑化すると、これが一変する。自分独自の作業についてもっと学び、技能を向上させる。ある人物は道具づくりのすべてを学び、2人目は釣りのすべてを学び、3人目は小麦についてすべてを学び、4人目は自己免疫疾患についてすべてを学び、5人目はケーブル接続の極意を学ぶ。いきなり、知識の総体が爆発的に増え、自分がまったく知識がなくても、他人が作り出した道具、食料、医薬、技術技能などの恩恵を受けられる。フリードリッヒ・ハイエクが述べたように「文明は、だれもが自分の持たない知識の恩恵を受けられるという事実に基づいている」[17]。

こうした絶え間ない協力と取引は、必要なサービスや財を手に入りやすくしてくれる。ただしそれは、相手がちゃんとお返しをしてくれるとあてにできる場合だけだ。ある古典的な研究によると、チンパンジーは最近毛繕いをしてくれた相手とのほうが、食べ物を分かち合いたがるし、最近毛繕いをしてくれていないチンパンジーから食べ物を要求されると、攻撃的な反応を示しやすい[18]。だがチンパンジーたちは、系統的に大きな集団の中のタダ乗り屋や手助け人の記録をつけ、報酬と処罰を出すという次の段階にまで高めたりはしていない。奇妙な点は、他の連中がサル狩りをするときに、横で見ているだけの連中がいるということではない。そういうサボり屋たちも、狩りをしていた連中と同じように、獲物をかじろうとするということだ[19]。分配の原理は「気まぐれに応じて生産し、他人から奪えるだけ食べる」。

発達した協力が機能するためには、協力に報い、インチキを罰する系統的な仕組みが必要だ。これを非親族の大集団で行うには、他人を認識し、その行動を記憶して、そのふるまいを判断するために、驚くほど大きな前頭葉が必要だ。そして友人、ご近所、同僚について絶えずゴシップを続けねばならない——そしてこれにはある種の知性が必要だ。それが人間の知性だ。こうすることで、初期の人類の取引能力に関する証拠の蓄積は、大いなる石器時代の犯人捜しに説得力ある答えを与えてくれるのだ。

ネアンデルタール人を殺したのはだれ？

ネアンデルタール人はヨーロッパで20万年以上も生き延びてきたが、そこへ5万年前にホモ・サピエンスが大陸に広がりはじめた。するとものの数千年でネアンデルタール人は消えてしまった。かつて考えられていたように、絶滅したわけではない。ヒトと混血し、その一部は現代人の中にも残っているが、その子孫はますますヒトの居住地で暮らし、古典的なネアンデルタール人は消えた。なぜだろう？

この疑問は長年にわたり科学者を悩ませてきた。ネアンデルタール人のほうがホモ・サピエンスより強いし、脳も大きい——それがどういう意味かはさておき。だが毛深いからといって、新聞のイラストで描かれるようにバカだったということではない。単に、長きにわたって彼らがくらしてきた寒いヨーロッパの気候にもっと適応していたということだ。ヒトの優位性については、多くの理論が示唆されてきたが、考古学の進歩により否定されなかった理論はほとんどない。

一つ説得力ある要因は、ホモ・サピエンスが自由交易者だったというものだ[20]。ネアンデルタールは、もっと小さい孤立した集団で暮らし、あまり遠出をしなかった。これに対してすでにご存じの通り、ヨーロッパで最も初期のヒトの居住地ですら、はるか遠くの材質でできた石器や、内陸奥地でも貝殻の装飾品などが出土している。ネアンデルタール人の道具は、その材料産地の近くでしか見られない。他のネアンデルタール人集団との長期的で長距離の交易つながりは持たなかった。原材料が輸送される場合でも、短距離に限られた。

ネアンデルタール人は、集団内であまり分業しなかったらしい。生活は無秩序で、各種の機能で分かれていた様子はまったくない。骨製の針も残していない。これは彼らが、粗雑に仕立てた衣服やテントしかなかったというだけでなく、集団の中で、一部が狩りをしている間に残って家事に特化したグループもなかったことを示唆している。ネアンデルタール人は、ナッツ、種子、イチゴ類や、小さな獲物などは食べなかったらしい。最大の報酬である大きな動物を狙い、女性と子供を含む集団全員が狩りに参加したようだ。

これに対してホモ・サピエンスは、高度な分業体制を持っていた。長距離にまたがり原材料を取引した。生活空間はもっと複雑で、機能別に分割されていた。食生活も多様で、小動物、ナッツ、種子、イチゴ類などを食べたが、これも分業の結果で、男性が大型の獲物を狩る間に女性と子供は自給自足の食料源を集めて調理したらしい。これは今日の狩猟採集民の証拠だけでなく、男性は矢尻や槍刃といっしょに埋葬されることが多いのに、女性は製粉道具と埋葬されていることが多いという事実からも推測される。

このアプローチは人に多くの優位性をもたらした。リソースや食べ物の供給が増え、大きな獲物が乏しいときにも有利になった。仕立てた衣服やテントは寒気からの保護に優れており、子供たちの環境も安全になった。だが何よりも、分業は彼らが絶えず進歩を続けたということだ。その集団内や集団同士でアイデアや知識を交換した。個人がちがった分野に専門特化すると、もっと多くの情報を集めて、もっとイノベーションを思いつき、各地を旅する初期人類たちは、それが急速に他の集団に広まるようにした。

その一例が、火の制御だ。これは歴史上で最も重要なイノベーションの一つとなる。

火は寒さや捕食動物から身を守るのに役立ったし、調理した食物は、生の食物よりも栄養素やカロリーを摂取しやすいから、脳の成長にも貢献したかもしれない。[21] また時間も大いに節約された。チンパンジーは、1日6時間近くを、食べ物をひたすら噛むのに費やし、それが消化できるようにする。こんな食生活はコミュニケーションを阻害しただろう(食べ物を頬張ったままおしゃべるのはお行儀の悪いことですから)。日中の話題も、目先の心配事や必要事項から、おしゃべりや物語へと移行した。これは重要な情報を共有し、集団内の信頼を高める方法なのだ。

ネアンデルタール人も火を使ったのはわかっている。だがその洞窟を発掘した考古学者たちは奇妙なパターンを発見している。暖かい時期には火を使った跡が大量に出てくるのに、火がいちばん役に立つはずの寒冷期には、あまりその跡がないのだ。ここから見て、ほとんどのネアンデルタール人たちは火のおこし方を知らず、暖かいときに多発する雷からの火を集めたり、それを維持するための乾燥した燃料が手に入るときそれを使ったりするだけだったらしい。[22] これに対して、ホモ・サピエンスが火打ち石や火口を使って火を使うという発想を思いついたとき、それはすぐに急拡大した。その発想を身につけなかった集団も、自分の火が嵐で消えてしまったら、別の集団のところに出かけて火を借りられた。

長期的には、ホモ・サピエンスの知識と技術は改善し続けたが、ネアンデルタール人たちは足踏み状態だった。これだけで人の個体数は絶えず増大して新しい地域に移住できるようになり、ネアンデルタール人たちは数千年にわたり、一歩ずつじわじわと後退を余儀なくされた。あとは歴史が、というより先史が物語る通り。

交易の道徳性

交易は、社会の内部でも広がる傾向があるし、集団が取り組むようになれば国境も超える。これは交易が富を作り出すからにとどまらず、それが人々の行動や価値観を変えて、さらなる取引と協力を起こりやすくするからだ。

『共産党宣言』で、マルクスとエンゲルスは市場取引を次のように非難した。

> 人と人との間にむきだしの利己性以外のつながり、粗野な「現金支払い」以外のつながりをまったく残さない。（中略）個人の価値を交換価値に還元し、数字がなく奪えないと約束された自由のかわりに、単一の非道な自由——自由貿易——を仕立てた。（中略）露骨で恥知らずで、直接的で残虐な搾取だ。[23]

市場の無慈悲さの例はすぐに思いつくし、ほとんどの人はそれを実地に体験している。だが政治の無慈悲さや、酒場や学校の校庭での無慈悲さの例も、簡単に思いつく。だから興味深い問題は、交易が人々の規範や行動に全体としてどう影響するか——そして無慈悲さにどう影響するか、という点だ。

人間の公平性に関する態度を検討する一つの方法は「最後通牒(つうちょう)ゲーム」をやることだ。

これは本物のお金を使った経済学の実験で、プレーヤーはいくらか現金をもらい、その一部を匿名のプレーヤーにあげるように言われる。相手は、その申し出を受け容れるか決めねばならない。もし相手が承知しなければ、どちらのプレーヤーも一銭ももらえない。マルクス主義者や新古典派のビジネスプレーヤーの考え方によれば、一人目は最小限の金額を相手に提示するはずだ。そしてその相手は必ずそれを承知するはずだ。というのも、何ももらえないよりは最小限でももらえたほうがいいからだ。このゲームは同じプレーヤー同士で繰り返されることはないから、受け取る側に気前のよいところを見せる必要はないし、提示された金額を拒絶することでケチな第1プレーヤーを「処罰」して、次回はもっと気前をよくするよう仕向ける必要もない。

だが何十年にもわたる実験結果を見ても、人間は金銭的な利得しか気にしないホモ・エコノミカスのような存在ではないということが決定的に示されている。どこへ行っても、人はそんなふうには行動しない。それどころか、富裕国で最もありがちな提案は山分けだ。受け手は通常、3割以下の提示額は拒否する。

様々な発展段階の小規模社会15ヶ所における、興味深い実験群を考えよう。狩猟採集社会から農業社会まで多種多様だ。すると、このゲームへの反応は性別や年齢、教育、民族とは関係がなく、どれだけ市場を利用しているかで決まることがわかった。

意外かもしれないが、日常生活で市場取引に依存しているほど、人々は気前のよい申し出を行い、そして自分が損をしてもケチな申し出を罰しようとする。市場的な態度は気前よくあることだ。これに対して非市場社会の人々は「公平性や、不公平性の処罰について、相対的にほとんど配慮しない」と研究チームは結論している。平均で見ると、最も市場に統合された社会は、統合の最も少ない社会に比べ、提示額の割合が2倍だった。[24]

　これはあまりに違和感があるので、研究者たちは現場に戻って、この結果が再現できるか調べた。さらに二つのゲームも追加した。「独裁者ゲーム」では、二人目のプレーヤーは提示額を断ることはできない。また「第三者処罰ゲーム」では、野次馬が自腹を切って、最初のプレーヤーによるケチな提示額を処罰できる。結果はやはり同じだった。価格交渉や取引や利潤追求に日常生活で慣れている人々は、あまり無慈悲にならない。

　研究者たちの解釈によれば、社会的な複雑性の発達は、単に友人家族への身近な行動を拡大しただけではない。それは大規模な取引と相互作用に最も後押しされるような、規範の選択的な拡大が必要なのだ、と彼らは考えている。非市場社会の人々も、もちろん公平性についての規範は持っている。だがこれは家族や友人に対するものであり、見知らぬ人や匿名の他人に対するものではない。これに対して、普通に取引する人々はデフォルトの規範を持っており、これはある種の気前のよさとオープンさを含んでいて、おかげでその協力を拡大するのが可能になる。というのも、一般に人々は無慈悲で不公平ではない人々と取引したがるからだ。

　気前のよい人々は取引が多いだけではない。取引をすると人々は気前のよさを増す。取引に頼る社会の中ですら、市場への距離は重要だ。住まいが市場に近くて、取引が多ければ、それだけ見知らぬ人と協力する意欲も高まる（とはいえ地下鉄で知らない人とおしゃべりを始めるほどではないかもしれないが）。そして研究者たちがさりげなく被験者に市場のことを想起させると、そうした被験者はもっと見知らぬ人を信頼して、お金をもっと投資するようになる。

取引の大半が起こる大都市と、住民のグローバル化や外国人に対するオープンな態度との間には強い相関がある。オープン経済は、オープンな精神を刺激する。日常的なやりとりは、他人との相互作用が相互に利益のあるものだという発想に人をなじませ、他人の利益に多少は配慮を示すようにうながす。取引になれていない人々は、そうした遭遇を脅威と見なしたり、最大限の短期的な利益を追求する機会と見なしたりする。驚いたことに、交易の道徳性は、公平性についての感覚を発達させ、これは無軌道な物質主義を奨励するようゆがめられたゲームですら発揮されるらしい。

だからといって、交易の恩恵は平等に分配されているわけではない。一部の人が、技能やがんばりや、単なるツキのせいで他の人よりもずっと多くの利益を手にすることは可能だ。ときには、何かがどれだけ価値評価されるかが、外部要因のせいで激変することもある。たとえば教育の改善、新しい通信技術、自由貿易のおかげで比較的低技能の20億人が世界労働市場に参入したら、いきなり低技能労働者の需要は下がり、高技能労働者の需要は高まるので、この両者の格差は増えることになる。格差については後で詳しく見るが、ここでは交易が人々の懐(ふところ)に与える影響ではなく、その懐の背後にあるもの、人々の心にどう影響するかに注目しよう。

すでに見た通り、マルクスとエンゲルスは自由な取引が「露骨で恥知らずで、直接的で残虐な搾取」しかもたらさないと考えたが、世界中で行動ゲームを実施した元マルクス経済学者のハーバート・ギンタスは、話が逆だと結論した。「私に言わせれば、市場を大幅に使う社会は協力、公平性、個人尊重の文化を発達させる」[25]

この研究の大半を主導した人類学者のジョセフ・ヘンリックは、金銭的な利得しか気にしないという古典派経済学の主人公たるホモ・エコノミカスを求めて世界中探し回り、やがてそれに近い集団を見つけた。その集団は、自分へのコストが低くても、他のプレーヤーが平等な利得を得るかどうか気にせず、不公平な提示額を拒絶したり、ケチなプレーヤーを処罰したりすることもない。だがこの集団に市場で出くわすことはないだろう。とはいえ、本章でこの集団にはすでにお目にかかっている。チンパンジーたちだ。[26]

すべてはメソポタミアに始まる

長いこと、歴史学者たちは初期の文明における交易の役割を重視してこなかった。この誤解は、公式文書のほうが商人たちの受領証よりもきちんと保存されていたために起きた。寺院、宮殿、ピラミッドは時間的な劣化に耐えやすいが、木造や粘土造の商業建築は消滅した。

経済史研究者カール・ポラニーは、1944年の著書『大転換』（邦訳東洋経済新報社ほか刊）で、需要と供給と利潤動機に基づく市場は人間の経験の中で目新しく異質なものだと論じた。だがそのわずか2年後、アメリカの学者サミュエル・ノア・クレーマーは古代粘土板の翻訳を発表しはじめ、これがメソポタミア最初期の文明観を一変させた。メソポタミアというのは、チグリス川とユーフラテス川の間にある、肥沃（ひよく）な農地だ（メソポタミアはギリシャ語で「川の間」という意味だ）。

この地域で知られている初の文明はシュメール文明だ。そしてシュメール人の間では、文字は紀元前3000年頃に登場した。彼らは腐敗するようなパピルスではなく、粘土板に楔形（くさびがた）文字で文書を書いたので、多くは保存されている。多くの考古学者や美術史家たちは、最初期の文献が所有権や取引や、財、土地、労働の価格についての退屈な記録だと知ってがっかりした（ある人は、その9割がクズだと述べた）[27]。組織化された商業は、歴史記録の発端と定住文明そのものと同じくらい古いのだ。

名前のわかっている歴史上の初の人物はだれだろうか？　そう尋ねられると、ほとんどの人は預言者や征服者の名前を挙げる。みんな大まちがいだ。名前のわかっている最初の人物は、おそらく会計士だ。紀元前3400〜3000年頃の粘土板を見ると、大麦2万9086単位が37ヶ月の間に受領されたことがわかる。そこには「クシム」と署名があった。もちろん、クシムというのは肩書きかもしれない。5000年前のことはほとんどわからない。だがこれが彼の本当の名前だった可能性も十分ある。歴史学者ユヴァル・ノア・ハラリが推測するように「クシムのご近所が彼に呼びかけるときには、本当に『クシム！』と叫んだかもしれない[28]」。

同様に、ソロモン王の神殿について初めて言及した文書は、紀元前7世紀の粘土板で、宗教的な言及でもないしお祈りの一節でもない。神殿が受け取ったお金の領収書なのだった[29]。

取引は人が記録した初の文書だったというだけではない。取引はそもそも人間が何かを書くようになった大本の理由なのだ[30]。

焼き固められた初の粘土の物体は、各種の幾何学形態を持つ小さな物体で、ときに動物のような形をしており、中東で紀元前8000〜4300年に作られている。長年にわたり1万個以上のこうした物体を研究したデニーズ・シュマンド＝ベッセラートは、これが初期の会計システムであり、財を記録しておくためのものだと解明した。円錐は穀物で、卵形は油の壺（つぼ）、円筒は家畜だ。村の間の取引が増えると、同じ言語を話さない人々同士でも理解できるような形で財を記録しておく必要が生じた。どうやら楔形文字の文書は、こうした印章記録の手段として始まり、この普遍性の高い書字法が発達すると、印章の必要がなくなった。そしてその後になってやっと、文書は神話、宗教、政治、詩などの記録に使われるようになったのだった。第2千年紀の末頃、ギルガメッシュ叙事詩がこの地域で書かれ、これは現存する最古の大文学作品となっている。

数字もおそらくは交易のおかげで生まれた。当初、メソポタミア人たちは「ヒツジ3匹」を表す記号を持ち、「ウシ3頭」は別の記号で表していたが、「3」そのものを示す記号はなかった。そして数字は所有物を数えるのに使われたから、ゼロという数字の必要性は感じなかった。しばらくすると、数字はもっと抽象的に理解されるようになった。ちょうど楔形文字が、物体の図像体系から発達してきたのと同じだ。

シュメールの神話では、それぞれの都市は男神または女神によって作られ、食料、水、安全保障を提供されていた。だから各都市の中心には神殿があり、どれも記念碑的な巨大建築となっていた。5千年前の最大の都市ウルク（現代のイラクにあった）は住民5万人ほどで、日干しれんがの城壁10キロメートルに囲まれていた。そのすべての頭上にそびえるのがジグラートだ。これは階段式ピラミッドで、てっぺんは平らであり、平らな地形のため遠くからも見えた。旧約聖書に出てくるバベルの塔はおそらくこうした建築物を指しているのだろう。紀元前6世紀にバビロンにあった、高さ91メートルのジグラートだ。バビロンもまた、メソポタミア最大級の都市の一つだった。

都市は協力を高める原因だっただけでなく、その結果でもある。しばしば、人々が都市にすし詰めになったのは、横行する盗賊や他の部族からの保護を必要としたからだと考えてしまいがちだ。だが城壁を築かなかった古代都市もあるし、また都市が確立したずっと後にならないと城壁を造らなかったところもある。ウルクは紀元前３２００年頃にできたが、その城壁ができたのは紀元前２９００年頃になってからだ。

どうやら都市ができたのは別の理由らしい。メソポタミアでは何千年にもわたって農業が栄えていた。これは川がこの地域に定期的に洪水を起こしたからだ。だが紀元前３８００年頃には、気候変動により気候が寒冷で乾燥したものになった。降水量は減ったが、一方で沼地の南部が、小麦、大麦、ナツメヤシの栽培に使えるようになった。水はまだあったし、灌漑により洪水を貯めておいて作物の必要に応じて出せるようになった。だが灌漑用水を作るためには、多くの人手がいる。人々は食べ物を改善しようと都市に集まるようになり、これでますます多くの人々が、食料生産とは関連しないことに従事できるようになった。

アメリカ＝カナダ人の著述家ジェイン・ジェイコブズの説明では、一般に言われている話とはちがい、文明の出発点は農業ではなく、都市だったのだという。各種の創造性やイノベーションを可能にしたのは都市クラスター――「持続的で独立した創造的な都市経済」――の密度であり、ここに農業の改善が含まれたということだ。[31]

都市の発展はヒトの分業を飛躍的に発達させた。ここで人々は対面し、各種作業に専門特化し、技能を発達させ、新しいアイデアや手法改善に手間暇とリソースをかけられる。結果として、もっと生産的になり、それにより都市全体がもっと発展してそれ自体として活性化した。今日わかっているように、規模が２倍の都市では、平均的な労働者は小規模な都市よりも５〜10％多く生産する。地域的なイノベーションのパターンとアメリカの人口を計測すると、規模が10倍の都市はイノベーションも17倍、50倍の規模の都市はイノベーションが130倍になる。[32]

農家の効率性が高まれば、神官や書記の食料ができるだけではなく、パン屋、酒屋、紡績職人や織り手、金属加工、れんが造り、宝石加工、床屋、庭師、アーティストも食べられるようになる――そして奴隷も保有できる。そしてこれが農家に衣服、道具、武器、建物や娯楽など、自分では決して生産できなかったものを提供できる。だからこそ、こうした初期のメソポタミア都市は、先進的な医薬、音楽、図書館、地図、数学、化学、植物学、動物学の初の事例を記録しているのだ。

多くの人は、なぜ便利な狩猟採集のライフスタイルだと彼らが思いこんでいるものを初期の人類が放棄して、農場でのつらい労働を選んだのだろうと不思議がる。しかもそこでつくるのは単調な食べ物で、身体と歯に悪いのだ。これはもっともな疑問だ。

だがまず、これは明らかにすべての長期的な影響を十分に理解したうえで即座に下された決断ではなかった。第二に、証拠を見るとほとんどの狩猟採集民は、もっと豊かで安全な代替生活手段が見つかれば、一瞬でそっちに乗り換える。

伝統的な社会から何が学べるかを書いた『昨日までの世界』(邦訳日本経済新聞出版刊)という本の半ばで、ジャレド・ダイアモンドはあるアメリカ人の友人について綴っている。その人物は新たに発見されたニューギニアの森林狩猟採集民に会おうと地球を半周した。だが着いてみると、その半分はすでにインドネシアの村に引っ越して、Tシャツを着ていた。「コメが食えるし、蚊もいないんだ!」と彼らは説明したとのこと。[33]

世間的な理解はさかだちしているのだ。初の都市を人々が作ったのは、安全保障のためではなかった。都市はあまりに多くの富を作り出したので、それを保護するのに壁が必要になったのだ。

多くのメソポタミア都市国家では、権威を持つ存在が2種類いた。片方は「エン」という高等神官で、神殿を仕切っていた。これは社会と神や霊的なものとのつながりを司っていたが、もっと日常的な問題も扱った。神殿は、独自の工房や交易関係を持ち、何百人もの労働者や奴隷を擁する企業のように機能していたのだった。神殿から商人や両替屋を追い払って浄める、といった話に私たちは慣れ親しんでいるが、文明の夜明けの神殿は、国営企業に似た存在で、強制力も持っていた。高等神官はCEOに相当し、労働をまとめて収入を分配した。シュメールとアッカドでは、神官と会計士を指す用語は同じだ。今日では、この両者は区別しやすい。

もう片方の権威は「ルガル」、つまり「偉大な人物」であり、防衛と対外関係を司る司令官だった。やがてルガルは都市内で重要性を増し、その機能はゆっくりと王に変わっていった。同時に、エンの役割は縮小し、もっと儀式的な役割となった。[34] これは、都市が社会経済的な協力の仕組みとして出発し、やがて成功しすぎて富や領土を他の都市から保護しなければならなくなったら、十分に予想されることだ。

国際貿易がなければ、紀元前4世紀から1世紀のメソポタミア文化——シュメール、アッシリア、アッカド、バビロニア——は生き延びられなかった。食料生産の条件は整っていたが、建設や道具作りのリソースはなかったからだ。考古学者デヴィッド・ウェングロウは、最初の都市を「初のグローバルビレッジ」とさえ表現する。というのもそれは、地中海を見渡すキリキアの門から、アラビア海のオマーン湾まで広がる地域でのイノベーションに依存していたからだ。[35]

初の定住文明は、シリアやアナトリア、後にはペルシャ湾やインド西部からの材木、金属、花崗岩、大理石と余剰農作物の定期的な交換に依存していた。実際、生産的で専門特化した農業を発達させるインセンティブの一つは、必要な（そして求める）リソースと交換するための余剰を作り出すことだったのかもしれない。交易は大量生産によるコストダウンを実現するので、小さな村や小国ですら、自分の市場には大きすぎる生産に専門特化できる。

　メソポタミアにおける貿易の重要性を示すのは、今日のバーレーンにあるディルムン市だ。これは交易歴史研究家ウィリアム・J・バーンスタインによると「古代版ラスベガス」で、かなり荒廃した周辺環境の中で大規模な人口を、食料輸入と戦略的な場所のおかげで維持してきた——今日のオマーンにあたる場所からの銅を交易する場所だったのだ。交易者たちはアリク＝ディルムン（「ディルムンのやり手たち」）と呼ばれていた。大量の穀物、魚、羊毛をディルムンに出荷して、銅を持ち帰ったからだ。そのすべてを支えたのは外部の投資家で、彼らはそれなりの資本収益を期待していた。

　やがてメソポタミア人たちは、銅と錫をまぜれば、低い温度で溶けるし泡立たないから鋳造しやすいことに気がついた。この新しい合金は聖堂で、道具や器具、兵器の標準的な材質となった。だがメソポタミアでは錫はとれないのではるか遠い中央アジアや北ヨーロッパの産地から、複数の陸路経由で輸入しなければならなかった。バーンスタインが指摘するように、この金属貿易の状況がわかるのは、金属が腐らないからだ。だが同じ交易ルート沿いには、「亜麻布、香料、没薬、トラ、ダチョウの羽など何千もの風景や音や香りの価値ある材料について、同じように長距離の物々交換が存在したはずだが、それらはいまや歴史上から失われてしまった」[36]。

多くの点でメソポタミア都市は統制経済だった。そもそも神殿と、後には王様が土地や基本的な農業を支配し、奴隷だけでなく市民にも働くよう強制していた。だがこの当初ですら、自由市場の余地はある程度存在していた。支配者たちが奪って配った穀物やパンについての記録は大量にある。だが人々はまた衣服、家具、台所用品を買い、これはもっと制約のない商業にも役割があったことを示唆している。[37]

「市場」を指すシュメールの記号は「Y」だった。これはおそらく、市場が交通路の交差点にあったことを象徴している。シュメールの商人たちは、まずは政府と神官たちの手先として働いたが、やがては資本を蓄積し、独立して新しいビジネスモデルで実験した。紀元前2000年頃には長距離貿易は民間が実施していた。

古典世界を造り出したグローバリストたち

古典世界の偉大なグローバリストたち——というより、古典世界そのものを造り出した人たちとすら言える——はフェニキア人だった。このセム系言語をしゃべる人々は、地中海東岸の、今日のレバノンからやってきた。彼らは、古代メソポタミア文明とエジプト文明を新しい地中海文化(ギリシャ、エトルリア、ローマ)とつなげ、アイデアや人や財があちらからこちらに移動するのを可能にした。考古学者ジェイムズ・B・プリチャードに言わせると「彼らはバビロニア人やアッシリア人のように征服は行わず、収奪より利潤というのが方針だった[38]」。

紀元前1200年頃、古代世界の大都市はほぼすべて「海の人々」に襲われ破壊された。これは地中海の各地からやってきた、海賊の寄せ集めだろう。学者の間でも意見が分かれるが、こうした海賊たちがこれほどの被害を引き起こしたのは、洪水、地震、疫病、そして新しく殺傷力の高い剣や槍のせいだろう。この通称「青銅時代後期の崩壊」は古い通商ルートを破壊し、壮絶な人的被害を引き起こした。ギリシャなどでは小暗黒時代が生じたが、一方ではそれまで強力な皇帝や神殿に抑えつけられていた集団に機会を拓いた。フェニキア人たちはそれを利用し、１０００年にもわたり海路を支配し続けた。

　フェニキア人の、交易者としての矜持と労働倫理は、彼らの名前そのものからも明らかだ。「フェニキア」というのは彼らの主要な輸出品である、色落ちしない赤紫の染料のギリシャ語名だ。これを抽出するには、貝殻を大量につぶさなくてはならない。純粋な染料１・４グラム（服１着のへりを染められる量）を抽出するには、貝殻１万２０００枚が必要だったらしい[39]。当然ながら、やがてこれはローマ皇帝たちが好む色となった。彼らの着るものは常に、最も印象的で高価である必要があったからだ。

　フェニキア人たちはまた、初の偉大な航海者たちで、恐れ知らずで怖じ気を知らず、外洋を航海するための一連のイノベーションや改良を考案した。杉の木を使って幅広の商船を造ったが、船倉を丸くして貨物積載量を増やした。彼らの船はまた、陸路における車輪に比肩する重要性を持つといわれる新規性を持っていた。これが竜骨だ。海の中に突き出す木製のブレードで、船が横転しないようにするものだ。フェニキア人たちはまた標準化した造船、ドライドック、人工港湾、地図作成法、海洋法などの先駆者となった。北極星を目印に航海する方法を学んだので、ギリシャ人たちは北極星を「フェニキア星」と呼ぶようになった――この名前は19世紀まで使われた。

紀元前第2千年紀の半ば頃に、フェニキア人たちはみんなのほしがる杉の木を、ユーフラテス川を下ってメソポタミア下流域に運んだ。その材木はソロモン王の神殿と、エフェソスのアルテミス神殿（世界七不思議の一つ）の屋根に使われた。インド西部からは硬木、鉱物、宝石を運んできた。これは地中海とペルシャ湾全域の入念な交易路の基礎を築き、北アフリカと地中海東部には、現代チュニジアのカルタゴのような、フェニキア都市国家がたくさんできた。こうした都市の一部はとんでもなく豊かになった。島都市タイレは、ミニチュア版マンハッタンといわれ、高層建築や莫大な経済力を誇っていた。[40]

フェニキア人は輸出入以外のこともやった。他の文化の代理で貿易を行う仲買人となったのだ。これによって彼らは、ある集団の思想や技術を学んで使い、それを他の集団のアイデアで改善する機会を手に入れた。結果として彼らは腕の良い職人としても知られるようになり、鉄の加工から音楽まであらゆるアイデアやリソースのパイプ役となった。この古代のグローバル化形態は、世界の工業と科学力をすさまじく押し上げた。

フェニキア人は様々な人々と意思疎通をしたがったので、新しいアルファベットを開発し、これはえらくややこしい図像的なエジプトのヒエログリフや、シュメールの楔形文字にとってかわった。それは単純な22文字の音韻コードで、学ぶのも使うのも容易だったし、もはや専門の書記は不要となり、文書とビジネスの両方が民主化された。ギリシャ人たちはアルファベットを輸入したが、フェニキア人たちの入れなかった母音を追加した。これがこんどはローマ人の使うラテン語アルファベットの基礎となり、そして本書の原書を読む人々もそれをいまだに使っている。

偉大なギリシャ・ローマ時代のエッセイスト、プルタルコスが海を讃えたとき、彼の念頭にあったのはこのオープンな古典世界だった。

つまりこの要素は、人々の暮らしが野蛮で貧しかった頃に、それを結び合わせて完全なものにし、相互の支援と取引により欠点を改め、協力と友情をもたらした。海がなければ、人間はあらゆる西部の中で最も野蛮で悲惨なものとなる。だが現状でわかるとおり、海はギリシャにインドのブドウをもたらし、ギリシャからは穀物の利用を海を越えて伝え、フェニキアからは忘れっぽさに対する記録として文字を輸入し、これにより人類の多くがワインなし、穀物なし、無学になるのを防いだのだ。[41]

一部の人はこの交易でとんでもなく豊かになったが、他は悲惨な貧困のままだった。しばしばそれは古い交易パターンを覆し、それまでは繁栄していた人々が痛手を受けることも多かった。そこから生じる格差は取り残された人々の遺恨と敵意を生んだ。旧約聖書の預言者たちは、貿易のつながりのために繁栄した都会的エリートたちを糾弾した。紀元前8世紀に預言者イザヤは「外国人と手を組む」人々を批判し、ゼファニアはヤーウェが交易者や「外国の衣装を身につける者すべて」を罰するぞと警告した。[42]

フェニキア人たちの強みはその生産性と交易からきたもので、軍事的な強さから生じたのではない。最終的に彼らの都市国家は、ネブカドネザル王やローマ人などに破壊されたが、その遺産は今日なお残る。

フェニキア人たちはギリシャ人に、建築やガラス吹きからスポーツ大会や金融イノベーションまであらゆることを教えたにとどまらない。ギリシャ人に自分たちを真似て、交易者と植民者となるようううながしたのだった。フェニキア人たちが北アフリカと地中海西部に都市を建設すると、ギリシャ人たちも南欧と地中海東部で同じことを始めた。そしてローマ人たちは、ギリシャの文化的後継者と名乗ったことで有名だ。

すべての道はローマに通ず

ギリシャ人やローマ人たちは、中東人ほどは商業好きではなかった。自分たちが優れていると思っていたこともその一因だ。貿易はしばしば必要悪と見なされ、奴隷や外人のやる卑しい仕事と思われていた。だがスパルタ人を除けば、ギリシャ人はやがてそれが繁栄をもたらすことを学び、そこでご近所の中東の人々を真似るようになった。

ギリシャ都市の集会場所アゴラは、紀元前700年頃にはますます商業的な色合いを帯びてきた。4世紀の風刺詩人エウブルスは、アテナイのアゴラで売られているものの気の利いた一覧を残している。「イチジク、裁判の証人、ブドウの房、カブ、ナシ、リンゴ、証拠提供者、バラ、カリン、おかゆ、ハチの巣、ヒヨコマメ、訴訟、ハチ刺されの薬、ギンバイカ、振り分け機、ユリ、ランプ、水時計、法や布告」[43]。「ケルコプスのアゴラ」、つまりは盗品の闇市場さえあった。

ローマ人たちは、地方の収奪のほうが金持ちになる手段としては手っ取り早いし栄光ある方法だと考えていたが、多くの帝国の場合と同様、ローマ帝国による広大な地域の統合は、移民、旅行者、交易者に新しい機会をもたらした。異国人はローマ帝国による残虐な戦争に苦しんだが、市民たちは国内の平和で恩恵を受けた――そしてローマ法とローマ通貨にも恩恵を受けた。

驚いたことに、初期のローマ都市で城壁のあるものはほとんどなかった。そして全長118キロメートルに及ぶブリタニアのハドリアヌスの壁の場合のように、壁を作った場合ですら、その目的は移動を防ぐことではなく、それを統制することだった。壁沿いには1ローママイル（約1・5キロメートル）ごとに、小さな門がついた要塞があり、そこを人々や財、家畜が通り抜けた。紀元前1世紀頃には、ローマは地中海の沿岸すべてを征服し、その住民の9割は海から15キロメートル以内に住んでいたので、安い水運がほとんどどこでも可能になった[44]。陸路が必要な場合でも、驚異の8万キロメートルに及ぶ舗装路があった。すべての道は本当にローマに通じていたのだ。

空前の規模の船舶が、兵士や奴隷を運んだが、同時に経済的なお宝も運んだ。この時期の大量の難破船を見た研究者たちは、貿易が再びこの水準に達したのは19世紀になってからでは、と考えている。中東、北アフリカ、ヨーロッパ大陸、ブリテン島のどこでも生じた技術的なブレークスルーは、急速に帝国の他の部分にも広がった。周縁部の貧しい村落ですら、輸入品の高品質なローマ陶器が見つかっており、衣服、履き物、道具の高度な市場があった[45]。

紀元2世紀半ば、ギリシャの弁辞家アエリウス・アリステイデスは、オープンな文明としてのローマについて述べている。

実に多くの商船がここにはやってきて、毎日毎時のように、ありとあらゆる民族からのありとあらゆる財を運んでくるので、この都市は全地球に共通の工場のようだ。(中略) だからすべてがここに集まる――貿易、航海、農業、採鉱、過去現在に存在したあらゆる工芸、生産され育成されているすべてだ。ここで見あたらないものは、過去にも現在にも存在していないのだ。[46]

実質的にローマ帝国は、初期版のグローバル化を生み出し、そしてそれに育てられた。モンテ・テスタッチョは、テヴェレ川沿いの古い港町だが、文字通りそれによって建造されたのだった。この高さ35メートルの丘 (古代にはもっと高かったと考えられる) は、捨てられたアンフォラという陶製の容器5300万個でできているとされる。これはローマの大量のオリーブ油輸入によるものだ。オリーブ油は食用だけでなく、洗浄や灯油としても使われた。オリーブ油が船から降ろされると、容器にデカントされ、スペインやリビア、チュニジアで作られたアンフォラは捨てられたので、それが2万平方メートルにわたる丘を造り出した。この廃棄物の山は、古典世界における交易の規模を示す強力なシンボルというだけではない。それはまた、グローバル化と消費を増やすことによる環境的な影響を示す、初期の予兆でもある。これについては第8章で論じよう。

この空前の国際分業の結果、知識人たちは、相互の経済的な利得が世界的な人類の友愛と結びついた、ユートピア的な普遍経済についての考えを発達させた。紀元65年の少し前にセネカは、「風があらゆる人々の意思疎通を可能にし、地理的に隔てられた国民を結びつけた」と述べたし、4世紀の異端論者リバニウスも詩的に説明している。

神は地上のあらゆる場所にあらゆる産物を与え給わず
その贈り物をちがった地域に配り、それにより人々が
他人の助けを必要として社会関係を育むよう意図された。
そこで神は商業を生み出し、あらゆる人が地の果実を
どこで生産されたものだろうと等しく享受できるようにした。[47]

氷床コアを深く掘り下げることで、研究者は何千年も前の大気汚染物質の記録を作れる。これは経済史家に有益だ。というのもほとんどの鉛排出は、銀の加工の結果であり、経済活動の指標と見なせるからだ。すると、この水準は紀元前900年頃、フェニキア人が地中海人とつながりはじめた頃に上昇し、そしてパックス・ロマーナの紀元1世紀から2世紀にピークを迎える。

ローマ帝国が衰退に向かうと、この水準は急落し、500年たたないと元に戻らない。[48]帝国は安全保障とインフラを維持できず、交易ネットワークが解体して国内の分業体制が紀元400〜600年に崩壊した。後期青銅器時代の崩壊の再演であり、都市が縮小すると多くの職業も消えた。

最近流行りの解釈は、本当の意味での暗黒時代などは存在しないというものだ。伝統的な歴史家たちが、時代をきっちり区切りたがるこだわりに対し、現代の歴史学者は各時代の間の忘れられた連続性を強調している。だが考古学記録はかなり明確だ。

考古学者で歴史家のブライアン・ワード＝パーキンスは、ローマの没落は農民だろうと王侯だろうと聖人だろうと、どんな生活水準の指標を見てもたどれると言う。物質的な洗練と大量生産

が消えた。かつては石造りやれんが造りだったものを木造にして、土間にしなくてはならなかった。かつては倉庫や家畜小屋ですら瓦葺きだったのに、やがて司教や王侯しか瓦屋根を持てなくなった。この時期の硬貨はほとんどなく、字の読める人の数も激減した。一部の僻地では、文書が完全に消えた。普遍経済も崩壊した。[49] これを暗黒時代と呼ぶのはまったく正当なことだし、これはオープン性が分離と孤立に道を譲ると、様々な意匠と規模で歴史上何度も繰り返されてきた現象だ。

二つの島の教訓

一万年以上前に、ゆっくりした海面上昇によりタスマニアとオーストラリアが分離した。やがて200キロメートルの荒海により両者の接触は不可能になった。タスマニア人たちは北の友人たちに二度と会うことはなく、500世代にわたり両者の文化はその他人類から完全に孤立して発展した。

ヨーロッパの植民者たちが18世紀末に初めてタスマニアにやってきたとき、そこの住民は本土のアボリジニーたちよりはるかに原始的だったので、両者は別の人種なのだと彼らは考えた。バス海峡の北にいるアボリジニーたちは何百もの専門特化した道具を持ち、その中には複雑な漁の道具、ブーメラン、木の皮を縫ったカヌー、ひも袋、飲料用の木製ボウルなどがあった。タスマニア人たちはこうしたものを一切持っていなかった。耐久性のある船や櫂、先進的な武器や釣り針、魚の罠、網、鳥の罠、トゲつきの槍やブーメランなどの道具もない。狩猟には原始的な棍棒、単純な槍と岩しか使わなかった。もっとひどいことに、骨製の道具もなかったので、動物の皮を縫って服にすることもできなかった。厳しい冬の寒さの中、彼らは1枚もののカンガルーの皮を肩にかけるだけで、肌に脂肪を塗りたくるのだった。[50]

考古学者リース・ジョーンズがこの技術衰退を記述したときには、「知能の縮小（中略）、精神の緩慢な絞殺」ではないかと考察して論争を招いた。[51] だがそれは、タスマニア人たちの心や脳と関係したものではなかった。心や脳はバス海峡の北の人々と同じだ。問題は、他人の脳へのアクセスを失ったということだった。わずか４０００人ほどの小人口が、世界の他の部分から孤立した状態では、イノベーションを可能にする分業を維持できない。北では、だれかがブーメランを考案したらそれはすぐに本土全体に広がったが、孤立した島では、真似るべきイノベーションはますます少なくなる。

話はもっとひどくなる。タスマニア人たちはイノベーションを起こさなかったどころか、1万年前に使っていた多くの技術や手法を本当に忘れてしまったのだ。アイデアや技能は、維持して次世代に伝えねばならない。これは、多くの教師と多くの生徒がいる大人口では簡単なことだが、人口が少ないと、少し失敗が続けばある技能は簡単に失われてしまう。

考古学記録を見ると、骨器の頻度、種類、品質は、８０００年前から３０００年前にかけて低下し、やがて完全に消えてしまう。人々は５０００年前には魚を大量に食べていたが、魚の骨が出土する頻度は減り、紀元前３８００年には完全に消え、同時に漁獲に必要な道具もすべて消えた。魚を捕まえて食べるヨーロッパ人たちを見たとき、タスマニア人たちは驚きと嫌悪を示した。

タスマニアは極端な例だ。ジョーンズが結論した通り「世界最長期の孤立が、世界で最も単純な技術をもたらした」。だが似たような文化後退のパターンは、人々が長期にわたり孤立したところではどこでも見られる。

　他の太平洋の島々も、多くの土器や弓矢といった有益な技術をいろいろ失っている。一部の島の人々は、かつてそこにやってきたときに培(つちか)った、外洋航海にも耐えられるカヌーを作る能力を失った。グリーンランド北西部の極地イヌイットは、他のイヌイットから孤立し、１８２０年代には疫病で高齢の知識豊かな人々が死に絶えた。結果として弓矢、銛(もり)やカヌーを作る能力を失い、その雪の家には他のイヌイットたちの家にはある、熱を長時間維持する入り口がない。こうした技術はやっと１８６０年になって移住者たちが再導入した。それまで減少しつつあった人口が、これで再び増えはじめた。[52]

　南米最南端、タスマニア南部よりさらに緯度10度下がったところには、似たような規模の別の島嶼群がある。フエゴ諸島だ。

　フエゴ諸島の住民もヨーロッパ人が初めて接触したときには、タスマニアと似たような気候の非定住の狩猟採集民だった。だがそのライフスタイルは正反対だった。フエゴ島民たちは骨器を持ち、アザラシの革で作った下着、レギング、モカシン靴を持ち、アシカ、アザラシ、グアナコの革を縫い合わせたケープを持っていた。餌(えさ)をつけた釣り糸、鳥用の縄罠、投石器、特化した網や弓矢、さらに削って磨いた骨製の先端を持つ矢を使っていたのだった。４種類の用途特化した、トゲつき槍を使い、その一つは投擲用のひもをつけた着脱式の銛になっていた。また木の皮を縫ったカヌーに効率のいい櫂をつけたものを持っている。これはタスマニア人たちが使っていた、あてにならない筏(いかだ)とは大ちがいだ。こちらは女性が横を泳いで引っ張って動かさねばならない代物だったのだ。[53]

この二島物語は、実はオープン性の物語だ。フエゴ人たちはタスマニア人たちの人口の2倍はいたから、もっと複雑な専門特化を維持できた。だがもっと重要な点として、ときにカヌーでずっと狭いマゼラン海峡を渡り、南米本土の人々と交易したのだ。その様式形態や技術の一部には明らかに北部文化の影響がある。この接触のおかげでフエゴ人たちは絶えず、古い技能や手法を思い知らされ、新しいイノベーションをずっと大きな人口から真似ることができた。タスマニア人たちにはこれが不可能だった。

さて、あなたはフエゴ人かタスマニア人か？　人類史で普遍法則を見つけるのはむずかしいが、最も近いものはこれだ――接触と交易にオープンな都市や地域は繁栄するが、閉鎖された地域は停滞する。イノベーションは相互につながった人口の規模に左右されるから、人々が旅をして交易し、やりとりを行うのを容易にする都市や国は、驚異的な富を作り出し、新しいアイデアやイノベーションの肥沃な土壌となる。

最も急速な経済技術進歩は常に、他人との深く長距離の商業的なつながりを作った開放的な文化で生じた。フェニキア人や、中世後期のハンザ同盟のような各種交易都市、アテネやヴェネツィア、シンガポール、香港のような都市国家、オランダ、イギリス、アメリカ、明治維新以後の日本などの国、モンゴル侵攻前のイスラム世界、アショカ大王時代のインドと1990年改革以降のインド、宋代や毛沢東死後の中国。

もう一つの例が19世紀のヨーロッパだ。蒸気船や鉄道が財の輸送コストを引き下げると、各国とも市民たちの交易の自由度を高めた。1846年にイギリスが先陣を切って、輸入食物の貿易を制限し、飢えた大衆のパン価格を引き上げていた穀物法を廃止した。1860年には、それまで完全反対運動を先導してきたリチャード・コブデンは、英仏貿易条約を交渉した。そこには最恵国待遇条項があり、ある国に開かれた貿易はすべて、もう片方の国にも提供されねばならないと定められた。他の主要ヨーロッパ諸国もそこに加わり、関税が大きく引き下げられ、ヨーロッパ全土で専門特化と工業化が大いに後押しされた。

同時に、自発的にタスマニア化した国も常に存在してきた。それはエリートたちが、外国の影響や社会移動性が自分の立場をおびやかすと考えたせいだったり、外国貿易と結びつけて考えられる金持ちエリートたちに対する世間的な怒りのせいだったりする。他のギリシャの都市国家とちがい、軍国主義のスパルタ人は交易を禁じ、必要な生産者の征服と奴隷化に頼った（おかげですぐに主人よりも奴隷が圧倒的に多くなった）。明代の中国は外国貿易を禁じたし、日本も徳川将軍の支配下では鎖国した。現代ではアルバニアや北朝鮮のような共産主義国は他の世界から孤立している。

こうした場所はどこも、古代タスマニアのようなことにはならなかった。その国内人口はどれも、分業を維持できるくらいには多かった――そして他の世界との接触が侵略、政府間取引、誘拐、諜報に限られたとしても――世界が存在することは知っていたし、他のところでのイノベーションを収奪はした。それでも、あらゆる事例は青銅器時代後期の崩壊やローマ帝国崩壊に近いものにつながっている。生活水準の停滞と低下だ。

しばしば、保護主義の逆襲は、消費者には有益だが関連産業の生産者や労働者には痛手となった輸入増加への反発だった。大恐慌はその古典的な例だ。ちょうど自由貿易が西洋を豊かにしはじめたとき、それに反対する勢力が勢いを増した。オープンな貿易と、安い輸送や冷凍技術の発明により、安いアメリカの穀物や肉が飢えたヨーロッパ人に届けられるようになり、安いヨーロッパの工業製品がアメリカの家庭に届くようになった。ヨーロッパの農民やアメリカの資本家たちは、これに対してなんとか競合を阻止しようとした。第1次世界大戦まで、こうした動きは貿易に大した被害は与えなかった。輸送費の低下で、新しい関税の埋め合わせが十分以上にできたからだ。だがこうした利得が尽きると、貿易障壁が次第に足を引っぱりはじめた。

１９２９年10月23日、議会の自由貿易連合が解体して、アメリカが保護主義に切り替わるというニュースが流れた。その翌日、ニューヨーク証券取引所の長く続いた株高が崩壊した。いくつかの関税が導入され、１９３０年６月にフーヴァー大統領はスムート＝ホーレー包括関税法に署名し、輸入品８９０件の関税が上がった。

当初、これはアメリカ経済に影響はしなかったが、貿易に依存する地域はすぐに崩壊し、銀行を道連れにした。他の国もひどい被害を受けてナショナリスト感情が煽られ、みんな当然ながら、自国関税で報復した。１９２９年から１９３１年にかけて、世界貿易は驚異の25％減となった。

貿易戦争のおかげで、一国の不景気が世界恐慌に変わり、各国で次から次へと、自国主義の政治家や独裁者が権力を掌握したのだった。

貿易をめぐる新たな戦い

現代のグローバル化はしばしば、歴史上で独特のものと見なされているが、その根っこの部分は人類がずっと熱心に行ってきた、輸送、交換、取引の続きだ。ただ、関わる人が増え、距離をなくすよい方法がますます増えてきた。かつてはラクダとガレー船で、前人未踏の地に行けたのが、いまやジェット機、長距離トラック、コンテナ船だ。情報を伝えるとき、紀元前21世紀メソポタミアの都市国家ウルの王様は「ロバ急報」を作り、疲れた伝令のために宿場を用意したし、アステカ人はバトンに伝言を詰めて、伝令たちにリレーをさせた[54]。いまや人は文章や画像をデジタル信号に変えて、地球の裏側に一瞬で送り、ときには取引の締結にデジタル署名を使う。原理は同じだ。人は昔から、しゃべり、旅し、取引したがった。でもそのためのますます新しい手法を見つけているのだ。

狙いはいつも同じだ。自分と、ほしい物との間の距離を克服すること。研究によれば、大規模市場と生産的な労働者に近いだけで、生活水準にすさまじい影響があるという。ある分析の結論によると、アフリカのジンバブエに海岸線を与えられたら、一人あたりGDPを24%引き上げられるという。ジンバブエを丸ごと中欧に動かせば、一人あたりGDPは80%上がる[55]。それも、制度的な面は一切変えずに。もしその移動のついでに圧政的なZANU-PF党をなんとか始末できたら、GDPはもっと上がる。

大恐慌と第2次世界大戦の後で、西洋の政策立案者たちは自分たちのまちがいの多くの根っこは、世界経済に痛手を与えて国際関係を悪化させた、経済ナショナリズムにあったのだと考えた。哲学者で活動家のトマス・ペインが140年前に警告したように、貿易は血液と同じで、どの部分も循環している全体を減らすことなしには減らせないものであり、ある国の購買能力が破壊されると、それは売り手に影響する。「政府が（中略）他のすべての国の商業を破壊できたら、ほぼ実質的に自分自身の商業を破壊することになる」[56]

アメリカの主導で、西洋はオープンな経済秩序を再建し、関税を廃止してルールの体系を作り、各国が恣意的に貿易を阻止できないようにした。戦後に残った大工業国はアメリカしかなかったので、その企業や労働者は、昔ほど競合を恐れたりはしなかった。1950年代初頭には、ほとんどの戦前の貿易障壁はすでに解体され、貿易の急増のおかげでヨーロッパはすばやく再興を遂げた。

1980年代に多くの共産主義や軍事独裁が崩壊して、世界はオープンなグローバル秩序を受け容れた――そして中国とインドが閉鎖経済を世界に開放しはじめた。コンテナ輸送とデジタル革命と組み合わさることで、グローバルなサプライチェーンが可能になった。輸送費が十分小さく、調整能力が十分大きければ、ますます多くの企業や国が、たった一つの製品製造に参加できるようになる。あらゆる部品は、最も経済的に筋の通った場所で生産できるようになるからだ。

今日では空前の強く、高速で安いつながりがあるが、人間の数も増えている。200年前の世界人口は10億人だった。いまやそれが70億人を超え、その半分以上がインターネットを使えるから、空前の人々が情報にアクセスし、やりとりできる。これにともない、空前の社会経済進歩が生じた。1990年以来、世界の飢餓水準は4割下がり、非識字率と児童死亡率は半減した。同時期に、世界人口は20億人増えたのに、極貧者は平均で1日に13万人ずつ減っている[57]。

だがこうした急進にともない、貿易をめぐる新しい論争が生じて、それがグローバル化を引き裂き、新しい地政学的な緊張を作り出しかねない。貿易の便益は、創造的破壊を通じてやってくる。狩猟者との取引で便益を得るのは、自分で狩りをするのをやめて矢の生産に特化するからだ。アメリカが中国からの靴輸入で便益を得るのは、アメリカ人が安い靴を手に入れて、資本や人々を靴作りに使わなくてよくなるからだ。古いやり方を破壊するが、それは創造的な目的のためだ。ほしい物を低費用で手に入れて、資本や労働をもっと作れる部門で雇用するのだ。ある国の外国との貿易を10ポイント増やすと、生産性は1・4〜9・6％上がる[58]。

もちろんこの創造的破壊こそは、多くの人々にとって自由貿易の糾弾すべき点だ。輸入による競争は特定の産業部門に痛手を与え、労働者たちが路頭に迷うことになる。２０１７年の就任演説でアメリカ大統領ドナルド・トランプは、自由貿易が「他国による掠奪が我が国の製品を作り、我が国の企業を盗み、我が国の職を破壊している[59]」と述べた。トランプの選出は、アメリカの製造業雇用喪失とアメリカの工業衰退地域、いわゆるラストベルト地帯崩壊への反発と広く解釈された。ちょうど世界の他の部分における混乱が、そうした地域の保護主義反動を生んだのと同じだ。

貿易への反発は、部分的には他の連中がズルをしたという印象からきている。中国のような国は、自由貿易の原則に口先だけ賛成しつつ、しばしば保護主義的な動きを見せる。これには五分の理がある。たとえば中国は長いこと中国に進出したがる西側企業に対し、知的財産を譲り渡すよう強制したし、多くの特許や著作権は不適切に割り当てられている。これは破壊的だ。これと戦う一つの方法は、環太平洋パートナーシップ（TPP、トランプが離脱したもの）のような協定だ。これは中国のような新興国が適応できそうな国際ルールを設立している。

だがアメリカ（およびその他あらゆる国）は、同じくらいの開発段階でまったく同じことをやっていたのを忘れてはいけない。18世紀のアメリカでは、民間企業も政府高官もヨーロッパの発明を密輸し、職人たちに賄賂をわたして秘密を明かすようにさせた（それをやったら故国では厳罰だったが）[60]。そもそもアメリカ人をさす「ヤンキー」というのは、密輸業者の蔑称なのだ。何が変わったかといえば、アメリカ人のほうも発明するようになって、故国でも知的財産権の保護を要求するようになったことだ。

中国でも同じことが起きた。２０１１年からの米中実業評議会の会員アンケートでは、アメリカ企業の40～50％は中国の知的財産保護が去年より改善したと毎年答えている。それが悪化したと考える企業の比率は、毎年１ケタ台前半だ。強制的な技術移転は懸念事項ではあるが、アメリカ企業が中国で直面するトップ課題27件のうち、24位でしかない[61]。

中国はまた富裕国より貿易障壁も多い。これは特に中国人にとって深刻な問題だ。中国人は、他の場所からのもっとよい安い財にアクセスできないので、専門特化が作り出す生産性を引き下げるし、新しい財やサービスに対する需要を作り出したはずの購買力も減らす。中国（および他国）が貿易障壁を取りのぞけば、万人にとって有益となるし、だからこそ多国間貿易協定が意味を持つ。

だが中国政府が自国企業や国民に最高のものを買いにくくしているという事実があっても、自国の市民を同じ形で罰していいことにはならない。経済学者で政治家のウィリアム・ベヴァリッジが1931年に述べたように、他の国の港湾がひどくてこちらの船が寄港できないのはよくないことだが、それに対してこちらも自国の湾に岩を投げ込んだら、なおさらひどいことになる。[62]

貿易収支はどうでもいい

これらは深刻な懸念ながら、「貿易収支というドクトリンそのものほどバカげたものはない」と、古典派経済学の始祖アダム・スミスは同時代の重商主義者たちに告げている。重商主義者は、輸出はよいもので輸入は悪いと思っていた。だからある場所に売るよりも買うほうが多いと問題だと考えた。

アダム・スミスの論点は、貿易の便益は受け取る財やサービスから来るものであり、自分が生産するものから来るのではない、ということだ。仕事からの物質的な便益は、注ぎこむ努力にあるのではなく、その仕事によって買える財やサービスにあるのと同じだ。望む給料を得るのに少し少なめに働いていいなら、それは利得であり、損失ではない。スミスが書いたように「どこか二つの場所の間で、強制や制約もなく、自然かつ定期的に行われる貿易は常にその双方にとって有益なものだ。その有益さは両国にとって同じではないかもしれないが」。私は地元の本屋とは交易赤字を計上しているし、出版社とは交易黒字を計上しているが、その3者ともこうした取引から便益を得ている。そうでなければそんな便益は起こらないだろう。

輸入が痛手だという発想のバカバカしさは、それを国境以外の境界に適用したらはっきりわかる——たとえば、ロンドンがバーミンガムからの輸入を阻止しようとしたらどうだろう。あるいはロンドンのなかで、ブロムリー区はバーネット区からの安い輸入品なしのほうがいいだろうか。あるいはハックニー区は、ハロウ区との競争から防衛すべきだろうか。実はこの考えを真に受けるなら、ショーディッチハイストリートのトンプソンズデパートは、レッドチャーチ街の角にあるウィルソンズ商店がセーターを売って職を奪うのを容認するより、自分ですべて作ったほうがいいということになる。貿易収支など意味はない。それぞれの取引でみんなが便益を得ればいいのだ。

経済が一貫して売るより多くのものを買うなら、それは他の国がズルをしているからではない。マクロ経済要因、たとえばその市民や政府の貯蓄が少なく、外国投資が多いといった理由のせいだ。ドイツや中国など貯蓄率の高い国は、通常は貿易黒字を出す。アメリカのような、低貯蓄、大規模な財政赤字、大量の外国投資の国は、他の国がどんな貿易政策を採ろうとも、貿易赤字になりやすい。

自由貿易の経済利得は想像もつかないくらい大きい。ピーターソン国際経済研究所の研究によると、アメリカ経済は戦後の貿易自由化がなかった場合に比べると、年間1兆ドルほど大きい──アメリカ1世帯あたり1万ドルだ。この研究は、失業下労働者の喪失賃金や、再雇用された場合の低賃金が年間５００億ドルと推計している。つまり費用便益が20倍だということだ──自由貿易からの利得は損失の20倍も大きいのだ。[63]

アメリカ中産階級の死という話はしょっちゅう耳にするし、それは貿易のせいだと言われる。だが実際の物語はもっと明るい。確かに中産世帯──年収３・５～10万ドル（２０１８年ドル）──のシェアは、１９６８年から２０１８年にかけて、54％から42％に下がった。だがそれは、彼らが低下したからではない。低所得者のシェアは36%から28%に減った。むしろ彼らが高所得のほうに移動したからだ。高所得世帯のシェアは10%以下から30%以上に増えた。[64]

1970~2019年に、製造業と非管理職従業員の平均時給は、インフレ調整すると5%も増えていない。これは惨めだ。だが従業員の受け取る補償のうち、非金銭的なものの比率は高まっている。たとえば健康保険、生命保険、退職年金、有給休暇などだ。

理由の一つは、従業員はそういう福利厚生のない仕事を拒絶することが多いからだ。そしてもう一つは、しばしば税制の優遇措置があるからだ。こうした福利厚生まで含めた総補償を見ると、1970年からの増分は5%ではなく、66%になっている。[65] こちらのほうが健全だ。もちろん、これは明らかに平等に分配されてはいないし、一部の労働者はこうした便益をまったく得ていない。

貿易がこんなに不人気になりがちな理由の一つは、費用のほうがはっきり目につくし、それが報道され、貿易のせいにされるからだ。地元の工場閉鎖を考えよう。便益は時間的にも地理的にも分散している。以前よりも財や食品に支払う金額が減っているかもしれないし、それで購買力は高まるから、いまや技術、医療、娯楽、休日など以前は買えなかったものが買えるし、そうした部門での雇用は増える。そうした便益と自由貿易を頭の中で結びつけられる人は少ないし、それを報道するニュースもない。集中した損失と分散した利得は、自由貿易の影響とその人気との永遠の断絶をもたらす処方箋だ。

費用便益比20:1の「1」は、単なる数字ではなく、生身の人間の失業をあらわす——そして失業した彼らは、収入がなくなるにとどまらず、アイデンティティとコミュニティを失う。貿易に対する反発はしばしば、もはや労働力の広範囲のために機能していない経済への反動なのだと理解される。便益はエリートに帰属し、その他の多くは失業や賃金停滞を経験する。アメリカのラストベルト地帯のように、ある特定製造業を中心に形成された一部の地域では、脱工業化は経済崩壊にとどまらず、文化崩壊にもつながった。自分がその渦中にいると、その他の世界が進歩していると言われても、あまり気休めにはならない。格言に言うとおり、自分が失業しているときの失業率は4・5%ではなく、100%なのだ。

だがこの通俗的なお話はあまりに単純化されている。これはむしろ複雑な問題について、貿易や外国人のせいにする安易な傾向の一例でしかないのだ。2008年の金融危機以来、かなりの失業が発生し、多くの地域は深刻な痛手を被(こうむ)っているが、その主犯は必ずしも貿易ではない。多くの場合、むしろ貿易がないことが問題だった。

グチを垂(た)れる人の多くは、中国との直接的なガチンコ競争しか見ていない。たとえば、中国製の冷蔵庫が一つ売れたら、それはアメリカ製の冷蔵庫が一つ売れなかったということだ、という具合。だがそれは貿易の一面でしかないし、主要な面ですらない。ほとんどの貿易は中間財、投入財や供給など、企業が生産に必要とするものを扱っている。

ときには中国から冷蔵庫を買ったりするが、もっと多いのは、アメリカの冷蔵庫メーカーが、高品質で安い冷蔵庫を作るために、電線や電球を中国から買う場合だ。しばしばこれはアメリカでの生産と雇用を後押しする。ある研究によれば、サプライチェーン全体を考えると、中国との貿易の差し引きの影響は、アメリカの雇用を増やすことだ。平均的なアメリカの地域は中国との貿易がない仮想的な地域に比べると、年率1・3%の雇用純増が起きている。[66]

貿易のせいで脱工業化が起きたというのもまちがっている。西側は、空前の量の製品を生産しているからだ。経済学者ドナルド・ボードローが指摘するように、今日のアメリカの工場は、中国が２００１年にWTOに加盟したときに比べ、11％多く生産しているし、北米自由貿易協定（NAFTA）が発効した１９９４年に比べると45％増えている。[67]今日のアメリカ工業生産能力は、ロナルド・レーガン大統領のテレビコマーシャルが「アメリカは再び朝を迎えた」と宣言し、空前の数のアメリカ人が職を得ていると述べたときに比べて２倍だ。

今日では、さらに多くの人が毎朝職場に通勤するが、その中で朝食後に紡績工場や波止場に向かう人は少ない。というのも技術変化でそうした仕事の多くは自動化されているからだ。２０００〜２０１０年でアメリカの工場労働の職は６００万近く失われたが、製造業は逆に拡大している——生産性が一定だったなら、アメリカは工場労働者をさらに３００万人必要としたことだろう。機械と生産のスマート化で、少ない人数でできることがずっと増えた。ある研究によると、製造業雇用のうち、外国貿易で失われたのはたった12％ほどだ——88％は生産性上昇で失われている。[68]

つまり製造業雇用は中国人に奪われたのではない。我が国のロボットが奪ったのだ。そして「あの工場を取り戻す」ことができたとしても、かつての雇用は戻ってこない。現代の工場では何百人ものレンチを持つ労働者などいないからだ。むしろ、５人ほどがたくさんのコンピュータに向かっている。

雇用が戻らない一方で、特に中低所得の世帯は生活費が上がってしまう。これらの世帯は、所得の比較的大きな割合を国際的な貿易財に消費しているからだ。たとえば衣服、食品、家電などだ。そしてレストランを訪れたり不動産を買ったりすることはそれほどない。『クォータリー・ジャーナル・オブ・エコノミクス』掲載のある研究によれば、アメリカの世帯で最も豊かな10％は、国際貿易がなくても購買力を10％も失わない。だが最貧層の10％は、購買力が70％下がるのだ。[69]

労働の世界は常に変わっている。貿易がなくても、技術、ロボット、消費者の習慣が変わる。労働者がどんな理由で失業に直面しようとも、新しいもっとよい雇用を作り出す唯一の方法は、新規の雇用を創出する新しい優れたビジネスモデルやイノベーションにオープンでいて、失業者がそうした新しい機会を利用できるよう助ける教育に投資することだ。難破した人々に救命胴衣を投げるよりも、もっと航海に適した船に乗れるよう手助けすべきなのだ。

そうなっても企業や仕事は、関税をかけた場合と同じように失われる。だがいまやそうなっても強い立場にたてる。失われたものを置きかえるだけの技術と購買力がある。物事を同じままにとどめたければ、変化する必要があるのだ。

なぜアメリカのラストベルト地帯は衰退したか

その好例がアメリカ中西部や五大湖周辺の工業衰退地域、いわゆるラストベルト地帯だ。そもそも、なぜこの地域は衰退したのだろうか？

アメリカのラストベルト地帯で失われた製造業雇用は、１９８０年以後より１９８０年以前のほうが多い。１９５０年にこの地域は、アメリカの総製造業雇用の半分以上を占めていたが、その後の30年でそのシェアはざっと3分の1下がった。つまりこれは、製造業雇用の全般的な低下だけの話ではないということだ。1985年以後――NAFTA発効以前、中国からの輸入以前――その雇用シェアは、ずっと低い水準で落ち着いた。いまや通俗化したお話はまちがっている。犯人はグローバル化などではなく、手をこまねいていたことなのだった。

第2次世界大戦と、それがヨーロッパにもたらした荒廃の後で、自動車、製鉄、プラスチックなどのラストベルト地帯企業のいくつか、たとえばゼネラルモーターズやUSスチールは、世界的に支配的な立場を持っていた。問題は、彼らがその地位を使って、彼らの競争力を長期的に維持したはずのリストラを回避したということだった。彼らは世界のリーダーであり、州政府や連邦政府にうまくロビイングして、競争や反トラスト規制から守ってもらった。だから事業をもっと効率的にするために、苦痛をともなう変化なんかする必要もあるまい？　唯一の圧力は、製鉄労働者連合や自動車労働者連合などの強硬な業界労働組合からのものだった。ほどんどの南東部の州は1950年代以来「働く権利」法を設けていた。これは労働組合の力を制限するものだった。だがラストベルト地帯にはそんな法律はなかった。産業ストの脅しにより、彼らは賃金を無理に押し上げ、労働の利用におけるリストラと柔軟性を疎外するような、きわめて細かい契約を要求した。ラストベルト地帯の労働者は、アメリカ他地域の類似労働者に比べ、賃金と賃金以外の福利厚生が平均で12％高かった。企業はそれを負担できた。というのも平均の利潤率は30％超だったからだ[70]。

しばらくの間、これらの労働者たちはよい身分だった。だがこれは同時に、そうした仕事が移動したということだ。日本や中国にではない。外国との競争などまともになかった時期から、アメリカの他の州に移っていたのだ。ＮＡＦＴＡ以前、ＷＴＯなど存在もしなかった１９９０年１月、アメリカ労働統計局によれば、97万５０００人のアメリカ人が自動車製造で働いていた。２０２０年１月にはそれが99万６５００人だ。そしてその平均時給は70％上がっていた。ただ、そうした仕事は１９９０年とは別の州にあったのだ[71]。

ラストベルト地帯は当初から腐敗していった。１９９０年代にアトラス・コプコ社を率いたスウェーデン人実業家マイケル・トレスコフは、１９７０年代末から１９８０年代初頭にかけて、同社代表としてアメリカで働いたときの衝撃を述べている。アメリカは資本主義世界の最先端のはずだったのに、旧弊で経営のデタラメな会社を衰退地域で目の当たりにしたのは、彼の回想では「恐怖の体験」だったという。大規模工場は、工業史の博物館まがいだった。アトラス・コプコ社が買収した企業の一つ――ニューヨーク州ウティカにある空気式道具のメーカー――は、いまだに機械への動力伝達に、ラインシャフトや革ベルトを使っていた。そんなやり方はスウェーデンでは何十年も前に捨て去られていた。これときわめて敵対的な労働組合のため、楽観的なスウェーデン人ですらあきらめて、アメリカ南部に拠点を移した。

ラストベルト地帯は、貿易と競争の危険の事例どころか、貿易と競争を無視したらどうなるかを示す警告なのだ。ある研究者は、ラストベルト地帯が示しているのは「産業の中で競争欠如が長く続けば、それだけその産業は最終的に弱体化するということだ」と述べる[72]。

だからといって、失業はその失業者たちにとって楽だなどと言うつもりはない。だが保護主義的な小手先の技でそれを回避はできないとは言える。実際、こうした小手先の技はひどく非生産的だ。繰り返すが、貿易は自分が生産のうまいものを、必要なものすべてに変える機械だ。それを破壊したり、歯車に砂を入れたりすれば一番苦しむのは自分自身なのだ。

タイヤに関税をかけたら雇用は救われるかもしれないが、その代償として地元消費者はタイヤに高い費用をかけねばならず、これはタイヤ販売の仕事をなくしかねない。そしてタイヤ消費者はいまや購買力が下がるから、他のものもあまり買えなくなる——たとえば外食を控えたりして、するとそちらでも雇用が減る。そうした仕事についていた人も、生身の人間だ。これは単なる理屈ではなく、オバマ大統領による２００９年のタイヤ関税の結果だ。この関税で、救われた仕事一つについて、アメリカの雇用が三つ失われたと推計されている（そしてその後に他国からの報復もあった）——そしてその同じまちがいが、いまや何倍にも繰り返されようとしている。[73]

富裕国が大規模に保護主義を再導入するなら、サプライチェーンは崩壊し、企業は慌てて自分たちの必要なものを自国で作ろうと、低技能労働者をありったけかき集めようとするだろう。だがこうした厳しい労働者不足を止め、競争力を破壊する費用高騰を避ける、十分に実証された方法がある。だがこれは、自由貿易よりさらに議論がわかれるものだ。それが大規模な移民だ。政治学者マーガレット・ピーターズが、貿易と移民をめぐるアメリカの経験についての研究をもとに結論した通り、「ケーキは食べたらなくなってしまうのと同様に、低技能労働を閉め出しておきながら、豊富な低技能労働の供給が可能にする財やサービスの輸入も同時に閉め出しておくことはできない」。[74] いや、実はできるが、その代償としてずっと低い購買力と貧困を受け容れる必要がある。そうでなければ、世界的な労働力からの輸入を止めるためには、世界的な労働力そのものを輸入するしかない。貿易障壁が引き上げられると、企業は移民を増やせと強力にロビイングをかける。アメリカが19世紀の保護主義を生き延びられたのは、国境を開いていたからなのだ。

閉ざされた国境が増えたら、外国労働は各国に引き寄せられるだけでなく、自国から大規模に押し出されることになる。急成長国が急伸したのは、拡張サプライチェーンに組み込んでもらって国際貿易を発達させたからだ。新しい保護主義世界秩序ができたら、大量の失業者が生じ、自国での明るい未来を信じられなくなる。すでに欧米の富裕国に逃れようと必死の何百万人もの人々に、そうした人々も加わることになるのだ。

第2章

オープンな門戸

多様性がある集団ほど問題解決がうまくなる。ローマ、モンゴル、スペイン帝国の興亡と、現代の移民問題が教えるものとは。

自由貿易よりさらに便益の高い政策があるとすれば、それは自由移民だ。世界中の労働者の生産性は各地でちがっている。というのも効率的に生産するためには、相補的な労働者や機械、インフラと組む必要があるからだ。また法治やオープンな市場といったよい制度も必要だ。貧困国にはそれが欠けている。つまり富裕国と貧困国にはすさまじい賃金ギャップがあるということだ。これは技能が同じ労働者で見ても成り立つ。一部の推計によると、平均的な人物の物質的な富のうち3分の2は世界のどこで働いているかによって決まる。

人々が、自分の労働に対する報酬の最も高いところにどこでも引っ越せるようにしたら、世界所得は天文学的な上昇を示すはずだ。ざっと計算してみると、世界GDPは80兆ドルほど増え、実質的に世界GDPは倍増する。しかもこの上昇は毎年積み上がる。

財やサービスの貿易障壁をすべて廃止したら、世界GDPは数ポイントほど増える——決してバカにしたものではない。だが人の障壁をすべて廃止したら、いろいろな推計があるが、世界G

DPは60〜150%増える。労働移動障壁の部分的な廃止ですら、世界の富を何兆ドルも増やせる。だからこそ経済学者たちは、人々に好きなところへ働きに行かせるという単純な政策を指すとき「道端に落ちている1兆ドル紙幣」と呼ぶ[1]（ちなみにこれは、国民国家の廃止とか、怪しい連中を入れないための入国審査を廃止するとかいうことではない）。

もちろん、話はそんなに単純ではない。輸入自動車部品やスニーカーは選挙で投票はできないし、外国語をしゃべらないし、病床を占拠したり福祉を求めたりはしない。でも仕事をこなす手を輸入したら、人間と文化がくっついてくる。

だが、今日の世界では、道端の1兆ドル紙幣を拾うほど議論の分かれる政策はないというのは驚くべきことだ。特にいまや、新しい文化はしばしばこちらに活力を注入してくれるし、人々が貧困や絶望から逃れられるようにしてくれるし、迫害をまぬがれ、愛する者たちといっしょに暮らせるようになるのだから。

移民の利得はほとんどがその移民自身に（高賃金という形で）帰属するので、移民増加への反対を減らす方法の一つは、移民の税率を上げることだ。きわめて不公平ではあるが、少なくとも密入国斡旋業者に何千ドルも支払わせて不法移民にさせるよりはマシかもしれない。移民の便益が、政府予算という巨大なわけのわからないものに吸収されるのではなく、あらゆる国民が年次の「移民ボーナス」をもらい、納税額を数百ドルほど引き下げるようにしたら、みんなもっと外国人を歓迎するようになるのでは？

だが、伝統的な西洋文化と人々を守れ、という声があがる。これは今日行われている移民すら減らしたがる、新興のナショナリズム運動から出てくる反対論だ。この物言いによると、人々は他文化やアイデア、言語との衝突から保護されねばならない――故国やアイデンティティや伝統を守ろうとしない外人や流浪の民から保護されねばならないそうだ。

だが元々こんな考え方をしていたら、そもそも守るべき西洋文化などというものがなかっただろう。

いま西洋文明と思われているものは、ギリシャ人からの哲学的伝統、中東からの宗教に、トルコでローマ人たちが創造的な解釈を加えたもの、さらにアラブや中国から解釈した科学的アイデアの組み合わせなのだ。アルファベットはフェニキア人からもらい、数字が「アラビア数字」と呼ばれるのは、それをバグダッドの数学者たちから学んだせいだ。そして彼らはそれをインド人から学んだ。

通俗的な理解のため、歴史的な文明はしばしば封印された存在として描かれる。それが発達し、分裂し、死に絶えることはあるが、出会って相互繁殖することはほとんどない。イギリスの詩人ラドヤード・キプリングの詩に言うように「東は東、西は西、この両者は決して出会わない」というわけだ。

自分の文化を純粋で混じりっけ無いものにしておきたいナショナリストたちにとって、これは世界観の鍵となる部分だ。だがこれは歴史を無視している。古代メソポタミアと古代エジプトの文化がときにまったく別物として扱われていることを考えれば、どちらの文化でも神像が、このどちらの文化にも存在しない類似の材質で作られているというのは、驚くべき偶然ではないだろうか？　最も重要な神像は、髪や目や眉に青いラピスラズリを使っており、どちらの文化もこれをアフガニスタンとパキスタンという遠方から輸入した。どちらの文化でも、神々に生け贄（いけにえ）を捧げる前に「口を開く」と呼ばれる儀式が行われた。神々は、焼いた肉の煙に香料を入れたものを食べ、どちらの文化でも肉そのものは、親切にも人間の消費用に残してくれたのだった。[2]

ときには文化の拝借は、長期にわたり少しずつ起こった。たとえば野生の植物を粉にする新しい手法や肉を焼く手法が、2万年前に西アジア全域に広がったときがそうだし、穀物を茹(ゆ)でたり魚や肉を煮たりする手法が北アフリカに広がったときもそうだ。ときにはそれは旋風のように起こった。1868年の明治維新以降の日本がそうだった。外国の技術に門戸を開かないと、西洋植民者たちに支配されてしまうことを日本人は理解したのだった。ものの数十年で、この伝統的社会は鉄道、造船所、繊維工場、鉱山、製鉄所、電信線や街灯を作るようになった。消費者たちは時計、缶詰、量産衣服を買いはじめ、西洋式の口ひげ、あごひげ、髪型、帽子まで身につけるようになった。日本は驚異の速度で近代化をとげ、わずか半世紀で極貧を8割から2割近くに減らした。

フランスの社会学者マルセル・モースは、社会はお互いに拝借し合うことで生き延びるのであり、文明史というのは実は「社会の間で各種の財や成果を流通させる歴史なのだ」と主張した。人はこの事実を忘れがちだ。というのもそうした社会は「拝借を受け容れるよりはその拒否により己(おのれ)を定義づける」からだ。これはわかりやすい。もしあなたと私があらゆる点で似ているが、あなたはトマトを「トメイトー」と呼び、私はそれを「トマート」と呼ぶ点だけがちがっているとしたら、このたった一つのちがいは、あらゆる類似点より目につくものとなり、みんなそれで己を定義づけるようになるかもしれない。

キプリングのさっきの詩を投げ出さず、3行目と4行目まで読んだ人は、すでにこれを知っていた。

だが東も西もなく、国境も血筋も生まれもない
強き二人の男の対面では、それぞれ地の果てからきても関係ない!

文化盗用

左派の一部は、特にアメリカの大学では、ナショナリストたちの文化純粋性追求を真似て、西洋の外の文化からの表現や様式の「文化盗用」を拒絶する。というのもそれがバカにしていると か、時には植民地主義的だとか思われるからだ。多数派文化は、もっと広い文脈を尊重せずに少数派文化の特定要素を真似るべきではないという。

だがこれは、そうした文化もまた、他の文化からインスピレーションを受けたり、最も重要な要素すら真似たりしているのだ、ということを無視している。

スウェーデンの新任文化大臣アマンダ・リンドが2019年に登場したとき、彼女のドレッドヘアが大論争を引き起こした。スウェーデンの公共ラジオは「あなたの髪型で気分を害する人たちになんと言いますか」と尋ねた。批判者たちは、白人女性である彼女が、髪型をボブ・マーリーやジャマイカの黒人たちから盗んだのは悪趣味だと考えたのだった。

だがカトリック教徒のボブ・マーリーはそれをどこから持ってきたのだろうか? ラスタファ

リに改宗したときにドレッドヘアをするようになったのだ。そのラスタファリは、汎アフリカ主義、ヘブライ聖書、エチオピア皇帝ハイレ・セラシをキリストの再来だと考えるキリスト教司祭の創造的な組み合わせだ。彼らはドレッドヘアのアイデアを、民数記６章１~21節に書かれた誓いを守り、酒も飲めず髪も切らないとするナジル人から得た――彼らは、髪が力の源泉だったサムソンのように髪を切らないのだ。

だからアマンダ・リンドは髪型を盗んだわけではない。せいぜいが、盗品を扱ったと言える程度だ。

少数派のような服装を、バカにしようと思ってする人は確かにいる。だが問題はその連中が「盗用した」ことではなく、そいつらがろくでなしだということだ。拝借、盗み、リミックスするのは、植民地主義ではない――それが文化だ。前章で見た通り、人は天性の模倣者なのだ。

リンドの、もっと普通の洋服を着た閣僚仲間を見てみよう。彼らのスーツの様式は17世紀に、東欧とイスラムをモデルに開発されたものだ。シャツは中東からだし、ネクタイは三十年戦争でクロアチアの傭兵たちが着ていた、小さい結んだネッカチーフ（クラバット）に魅了されたパリジャンたちからきている。左右に分けた髪型はローマ兵から盗んだもので、人気が出たのはイギリスが１７９５年に髪用のパウダーに課税し、カツラをつけるのを高価にしてしまったおかげだ。

同じことが、ほとんどの「純粋」な伝統的、国民的な様式を慎重に検分すれば言える。メキシコのソンブレロはスペイン人からきたもので、それがこんどはカウボーイ帽のヒントになった。ちなみにそのカウボーイそのものも、スペインのバケロ式牧牛のアメリカ版でしかないし、多くのカウボーイはメキシコ出身だった。カウボーイの４人に１人はアフリカ系だった（みんながそれを知らないのは、西部劇映画の人気が出たのは人種分離の時期だったからだ)。

ジーンズは、ジェノヴァ(フランス語でジネス)からの仕事着と、ニームからの生地(ド・ニーム)を組み合わせたものだ。日本の着物は中国からきたし、いわゆるチャイナドレス(これはアメリカの卒業式でしょっちゅう盗用の非難を引き起こす)は、皮肉なことに西洋のファッションにヒントを得ている。1930年代には、保守的な中国人たちはそれを着ている女性を見て、女性がフランス人のような格好をしはじめたと文句を言っている。

文化とは雑種化だ。イギリスのインド系作家サルマン・ラシュディが述べたように、それは「ハイブリッド性、不純性、相互混合、人間や文化、アイデア、政治、映画、歌の新しい予想外の組み合わせからくる変形だ。(中略)ごたまぜ、寄せ集め、あちこちのつまみ食いが、目新しさの生まれ方なのだ」[3]。私たちのやるあらゆることは、世界のあらゆる場所からくる、アイデア、衝動、伝統のブレンドなのだ。

人はみんな雑種

そして私たち自身もそうだ。科学者が、あの古き同輩、氷漬けエッツィのDNAを分析したら、母系の先祖はアルプス東部出身だが父方のDNAははるか遠くから来ていることがわかった。スウェーデンやブルガリアの古代農民に似ていたのだ。ここから、エッツィの両親はヨーロッパのちがう部分からやってきて、アルプス山中で行きずりの逢瀬に及んだ可能性が出てくる。

古典的な白人ヨーロッパ人は混血であり、移民のいくつかちがった波の組み合わせだ。まず、アフリカからの長い旅を経てここにたどり着いた、狩猟採集民たちがいる。たとえばイギリスのサマセットにあるチェダー渓谷の「チェダーマン」は、1万1000年前に古代にブリテン島と大陸を結んでいたドガーランドを徒歩で横断し、そのまま定着した人々の子孫だ。これで彼は、今日のイギリス人と直接のつながりを持つ、既知のブリトン人として最古の存在となった。

2018年に彼の核DNAの分析を行ったところ、この人物は、昔から白人として描かれてきたが、実はかなり茶褐色から黒い肌をしていて、巻き毛と青い目をしていたらしいと判明した。これにはほとんどの人が驚いたが、確かにヨーロッパの他の狩猟採集民たちも、分析してみると肌は黒く、目は青か緑だ。どうやら西欧白人の白い肌は、農業の発達以後、魚の脂などのビタミンD源を十分に食べなかったという程度の人種的な意味しかないらしい。そしてその後、薄い肌の色素は高緯度地域で急速に広がった。そのほうが日光を吸収しやすいからだ。

後に二つ大きな移民の波があって、ヨーロッパの大陸と住民の肌の色を変えた。まず、新石器時代初期、紀元前6000年頃に農業が急速に広がった。考古学者たちは、これが文化伝搬により起きたと考えていたが、最近のDNA試験により、移民が普及の原因だったことがわかった。農民たちがアナトリア半島、現在のトルコで増えると、その多くは新しい肥沃な土地を求めて北に向かい、南欧に移住した。森を伐採し、革新的な技術で土地改良をして、地元の狩猟採集民たちと混血を始めたのだ。その一人がおそらくエッツィの父親だったのだろう。紀元前5000年頃、こうした移住農民たちはドイツ北部にたどりついた。その頃には、ヨーロッパの文化と遺伝子構成を、狩猟採集民の群れから農民たちの大陸に変えてしまった。1000年以上も足踏みをしたものの（この理由はいまだに私たちスウェーデン人を困惑させている）、彼らは寒さをおして、スカンジナビアの深い森にさえ入り込んだ。

　第2波は、青銅器時代の初期に起きた。紀元前3000〜2500年だ。今回の移民は東からきた。ロシアとウクライナのステップ（草原）地帯、カスピ海と黒海の北方に、ヤムナと呼ばれる人口群があった。これは、彼らの当時としては奇妙な習慣にちなんだ名前だ。死者を個別の土まんじゅうに埋めるのだ。彼らは遊牧民で、ウマで家畜を草地に放牧していた。気候変動のせいでステップ地帯が寒く乾燥してきたせいか、彼らは5000年前に、波のように東欧と中欧に移住しはじめた。やがて新しい草地を求めてドイツとスカンジナビアに到達した。新しい技術であるウマと車輪をもたらし、またいまのほとんどのヨーロッパ言語の先祖となった、新しいインド＝ヨーロッパ言語も持ち込んだ。

　ヤムナ人たちは元のヨーロッパ人とは外見がちがっていた。背が高く、肌の色も薄い。またウシなどの家畜文化にはとても有益な突然変異も持っていた。乳に含まれるラクトース（乳糖）を消化できたのだ。この一族の子孫でないと、この能力は成長すると消えてしまう。今日ラクトース耐性のある人は、おそらくこのステップ地帯の民族のおかげだ。

　ヨーロッパこそは最初の人種のるつぼだった。私自身のDNAを見ると、かなり典型的な北欧系の、アフリカ狩猟採集民、中東農民、ユーラシアステップ地帯の遊牧民の混合であることがわかる。また0・9％のデニソワ人で、2・4％ネアンデルタール人が入っている。そして妻が昔から推測していた通り、この後者は平均より少し高めだ。

　人類は常に移動していた。常にもっといい気候、もっと肥沃な土壌や伴侶を探し続けた。常に飢餓や面倒なご近所と暴力から逃れようとしてきた。ときには、単なる冒険を求めて移動することもあった。現代のヒトはアフリカで登場し、7万年前から6万年前にかけて、そこから移住を始めた。

初の成功した移民はおそらく、紅海のバブ・エル＝マンデブ海峡を渡りイエメンに進んだのだろう。驚くべき活動だが、この氷河期には海面が100メートル近く低かったのも役に立った。彼らはアラビア、インド、南アジアの沿岸を移動したが、これまで初期の人類は沿岸部近くにとどまったと思われていたのが、最近の発見によればアジア全域を自由に闊歩していたらしい。アフリカを出てものの数千年で、初の人類ははるばるオーストラリアまでたどりついている。この渡海は大胆不敵で謎に満ちており、いまだに学者たちも首をひねっている。

もう一つの集団は中東と中央アジア南部に移住し、そこから人類は4万年ほど前にヨーロッパに移住を始める。そこで200万年近く前にユーラシアに移住した、ホモ・エレクトスの子孫であるネアンデルタール人と混血した。現代のアフリカ人にネアンデルタール人のDNAが見られるということは、一部のヨーロッパ人がアフリカに戻ったということを示す。別の集団は北東アジアでマンモスのような大型動物を狩り、それを追ってシベリアとアラスカの間の陸橋を1万5000年前に渡ってアメリカを発見した。1000年後には南米の先端にたどりついている。

だからたった5万年で、まったく新しい生物種ホモ・サピエンスが、探検家や冒険家、勇敢で好奇心旺盛な存在、飢えて必死の存在として全世界で暮らすようになった。その間に、人は出会った者たちから最高のアイデアをもらった。言語、文字、食べ物、その安全な調理法、火の制御、武器や道具の作り方などだ。

私たちはみんなこうした移住の子孫だ。多くの人はいまだに、人間のちがいをなんとか理解して植民地支配を正当化しようとした18世紀のヨーロッパ人たちがでっちあげた、人種分類に基づいた考え方をしている。こうした分類は視覚的な観察と主観的な印象に基づいていたので、こうした理論の主導者ですら、人種が3種類あるのか100種類あるのか、ついに合意できていない。

いまや遺伝科学の進歩で、人種集団の中にも、集団の間と同じくらいの多様性があるとわかっている。2018年に、ヒト遺伝学の専門家が集まる主要専門組織であるアメリカ人間遺伝学会の公式文書は、生物学的な人種という概念が「デタラメ」であり、「すでに否定されたか歪曲された遺伝概念」に基づいていると明言している。大いなる歴史という人種のるつぼでの混合の結果、ほとんどの遺伝的なバリエーションは滑らかに分布しているので「ちがった人種が生物学的に別々で別れているという伝統的な概念を否定する」ものであり、人種の純粋性に関する発想を「科学的に無意味」にしている。[4]

病気への耐性

人々が世界中を動き回るようになると、国境を越えたのは新しいアイデアや手法だけではない。バクテリアやウイルスも動き回った。

初期のグローバル化は、人々がそれまで触れたことのない新しい病原体をもたらし、何百万人も殺した。2世紀には、ローマ人や中国人はアントニン病にかかった(おそらくは天然痘かはしか)。これは人口100万人のローマで、1日2000人の死者を出したと言われる。4世紀もたたないうちにユスティニア疫病が地中海周辺のあらゆる都市で猛威をふるった。14世紀半ばには黒死病がユーラシア人口の3分の1ほどを殺したようだ。征服者(コンキスタドール)たちが１５００年代にアメリカの都市に侵攻すると、自分たちの微生物がすでに移動していて、殺戮(さつりく)作業をかわりにやってくれていたと知った。コロンブスから1世紀で、メキシコ人の９割は死に絶えた。１９１８年になっても、スペイン風邪(かぜ)が5千万人から1億人を殺している。

　だがこうした疫病は、オープン性が作り出す問題を解決できるのは、さらなるオープン性だけなのだということを残酷に思い出させてくれるものでもある。国境を超えるイノベーションと情報は、微生物の速度に追いつく可能性を与えてくれたし、ますます微生物を制圧できるようにしてくれた。私たちは今日、空前の勢いで新種の疫病に対応する。研究者、医療当局、製薬会社が国際的に協力して知識を交換し、治療プロトコルや療法を協調させるからだ。

　直感には反することだが、パンデミックはそもそも、絶え間ないヒトの移動性のために、致死性が下がっているかもしれない。新しい病気はしばしば以前の関連する病原体から発達する。だから以前のバージョンにかかったことがあれば、新しい致死性の高い種に対しても、ある程度の抵抗力を発達させている可能性が高い。かかりにくいし、かかった場合でも死亡しにくいのだ。歴史上最悪のアウトブレイクは、その病原体にさらされる前にきわめて長期間孤立していた人口群を襲っている。

　研究者たちは、移動速度を変えて、それが大規模疫病の可能性にどれだけ影響するかモデル化した。そして、人口群の間の接触頻度が高まると、免疫も広がることを発見した。もっと接続された世界では、毒性の低い菌種のほうが一般的で、毒性の高い病原体はあまり見られないし、潜在的には少ない。移動は「自然のワクチン」のように機能する。研究者たちによれば、前世紀の多くのアウトブレイクは、大量の航空旅客移動がなければスペイン風邪級の被害をもたらしたかもしれないと考察している。[5]

狩猟採集民の集団は、病気に抵抗する独自の方法を持っていた。集団が大きくなりすぎたり紛争があったりすると、しょっちゅう群れを分割したのだ。狩猟採集民の小集団の個人に見られる遺伝的なちがいを見ると、初期の人類は近親相姦を避けたことがわかる。両親ともに遺伝的な弱点を持っていたら、病気に対するリスクも弱まってしまうからだ。各個人が思春期に達すると、彼らはしょっちゅう自分の集団を離れて伴侶を探した。ときには、集団の間でそのための入念な儀式まで行っている。

もともと、なぜ近親相姦を避けるべきかについては、まったく見当はつかなかったはずだが、一部の個人はある種の放浪癖を発達させ、集団を離れて伴侶探しをより成功させるようになった。これは人口群の中の「自由に動ける」人々に明確な再生産上の便益をもたらした。そうした人々は、なぜかわからないが性的に成熟したとき、群れをさまよって離れる衝動にかられたのだ。これに対して「この場所」の人々は、親類と通婚して危険な遺伝子をマッチングさせ、おかげで次世代が不幸な目にあった。

研究者たちは、同時に埋葬された狩猟採集民のDNAが大きくちがっているのを発見している。これは枕を並べて同じ墓に埋葬されている子供二人にすら見られることだ。研究者たちはここから、3万4000年前という早期から「血族内の近親関係の低さ、複雑な家族の居住パターン、比較的高い個人の移動性、多レベルの社会ネットワークがすでに存在していた」と結論づけている。[6]

大きな移住の波が終わったのは、人々が定住して農民になったからではない。新しい都市ができたのは、地方部から町や都市への大規模な移動のおかげだ。そしてそれが高い生産性を示したのは、商人、伝道師、各種の集団や文化からの移民たちが出会い、アイデアや財や罵倒をかわしたからだ。「大都市は、町を大きくしただけのものとはちがいます」と都市の予言者ジェイン・ジェイコブズは書いている。町と大都市はいろいろちがっているし、「そのちがいの一つは、都市はその定義からして知らない人だらけだということです」[7]。

このため都市は、ドイツの小説家トーマス・マンの言う『思想の溶鉱炉』となった。有益なイノベーション開発の確率も高まったし、個人に好きな生活を送る自由が得られる見込みも高かった。住んでいる村が小さな寒村や部族だったら、その村でたった一人のゲイであるリスクは高い。歴史家ピーター・ワトソンが人類史の思想と発明をめぐる偉大な作品で述べたように：

都市は文化のゆりかごであり、人類の最も重視されるアイデアはほぼすべて都市で生まれた。（中略）都市はアイデア、思想、イノベーションが、人生を前進させるほとんどあらゆる方法において育んできた促進装置なのだ。[8]

アイデアがセックスするとき

ちょうど遺伝子の混合がもっと健康な子供を生み出すように、ちがった視点、ノウハウ、技術の絶え間ない混合は、集団を強くしてきた。だれかが新しい手法を考案したとたん、みんなそれを真似る。だが真似るものができるためには、だれかがイノベーションを起こさなければならず、それがもっとよいアイデア、手法、技術をもたらす。

こうしたイノベーションは、新しい材料からはめったに出てこず——原子は100万年前からいまだに変わっていない——新しいレシピから出てくる。イギリスの科学ジャーナリスト、マット・リドレーが印象的に述べた通り、進歩が起こるのは「アイデアがお互いにセックスするときだ」[9]。世界に革命を起こしたのは「組み合わせ」だ。理論と実践、鉄と炭素、車輪と車軸、針と糸、活字と圧力、ハードとソフト、携帯電話とインターネット（そしてひんぱんに旅行する身としては、スーツケースと車輪も付け加えたい）。

考えられる組み合わせはあまりに多くて、すべてを試すわけにはいかないが、可能性を最大化するにはできるだけ多くの人々にアイデアを試してもらい、そのソリューションで実験してもらうことだ。他の視点やアイデアにオープンなら、それだけ新しい技能セットを見つけたり、暮らしを改善する新しいソリューションを見つけたりする可能性も高まる。オープン性は、他人に対して気前よく与えてあげる愛他的な態度ではない。それは長期的な利己性なのだ。

最近になって私は、現代で最も高い業績をあげている天文学者の一人が、アイーダ・ベルヘスなのを知った。彼女の名前は初耳だったが、独自の4万個の銀河系を分類して、既知の超高速星――速度が星の通常の速度を大きく上回るもの――のうち10%は彼女が発見している。初耳だった理由の一つは、彼女が天文台では働いておらず、天文学の教育を受けたことさえないことだ。彼女はプエルトリコの主婦で、2児の母だ。オンラインプラットフォームの「ギャラクシー・ズー」では、科学者が星空の写真を発表し、アマチュア天文学者20万人が1・5兆の銀河系分類の手伝いをしてきた。[10] その最高の一人がプエルトリコの主婦になろうとは、だれが予想しただろうか？　だれも。どんな政府もこれは計画できなかっただろうし、どんな研究チームも彼女をチームに入れようとはしなかっただろう。オープンなプラットフォームで、みんなが自分の技能を試せるようにしたことで、まったく目につかなかったきわめて重要な技能が見つかったのだ。

経済学者ジュリアン・サイモンは、まさに1970年代と1980年代の災厄予言者たちや環境保護論者たちが、人口過剰により飢餓と資源渇望が起こると予言していたまさにそのときに、進歩は可能だし貧困は減ると予言した先駆者だった。彼は移民こそが「だれもが勝つ政策に最も近いものだ」と考えた。[11] 彼の主張は、単に労働力が増えて生産性が上がることで得られる1兆ドル紙幣の話だけではなかった。彼はまた、それがイノベーションを通じてまったく新しい価値を生み出すと考えた――これは人間こそが「究極の資源」だという彼の信念から出てきたものだ。彼はこう書く。

知識は人間の心から出てくる。心は口や手と同じくらい、いやそれ以上に経済に関わってくる。長期的には、移民の最も重要な経済的影響は、有用な知識ストックへの貢献だ。そしてこの貢献は長期的には、移民のその他の費用や便益すべてを圧倒するくらい大きい。

移民が生産性と技術に影響するのは、一部は移民というその特別な地位により、先住民や民たちを刺激して、新しいアイデアを発明するよう刺激するからだ。そうした新しいアイデアは、運んできたアイデアと、すでに移住先にあったアイデアの組み合わせだ。またかれらは、ある社会のアイデアや慣習を別の社会に運び、現地の人々に運ばれてきたアイデアを採用するようながすのだ。[12]

移民たちは、アメリカの科学工学系労働力の中で、大卒者の24%、博士号取得者の47%を構成しているが、全体としての労働者の12%でしかない。[13] アメリカのデータを見ると、フォーチュン500企業のうち4割程度は移民や移民の子供が創業したものだし、あらゆる「ユニコーン」――時価総額10億ドル超の新興企業――の半分以上も同様だ。移民は現地人にくらべ、特許を申請したりノーベル賞やアカデミー賞を受賞したりする確率が3倍だ。[14] シリアのホムス出身のアラブ系イスラム教徒で、汎アラブ主義活動家として投獄された人物の息子でも、技術の世界を一変させられる。もちろんスティーブ・ジョブズのことだ。

そしてこれだと、高技能移民しか経済に役立たないような印象を受けてしまうが、低技能移民も、万人の生産性を高める専門特化に貢献する。多くの移民は現地人の嫌がる仕事、たとえば野菜の収穫や老人介護に従事する。一部のアメリカ人は、他国から移住してきた女中や清掃人、庭師などがいないと、起業もできず、ノーベル賞もとれなかったかもしれない。低技能移民のシェアが増えると、地元女性の労働市場参加が高まる。

タッカー・カールソンはフォックス・ニュースのホストで、ナショナリスト的な物言いで有名だ。その典型的な一節で、彼は多様性の理想をバカにしてみせた。「多様性は私たちの強みなのでしょうか？　共通点が少ないほど強くなるのでしょうか？　家族でもそうですか？　ご近所や企業でもそうなんですか？」とカールソンは、揶揄するように問いかける。これは意図的に、比較優位と疎外をごっちゃにした物言いだ。「もちろんちがいますよね。ではなぜそれがアメリカについては成り立つんですか？　だれも知りやしない」[15]

おやおや、知っている人はちゃんといる。カールソンは、フォックス・ニュースの親会社の上司たちに会えばよかったのだ。その年次報告書にはこうある。「異なる背景や特性が、革新的な視点と長所をコンテンツや製品にもたらすのです」。さらに「多様な視点のやりとりは、創造的なイノベーションを後押しして、人々の胸を打つ正真な報道をうながすのです[16]」。

確かに、こうした報告書は常に企業のお題目がそれなりに含まれている。だが地平を広げることで得られるメリットはしっかり記録されている。アメリカの心理学者チャーラン・ネメスは、何十年もかけて各種の集団を研究しており、彼女によればその集団が企業だろうと陪審員だろうと飛行機の乗務員だろうと、人は多数派に、それが多数派だというだけで従いがちだ。だがネメスはまた、その問題について一つでも異論があったり、別の視点があったりすると、他の人の視野も広がることを発見した。人々はもっと多くの情報を探すようになり、別の意見も考慮して、創意工夫をしてもっとよい意思決定をする。

ネメスの多くの実験の一つで、被験者たちはアナグラムを解く試験を受けた。彼らに、多数派はこういう解き方をしたよ、とフィードバックを出したら、みんな他の解法はやめて、その多数派の解き方に切り替えた。これに対して、少数派の観点を教えられた人々は、もっとちがった戦略にもオープンとなり、正解をもっとたくさん見つけた。[17]

集団は多様性があるほうが問題解決がうまくなる。そうした集団では摩擦も大きい。だれかが前提を疑問視したり、手早い解決策に反対したりするし、おかげでプロセス全体がギクシャクして、不快になる。だがそれだからこそ、まさにそれが必要なのだ。あまりに同質な集団は、集団思考にすぐに陥ってしまう——反対の声は上がらず、別の道筋は検討されず、集団はおもに既知の思いこみに沿った情報ばかり探すようになる。みんな自己検閲して、トラブルメーカーと思われたり、何か不測の事態でスケープゴートにされたりしないようにすることも多い。

興味深い含意として、協力とやりとりからの便益は、だれかの経験や知識が自分たちとはちがっているときのほうが大きいというものがある。そのほうが、自分ではできない何かを、他の人が貢献してくれる可能性が高まるからだ。「異人は直感的に、先住民たちが当然と思っていることを疑問視する。彼らが新しい視点を刺激するのは、単純に、多くのことが彼らから見ると、奇妙でバカげたものに思えるからだ」と技術ライターのG・パスカル・ザカリーが述べた通りだ。[18] 育った土地を離れて見知らぬ地域に引っ越す人々は、平均で他の人々より野心的で創造的になる。だがこうした選択なしに、単に新しい場所に行くだけでも、ちがった視点から物事を眺め、古い問題に新しい視点で取り組めるようになる。

この多様性支持論が何を言っていないかは、きちんと説明しておくべきだ。これは移民集団が、見世物版の多様性を示すために民族衣装を着て民謡を歌うような、エキゾチズムとはちがう。これは文化の橋渡しを作る多様性ではない。そして、巨大な移民集団が、地元の人や労働市場からはるか離れた少数の場所に押し込められ、一部は現地語をまったく学ばないような、失敗した統合形態を容認するものでもない。便益は社会に参加する移民からやってくる。ちがった背景を持つ人々が出会い、混ざり合い、お互いの視点を疑問視する機会から生じるのだ。

多様性の帝国

２０１９年９月に、大量のＳＮＳフォロワーを持つ白人優位主義者ステファン・モリノーがツイッターで、多様性についての政治的に正しいお題目に対し、必殺の反論を繰り出した。「多様性がそれほどの強みなら、それを世界征服に使った古代文化が一つくらいはあるよな？」

はいはい、もちろんありますとも。

ペルシャ。

マケドニアも。

もちろんローマも言うまでもなく。

唐代中国。

それ以上にモンゴル。

オスマントルコ！

後にはオランダ。

当然イギリスも。

文化的征服まで含めるなら、現代のアメリカも。

実は、歴史家たちを常に驚かせるのは、いきなりどこからともなく登場し、劇的に拡大して帝国を作り、それが既知の世界の相当部分を覆うにいたる小集団だ。それができる唯一の理由は、多様性に対してオープンだということだ。多くのちがった部族や人々からアイデアや技術を拝借し、自前の知識だけに限定された連中を打破したのだ。比喩的に言うなら、彼らは必要とする天文学者を見つけるのがうまかったのだ。それがたまたまプエルトリコの主婦だったとしても。

エイミー・チュアが、最強国の興亡を総覧した歴史の記述で書くように……

実に膨大なちがいがある一方で、歴史上の最強国は一つ残らず——世界的な覇権国と多少の疑問符つきですら言えるあらゆる社会は——少なくとも当時の基準からすれば、その台頭の時期には驚くほど多数派的で寛容だった。実際、あらゆる場合に寛容さは覇権の実現に不可欠だったのだ。[19]

彼女は、これが現代中国についてすら言えるのだと論じる。みんながこれを忘れるのは、ウイグルやチベットといった民族集団の弾圧にばかり注目するからだ（そしてそれは正当なことだ）。いだがそうすることで、私たちは中国を一つの巨大で均質な漢民族の集合体と見なしてしまう。いま中国人とされているものが、何千年もかけて、様々な宗教や習俗、伝統を持つ様々な民族を融合させることで構築されてきたのだということを忘れがちになる。中国語には何百もの変種があり、その多くは他の変種の話し手には理解できない。だが現代中国のアイデンティティが非中国人に開かれていない状態では、古代帝国にくらべてオープンさはずっと低い。

昔の文明による戦略的な寛容さは、寛容さや少数派の権利に関する現代の概念と混同すべきものではない。古代の皇帝たちは通常、人権などという概念とはまったく無縁で、奴隷制を実施し、支配の邪魔になる連中には驚くほど残酷だった。多様性を受け容れたのも、政治的に正しいことだったからではない。もっと多くの人が貢献できるようにすれば、もっと多くのことが実現できて、知識へのアクセスも増えるという、きわめて現実的な認識からそうしたのだ。それに、自分自身の信念や伝統に基づいて暮らせると感じた人々は、忠実な臣下になる。

初の大帝国はアケメネス朝ペルシャ帝国で、紀元前6世紀に創建された。ルーツは今日のイランだが、古代中東文明を征服して、その絶頂期にはバルカン半島からインダス峡谷まで広がり、世界人口の3分の1近くを支配していた。その急拡大の鍵は、戦略的な寛容さだった。

アッシリア人などそれまでの征服者たちは、制圧した都市を完全にがれきの山にして、神殿を破壊し、一般人を皆殺しにすることも多かった。キュロスやダレイオスなどアケメネス朝ペルシャの皇帝は、支配者は始末したものの、地元の社会構造には手をつけず、臣下たちが古い習俗を続けるのを認めた。望まない連中に自分たちの神さまや習俗を押しつけるのに手間暇かけるかわりに、ペルシャ人たちは各種民族集団からのちがった技能やアイデアを活用した。ペルシャが栄えたのは、ペルシャ人自身が優れていたからではなく、フェニキアの探検家、ギリシャの科学者、エジプトの医師、バビロニアの天文学者たちが役に立つことを理解していたからだ。彼らの宮殿が実に見事なのは、アッシリア、バビロニア、エジプトの建築様式を取り入れているからだ。先進的な道路と通信システム、勅令の複数言語への翻訳、後には統一通貨とあわせて、ペルシャは商業と文化交換の帝国となったのだった。

このオープン性がはっきりしたのは、紀元前539年にキュロスがバビロンを征服したときだった。バビロンは当時、あまりに大きかったので、ヘロドトスによると征服の知らせが近隣国に到達するまで数日かかったという。キュロスはバビロニア人たちの解放者を名乗り、驚いたことに自分の勝利は、バビロニア人たち自身の神マルドゥクの御業(みわざ)なのだと主張した。1879年に、バビロンの遺跡(現イラク)で粘土の円筒が見つかり、そこには楔形文字で布告が書かれていた。それはキュロス自身の征服に関するプレスリリースなのだった。それが初の人権宣言なのだと喧伝されたが、これはいささか時代錯誤だ。だがそれが、本当にすばらしい戦略的寛容性の記述なのはまちがいない。キュロスは、それまでの王が自分の臣民を弾圧し、その宗教を邪魔したのだと述べている。これがどうやらマルドゥクを怒らせ、この神はキュロスに命じて、バビロンを侵略して平和をもたらせと告げたのだという。都市をつぶすかわりに、彼は古い信仰の聖地や神殿を復元し、強制的に移住させられた人々を呼び戻したのだと語る。

この話のどこまでがプロパガンダなのかはわからないが、アケメネス朝の偉大な皇帝たちについて知られている話の相当部分に似ている。多くの人は、これが聖書のバビロン虜囚の話を裏づけていると考える。そこではキュロスが囚(とら)われのユダヤ人たちにエルサレム帰国を許し、彼らの神殿を再建してやって、奪われた金銀5400単位を返却すらした、と書かれている。

紀元前4世紀にペルシャ帝国はもっと専制的になり、寛容性も下がった。これは周囲がますます敵対的になったせいかもしれない。アルタクセルクセス皇帝が紀元前343年にエジプトを再び征服すると、神殿を収奪し、地元宗教を弾圧して収奪的な税を課した。もはや臣下を豊かで幸せにすることで忠誠を勝ち取るのではなく、弱体化させて反乱できないようにするのが狙いとなった。だがこれは恨みを買っただけだった。これで、戦略的寛容性を重視した新しい征服者に突破口を与えてしまった。それがマケドニアのアレクサンドロス大王だ。

ギリシャ人たちはすでにコスモポリタン主義をある程度理解していた。これは彼らの神話でもわかる。その代々の英雄ヘラクレスは、単に神の血筋というだけでなく、エジプトの血も引いている。またメデューサを殺したペルセウスも同様だ。彼はアフリカの王女アンドロメダと結婚し、彼らの先祖がギリシャ文明の中心たるミュケナイを創建したのだった。

アレクサンドロス大王は、この遺産を元に自分の帝国を築いて大成功した。アナトリア、ペルシャ、エジプト、インドを次々と征服したが、地元の構造は温存して神殿を再建しただけではない。撃破した相手の習俗の多くを、自ら採用したのだ。彼らの服を身につけ、彼らの神さまに生け贄を捧げ、エジプトでは自らファラオとなった。紀元前３２４年のペルシャ式大規模婚礼で、アレクサンドロス大王と将校90人ほどは、地元の有力な一家の娘と結婚した。アレクサンドロス自身は、ペルシャの前皇帝二人の娘と結婚した。

ときにはこの行動は他のギリシャ人たちの不興を買ったが、アレクサンドロスがそうしたのは、別に「野蛮人化」したせいではなく、それが彼なりに野蛮人たちを「ヘレニズム化」する方法だったからだ。彼のオープン性のため、地元エリートは鞍替(くらが)えしてアレクサンドロスを歓迎し、自分も権力を維持できるという誘惑が生じた。アレクサンドロスは、古いペルシャの構造を実にたくさん温存したので、一部の学者は彼を「最後のアケメネス朝皇帝」と呼ぶほどだ。[20] またこれによってアレクサンドロス大王は、各種のちがった集団の強みを利用できるようになった。特に、その効率的なコスモポリタン的な軍隊ではそれが顕著だった。ギリシャ人、フェニキア人、キプロス人、エジプト人がその巨大な海軍を操り、その騎兵隊はペルシャ人、バクトリア人、パルティア人など様々だった。

アレクサンドロス大王は弱冠32歳で夭逝し、将軍たちが内輪もめを始めてすぐにその帝国は解体を始めた。そしてアレクサンドロス大王自身が体現したような戦略的オープン性を維持する困難を示す衝撃的な実例として、その将校たちの一人を除いて全員が、ペルシャでの集団結婚で娶った妻を離縁した。唯一の例外はセレウコス将軍で、彼は旧ペルシャの中心で新しい帝国を建国した。その妻アパマが女王となった。

ギリシャ文明と、ヨーロッパ、北アフリカ、西アジアの多くの土着文化との短命ながら広範な出会いはそのまま続いた。それは創造的な混合であり、新しい芸術、哲学、科学の台頭をもたらし、ギリシャ語がその共通語となった。これはヘレニズム時代と呼ばれ、戦略的寛容性の技を完成させて、世界の舞台で次の大帝国となったものに、大きな影響を与えた。

それがローマ帝国だ。

ローマ人になる

ローマの建国神話の一つは、ロムルスがサビネ人と戦って仲良くなり、すぐに自分の小さな円い盾を捨て、もっと優秀だと示されたサビネ人たちの長い楕円の盾に替えたというものだ。

18世紀フランスの啓蒙思想家モンテスキューに言わせると：

ローマが世界の支配者となった主な理由は、あらゆる人々と戦って勝ったのに、もっとよい手法が見つかると自分たちのやり方をすぐに捨て去ったことだ。[21]

アケメネス朝ペルシャやアレクサンドロス大王と同じく、軍事的なローマ人たちは敵に容赦はしなかったが、負けた地域はすぐに新しい州として受け容れ、地元の統治構造には手をつけず、地元の慣習を維持した。地元の神はローマの神殿（ギリシャ人から拝借したもの）に組み込まれ、古い神の一化身とされた。ケルトの神ルーグはメルクリウスと結びつけられ、ローマ兵がリビアの砂漠にやってくると、地元の神ゴリアの像を、ローマの神と並べて野営地に据えた。エジプトの女神イシスほどコスモポリタン的な神さまはなかなか創造できない。哲学者アプレイウスによると、アテナイ人たちはそれをパラス・アテナと呼び、クレタ人はダイアナ、シチリア人はプロセルピナ、フリギアたちはペッシヌンティア、エルシア人はセレスなどと呼んでいた。だからみんな、以前と同じものを拝み続けられる——ただしユダヤ人と特にキリスト教徒は別だ。彼らはその一神教のため、独特な騒ぎを引き起こした。

ローマ人たちは、ある場所の神さまについて何も知らなくても、それを容認できた。紀元67年にプブリヌス・セルヴィウスがガラティア南部の都市イサウラ・パライアを侵略したとき、公式にその都市を守った神を「なんであれ」賞賛した。[22] ローマ帝国興亡の偉大な研究者エドワード・ギボンが述べたように：

ローマ世界で行われていた各種の崇拝様式はすべて、国民たちには同じくらい真実だと考えられていた。哲学者たちはそれを同じくらいウソだと考えた。そして行政官には、同じくらい有用と考えた。したがって寛容は、単に相互の容認を作り出しただけでなく、宗教的な和合すらもたらしたのだった。[23]

それまでの帝国とのちがいは、ローマでは外国人や移民たちの地位に制限がなかったことだ。紀元48年の元老院演説で、クラウジウス帝はスパルタやアテナイのような都市が衰退したのは、征服された者たちを異質で怪しいと見なしたせいだと述べた。

だが我らが創始者ロムルスの叡智は、同じ日のうちに人々と戦いつつ、それを懐柔させたのだ！　我々は異人を王として戴いた。要職を自由人の息子に与えるのは決して珍しくない。[24]

この理屈でクラウジウス帝は、敗北したゴール人たちを公職につかせ、軍団の指揮を任せ、州の統治を任せて元老院そのものにも参加させた。これはアウトサイダーを味方につける手法だ。クラウジウス帝が指摘するように、だれかが能力を示せば、特に軍事的な階級を上ってくれば、最高権力者にだってなれるのだ。

多くの大皇帝たちはローマから遠い場所で生まれている。最も有能な皇帝としてローマ人に記憶されていたトラヤヌス帝は、スペインのセビリア近くで生まれた。その後継者ハドリアヌス帝も同様だ。その次の皇帝アントニウス・ピウスはガリア人出身だ。その後継者マルクス・アウレリウスの一家はスペイン南部出身だ。次にその息子が統治して、その次に来たペルティナクス帝は解放奴隷の息子だ。その後継者の父親はミラノ出身、母親は北アフリカ人で、その後継者セプティミウス・セヴェラスは北アフリカ生まれだ。ローマで最も有力な文化人もアウトサイダーだ。ストア派哲学者セネカはスペイン出身、詩人ウェルギリウスはガリア・キサルピナ出身、歴史家タキトゥスはおそらく南仏出身だ。

このコスモポリタン主義が機能したのは、「ローマ」というのがすぐに民族ではなく、文化政治的なアイデンティティとなったからだ。ちょうど今日の「アメリカ人」が、どんな出自であれアメリカにやってきてその理想を受け容れる人々を指すのと同様だ。ローマ人のように考え、ふるまう人はすべてローマ人だ。同化の道具の一つは、ローマ市民権の約束だった。ローマ市民は投票権を持ち、要職に立候補し、法廷に訴え、財産の獲得と移転ができる。地中海周辺の人々は、その地位を大いに渇望した。

同盟市戦争（紀元前91〜88年）でいくつかの都市が反乱したら、ローマは市民の地位と市民権を、イタリア語を話す他の部族に拡大した。他の集団は、贈り物として市民権をもらえた。たとえばローマの軍に降伏したり、ローマに忠誠を尽くしたりすればいい。特に軍で目に見える手柄をたてればいい。２１２年にカラカラ帝は、ローマ帝国全土で奴隷でない者はすべて市民であると宣言した。

このローマ人としてのアイデンティティは、文化的同化に依存していた。帝国のあらゆる場所からきた人々は、ローマ人に仕立てられた。ローマではローマ人のやり方に従え、という格言の通りだ。

だがローマ人の寛容性にも限界はあった。たとえばズボンは許されなかった。その先代や後代の多くと同様に、ローマ人は何が文明的で何が原始的かを決めるとき、外観に注目した。ズボンをはくのは、トーガをまとうローマ人には野蛮とみられ、ガリア人やゲルマン人たちの本質的な攻撃性とされるものと関連づけられた。クラウジウス帝がガリア人への寛容を論じたときにはこう説明した。「大丈夫だ、あいつらはもはやズボンははかない」[25]

だがこの分野ですらローマ人は、他者からの有益なイノベーションをついつい受け容れてしまった。彼らの軍が北に進むにつれ、レギンスがチュニックより実用的かもしれないことがわかった。やがてローマ兵はズボンをはくようになり、そのファッションが文民にも広がった。

397年になると、皇帝はズボンの利用が危険なまでに拡大していると考え、公式な禁ズボン令を出した。市内でズボンを着用したら、禁を犯した者は永遠の追放刑となりかねなかった。それですら、わずか1世紀後にコンスタンチノープル宮廷でズボン着用が義務づけられるのを止められなかった。当時のコンスタンチノープル宮廷は、唯一のローマ帝国宮廷となっていた[26]。そして歴史の多くの皮肉なひねりとして、やがてズボン着用は、文明化したヨーロッパ人と裸の野蛮人との重要な区別と見なされるようになったのだった。

そのずっと以前、ローマ軍自体が野蛮化しつつあった[27]。通俗的なお話だと、ローマはしばしば移民に関する警告物語と思われている。というのも野蛮人たちがやがて、内部から帝国を圧倒してしまったからだ。だがこれは、まったくわけのわからない主張だ。西ローマ帝国は500年以上続いた、史上最長の帝国の一つだ。そして外国人との秩序ある統合なしには、そんなに成長も生存も不可能だったはずだ。これは帝国の権力絶頂期に政権を支えた才能の多くについても言えるが、経済がますます封建化し、帝国は征服する先や、その資金源となる掠奪品がなくなりつつあった。

3世紀になって帝国への圧力が全方位的に強まると、ヴァンダル人、ゴート人、フランク人と和平交渉をして、代わりに彼らが人の減ったローマ軍に兵を供出し、ときに他の形で貢献してもらうようにした。一部の地域で「ゴート」と「兵士」という用語はまったく同じ意味となった。これは、ローマ軍ほどの規模の軍を維持する唯一の方法だったかもしれない。野蛮人たちは、軍の重要な地位にすぐ昇進できた。

問題が起きたのは376年、何千ものゴート人たちがフン族による殺戮を逃れるため、ドナウ川南岸に避難してきたときだった。他の難民や敗戦した敵とはちがい、こうしたゴート人たちは武器や指導者の維持が許された――これ自体がローマの弱さのあらわれだ――そしてかれらはすぐに帝国を圧倒した。ゴート難民たちは間もなく腹を空(す)かせ、約束された食料が得られなかったので、多くは子供を売って生き延びるしかなかったという。ローマ人が彼らの指導者を誘拐して移転をうながすと、ゴート人たちは反逆した。378年の戦いでゴート人たちはローマ軍を破り、皇帝を殺した。平和条約の後で、ゴート人は国内の別の国となり、ときにはローマを襲い、ときにはローマのために戦った（たとえばその後1世紀にわたって脅威であり続けたフン族に対して）。すでに急速に衰退している帝国における不安定な関係のおかげで、410年にローマ略奪が起きた。

その頃には、寛容と同化というローマの有効な組み合わせは、すでに4世紀初頭のキリスト教改宗によってつぶされつつあった。キリスト教徒はときに、唯一神しか認めず、ローマに忠誠を誓わなかったため、迫害されてきた。だがキリスト教が正統な宗教となったら、他の宗教をすべて弾圧しはじめた——異端土着宗教、マニ教、ユダヤ教のみならず、キリスト教の別宗派すらつぶしにかかったのだった。

この新しい不寛容は、帝国とその多くのちがった集団をまとめていた相互のつながりを解体してしまった。それはキリスト教徒と異教徒との間に、荒々しい紛争やときには内戦をもたらした。異教徒たちは古い神々が禁止され、神殿が破壊されるのを目の当たりにしたのだ。迫害された異教徒集団はローマの敵に味方して、ときには野蛮人の侵略者たちを、新たなキリスト教の圧政からの解放者とすら見なした。西ローマ帝国崩壊後、東ローマのビザンチウムは、拷問と虐殺の脅しによって異教徒やユダヤ教徒に改宗を迫った。

オープン性こそローマ台頭の鍵だと論じたモンテスキューは、この不寛容がその没落の始まりだと考えた。

> ちょうどかつてのローマが帝国を強化するにあたり、あらゆる宗教を国内で認めたのと同様に、その後帝国は、支配的でない宗派を次々に切断することで、無へと帰したのであった。[28]

ヨーロッパには、不寛容の暗黒時代が訪れた。支配者や軍隊が、自分が唯一の正しい神の名において支配し征服していると主張しだすと、宗教的な異論はその神に対する犯罪となり、妥協は一切あり得なかった。

2種類の神を信じるカタリ派に対するアルビジョア十字軍において、キリスト教徒は13世紀初頭に100万人も殺したとされる。1209年、異端審問官アルノー・アマルリクは、カタリ派の拠点ベジエにはカトリック信者もいるのだと知ったとき、十字軍に対してこう言ったとか。「構わず全員殺してしまえ、神はその者たちが自分のものだとご存じなのだから」。その5年前に、第4次十字軍は、世界最大のキリスト教徒都市コンスタンティノープルを襲撃し、市民を虐殺して尼僧すら強姦したことで、ヨーロッパに衝撃をもたらした。長期にわたり、中国、オスマン帝国、果てはモンゴル帝国ですら、ヨーロッパ人よりはずっと寛容だった。

モンゴル帝国の寛容性

ベジエとコンスタンチノープルが陥落したのと同時期に、ジンギス汗がものの数十年で、史上最大の陸上帝国を築こうとしていた。十字軍と同様に、彼は残虐な軍事家で、敵やその家族には一切情けをかけなかったが、十字軍とはちがい、何か一つの信仰を強制しようとはしなかった。今日のイメージはまったくちがうが、ジンギス汗の国内政治は、今日なら政治的に正しいお気楽でお行儀のいいポーズだけの人物という糾弾を受けかねないものだ。

モンゴルは宗教の自由と民族的寛容を実践し、血族と部族の忠誠に代わり、能力主義的な基準を設けた。彼は、能力のない同じ部族の人間よりは、別の信仰を持つ無名だが有能なラクダ飼いの少年や牧童を取りたてるほうを好んだ。これは別に、彼が頭でっかちの理念先行だったからではない。ゼロから作り上げた帝国のために、最高の戦士、技師、行政官を見つけるには、そうするしかなかったからだ。

考古学者ジャック・ウェザーフォードはモンゴルについてこう述べる。

彼らは配下の民族に押しつけるような独自の仕組みを持っていなかったので、他のところからの仕組みを採用して組み合わせるのに抵抗がなかった。（中略）彼らは、最もよく機能するものを探した。それを見つけると、他国にそれを広めた。[29]

モンゴルのオープン性は、他の支配者に比べて優位性をもたらした。他の支配者は、有能で技能を持つ人々でも支配的な宗教の解釈がちがったら、追放したがった。1241年にヨーロッパを侵略したモンゴル騎馬軍のうち、モンゴル民族は3分の1ほどしかいなかった。彼らは中国北部、中央アジア、ロシア、ペルシャの物質的、知的、技術的なリソースを組み合わせて攻撃した。どこへ行くにも最高の中国人技師をともない、彼らが移動式の尖塔、投石器など、攻撃兵器を必要に応じてその場で作った。

ウィーンの城外で敵とやりあったハプスブルク家の兵たちは、捕まえたモンゴル軍将校が、中年で字の読めるイギリス人だったので驚いた。思想のため教会から破門されそうになってイングランドから逃亡したこの人物は、もっと寛容なモンゴル軍に逃げ場を求めたのだった。[30] そしてヨーロッパにおける寛容性の悲惨な状況を示す悲しい例として、モンゴル軍を破れなかったキリスト教暴徒たちは、ヨークからローマまで至るところでユダヤ教徒をスケープゴートにして、彼らの居住区を焼き払って虐殺した。ヨーロッパがモンゴル軍に制圧されなかった唯一の理由は、皇帝であるジンギスの息子オゴダイ汗が死んで、後継者をめぐる争いのためにモンゴル軍が帰国したからだ。

フランスの僧侶ウィリアム・ルブルックが外交使節として1253年にモンゴルの首都カラコルムに到着すると、あらゆる宗教がそこではすでに実践されており、キリスト教もあったのを発見した。モンゴル人は、ウィリアムが自分こそ唯一の真の道を知っていると確信しているのをおもしろがって、冗談めいた公開論争を行うことにした。皇帝は宗教学者たちに、3人の審判の前で論争するように依頼した。審判はキリスト教徒、イスラム教徒、仏教徒で、さらには大観衆もいた。唯一のルールは、相手を怒らせたり攻撃したりしてはいけないということだ。議論は何回かにわかれ、敵味方入り乱れて彼らは神の性質、善と悪、生まれ変わりについて論争した。それぞれの回が終わると一同は馬乳酒を飲み、次の回に備えた。

ついに酒がまわってきたため、キリスト教徒たちは論理的な議論でだれかを説得するのを諦めて歌に頼った。イスラム教徒は歌は歌わなかったので、これに対抗してコーランを大声で朗唱してキリスト教徒の声をかき消そうとし、仏教徒はだまって瞑想を始めた。論争の最後には、お互いを改宗させることも殺すこともできずに、みんなモンゴルの祝宴の多くが終わる通りのやり方で議論を終えた。みんな飲んだくれすぎて、それ以上続けられなくなったのだ[31]。

これが粗野に思えるなら、当時の世界の他の部分でこうした見解の相違がどう解決されていたかを念頭に置くべきだろう。同時期にルブルックの出資者だったルイ9世は、何百冊ものヘブライ語の本を焼き払い、キリスト教の聖職者たちが国土をうろつき、異端の嫌疑をかけられた者を逮捕し拷問していたのだ。

だからヨーロッパがやがて、啓蒙主義と寛容性の本家と見なされるようになるなどというのは、まったく予想もつかないことだった。ヨーロッパは宗教紛争でほぼ解体しかけた地域だ。ヨーロッパ人たちは繰り返し、どちらの神が優れているかを確かめるべく、殺し合いに興じた。これが最も破壊的に現れたのは三十年戦争（1618～48年）だ。大国はしばしば少数派、特にユダヤ人を攻撃して追放した。フランスでは1572年のサン・バルテルミの虐殺で、ユグノー派1万人ほどが殺された。

スペイン帝国の滅び方

スペインの王がイベリア半島のイスラム支配地を再奪還したときには、しばしばイスラム教徒の貢献を認知して受け容れた。だが教会当局はますます、この新興国の多様性を不安に思うようになり、「純血」だけがこの国に統一性と強さをもたらせるという発想が植えつけられた。

1480年以降、スペイン異端審問は、ユダヤ教やイスラム教からの改宗者ばかりを狙い撃ちにして拷問にかけた。まだ以前の信仰をこっそり保持しているのではというわけだ。

イスラム教徒最後の拠点グラナダ陥落で勝ち誇ったフェルディナンド2世とイザベル1世は、ユダヤ教徒に4ヶ月以内にキリスト教に改宗するかスペインから退去せよと命じた。ユダヤ教徒20万人が改宗し、最大10万人が追放された。金銀はすべて接収されたが、スペインの文化資本と起業能力の多くはユダヤ教徒とともに消えた。1502年にイザベル1世は、カスティーリャのイスラム教徒に対して同じ残酷な選択を敷いて、やがてスペイン全土で同じことが行われた。

迫害の波が次々にやってきた。1609年から、25万人のモリスコス――イスラム教からの改宗者とその子孫――が追放された。町が丸ごと無人となり、技能ある農業労働者が消えると、スペインの東海岸は経済的に崩壊した。アメリカの発見と宗教戦争の組み合わせで、純血追求はスペインに栄光をもたらすはずだったが、むしろその富と文化の屋台骨を破壊してしまった。16世紀と17世紀に、スペインは９回も債務デフォルトを起こした——国家破産に最も近い状態だ。都市化が逆転し、スペインの実質一人あたりＧＤＰは、１７５０年には１５００年より低かった。[32]

フェルディナンド2世は、自分が国にもたらしている被害を理解していたのかもしれない。アランダ公爵への手紙で、異端審問に説き伏せられてユダヤ人追放をしたが「いまやそうしているのは、この聖職に対する負債と義務のせいであり、それが自分自身に及ぼす大きな被害にもかかわらず、自分自身の利潤や個人の利潤よりも魂の救済を求め、重視するためにそれを行っているのだ」と述べている。[33]

当時のライバル国と比べると、好対照となっている。オスマン帝国のスルタンであるバヤズィト2世は、スペインから追放されたユダヤ人たちを歓迎しなければ死刑にすると知事たちを脅した。そうした亡命ユダヤ人と追放されたモリスコスたちは、オスマン帝国に新しいアイデアや技術を導入するのに大きな役割を果たした。バヤズィト2世は、こうした追放によりスペイン王が「スペインを貧窮させトルコを豊かにした」とあざ笑った。[34]

イスラム教のムガール帝国では、アクバル1世がインド亜大陸における民族的にも宗教的にも多様な帝国を支配した。彼は１５８２年のスペインのフェリペ2世への書簡で、無批判に自分自身の伝統にしか従わない人々は、真実をみきわめる可能性から己を排除しているのだ、と指摘している。「したがって我々は、折を見てはあらゆる宗教の知識人を集め、これにより彼らの秀逸なる言説や表明されたる野心から利益を引き出すのである」

同時に、スペイン帝国の中で小さな一部が反発し、独裁制と異端審問に激しく抵抗して、戦いによって離脱し、コスモポリタン的な経済超大国を作り上げた――それがオランダ共和国であり、現在のオランダの前身となる。低地国地方は自由市場を持ち、独自の法や習慣に慣れていた。だからスペインのフェリペ2世が1550年代に高い税金とプロテスタント迫害で直接掌握を試みると、この地域は反逆した。スペインの給与未払いの軍隊が暴徒と化して、無差別に強姦と虐殺を繰り返したのも、破産した皇帝がこの地方の人々の忠誠を勝ち取るのに大きな障害となった。1581年に、後にオランダとなる北部地方はスペインからの独立を宣言した（闘争はその後も長く続いたが）。

彼らが作った共和国は、それまでヨーロッパで見られたものとはまったくちがっていた。確立した国家教会もなく、カルヴァン派が多数だったとはいえ、カトリック、ユダヤ教、ルター派などの少数宗派も自分の聖典を信仰し印刷する権利を得た。国境はあらゆる出自の人々に開かれた。この共和国はあまりに多様すぎて一つの信仰だけを押しつけることはできなかったが、経済を発展させるために移民をひきつけるという動機もあった。オランダの都市は、他のところで弾圧されていた集団の逃げ場となった。フランスのユグノー派、ハプスブルク地域からのプロテスタント、スペインからのセファルディム派ユダヤ教徒、ドイツやポーランドのアシュケナージ派ユダヤ人、イギリスからのクェーカー教徒や清教徒などだ。

こうした移民のおかげでオランダは、短期間で多くの産業における有力な存在に台頭した。ダイヤ、絹織り、タバコづくり、チョコレートづくりなどだ。航海と繊維産業では、労働者の半分は移民だった。新しい市民の国際ネットワークを活用することで、この地域は世界貿易と金融の中心地となった。オランダ商人たちは新しい金融商品を使ってリスクを共有し、小規模の投資家ですら参加できるようになり、きわめて流動的な資本市場が生まれた。他の国よりも強い財産権のおかげで投資と商業が促進され、女性もまた力を得た。訪れたあるドイツ人によると「オランダの女性は、若く未婚であっても、同伴者やお目付役なしで、男とほとんど同じように働き、事業を行い、会話を自由に行える」と指摘している。[35]

豊かで活力ある都市はまた、文化の黄金時代を作り出し、レンブラントやフェルメールなどの有名人を生み出した。豊かな商人と美術市場が、芸術のパトロンとして教会や貴族にとってかわった。日常生活の光景や他の世俗的なモチーフが、絵画では人気を博した。ヨーロッパ全土の自由思想家たちが、コスモポリタンな都市で花開いた。フランスのカトリック哲学者デカルトも、ここで暮らして作品を刊行し、ジョン・ロックもスチュアート朝イングランドからここに亡命した。一家とともにポルトガルの異端審問を逃れてきた哲学者スピノザは、自分のユダヤ人コミュニティでは過激すぎると見なされたが、この共和国では容認された。

この多様性と創造性のおかげで、オランダは地上で最も豊かな国となった。[36] 1500年のオランダの一人あたりGDPはスペインの半分程度だった。1600年にはそれが急激に追いつき、やがて追い越した。

オランダ共和国はまた世界大国になりつつあった。彼らを必死で阻止しようとしたスペインは、1598年にオランダ船舶をイベリアのすべての港から排除した。植民地市場の利用を邪魔しようとしたのだが、これに対してオランダは、そうした市場に直接自分で出向いて対抗した。1602年には、政府出資を受けた商人たちが、世界初の上場公開企業、オランダ東インド会社を創業した。その最大の投資家のうち半数ほどは、スペインからの難民だった。やがてオランダはマラッカとスリランカからポルトガルを追い出し、カリブ海と南米北部でスペインと争った。

だが新興植民地列強として、オランダは自由とオープン性についての自国の理想が国内だけにしか適用されないことを示した。1621年にオランダは香料貿易を独占しようとして、日本の傭兵を使ってジャワ島東のバンダ島のほぼ全員を虐殺した、やがて奴隷や受刑者をそこに送りこんだ。

造船イノベーションがこの新しい貿易帝国を可能にした。1590年代にオランダはフリュート帆船を開発した。これはきわめて大きな貨物室を持ち、船底が平らで喫水が浅いので、浅い港や河川でも航行しやすかった。その建造のため、彼らは新しい風力製材所を使い、おかげで梁(はり)を60本切るのに、これまで120日かかっていたのが4〜5日ですむようになった。こうしたきわめて革新的な技術のおかげで、オランダは他の国よりよい船をもっと素早く、半分の費用で建造できるようになった。[37]

1670年になると、オランダ艦隊は、スペイン、ポルトガル、フランス、イギリス、ドイツをあわせたよりも大きくなった。これらの国の人口をあわせると5000万人だ。たった150万人しかいない国としては、なかなかの成果だ——しかも3分の1が最近の移民だ。1670年代にこの小国は、仏英から同時に侵略を受けても負けなかった。

巨大な富、輸入技能と船倉における創造性やイノベーションのおかげで、オランダはやがてスペインなどの列強に、自国の事実上の独立を認知させた。重要な要因の一つは、金融市場が発達していたおかげで戦費の捻出も容易だったということだ。これに対してスペインは——そうした技能を追放したため——高金利で他の王侯から借金するしかなかった。1648年にオランダ共和国は、八十年戦争と呼ばれたものの果てに、正式に独立国として認知された。かつては小さい都市国家群ばかりの小さい水びたしの国で、天然資源も軍隊もないところだったのが、ヨーロッパ最大の列強を敗北させたのだ。

人種のるつぼ

オランダの例は、産業革命と世界経済にとって重要となる。というのも他の国もその成功した寛容性の政策を真似たからだ。

カトリック教徒の差別にもかかわらず、イギリスは驚くほどオープンな国となった。特にこれは、1688年の名誉革命でオランダの指導者オレンジ公ウィリアムが玉座についてから顕著になった。産業革命のきっかけとなった高技能職人や金融専門家の多くは移民のユグノー派やユダヤ教徒だった。1707年にスコットランドとイングランドが連合したことで、アイデアや技術の生産的な相互刺激を引き起こした。

アメリカの植民地群は、1776年にイギリスから分離した後で、このオープン性をもう一歩先に進め、移民がたくさんいる国から、移民で作られた国を創建した。その前提条件の一つは絶対的な信教の自由だった。1789年の過激な憲法で、アメリカ人たちは国立教会の設置を控えた。それどころか、憲法には神とキリスト教はまったく登場しない。唯一の言及は、公職に就く条件として宗教の審査は排除するというものだけだ。批判者たちは激怒して、議員たちは史上初めて公的部門から宗教を除去してしまったと述べた。多くはカトリック教徒、ユダヤ教徒、イスラム教徒、いやもっとひどいことにクェーカー教徒すらいまや公職につけてしまうと懸念した。ノースカロライナ会議での議員の一人は、この憲法だとローマ教皇が大統領に選出されかねないと警告した。[38]

アメリカ人の多くはこの新しいオープン性を歓迎しなかった。初の入植地は、清教徒など、自分たちだけが「真実」を持っていると考えた人々が作ったものだったので、寛容ではなかった。ほとんどの人々は確立した教会を持つ都市や州に住んでいた。宗教的に異質な人々は、しばしば投票を禁じられ、入植地から追放されることもあった。それでも戻ったら死刑になりかねなかった。

だが１７００年代に移民人口が増え、それにともなって宗教的な多様性も増えた。大覚醒と呼ばれる１７３０年代の宗教復興は、既存の教会にさらに異論をとなえ、商人たちは寛容性を支持した。おかげでイギリス軍に対して配備された革命軍はきわめて多様だった。だから、この新生国のために戦った人々が、この国で差別されるというのは奇妙だと多くの人が考えた。

そして逃れがたい事実として、アメリカは物理的に広大だが、１７９０年の初の国勢調査では、住民はたった３２２万７０００人――アイルランドより少ない。この新興国は技能を持つ職人も必要だったが、土地を開墾して都市を建設するのに、安い未熟練労働者も必要だったのだ。

オープンな制度の別の理由として、建国の父たちが個人の自由と政治平等を信じていたということがある。もちろん露骨な例外として、アフリカ系アメリカ人の奴隷化と、アメリカ先住民の扱いはある。彼らが啓蒙主義の理想に傾倒していたことを考えると、これほど多くの建国者たちが、こうしたアメリカ共和国の原罪を受け容れたか、少なくともめったに声高に反対しなかったのは衝撃的だ。だが国をオープンにしておく点についてはみんな意見が一致していた。そしてその多くは自分も移民関係者だった。独立宣言の署名者のうち8人は、別の国で生まれている。[39]

独立宣言の中でジョージ3世王に対する文句の一つは、彼がアメリカへの移民を阻止して帰化の法律を邪魔したことだった。宣言の主要著者トマス・ジェファソンは、「自然が万人に与えた権利として、選択ではなく偶然により置かれた国を離脱し、新しい居住地を探し、そこに新しい社会を設立する権利」を語っており、「合州国がこれほどどちがう出自の美徳あふれる愛国者の避難所となったのは幸運である」と述べた。[40] 初代大統領ジョージ・ワシントンは「アメリカは、見知らぬ人でも豊かで立派な人物だけでなく、あらゆる国や宗教に弾圧され、迫害された人々も受け容れるよう開かれている」と述べた。[41]

初の帰化法は、白人にしか市民権を認めなかったが、それですら当時としては世界で最もリベラルなものであり、市民権を得るには2年の居住でよく、宗教、技能、富に何ら制限を設けなかった。強力な中央政府を支持する連邦党が政権を取ると、必要な居住期間を延ばした。だが、政府が個人の自由を制約するのは最小限にとどめるべきだと考える、より自由至上主義的（リバタリアン）なジェファソン主義者たちはそれを短縮した。1802年以降、居住5年が普通の要件となった。

商人で大陸議会のフィラデルフィア州議員だったテンチ・コックスは、アメリカがいまや「信教の自由の避難所」になると喜び、この寛容性がアメリカに、オランダと同じような経済的活力と成功をもたらすと予想した。[42] オープン性を支持したもう一人、政治家ウィリアム・ヴァンス・マレーは、この多様性のおかげでアメリカが「世界の偉大な思想劇場になる」と予想した。[43]

移民は、特に１８４０年以降はアメリカになだれ込んだ。豊かな農地と個人の自由という約束に惹かれたからだ。イギリス、ドイツ、スカンジナビアからのプロテスタントたちに加わって、いまや母国の飢饉（ききん）を逃れようとするアイルランドのカトリックも到着し、また迫害を逃れようとする知識人や活動家も世界中からやってきた。１８４８年にカリフォルニアでゴールドラッシュが始まると、何千人もの中国人が西海岸に移住した。19世紀末には鉄道のおかげで新しい開発用地ができて、蒸気船が輸送費を引き下げた。１８８０〜１９２０年にアメリカは２４００万人近い移民を受け容れた。その頃には、南欧や東欧からの移民比率が高まった。たとえばイタリア人やポーランド人だ。20世紀初頭には、人口の15%が外国生まれで、アメリカ人のほぼ全員が、ほんの数世代前の移民の子孫だった。

これでアメリカの人口は、１７９０年には３９０万人だったのが、第1次世界大戦の頃には１億人になっており、その後のアメリカは、ヨーロッパからの移民に対して大幅な制限を初めて加えるようになった。一連の法律で、中国、日本、その他アジア人やアフリカ系の移民は禁止されていた。出身国枠の仕組みにより、北欧や西欧の出身者が優遇され、アジア人は阻止されたが、南米人はまだ入国できた。１９６８年にはこの枠方式にかわり、姻戚関係や職能に基づく選考方式となり、またもやアジア系の移民を増やすことになった。

アメリカはまた、他の文化の不寛容と憎悪からも恩恵を受けた。多くの傑出した頭脳がこのせいで、アメリカに向かったからだ。

中でも特に醜悪で自分の首を絞めたのが、ナチスドイツだ。

ヒトラーがドイツの大学からユダヤ人を追放したのは、まるで自分の知識と科学の武器庫を爆撃するに等しかった。追放されたのは、ドイツの物理学者、化学者、数学者の16％だが、これは1933年に刊行された論文の参照件数の50％も占めている。追放された学者のうち11人は、ノーベル賞受賞者か、その後ノーベル賞を受賞することになる。[44]

ヒトラーは、合成窒素肥料の先駆者であるフリッツ・ハーバーですら、キリスト教に改宗したにもかかわらず迫害すべきだと主張した。ハーバーの有力な同僚の一人が、頼むからハーバーは見逃してくれと懇願し、こうした粛清でドイツの物理学と化学は100年後退すると告げた。ヒトラーは反論した。「ユダヤ人どもが物理や化学にそんなに重要なら、物理学と化学なしに100年働くしかない」[45]

ヒトラーから逃れてきた知識人一覧は、科学者要覧さながらだ。フリッツ・ハーバー、アルバート・アインシュタイン、ジョン・フォン＝ノイマン、ニールス・ボーア、エドワード・テラー、エルヴィン・シュレーディンガーなど実に様々だ。ほとんどはアメリカに逃げた。アメリカは安全だしはるかに遠かった。「少しでも記録が残っているものとして、これほど大規模な技能の流入は他にない」と小説家で化学者のC・P・スノウは書いている。「この難民たちのおかげでアメリカは、ごく短期間で、純粋科学において世界に冠たる存在となった」[46]

ドイツにとっては想像を絶する損失であり、もちろん彼らの軍事能力にも大損害となった。ヒトラーに、研究と技術と、ヘタをすると彼の求めた原爆さえ提供できた科学者たちが追放されてしまったのだ。それを得たのがアメリカだ。1942年には、初の人工核反応が、エンリコ・フェルミ率いるアメリカのチームによって実現された。フェルミはファシスト党が人種法を施行したときにイタリアを逃れてきたのだった。その後、アメリカによる核兵器製造活動は加速し、ドイツ、オーストリア、ハンガリー、イタリアからの難民が重要な役割を果たした。原子爆弾開発のマンハッタン計画に参加した多くの移民たちのおかげで、極秘軍事計画としては奇妙なほどの国際チームができあがったのだった。

排斥政策が自国の損失になっていると認めたスペイン王フェルディナンド2世のように、ナチ政権もやがては同じ結論に到達した。1942年7月、戦局がナチス不利に傾くと、国家元帥(げんすい)ヘルマン・ゲーリングは科学評議会に対し、多くの洞察や技術が「きわめて価値が高く(中略)我々をかなり有利にしてくれる。だがそれを利用できないのだ。その人物がユダヤ女と結婚していたり、半分ユダヤ人だったりするというだけで」と述べた。その会議にいた教条的なナチ党員たちが首を振ると、ゲーリングはユダヤ人研究者が「我々の必要とする能力を持ち、この瞬間にそれが我々を一歩前進させてくれたはずだ。こうした状況においては、そいつを始末せねば、などというのはキチガイ沙汰だ」と固執した。[47] だが国家社会主義者たちの得意技は、まさにキチガイ沙汰なのだった。

他の受け容れ国のほとんどとはちがい、奴隷制と人種隔離法(ジム・クロウ法)の歴史にもかかわらずアメリカは、移民もその出自にかかわらず参加して一部となれるような、めずらしいほどオープンな国民アイデンティティを作り出すのに成功した。ヨーロッパでは、しばしば移民2世とか、移民3世という話をするが、アメリカではしばしばアメリカ人第1世代として扱われる。これは、アメリカの提供した自由と可能性とが相まって、世界中からトップレベルの才能を引き寄せた。そしてこのおかげでアメリカは、科学、技術、ビジネス、芸術におけるリーダーシップを実現し、いまも維持し続けている。

うちの社会にはふさわしくない？

今日移民を恐れる人々の中で、これまでの移民の波から得られた便益を否定する人々はほとんどいない。ありがちな主張は、かつての移民は強い社会を築き、経済を強化し、重要な会社を作ったよい移民だったのだ、というものだ。現在の移民はそうではないのだ、とされる。社会を強化するかわりに、それを台無しにしようとしているのだ、と。

だが興味深いことに、過去の移民の波についても、それが社会の新参者で、社会に統合されてその価値と能力を示す機会が与えられるまでは、同じことが言われていた。

かの移民の国であるアメリカにおいてすら、大きな集団（しばしば多数派）は次の移民の波がそれまでの移民の作り出したものをすべて破壊してしまうと考えた。これは政治ジャーナリストのピーター・シュラグが著書『うちの社会にはふさわしくない』（未邦訳）で記録した通りだ。

オープンな国境を支持した建国の父祖たちですら、イギリス人の後にくる移民は適応できないのではと懸念した。１７５１年に、偉大なコスモポリタンであるベンジャミン・フランクリンは、ペンシルバニア州が「外人の国」になりつつあると警告した。大量のドイツ系移民は、決して英語やアメリカの習俗を学ぼうとしないということだ。彼らは「我々が彼らをアングロ化するかわりに、こちらをドイツ化してしまう」というのだ（そして、外国人についての意外な無知を示して、彼はまたドイツ人とスウェーデン人はなにやら怪しげな「黒ずんだ肌」をしていると書いている)[48]。1781年にトマス・ジェファソンは、ヨーロッパの王国からくるヨーロッパ人は「出身国の原理を持ってくる」と懸念した。そしてそれを放棄できたとしても、「そのかわりとして、無限の放埒さがもたらされるであろう。極端から極端へと走るのが通例だからである」と述べている[49]。

これはあらゆる時代に共通の懸念で、ある程度は無理もないものだ。ダメな抑圧的制度を持った国からきた人々は、ここでもそれを再現しようとするのでは？

だがこれは、移民する人々の自己選択を無視している。国を離れようとする人々は、そこでの政治体制に最も賛成しない人々であることが多い。自由に息をしたいと思っている人々だ。

友人や親戚を見てみよう。自国が戦争になったり弾圧を始めたりしたら、その人たちはまっ先に地球の裏側に引っ越しそうだろうか？　自国を離れる人は、なじみのない土地に引っ越して、ちがう言語や思想、宗教の人といっしょに暮らすのを最も恐れない人々である可能性が高い。平均で、最も寛容で柔軟性ある人々が移住し、根っからの伝統主義者の多くは故国に残る。さらに、新しい自由な国で暮らす体験により、ほとんどの移民の態度は、さらにリバタリアン的な方向に変わる。人々は現状バイアスを持っており、何かがうまくいけば、もっと同じことを続けようとする可能性が高い。

ドイツ人やスカンジナビア人たちが、共和制の実験に終止符を打つどころか、それを維持させてくれるのだとアメリカ人が気づくまでに長くはかからなかった。そしてやがて、彼らは模範市民となった。特に、新たな危険移民たち、アイルランド人に比べればなおさらだ。アイルランド人は、貧しく、怠け者の飲んだくれで、犯罪者で——最悪なことに——カトリックだった。忠誠を誓うのはローマに対してであって、自由に対してではなく、神父の言う通りに投票する、とされた。「ローマの奇妙で残虐な怪物は、アメリカの見事で美しい形態とは決して融合できない。自由と専制は二つの永遠の両極なのだ」とある論考は述べた。[50] イタリア人やポーランド人の到来も同じ抵抗に直面した。

当時のアメリカ人たちが、現在のアメリカ最高裁の判事8人のうち6人がローマカトリックとして育った（残り二人はユダヤ教徒）と知ったら、おそらく専制主義が勝利した悲しい未来が実現してしまったと結論したはずだ。2020年にはアイルランド系が副大統領（マイク・ペンス）、上院（ミッチ・マコネル）、下院共和党（ケヴィン・マッカーシー）を独占し、先代と現在の大統領顧問に加わっている（スティーヴ・バノン、ケリーアン・コンウェイ）と知ったら、おそらく反米グローバリストに共和党が乗っ取られたと思うことだろう。

当時の反アイルランド人感情はきわめて強く、おかげで一時は成功した政党「何も知らない党」が生まれた。そう呼ばれたのは、その初期の参加者たちが党についての質問に答えるのを拒んだからだ。1850年代半ば、下院議員234人のうち、43人が何も知らない党員で、知事や市長数人を輩出したものの、奴隷問題をめぐって解体した。

アイルランド人は南北戦争で勇敢に戦い、働きはじめ、家族を育てて社会を築くようになると、社会の普通の一部と見なされるようになった。小ずるいユダヤ人どもや不道徳な中国人に比べれば、少なくともキリスト教徒ではあるというわけだ。カリフォルニア州のアイルランド系移民で労組指導者デニス・カーニーは、反中国人運動を掲げて成功し、その演説を常に次の一節で終えた。「そして何が起ころうと、中国人どもを始末しろ！」。１８７０年代と１８８０年代には、一連の法により中国からの移民がすべて止まった。東欧からのユダヤ系移民が増えると、反ユダヤ感情も高まった。するとユダヤ人はニューヨークの高級クラブから排除されるようになったが、それは別にその人個人の問題ではないのだ、と弁解された。「純粋に人種的な問題でして」[51]。１９２０年代には、移民枠で彼らの数が制限され、ナチスの恐怖政治ですらそれを変えられなかった。最も悪名高い話として、ユダヤ人難民を満載したドイツのライナー船セントルイス号は１９３９年にヨーロッパに送り返された。その乗客２００人以上がホロコーストで殺された。

優生学という疑似科学のせいで、アメリカ人たちはユダヤ人の輸入によりダメな「生物学材料」がもたらされたとおびえるようになった。第1次世界大戦頃、知能テストによりイタリア人とポーランド人（ユダヤ人が多い）の移民はアングロサクソンよりもおよそ15ポイントＩＱが低いことがわかったといわれた。この結論は、知性は北西ヨーロッパ人にしかないもので、移民はアメリカをバカの国にしてしまいかねない、というものだった。だが生物学にこだわるあまり、彼らは教育、影響、技術文化での暮らしが万人のＩＱを引き上げる（いわゆるフリン効果）のを無視してしまった。50年後、イタリア人たちはＩＱ試験の平均点に追いつき、ポーランド系は9ポイントも平均を上回っている[52]！

もちろんやがて、ユダヤ人と中国人とヨーロッパ人はおおむね、アメリカを強くするまともで勤勉な市民とみなされるようになった――少なくとも、メキシコ人に比べれば。２０００年代初頭に私が移民に対するアメリカの態度を勉強しはじめたとき、南からの流入が最大の恐怖とされ、その好例は国際政治学者サミュエル・ハンチントンの２００４年の著書『分断されるアメリカ』

（邦訳集英社刊）だ。私が話を聞いたアメリカ人たちは、アメリカがかつては偉大な人種のるつぼだったが、ヒスパニックたちは別物であり、国を分断しかねないと語った。数がずっと多く、地理的に集中していて、故国との接触も続けており、英語を決して学ぼうとしない。犯罪的だし、その歴史から見て自由を理解できないし、過去の移民ほど愛国的にもならないのだという。

20年たったいま、ヒスパニック系移民たちは元々のアメリカ人より犯罪率が低いし、年齢と教育で調整すると、アメリカ生まれのヒスパニックたちは他のアメリカ人より愛国心が強いこともわかった。実は他の国で生まれたアメリカ市民のほうが、アメリカは他の国よりよいと考え、アメリカ人であるのが誇りで、三権分立への信頼を表明しがちなのだ。[53] 私は、アメリカの保守派の多くの言う、愛国者がもっと必要だという主張に同意する。それを得る最高の方法は、輸入することだったりする。

言語面では、メキシコ移民4世でスペイン語を流暢に話せる人は、メキシコ系移民が最も集中するカリフォルニア州南部ですらたった5％だ。言語学者によると「スペイン語は3世で臨終を迎えるようだ」とのことで、これは以前の移民集団と大差ない。[54]

データを見ると、同化の速度は過小に見積もられているようだ。というのも最も急速に同化する人々は、その民族的な出自に最も共感しづらい人々だからだ。言語、教育、労働、所得、宗教に関する世論調査は、その民族、たとえばヒスパニックだと自称する人々しか把握できない。2世のうち、もはやヒスパニックだと自認しなくなった17％の人々の考えは把握できないのだ。3世だとそれは27％、4世になると過半（56％）がそうなる。その時点で、先祖の出身地と最もつながりを感じる人々だけがその時点のデータに反映されるから、どうやらみんな移民は実際より同化しづらいと思ってしまうことになるようだ。[55]

2017年に共和党議員スティーヴ・キングは「他人の赤ん坊で文明を再建はできない」と述べた。だがアメリカはまさにその点で天才的だ。建国以来、アメリカは他人の赤ん坊により建国され前進を実現してきた。ロナルド・レーガンが大統領として最後の演説で述べた通りだ。「我々が世界を先導しているのは、各国の中で独特なこととして、我々が人々——我々の強み——をあらゆる国、世界の隅々から集めてきたからだ。そしてそれにより我々は絶えず、国を刷新して豊かにしている」[56]。ドイツ系とアイリッシュ系の先祖を持つスティーヴ・キングは、実は他人の赤ん坊が国の一部となり、その最高の地位にまで上り詰められるという証拠なのだ（ただしこの場合、移民がアメリカを強くするとは限らないという証拠にもなっているが）。

過去の移民はいい移民。いまの移民は悪い移民。だがこれも、いまの移民がやがて過去の移民になるまでの話だ。

このパターンはほとんどの場所で何度も繰り返された。それもアメリカだけの話ではない。1970年代イスラエルの喜劇団ルルの、こんな古典的なコメディがある。ユダヤ系移民が次々に——ポーランド、ロシア、ドイツ、イエメンから——イスラエルにやってくるが、常にそれまでのユダヤ人にバカにされ、絶対になじめないと言われる。だがそれぞれの集団は、自分が落ち着いたらすぐに野次馬に加わって、次に約束の地にやってきたユダヤ人を罵倒するのだ。

他国に移住する人々はしばしば、疑念と恐怖で迎えられる。彼らはちがっているし、どんな相手か向こうもわからないからだ。でも働きはじめ、起業し、恋に落ち、家族を育てはじめると、2世や3世なら移民のあるべき姿の好例と見なされるようになり、まだそれだけの時間がたっていない新規の移民集団に比べればずっといい、と思われるようになる。私たちは常に、予想のつかないプロセスの最中にあるので、過去はいつもマシに見えるし、未来は常に不確実に思える。

こうしたいつものシフトが今も起こっているし、やがてアメリカはヒスパニック系移民を立派な人々とみなすようになるだろう――少なくとも次の集団に比べれば。その次の集団はイスラム教徒で、貧しく犯罪的で、西洋の自由より後進的な宗教に忠実とされている。だから統合は絶望的、とのこと。移民学者アリスティデ・ゾルバーグが指摘するように「イスラム教徒が自由民主主義の中で暮らすにはふさわしくないと言われるあらゆる主張は、かつてアイルランド人についてアメリカで言われたことと同じだ」[57]。

今回はちがう?

西洋人の一部はイスラム教徒に向かって、君たちの宗教によればイスラム教徒は差別的で原理主義の権化でなければならないのだと説教するのが大好きだ。これはしばしば、戯画化や選択的な文献に基づいたものだ。だがそれは、価値観が変化する速度を無視している。

今日の世界のスナップショットを撮れば、開明的な価値観、たとえば選択の自由や平等な権利といったものが、アジア、アフリカ、南米よりは西洋世界でずっと広まっているのがわかる。だがスナップショットでは変化の方向はわからない。あらゆる文化は、国民が豊かで教育水準が高まると、もっと開明的な価値観を受け容れるようになる。

世界価値観調査データの分析によれば、世界で最も伝統的な地域である中東の若者は、いまや最もリベラルな西側諸国に住む若者が、１９６０年代末から１９７０年代初頭に抱いていたのと同じような価値観を持っているという。当時の若者の親たちは、ニヒリズムとナルシズム（そして「今の子たちが音楽と称しているあの代物」）が貴く純粋なものすべてを台無しにしていると思っていたのだった。[58]

そしてここでも、最も開明的な人々が自己選別により移民となる点が無視されている。また、もっとオープンで民主的な文化との出会いがこのプロセスを加速することも（全員ではないが、ほとんどの人はそうなる）。アメリカのイスラム教徒の大半は、イスラム解釈には複数のやり方があり、伝統的な理解を更新すべきだと考えている。人生で宗教が重要だと答える率は、他の人々より少し高い。だがイスラム教徒として本質的なことは何かと尋ねられると、コーランに従うことと答えるよりは「正義のために働く」「環境を守る」と答える人々のほうが多い。アメリカ市民全体と比較して、イスラム教徒は政治的、宗教的な理由で市民を殺すのは決して正当化されないと答える率が高い。[59]

同じパターンがヨーロッパでも見られる。イスラム移民の若い世代はずっとゆとりがあり、もっと多様な友人集団を持つ。西欧のイスラム移民は、宗教活動の面で地元民とそんなにちがわないようだし、世論調査ではほとんどが移住先の国に帰属を感じ、民主制度に信頼を抱いている。[60]

２０１６年には、イギリスのイスラム教徒の93％が自分はイギリス国民だと感じていると述べ、その半分以上は、それを「強く」感じていると答えた。イギリスでの民主主義の仕組みに満足した人が64％しかいないのは遺憾だと思うかもしれない。だがこれは、イギリス市民すべての中でイギリスの民主主義に満足している人の割合より、20ポイントも多いのだ。彼らはまた、非イスラム教徒よりも議会などの民主制度に対する信頼が高い[61]。

イスラム移民と地元民との大きなちがいは、ジェンダー平等、同性結婚、婚外の性交渉、堕胎、ポルノといった問題について、キリスト教保守派の少数勢力にずっと似ているということだ。だがこうした態度は、自由社会で長く暮らすにつれて変わってくる。同性愛への態度を見れば、その変化の速さがわかる。２００７年には、アメリカのイスラム教徒で同性愛が社会的に容認されるべきだと答えたのは、たった27%だった。その10年後には、倍増して52%になった。つまりアメリカのイスラム教徒は、いまや２００６年の平均的アメリカ人よりも同性愛に寛容だということだ（２００６年は、洗礼派の説教師ジェリー・ファルウェルとパット・ロバートソンが、９・11テロはゲイやレズビアンに対する神の怒りだと述べた5年後だ）。

世界価値観調査でスウェーデンにいる中東移民を調べたところ、寛容性やジェンダー平等などの開明的な見方をする人の割合は、地元スウェーデン人に比べると少ないものの、出身国の人々よりは多いことがわかる。出自と目的地の中間くらいで、カトリックの南欧諸国の見方に近い。スウェーデンにいる期間が長いと、その価値観もそれだけ「スウェーデン化」する[62]。

イスラム移民は常にますますリベラル化してきたし、いちばん若い世代は最もリベラルだ。他の移民集団と同じパターンをたどるとすれば、これはまさに予想通りだ。だからといって、この道筋が自動的なものだとか、それが逆転する危険がないだとかということではない。単に、そうした恐怖――ときにはかつての移民集団に反対する煽動をほとんどそのまま拝借してきたようなもの――に証拠の裏づけがないことを示すだけだ。

移民は、特にちがった人種や文化からのものだと、しばしば疑念と恐怖すら引き起こす。これは自然なことだ。新参者はちがうし、行動もちがう。だからこそ、そうした人々に絶えずこちらの人々を再活性化し、再生してもらいたいのだ。ちがうものについては、それが何かを理解するまで猜疑心を抱くのは普通のことだ。だが、これは地元民と移民との間の対立関係が不可避だという反映ではない。それどころか、移民の多い地域は平均すると移民支持率も高い。都市的でコスモポリタンな都心部はオープンで、地方部や小都市は懐疑的だ。アメリカでは、最も反移民的な投票は、移民や民族的な少数派が少ないところで見られる。ヨーロッパでは、最大級の懐疑論は、ほとんど難民を受け容れたことのない東欧諸国に集中しており、ほとんどの難民が向かうドイツやスウェーデンにはあまりない。ドイツ国内だと、東部で移民反対論が強い。そこは移民が少なく、オープンな伝統もあまりないのだ。

単純な事実として、人は変化に慣れてしまう。人々が思ったほど危険ではないとわかり、移民ではなくご近所、医者、先生、ウェイターとして見るようになる。多様性にも慣れる。だが急速な変化に慣れるのはむずかしい。少数派集団が、それまで多様性の低かった地域で急増すると、移民への疑念と反対が引き起こされる——別にそこの人が立場を変えるからではなく、問題がもっと表面化するからだ。元々疑念を抱いていた人は、それを強める。移民に対する反発は、変化の水準よりはその速度と相関している。[63]

これはおそらくいいことだ。というのもほとんどの人は実際の水準について、まともな見当がついていないからだ。一般に自国内の移民の数を、2〜3倍に過大評価している。イギリス人、ドイツ人、フランス人は、移民が人口の25〜26%だと思っているが、正解は12〜13%だ。スウェーデン人は、移民が人口の25%だと思っているが、9ポイント過大だ。アメリカ人は移民が33%

いると思っている――現実の19ポイント増しだ[64]！

この増加への恐怖があるので、移民を受け容れる用意ができていない国に、無理に移民を押しつけるべきではない。中欧や東欧諸国がヨーロッパにやってくる難民をある程度受け容れるべきだというのは、決して無茶な話ではない。だが豊かなEU諸国が、難民受け容れの伝統もなく、受け容れたいと思ってもいない国々に無理強いしたら、そうした国々で反移民や反EU感情が巻き起こるのはまちがいないことだ。

変化はこうした各国の内側から起こるしかない。たとえば、経済的な現実が移民の便益について新たな議論を引き起こすといった具合だ。

興味深いことに、強い反移民で知られる東欧諸国の一部は、大規模な転出と低い出生率のため、最も移民を必要とする国になっている。移民が増えないと労働不足に陥り、安い労働集約的生産に基づく経済モデルが揺らぐ。

だからこそポーランドは、東からの労働者にこっそり門戸を開いた。ある意味で、この名目上は反移民の国が、実はヨーロッパで最も移民に優しいとさえ言える。というのも他のどのEU諸国よりも、初の居住許可をたくさん出しているからだ。とくにウクライナ人にたくさん出している。別にこれは、政府が移民好きだからではない。移民なしではやっていけないからなのだ。

移民が雇用に与える影響

移民に対する敵意が繰り返される原因として、二つの大きな懸念がある。それが雇用に与える影響と、文化に与える影響だ。国際貿易の場合と同じく、問題は一部の自国民がどうしても損をするということだ。社会全体として見れば、1兆ドル紙幣がたくさん道端に転がっているかもしれない。だが一部の個人にとっては、すでに乏しい賃金がさらにおびやかされることになる。労働者が増えれば生産が増え、生活費は下がるが、教育水準と技能の低い労働者はしばしば、自分がそうした新参者たちを惹きつける産業部門にいるのだと気がつく。ただでさえ低賃金で苦しい立場にいるのに、いきなりこの国にやってきたばかりの人々と競争することになるのでは、反発を感じても無理はない。

そうした人々はどの程度の損害を受けるとお考えだろうか?

移民に批判的な経済学者として最も敬意を受けているのは、ハーバード大学のジョージ・ボージャスだ。彼の推計によると、アメリカ生まれの高校中退者の賃金は、1990～2010年に移民流入がなかったと想定した場合に比べ、1・7％低いという。そして中退者はそんなにいない。アメリカ人の9割以上は、移民のおかげで賃金が上がった教育区分にいる。ボージャスですらそれは認めている。しかもこれは悲観的な推計だし、ボージャスも自分が経済学者の中で孤立していることは認めている(「なぜみんな私に同意してくれないのか理解できない」[65])。

この数字が興味深いのは、ほとんどの素人の推測よりずっと低いからだ。理由は簡単。潜在的な労働者が増えても、失業が増えたり雇用の需要が減ったりしないからだ。そうでないと、アメリカのような大国は、フランスや南アフリカのような小国より常に失業率が高いことになってしまう。人が多ければ、もっと高度な分業ができて、別の種類の仕事に対する需要が高まる。移民は、言葉が完璧でなくてもできる、労働集約的な仕事につくかもしれない。それまでそうした仕事をやっていた人々が競争に直面したら、しばしばもっと独自の貢献ができるニッチに移り、とさにはまだきちんと技能を身につけていない新規参入者を管理したり、同じ仕事でももっとやりとりが必要な面に従事したりする。そうした新規参入者も、生産するだけでなく消費もするから、彼らも経済の中で他の種類の仕事への需要を増やす。

国際通貨基金（IMF）による富裕国の調査では、移民の比率が1ポイント増えると一人あたりGDPが長期的に2％上がると推計されている。労働生産性が上がるのが大きい。多様性ある職場は業績が上がり、お互いが専門特化できるようにするおかげだ。底辺90％もトップ10％も恩恵を受ける。中低技能の移民はどちらにも同じくらい恩恵をもたらすし、高技能移民の割合が増えると、恩恵のずっと多くがトップ10％に集中する——おもしろいことに、多くの新興ナショナリストが容認したがる種類の移民はこちらだ。[66]

移民がその国の政府の財政に与える影響を調べると、あまり大きな数字は出ないし、それは労働参加と福祉国家の構造に大きく依存する。平均で、移民は差し引きで見てその国の政府に小さいプラスの影響を与えるようだ。[67] だが平均がそこそこでも、大成功例もあれば、いくつか大失敗もある。ダメな政策は、オープンな方針を台無しにしてしまえるのだ。働く能力と意欲を持っている人々に機会を与えたり、故国で迫害に直面する人々を保護したりするのは、福祉が充実していて働かずにすむ難民を大量に受け容れ続けるのとはちがう。難民たちが社会に統合されなければ、彼らが問題の多い袋小路に集中し、自活もできず社会移動に必要な技能も得られない可能性はある。

スウェーデンにおける集合的な労使交渉のおかげで、実質的な最低賃金は、ほとんどの業界で賃金中央値の70％以上の水準になっている。これはみんなが同じ教育と似たような技能を持ち、3回目の転職をしようとしているときにはありがたいものだった。だがスウェーデンにきたばかりで、コネも高等教育もスウェーデン語もできない人にとって、これは2番目の、さらに突破不能な国境となる。生産性がスウェーデン人中央値の70％より低ければ、値づけで市場から排除されてしまい、経験や技能や生産性を高めるような仕事は決して得られない。英『エコノミスト』誌によると、スウェーデンの難民受け容れ形態は、ほとんど意図的に恨みを買おうとしているかのようだという。「難民に恩恵を山のように与えつつ、働くのはむずかしくしている」[68]

イギリスでは、2000年以来の多くのEU移民は公共リソースを食い物にしているというのが世間的な認識だ。証拠を見ると、話は逆だ。イギリスがEU市民の自由な移動を廃止しようとしていたとき、内務大臣の委託により国内移民諮問委員会がEU移民の影響についての分析を発表した。2016〜17年にヨーロッパの移民は、イギリスの公共財政に対して47億ポンドの純貢献をしている。なぜならもっと働くし、失業手当などの福祉の世話になる率が低いからだ。比較対象となったイギリス生まれの人口は、同時期にはむしろ財政に410億ポンド以上の純負担を与えている。当然ながら移民だって公共サービスは利用するが、同時に固定費も負担するので、地元民にとっての財政負担は減る。[69]単年度だけ見ても、生涯にわたる財政的な影響はわからない。ほとんどの移民は若く、高齢になれば費用がかさむからだ。だが同じ報告の試算では、2016年の平均的なEUからの移民は、イギリス政府に対して生涯の純貢献が7万8000ポンドになる。

アメリカのデータによれば、移民は平均で見ると、受給要件つきの公共福祉を、類似条件の地元民に比べるとずっと低い割合しか使わない。地元民が移民くらいわずかしかメディケイド（低所得者向け健康保険）を使わなければ、メディケイド制度の費用は42％安上がりになるという。[70]

移民が文化に与える影響

移民が好きな人もいれば、嫌いな人もいる。均質性の低下で不安になる人は、移民が近隣をあまりに急変させると考える。人によっては、移民が地域をもっとおもしろくして、選択を増やすと考える。こうしたちがいがあるので、問題は移民が全体として社会にどう影響するかということだ。

犯罪の恐れは、移民についての懸念で常に筆頭近くに上るし、それは未だに変わらない。だが実際には、アメリカのデータを見ると、移民は犯罪を減らす。合法移民は、アメリカでは地元民に比べて収監率が3分の1だし、非合法移民でも、収監率は半分強でしかない。[71]

ヨーロッパで支配的な主張は、移民がまちがいなく犯罪の原因になっているというものだ。だが、犯人が自分たちとちがっている犯罪は注目されやすいので、少数の目につく犯罪者だけを見て、文脈を無視した一般的な結論を引き出してしまいかねない。2012年2月17日、『デイリー・メール』紙は「移民犯罪の波：警報：ロンドンの全犯罪のうち、外国人によるものが4分の1も」という見出しを掲げた。だがロンドン人口のうち、外国籍の人間は4割近くを占めるから、どうやら実際の比率よりも新聞の見出しを飾りやすいらしい。イギリス人は、刑務所の34％は移民だと思っている。実際にはたった12％で、人口比とほぼ同じだ。[72]

研究によると、これは複雑な問題で、土地によっていろいろ差がある。移民はしばしば若く貧しくて、一部の地域では失業しやすい。難民が家族をつれてこられない場合は、男性であることが多い。こうした状況はすべて、統計的に犯罪増加と結びついているから、他のすべてが同じなら、犯罪は増えるはずだ。だが場合によっては、移民は犯罪統計で人口比率以上の割合を占めているのに、犯罪の総数は増えていないから、どうも代替が起きているらしい。たとえば都心のギャングの下っ端は、地元民や以前の移民の波が社会的地位を向上させて犯罪から足を洗うので、到着したばかりの貧しい移民だらけとなるわけだ。

あるイギリスの研究は、盗難や破損罪と難民申請者数とが相関していることを発見したが、もっと広い移民総数との間には相関はなかったし、また暴力犯罪への影響も見あたらなかった。西欧16ヶ国の研究を見ると、移民増加と犯罪増加は相関しているが、これは移民のかなりの部分が、犯罪件数の多い貧困地域に引っ越して、地元の犯罪水準に適応するからだ。地域別に見ると、移民が増えても犯罪は増えない。人口に占める移民の割合が大きいと、人は犯罪を恐れるようになるという相関は強く見られる。これは、このナラティブが人口に膾炙(かいしゃ)している理由だろう[73]。

もちろん、人に危害を加える移民が一人でもいること自体が問題ではあるし、潜在的な安全保障上の脅威を警戒して、犯罪者が入国しないようにするのは、オープン性のあらゆる政策で重要な一部となる（だからこそ合法的な入国地点が必要なのだ。だれが国内にいるかわかるようにするためだ）。だが何百万人もの多様な移民集団を、わずかな悪玉をもとに決めつけてしまうのであれば、多くの移民英雄についても考慮すべきだろう。たとえば南米コロンビアからの移民は、銃撃戦の真ん中に自分のライトバンで乗りつけて、マイアミの警官が射殺されそうだったのを救って安全な場所まで運んだ。あるいはあるポーランドからのシェフは、2019年にロンドン橋の上でイッカクの角でテロリストを撃退した。さらに、警察や保健分野で働く無数の移民は言うまでもない。一般化するなら、両方を見る必要がある。

移民についての恐れは犯罪だけではない。ありがちな懸念は、多様性が多すぎると社会のまとまりが脅かされるというものだ。これは新しい集団を招き入れる代償としては高すぎるという。政治学者ロバート・パットナムは、社会資本研究の先駆者だが、多様性は社会の結束をおびやかしかねないという主張で有名だ。アメリカ社会の大規模な調査により、彼は多様性がおっかない民族的部族主義を作り出したりはしないと結論したものの、一方でそれが「人々の内心にひそむカメを引き出しはする」と述べた。これはつまり、民族的に多様な地域の人々が「守りを固め」、ボランティア作業を減らし、投票登録も減らし、ご近所や指導者への信頼も低下し、ボウリングクラブに参加せず、テレビの前で不満顔で背中を丸めるようになる、とのこと（テレビは昔からパットナムの仇敵だった）[74]。

この結果はしばしば、多様でコスモポリタンな社会の価値を疑問視するのに使われるが——メディアではやたらに取り上げられるにもかかわらず——この効果は小さい。パットナム自身の計算によると、多様性よりも信頼への影響が強いものはたくさんあるし、それもちょっとやそっとではない強さなのに、論争にはなぜかそうした要因があまり登場しないのだ。貧困や犯罪といった、すぐにわかるものに限らず、教育水準、持ち家の有無、人口密度、平均通勤時間すら大きな影響力を持っている。移民に反対するのが本当に社会資本を懸念してのことなら、移民なんかよりもスマートで高速な都市技術や、鉄道ダイヤを最適化するＡＩをもっともっと支持して、通勤時間を減らすようにするはずではないだろうか？

世界中の多様性と信頼に関する論文90本をレビューした結果、研究者たちが見つけたパターンは、カメ理論の半分しか支持しないものだった。均質性の低い地域では、ご近所への信頼や接触も低い傾向があるというものだ。だがおもしろいことに、これは全般的な信頼や、非公式の手助けや、ボランティア作業には影響しないという。それどころか、多様性は民族間のつながりと信頼とは正の相関を持っているのだ[75]。これはまた、当のパットナムの結論でもある。

長期的には、お互いに知り合うようになり、外見がちがう人々との共通点が目につくようになると、この多様性アレルギーは低下して消える傾向にある[76]。

ある示唆的な論文は、このカメ効果の一バージョンを検討した。ハーバード大学の政治学者が、白人ばかりのボストン近隣に住む列車通勤者に、移民と統合についての意見を尋ねた。それからメキシコ人を二人その通勤列車に乗せて、スペイン語で会話をしてもらった。スペイン語を話す人々に直面してたった3日で、通勤者たちはメキシコ移民に対してずっと排外的な態度を示すようになったのだった[77]。

自国主義者はこの論文を使って、人は生来の人種分離主義者なのだと証明しようとした。彼らが無視しているのは、研究者たちがその人々に、スペイン語話者に接触して10日後にその態度がどう変わったかを尋ねている点だ。排外的な態度は強まったりはせず、再び低下を見せた。また7日たってみると、通勤者たちはその多様性に慣れはじめたからだ。これは実験に採用されたメキシコ人たちも述べたことだった。みんな通勤者たちが笑いかけるようになり、ちょっと話しかけるようにさえなったと述べている。

つまり移民はおそらく、文化には少し負の影響があるだろう。特にそれが勢いを得て、他のみんながいきなりなじみのない新しい集団と接触するようになったときはそうだ。もっと大きく多様な場所だと、ご近所とのやりとりは少ないし、まして理解する機会も少ない。一部の人が、もっとなじみのある地元で、隣の人を知っている場所を好み、バスでだれも言葉をかわさない活気あるダイナミックな大都市を敬遠するのは十分に理解できる。

だがそれは、もっとクリエイティブで繁栄した社会に暮らす代償だ。そしてほとんどの人は喜んでその代償を支払う。少なくとも、自分自身の移住パターンを信じるのであれば、そしてこの当初の反発を克服したら、すぐに慣れてしまう。

新しい人々と彼らがもたらす新しい発想がないと、残った社会は退屈で萎縮したものになる。均質な文化のほうが、少し気楽かもしれないが、追い越されてしまう。一部の東欧諸国と多くの西側の町が気がついたように、そうした文化は死に絶えることさえある。若者がもっと多様な場所の可能性と創造性を求めて転出してしまうからだ。

遠くからの人々は重要なアイデアの運び手だ。その存在は緊張をもたらすかもしれないが、移民、商人、コスモポリタンたちは世界史の原動力だ。文化の出会いと国境を超えたアイデアや信念の混じり合いは、人々の心を開いて古典文明を作り出した。ルネサンスと啓蒙主義ですらそのようにして誕生したのだ、というのをこれから見よう。

第3章

オープンな精神

なぜ科学と啓蒙主義は、ヨーロッパで生きのび発展したのか？ 西洋人が特別有能だったからではない。「ある条件」がそろっていたからだ。

第2次世界大戦で勝てたのはタイプミスのおかげ、という話をご存じだろうか？ こんな話だ。

1926年にロンドンの自然史博物館に就職したジョフリー・タンディは、同館初の隠花植物学者（cryptogamist）だった。つまり花をつけず、胞子で再生産する海藻やコケ、シダのような植物の専門家だ。

1939年にタンディが、イギリス海軍予備役に志願すると、国防省は彼について、異様なまでの興奮ぶりを示したのだった。驚いたことに、彼は即座にブレッチリーパークの政府研究所に送られた。そこではイギリス最高の知性たちが、ナチスドイツのエニグマ暗号機の暗号を解読すべく、必死で働いていたという。

どうやら国防相は隠花植物学者（cryptogamist）のタンディを、暗号文研究者（cryptogrammist）、つまり暗号文の専門家だと誤解し、当時ブレッチリーに勤めていた数学者アラン・チューリングなどの暗号解読を手助けするのに理想的な人物だと思ったらしい。海藻の専門家などに用があるはずもない。だがブレッチリーでの作戦は極秘だったので、軍としてはタンディを終戦までそこにおいておくほうがいいと思った。どうせ戦争にはまったく役に立たないだろうと思ったのだ。だが、これは大まちがいだった。

1941年のある日、ドイツ潜水艦から暗号表がブレッチリーパークに届いた。暗号解読のまたとないチャンスになりそうだったが、残念ながらこの文書はびしょ濡れで使い物にならなかった。ああ、ブレッチリーに、濡れた標本を保存調製する専門家がいればなあ。これだけの暗号文研究者（cryptogrammist）の中に、一人でも隠花植物学者（cryptogamist）がいればなあ。

タイプミスのおかげで、彼らにツキがめぐってきた。タンディはまさに、その紙を安全に乾燥させる方法を知っており、博物館への電話1本で、必要な道具は揃った。文書は救われ、その謎めいたヒントがチューリングなど、そうした業務の専門家に提供された。ジョフリー・タンディのおかげで連合軍はドイツ軍の計画や通信を解読できて、おかげで終戦がはやまった、というわけだ。

少なくとも、自然史博物館によればそういう話になっている[1]。この話の一部は怪しい。科学としての暗号解読は、基本的にはこの期間に発明されたものだから、この分野で立派な教育を受けた未知の専門家を陸軍がたまたま見つける、というのはいささか考えにくい。戦争勃発で、イギリスは諜報をゼロから構築しなければならず、社会のあらゆるところから人材をかき集めた。言語、記録保管、分析作業に関するタンディの教育と技能は、かなり重宝されそうだ。タイプミスがなくても目にとまっただろう。そして、彼が閑職に置かれていたということもない。実は彼は、外国文書の専門用語を解読する部門を率いていた。

だが、海洋資料を保存するタンディの技能がいきなり新たに意外な重要性を持つようになったという点について疑問視する人はいない。そしてこれは、スペルミスの可能性よりも、ブレッチリーパークの本当の物語なのだ。この施設があれほど成功したのは、無数のちがった分野の専門家だらけだったにもかかわらず、ではなく、まさにそのおかげなのだ。そのそれぞれが他の分野の問題を自分の目と道具で検討し、新しい組み合わせと洞察を作り出す可能性を高めたのだった。専門家たちは、数学、幾何学、統計学、化学、言語学、文学――そして胞子再生産植物といった分野の出身だったのだ。

極秘とはいえブレッチリーパークは、オープン科学の威力を如実に示すものだった。その現代版がイノセンティブ（InnoCentive）で、これは参加者が頭を抱えているむずかしい科学技術問題を提示して、解決者に報酬を出すオープンイノベーションのプラットフォームだ。製造プロセスの改良に苦労しているエレクトロニクス企業でもいいし、太陽フレア爆発の予想に支援が必要なアメリカ航空宇宙局（ＮＡＳＡ）でもいい。いままでに１９０ヶ国以上から40万人近くが貢献し、成功した解決策には２０００万ドル以上が支払われている。

すばらしいのは、成功率が75％程度ということだ。ある組織で専門家を長年悩ませてきた複雑な問題が、世界の他の人が見ればすぐに解決できるのだ。この教訓は、その場ではいちばん賢い人々ではあっても「その場」は実は小さいのだ、ということだ。プロセスを開放すれば、これまで偶然でしか（つまりはまったく）出会えなかった人々の知識と創造性からいきなり恩恵を受けられる。

もっとおもしろいのは、この設計された天啓が明らかにしていることだ。新しい洞察はしばしは、まったく意外なほうからストレートに出てくるのだ。イノセンティブの研究は次のように発見している。「注目している問題が、解決者の専門領域から遠いほど解決の可能性は高かった」[2]

またもや、意外性と組み合わせの話だ。遠い分野の人物は、古い問題を新鮮な目で見て、この文脈では目新しくても、その人は熟知している発想や手法を適用できる。化学の問題を解決したのは化学者ではなく、分子生物学者だったし、毒素研究の難問は、タンパク質結晶学の研究者が解決した。漏れた油を凍った状態で自ら分離するという問題を解決したのは、セメント産業の知見を活用した部外者だった。ＮＡＳＡの課題を解決したのは天文学者ではなく、プラズマ物理学の知見を使った無線技士だった。

人類がこれほど進歩したのは、イノベーションと模倣のおかげだ。新しいアイデアに偶然出くわし、目についたものを何でも真似するだけでは、どうしても進歩はきわめて遅くなってしまう。試行錯誤でコムギともみ殻を選り分けるにはずいぶん時間がかかる。だが新しい知識を系統的に探し、批判にさらして、その結果を知識体系に統合し、それを各種の手法に適用するような仕組みやプラットフォームを作ることで、このプロセスを加速できる。

他の観点に心を開き、他の観点から学ぶ——その人が友人だろうと敵だろうと、隠花植物学者だろうと、果ては同僚（ひぇー！）だろうと——ことは、知的進歩に不可欠だ。人の持つ確証バイアスのため、どうしても限られた世界観にとらわれがちとなる。だが言論の自由、ピアレビュー、認知不協和がそれを解放してくれるのだ。

科学の誕生

哲学者カール・ポパーは、「科学は神話と、神話の批判で始まらねばならない」と書いている。[3] 人は常に宇宙の起源、災害、雷などの起源を説明するのに、神さまについてのお話を作り上げてきた。だがそうした神話を批判して、神さまや霊の恣意的な介入が世界を説明できるという発想を拒絶するには、自由な精神と探究心が必要だった。

わかっている限り、超自然以外の原因の探求が最初に始まったのは古代ギリシャで、紀元前6世紀のイオニア沿海部にあるコスモポリタン的な交易の中心地でのことだった。ミレトス島で、思想家集団——タレス、アナクシマンドロス、アナクシメネス——が世界や物質や生物を、超自然的な力をまったく持ち出さずに説明しはじめた。世界を秩序ある場所として描き、それが非人間的な自然法則に司られていて、その法則は発見して記述できるのだと述べた。その1世紀後、ヒポクラテスは病気が、それまで思われていたような神々からの懲罰ではなく、常に物理的な原因を持っているのだと論じた。

ギリシャ人たちは無から有を創り出したのではない。技術や観察はエジプト人やバビロニア人たちから受けついだ。だが革命的な側面は、単に経験を記録し続けただけでなく、理論構築によりそれを理解しようとした、ということだ。そうした理論は、実証的な証拠を参照して裏づけたり否定したりできる。つまりオープンな議論を通じて批判し改善できるということだ。好奇心と批判を通じて、ギリシャ人たちはすぐに、身の回りの世界を説明するための理論をどんどん改良した。言い換えると、イオニア人たちは科学と哲学を発明したのだ。この両者は当時はほぼ同じことだった。だがなぜそれが、その時代にその場所で起きたのだろうか？

オーストリアの物理学者エルヴィン・シュレーディンガー（はいはい、あの猫の人です）は、イオニアで啓蒙主義が発達したのには三つの理由があると考えた。まず、その地域が強大な大国や帝国の支配下になく、小さな独立都市国家や島国で構成され、ちがった行動や考え方をする自由が比較的高かったこと。次に、イオニア人は東西の狭間に位置する航海者で交易者であり、シュレーディンガーが指摘したように「商業取引は常にどこでも、いまだにアイデア交換の主要な経路なのである」。第3の理由は、こうした社会が「神官まみれ」ではなかったからだ。エジプト人やバビロニア人たちとはちがい、中央集権的な宗教や、特権聖職者階級を持っていなかった。そういう連中は正統教義を確立して、ちがう考え方をする人々を処罰できてしまう。そしてこの地域にはもちろん、神を名乗る支配者もいなかった。[4]

ここに付け加えるなら、ギリシャ哲学者たちにはかなり字が読める観客がいたことだ。ギリシャ人はフェニキアのアルファベットを紀元前8世紀初期に導入し、紀元前6世紀頃には、多くの人が文字が読めた。神話や理論を書き下しておけたから、新しいかたちで検討し、批判し、共有できた。アリストファネスの「雲」のような人気劇では、哲学者が雷を引き起こすのは神々か雲かを論争する。

シュレーディンガーの条件——複数主義、交易、寛容性——はイオニアの啓蒙主義だけのものではない。歴史上の持続的な知的イノベーションほぼすべてを総括したものになっている。貿易と移民は、ちがったアイデアや伝統が出会い、お互いを豊かにできるようにする。「閉鎖社会の崩壊の最も強力な原因は、海洋通信と商業の発達かもしれない」とカール・ポパーは書く。[5] それは思想家や科学者に材料を与える。だがすでに決まったメニューがあって、材料を新しい方法で組み合わせて新しい料理を作れないなら、そうしたイノベーションは大して役に立たない。だから、ある程度の自由が必要だ。具体的には、硬直した知的独占があってはならない。ドグマを確立して、好奇心と異論を禁止してしまうからだ。

こうしたすべての点において、古代ギリシャは独立思考が驚くほど発達しやすい環境となっていた。それが起きたのは、枢軸時代と呼ばれる紀元前8世紀頃の時期だ。富が増大して世界のちがった部分との接触が増えるにつれ、人々は世界や道徳性について新しい疑問を投げかけるようになった。ギリシャはペルシャやエジプトと、中国はインドや東南アジアと、中東は各種文化の十字路として。哲学者や予言者は、自分の集団に限られない普遍的な道徳体系を考案しようとした。インドでは仏陀、中国では孔子と老子、聖書の預言者も、初期ギリシャ哲学者たちの同時代人だ。古代の儀式や動物の生け贄は道徳律に置き換わった。

コロフォンのクセノファネス（紀元前6〜5世紀）が一般宗教における神々に対して行った批判は、ギリシャ人が他のだれよりも自分たちの発想を推し進めた見事な証拠だ。クセノファネスは、ギリシャの神々がギリシャの男女のような格好をして、同じしゃべり方で、各種の恥ずかしい人間的な形で行動すると指摘した。そしてエチオピアの神々はエチオピア人のようだし、トラキアの神々はトラキア人のようだと指摘した。

ここから彼は、人間が神々を自分の姿にあわせて作ったのだと確信した。

ウシ、ウマ、ライオンに手があり、その手で絵を描いて人間のやった業績を達成できたら、ウマは神をウマの姿に描き、ウシはウシの姿に描き、それぞれ神々の身体を自分の身体と同じに描くだろう。[6]

ここに船乗りたちの叡智がある。「他の部族との親密な接触は、部族の制度を見るときの必然性の感覚を弱めること必定である」とポパーは述べている。[7] 自分たちの思想を他の文化と比べることで、ギリシャ人たちは自分の伝統を有益で批判的な距離をおいて見られるようになった。これは広大な帝国で、唯一の真の道について聞かされて育った人にはなかなかむずかしい。アリストテレスは、最高の政治体制について理論を開発するにあたり、ギリシャ都市１５８ヶ所の憲法を比較した。

ギリシャ人は競合する都市国家に暮らし、各国がかなりの接触と共通の言語を持っていたから、市内でも都市同士でも、論争は激しいものになりがちだった。おかげで受け取った叡智の理性的で批判的な検討が促進された。ソクラテスの真実探索が常に、ある問題についての無知の表明から始まり、他の人々がそれについて当然と思っていることを疑問視する形になっているのは示唆的だ。相容れないちがった理論があれば、議論の共通基準と証拠により、比較して評価しなければならない。

おかげでプラトンやアリストテレスのような哲学者は、知識の性質や、ある信念が正当化されるのはどういう場合かについて深く考える必要が出てきた。紀元前４世紀に、マケドニアからの移民アリストテレスは、論理の法則を定義した最初の人物となった。それを使えば情報を構造化して知識を蓄積できるのだ。そして単に考察するだけでなく、彼はそれを使って自然界についての情報を集めて理解し、世界初の実証科学者となった。

私たちの知る限り人類史上初めて、こうした要因は知的イノベーションを美徳とする文化を作り出した。古代のバビロニアやエジプトの文化では、著作者が受け取った叡智を批判して独創性を主張するような例は見あたらない。だがギリシャ人はしょっちゅうやっている。アリストテレスが『ニコマコス倫理学』（邦訳光文社ほか刊）で師匠プラトンの説を否定したときに述べた通り：

> 真実の擁護のため、自分の最も親密な個人的つながりでさえ犠牲にするのは、特に哲学者にとっては望ましく、いや必須であるとすら思える。どちらも自分にとっては大切なものではある。だが真実を優先するのが我々の責務なのだ。[8]

そして重要な点として、クセノファネスは、一般的な宗教を攻撃はしたが、その異論のために迫害されたりはしなかった。その風刺劇でアリストファネスは、神々や政治家をからかった——その戦争活動すら。きわめて多様な意見が容認され、しばしば公共のためになるものとされた。特に原民主主義のアテナイの、紀元前5世紀における黄金時代にはそうだ。

彼の葬儀でアテナイの政治家ペリクレスが演説した、次のせりふは有名だ（ツキジデスによる）——「我々は自らの都市を世界に開くのだ」。そしてまた、よいアイデアを私的にしか表明できないのであれば、市にとって役に立たないとも述べている。「議論を、行動の邪魔になる障害物と見なすのではなく、あらゆる賢明な行動の前段として不可欠なものと我々は考えるのだ」[9]

紀元前399年のソクラテスの裁判と死は、アテナイですら言論の自由に限界があったことを示している。だが異論者や扇動者たちは、それまでのあらゆる文明で殺されていた。アテナイが一線を画していたのは、その制約がずっとゆるく、驚異的な多様性を持つ思想や理論、意見を許容していたということだ。

その黄金時代に、人口30万人程度の小さな都市国家アテナイは、今なお思想史と文学史上の巨人とされる哲学者、劇作家、歴史家の故郷となった——ソクラテス、プラトン、アリストテレス、アイスキュロス、アリストファネス、エウリピデス、ヘロドトス、ツキジデス、クセノファネスなどだ。アテナイの専制主義的なライバルであるスパルタ出身者で、これほどの地位を持つ思想家は一人たりとも思いつかない。

暗黒化する時代

西洋の多くの人は、現代世界とはヨーロッパの宿命が実現したものだというお話を語りたがる——アテナイからローマ、さらにルネサンス、科学革命に産業革命、そしてはっと気がつくと、いまこの水洗トイレつきの現代生活、という進歩を想定するわけだ。

気持ちはわかる。古代ギリシャ思想があまりに革命的で、東洋と西洋の出会う場所で起きたので、富と自由への最終的な飛躍をとげた文明ならすべて、アテナイを自分たちの偉大な先人と見なすことはできる。

だがこのお話は、単純化されているというに留まらない。ウソなのだ。科学と進歩は、単純な道筋をたどるものではない。ときには足踏みさせられ、逆転するときもある。

アテナイから西洋への直線的な道はない。それどころか、そのつながりは途絶え、遺産は破壊され、1000年以上にわたってヨーロッパでは大した科学進歩が起こらなかった。

実は、多くの科学的発見や技術進歩はローマ陥落以降は忘れられた。それを生かし続けてさらに発展させたのは、アラブ世界と中国なのだった。

その原因は、シュレーディンガーの啓蒙条件が西洋では逆転してしまったからだ。最も致命的な点として、原理主義的ドグマが再び押しつけられるようになり、主流から外れた疑問や、それに対する革新的な答えが許されなくなってしまったのだ。そのときの退行はキリスト教という形でやってきた。キリスト教文化こそ西洋の台頭の原動力だと考える人にとって、これは変に思える。確かに当時はだれもがキリスト教徒だったから、キリスト教神秘主義やその専制君主と戦った少数の啓蒙的な精神もまたキリスト教徒ではあった。だから、彼らを主人公においたお話をでっちあげることは可能だ。

だが歴史に教訓があるとすれば、それはどんな宗教であろうと、思想を独占して非正統者を処罰するようになれば、進歩を止めてしまえるということだ。歴史家ジャック・ゴールドストーンが各地の大陸における急速な科学経済進歩の事例を見て結論した通り：

実は、こうした時期にともないがちな、宗教の重要な要素が指摘できる。これは何か特定宗教の特性ではなく、むしろ複数主義と寛容の条件下で多くの宗教が存在しているということだ。これに対して、こうした開花期の終焉はほぼ常に、圧政的な公式正統宗教の復活または強制で特徴づけられている。[10]

教父聖アウグスティヌス（紀元354～430年）によると、哲学者どもの最大の問題は、お互いに意見が一致しないことだ。アテナイ（「かの悪魔崇拝の都市」）について書いた文書で、彼はその支配者が「あれやこれや、その他有象無象の哲学者による無数の異論を判断し、一部を承認して受け容れ、残りを否定して棄却する手間をかけなかった。（中略）その中で少し真実が語られている場合でも、同じ物言いでまちがったことが言われているのだ」と文句を言っている。[11]

生と死、善と悪に関する思想は神の命令なのだと信じた聖アウグスティヌスは、それをみんなに無理強いさせたがった。それも当人たちのためだというわけだ。紀元313年にコンスタンティヌス帝がキリスト教をローマ帝国の公式宗教にすると、これは国家方針となり、異教は弾圧された。コンスタンティヌス帝自身、異端の本を禁書にして、それを秘匿したら死刑を科した。やがて古い神殿が閉鎖され、偶像崇拝をしているところを見られたら死刑となった。拷問と追放を恐れ、一部の異教徒は自分たちの本を燃やし、異端の証拠として使われないようにした。

キャサリン・ニクシーが著書『暗黒化する時代：キリスト教による古典世界の破壊』（未邦訳）で胸の悪くなるほど詳細に描いた通り、お役人たちが出るまでもなく、狂信的なキリスト教徒の暴徒たちが神殿や偶像をものすごい勢いで破壊しはじめた。これは中東イスラム原理主義者による、最近のテロ行為にも似ている。紀元392年に、アレクサンドリアの司教はキリスト教暴徒を率いて古代世界の驚異的な建築だったセラピス神殿に押し入り、それをがれきの山にしてしまった。所蔵されていた何万冊もの書物は、アレクサンドリア大図書館から残されたものだったが、破壊されたか失われ、二度と出てこなかった。多くの知識人は、ますます危険になる都市を逃れた。紀元４１５年３月のある日、有名な異教の数学者兼天文学者ヒュパティアは馬車で外に出るのが日課だったが、それをキリスト教の暴徒たちが妨害し、彼女を教会までひきずり、裸にしてその肌を瀬戸物の破片ではいだ。

ついに紀元５２９年には、ユスティニアヌス帝は洗礼を拒んだものは全員追放と宣言し、小アジアだけでも７万人ほどが強制洗礼を受けたとされる。また「異教の狂気」を抱くものたちはもはや教壇に立てないと宣言した。９００年にわたる哲学講義を続けてきたアテナイのプラトン学園は閉鎖された。５３２年には、学園最後の哲学者７人がアテナイを去り、ペルシャ王の庇護を求めた。[12]

多くの知識や文献が、その後の「大消滅」の間にあっさり失われた。その一部は、異教文献をつぶす活発なキャンペーンのおかげだ。エピクロスは何百もの本や論説を執筆したはずだ。だが書簡数本と格言一覧を除けば何も残っていない。５世紀末に、野心的な文芸編集者が、古典世界最高の散文や詩のアンソロジーをまとめた。その引用１４３０編のうち、１１１５編の原典は残っていない。[13]「ギリシャ人どもの著作はすべて費え去り破壊された」と初期の教父ヨハネス・クリソストモスは喝采した。[14]

禁止や破壊により始まったものを仕上げたのは、単純な放置、無知、文字通りの忘却だった。４世紀にローマ帝国がラテン系の西ローマとギリシャ系の東ローマに分裂したことで、ほとんどのヨーロッパ人はギリシャ語を学ばなくなり、西部の解体がその没落を加速した。気候と害虫害獣が書物を腐らせた。ヨーロッパ人は製紙法を知らなかったので、動物の革に執筆した。この羊皮紙は高価だったので、古い著作がしばしば洗い落とされて、そこに上書きされた。これはイギリス公共放送BBCの番組大量消去事件と似ている。同局はマスターテープの新品を買わずに古いテープを再利用しようとして、1960年代~1970年代の自局のテレビ番組を消してしまった。ちがいは、失われたものがSFドラマ『ドクター・フー』のエピソードではなく、古典的な遺産だったことだ。あらゆる古典文学の9割近くがこれで失われたと推定されている。[15]

西洋哲学の歴史で、アンソニー・ゴットリーブは科学が宗教に従属するようになって後退した様子について、不穏な描写をしている。

紀元1000年になると、医学、物理学、天文学、生物学など、理論的知識のあらゆる分野は、神学を除いてすべて崩壊した。比較的教育水準の高い人々は修道院にこもっていたが、彼らですら8世紀前の多くのギリシャ人たちよりも、目に見えて知識水準は低かった。ローマ文学を含む古典文献のほとんどは、一握りの僧侶以外まったく知らなかった。見つかっている当時のわずかな数学的な殴り書きも、ほとんどはお話にならない代物だ。要するにキリスト教はとんでもなく無知だったのだ。[16]

イスラムはヨーロッパの先生

10世紀にアラブの大歴史家アル・マスーディは、キリスト教文化に手厳しい判定をくだした。その論調は今日一部の西洋人がアラブ文化を一蹴するやり方と同じだ。

ギリシャ時代とローマ時代初頭には（中略）学問は尊重され普遍的な敬意を享受されていた。すでにしっかりした偉大な基盤を元に、そうした学問は日に日に新たな高みへと上ったのだが、そこへキリスト教が登場してきた。これは学習の構築物にとって致命的な一撃となった。その痕跡は消え去り、その道筋も拭（ぬぐ）い去られた。[17]

ヨーロッパはもはや取るに足らなかった。最高の数学者、天文学者、物理学者はいまやイスラム世界にいた。

8世紀から12世紀にかけて、イスラム世界の洗練ぶりは、古典文明の後継者にふさわしいものだった。その優越性の原因は、いまやイスラムが最もオープンでコスモポリタンな文明となったことだった。イスラム文明はスペインから北アフリカを経て、イラクやペルシャに広がり、さらにインドまで続いていた。それは、新しい信仰を古いローマ、ギリシャ、ユダヤ、ペルシャ、ヒンドゥーの伝統と混ぜることで恩恵を得た。旅行者と交易者の文明として、過去や現在の他の文化から学ぶ機会もあったし、またやる気もあった。

アッバース朝カリフ国の活気あふれる首都バグダッドは、アラビア語、ペルシャ語、インド語、トルコ語、アルメニア語、クルド語をしゃべる商人や職人たちで豊かになり、彼らは思想を自由に探究して議論できた。[18]

こうした出自の学者たちが、バグダッドの叡智の家に集った。そこには世界文献の翻訳が収集されていた。イスラム都市の中でユダヤ教やキリスト教の都市でもあったところは、紙の本を大量に所蔵した大図書館を持っていた——製紙法は中国人から学んだのだ。そしてその支配者たちはしばしば学者にお金を出して他国に旅をさせ、新しい本を探させた。彼らは初の高等教育センターを作り出した。これはしばしば大学の前身と考えられている。たとえばモロッコのアル＝カラウィーンは859年に商人一家の女性が創建した。これはアラビア数字（もとはインドのもの）をヨーロッパに紹介したとされ、教皇シルウェステル2世もここで学んでいる——この数字のおかげで、本書をどこまで読み進んだかもわかるわけだ。ハーバード大学の歴史学者デヴィッド・ランデスが書いたように「イスラムはヨーロッパの先生だった」。[19]

決定的な点として、イスラム世界はギリシャの哲学と科学を生かし続けた。西洋ではそれが忘れられ、迫害されていた時期だ。

8世紀から、アリストテレスを含む古典ギリシャの哲学科学文献はアラビア語に翻訳された。[20]これらを土台にして、天文学、数学、医学、化学、物理学、光学が驚異的な進歩をとげた。イラクの数学者アル＝フワリズミーは現代代数学を発明し、法学、経済学、光学の実務作業を後押しした。ペルシャの天文学者オマール・ハイヤームは、1年の長さは365・24219886日だと算出し、1079年にはヨーロッパで500年後に採用されるグレゴリオ暦より正確な太陽暦を編みだした。アラブの地理学者ムハンマド・アル＝イドリシは、史上空前の精度を持つ世界地図を作り出した。

一部の革新的な思想家は、同じ理性と論理に基づく手法を宗教研究にも適用し、コーランを批判的に検証する必要があるとさえ主張した。イスラム時代のスペインにあるコルドバ出身の哲学者で医師のイブン＝ルシュド（１１２６～１１９８年）は、ラテン語化したアヴェロスという名前で有名だが、中でも最も重要な人物だった。彼は当時、アリストテレスの最大の権威で、このギリシャ哲学者に関する詳細な註釈があったおかげで古代哲学が消えずにすんだ。このため画家ラファエロは、ヴァチカン宮殿のフレスコ画「アテネの学堂」の哲学者集結にも彼を加えている（緑のローブとターバンを身につけ、ピタゴラスの肩越しに見ている人物だ）。

イブン＝ルシュドは、神が因果律に基づく論理的な宇宙を創り上げ、それは科学的手法で理解できると主張した。いや、そうでなければならない。宗教的な啓示が科学と矛盾したら、解釈を見直すか、メタファーとして理解すべきなのだ。こうした発想は昔から毀誉褒貶激しく、正統派宗教を刺激した。イブン＝ルシュドのような独立思想家は、啓蒙的な支配者の庇護に依存していた――そしてムワッヒド朝カリフ国の裁判官で宮廷医師として、彼は庇護を得られた。だがこの庇護はあっさり取り上げられる可能性もあり、次のカリフはまさにそれをやった。１１９５年にイブン＝ルシュドは名誉失墜して、故郷コルドバに近い小村に追放された。その著書の多くは焼かれ、完全に失われた。

そうなるのは時間の問題だった。イスラム世界は分断を始めており、それとともにイスラム哲学も自信を失い、内向きになりつつあったのだった。アッバース朝カリフ国に対する一連の反乱が起き、帝国は分裂した。11世紀にはイスラム配下のスペインが、内戦とキリスト教徒の侵略によりゆっくり解体しはじめた。

こうした不安のせいもあって、寛容の伝統が衰え、教育システムはもっと保守的になった。科学探究の機関にかわり宗教研究に専念する機関が台頭した。学者はかつて世俗的な職業も持っていたが、いまやこうした教育機関マドラサで専業となった。ただしそのためには正統教義を厳守しなければならない。卒業生は政府の要職を与えられた。ある定量分析によると、イスラム世界における科学を扱った本の数は、マドラサが拡大するのと同時期に、各地域で激減している[21]。

同時に、外国からの脅威がますます破壊的になってきた。13世紀にイスラム世界は、北からはキリスト教十字軍、東からはモンゴル侵略者に挟み撃ちにされていた。わずか半世紀で、支配地の半分が失われた。イスラム教スペインの学習センターだったコルドバは、キリスト教の再征服（レコンキスタ）活動が勢いをつけるにつれて１２３６年に陥落し、１２４８年には経済メトロポリスだったセビリアも陥落した。

事態はさらに悪化する。イスラムの黄金時代は１２５８年２月13日に終わったとされる。これは人類史上で最も血みどろの日だ。12日にわたる包囲戦の末、モンゴル軍はイスラム世界の知的首都バグダッドの城壁を破った。モンゴル軍が押し入り、老若男女かまわず虐殺して、モスク、病院、学校、36ヶ所の図書館すべてを破壊した。チグリス川の水は、投げ込まれた本のインキで黒くなったといわれ、また殺された科学者や哲学者の血で赤く染まったという。

だがそれがとどめではなかった。１世紀後、黒死病がイスラム世界の人口を大きく減らし、１４００～１４０２年にティムール朝モンゴル帝国が残虐な侵略をしかけてきたので、地域はさらに破壊された。こうした惨事は莫大な人的、経済的な被害をもたらし、多くの地域は立ち直れなかった。だがそれは、保守的な宗教的反動を強化することにもなった。そうした反動は、世俗哲学がイスラム文化を路頭に迷わせたのだと論じ、彼らの考える伝統的イスラムへの復帰を要求した。

アル＝ガザーリー（１０５８～１１１１年）のような思想家の影響力が高まった。彼はギリシャ哲学を拒絶し、科学は神の意志が律する世界を決して理解できないと主張したのだった。宗教と啓示だけがそれを理解できるという。聖アウグスティヌスは、キリスト教の強制を擁護して、「手を叩いてヘビを挑発する少年を止めるため、その子の髪を引っ張る」のと同じだと主張した。[22]同様にアル＝ガザーリーは異説の人々を子供だと考え、彼らの危険な思想の研究を止めるのはまったく「少年が川に落ちないように、川辺の土手に登るのを禁止される」のと同じだと論じた。[23]

復活

ローマの場合と同じく、国内の原理主義と蛮人の侵略により、偉大なオープン文明がつぶされた。だがここでも、科学と哲学には命綱が差しのべられ、それがヨーロッパのルネサンスと啓蒙主義をもたらす手助けとなった。カトリックの偉大な自由歴史家アクトン卿は、ヨーロッパの暗黒時代を次のように描いている。

西欧は君主たちに掌握されていたが、その最も有能な者ですら、自分の名前も書けなかった。理詰め、正確な観察の能力は500年前に絶えており、社会にとっても最も必要とされる科学である、医学と幾何学ですら衰退した。このため西洋の師匠たちがアラブの君主たちの足下にある学校に通うことになったのだった。[24]

征服されたスペインにおいて、中世ヨーロッパにとって何より重要だったのは、イスラムの図書館の棚に並ぶ、アラブ人、ユダヤ人、ギリシャ人、ペルシャ人、インド人著者の原稿だった。ヨーロッパの学者たちは自分たちの発見した知的遺産と科学的発見の幅広さに驚嘆した。1085年に、重要都市トレドがキリスト教徒の手に落ちた。そしてしばらくの間、スペインがユダヤ教徒やイスラム教徒を追放するまでの間、あらゆる伝統の学者がそこに集い、解釈しては議論した。多くのキリスト教学者たちは、その本を理解して翻訳するためアラビア語を学んだ。アメリカの歴史学者デヴィッド・レヴァリング・ルイスによれば「イスラム学習は、アンダルシアから何十年にもわたりキリスト教世界の西部へと染みこみつつあったが、それが濁流のような流出となった。それは当初は浸透にも似たプロセスだったが、やがてベルトコンベアと化した」。[25]

この学習の富を手に入れたヨーロッパは、久しくなかったほど、それを受け容れるだけの態勢が整っていた。比較的政治の安定し、人口の成長している時期の真ん中だ。交易は拡大し、それにともない都市化と教育需要の高まりがあった。1150年から1215年にかけて、初の大学がパリ、オックスフォード、ケンブリッジ、ボローニャ、サラマンカに設立され、みんな新しい輸入学問について議論をし、それを流通させはじめた。いま私たちが、16~17世紀における数学、物理学、化学、医学でヨーロッパでの新発見だと思っているもののほぼすべては、多くのちがった文明から以前のイスラム文化が発達させたものに基づいている。現代科学のルーツはヨーロッパではなく、世界的なものだった。[26]
中心的な役割を果たすのは、新たに発見されたアリストテレスの作品だ。

形而上学から倫理学から政治学まですべてアリストテレスだ。ラテン系のキリスト教世界は、形式論理に関するアリストテレスの思想については多少のアクセスを持っていたが、これはしばしば不毛な抽象化をもたらしただけだった。いまや、彼らは論理でどのように世界を観察し、実証的なアイデアを集めてそれを比べ、批判して蓄積するのかについてのアリストテレスの考えを発見したのだ。

彼らはそれ以上に、この論理学の大家は実は、星や運動、地理的な変化、ドチザメの胎生発達まで、自然界の観察と説明についても余人の追随を許さない成果を上げていると気がついた。アリストテレスは、大量の生物学データを収集し体系化しており、その多くはレスボスの動物学研究に費やした2年間で得たものだった。当時のヨーロッパの思想家にとって、これはロゼッタストーンの発見にも匹敵するものだっただろう。突然、これを使えば自然界が翻訳できるようになったのだ。

キケロはアリストテレスの文体を「黄金の川」と評した。私たちはこの川に決して踏み込めない。一般向けに書かれたアリストテレスの作品はすべて散逸しているからだ。生き残っているのは、発表を意図したものではない講義録らしきものだ。黄金の川というよりは技術マニュアルに近い。だがその内容の知的な力は、中世世界を震撼させるに十分だった。それは驚異的でしっかりまとまった体系だが、キリスト教の神を持たない異教の哲学者が作り出したものだった。魅力的ながらも危険だ。ちょうどイスラム世界の場合と同じく、宗教当局はこの合理的な手法が彼らの力を弱めてしまうのではと恐れた。

キリスト教ヨーロッパの知的中心であるパリ大学からは、アリストテレスがまちがいなく問題を引き起こすという報告がやってきた。学生たちは新しい思想に酔いしれて大胆になるとされる。理性と論理で証明できないキリスト教の教義は激しく批判され、それが啓示や福音であっても関係ない。そして最悪なことに、一部の聖職者もまた新しい思想に敬服してしまっていた。

1210年に、アリストテレスの「物理学」「形而上学」の講義と読書が、私的にも禁じられ、それを破れば破門だと脅された。だが多くはこっそりアリストテレスを読み続け、中には公然と禁を破って読む者までいた。雰囲気が険悪になりつつあった。

1215年に彼の本が再び糾弾され、1231年に教皇グレゴリオ9世が、それを検討してまちがいを太字の黒インクで消し去るまでは禁書にするとお触れを出した。だが禁止令が繰り返されたということは、それまでの禁止令が効かなかったという証拠だ。

熱狂する新たなアリストテレス主義者に対し、伝統主義者たちは苦戦を強いられた。学生たちも、大学で本が読めなければ他所(よそ)で読むだけだった。1225年にパリ大学学長は、この新しい異教哲学がパリにもたらした混乱についてグチっている。「濁流はパリのほぼすべてを破壊した。教義の大海に流れだし、それはいままで実に純粋で平穏だった波を乱している」[27]

そして結局のところ、アリストテレスは有益になる可能性もあった。ギリシャ哲学反対者の一部も、知識構造化の手法を学んで、敵と論争できるようにしなければと気がついた。またアリストテレスは、教会のカタリ派に対する熾烈な闘争でも有益だった。カタリ派は、正と邪の二つの力が物理世界を創り出したと信じていた。アリストテレスの生物学世界に関するデータの宝庫を利用することで、教会は自然の統合性と美しさについて具体例をあげ、唯一のよい神しかいないという証明に使えた。

教会はアリストテレスの思想を打破できないなら、それを活用するしかない。この危険な新しい力の源は、教会の統制下におく必要がある。

アリストテレスをキリスト教と融和させようという最も野心的で重要な試みは、ナポリ近郊出身の若きトマス・アクイナス（1225〜1274年）によるものだった。彼はあまりに聡明で、いくつかちがった作品を、ちがう書記に同時に口述させたといわれている。彼はイブン＝ルシュド（トマスは彼を「注釈者」と呼んでいる）のイスラムの扱いに深い影響を受け、キリスト教に同じことをするのを生涯の仕事にした。

世界は涙のヴェールであり、人は無知な罪人であるというそれまでのキリスト教的な発想を否定したトマス・アクイナスは、理性的で美しい宇宙についての発想を概説した。宇宙は人間にとってよい住まいであり、人は単に苦しんで死後の生活を待つだけの存在ではなく、いまここでよい人生を創り出せるのだ。トマスによれば、人は感覚と理性と論理の証拠を通じて世界についての知識を獲得できるし、それには聖なる恩寵や啓示は必要ない。そして宗教的な真実は、理性的に証明できるか、あるいは理性ではまったくわからない範囲をカバーする。理性と信仰の間に矛盾はあり得ない。なぜならどちらも神から与えられたものだからだ。

これは実質的に、中世のドアにルネサンスが片足を突っ込んだようなものだった。というのも、理性と実証研究に独自の分野を提供し、好奇心旺盛な哲学者や科学者に、世界を実証的に探究する余地を与えたからだ。トマスにそのつもりはなかったが、彼は信仰を守勢に回らせた。啓示は理性がカバーしない領域だけを扱うので、科学的な考え方が、ますます大きな領域を明らかにするにつれ、信仰は着実に縮小する領域に後退せざるを得ないということだ。そして世俗思想家が大胆になるにつれ、一部は信仰と理性の間に矛盾を指摘するようになり、トマスの調和の取れた一体性を引き裂きはじめた。

宗教的な権威当局は反撃した。これはイスラム世界で起きたのと同じことだ。1272年のパリで、アリストテレス派と伝統主義者との間で内戦が勃発したので人文学は二つの学部に分裂し、それぞれ独自の規則、教師、学生を持つようになった。3年後に教皇の使節が保守派に軍配をあげて分裂を終わらせ、ブラバンのシゲルス率いる急進的アリストテレス派はパリから逃走したが、フランスの異端審問に召喚されてしまった。

1277年3月、ローマ教皇の要望で、パリの枢機卿はアリストテレス、イブン＝ルシュド、トマス・アクイナス、その他もっと急進的なアリストテレス派の誤謬(ごびゅう)219ヶ所を一覧にした。そうした結論に到達したり、それを教えたり、それに耳を貸したりしただけで、だれでも破門されるという。その11日後、カンタベリー枢機卿でオックスフォード大学学長は、独自のアリストテレス誤謬の糾弾を発表し、さらなる調査が始まった。ブラバンのシゲルスはほんの数年後に、不可解な状況で殺された。書生が発狂してペンで彼を殺したのだという（敵たちは、シゲルスはそのペンであまりに多くの被害をもたらしたから自業自得だと言った）。だがその殺人について捜査は行われなかった。

急激な解体に直面したイスラム世界の場合とちがい、ヨーロッパの富はいまや増大し、都市も拡大していた。世俗の学問センターがさらに生まれ、教会と各種宗派も豊かになり、初期キリスト教の禁欲主義を否定するようなメッセージも、受け容れるようになっていた。そして各地のヨーロッパ大学や都市の間の競争が強すぎたので、当局は長期的に不都合な思想を弾圧などできなかった。すでに1229年の時点で、トゥールーズ大学はアリストテレスの講義に一切制約を設けないと生徒に約束したという広告ビラを発行している。新生のパドア大学は、1361年まで神学部がなく、その後も神学部は小規模なままだったから、アリストテレスはいくらでも研究できた。強大な都市ヴェネツィアは、毀誉褒貶の激しいパドアの学者たちを、教皇の迫害から保護した。

フランシスコ会の修道士たちがアリストテレス派を攻撃したときには、影響力をますます強めてきたドミニコ会から反対を受けた。1228年にドミニコ会自身も、信徒たちにギリシャ哲学の勉強を禁じ、「手短な検分」だけ認めた。[28] だが聡明なトマスはドミニコ会士で、会としては彼を自分たちの最大の知的英雄と見なすようになっていた。トマスが攻撃されているとき、ドミニコ会は信徒たちに、トマスの公式な批判を禁じることで対応した。

1323年にトマス・アクイナスは列聖された。その2年後、枢機卿は、パリの糾弾を、トマスに関連した部分だけ取り下げた。一方、アリストテレスとイブン＝ルシュドの翻訳は、都市化が進んで教育の高まった社会に流れ込み続けた。パンドラの箱はもう開いてしまったのだった。[29]

その結果の一つとして、自然世界の驚異についての情熱的な好奇心が新たに生じた。アリストテレス派のアルベルトゥス・マグヌスは、植物学、動物学、鉱物の実証研究の先駆者だった。彼によれば「自然科学の使命は、単に言われたことを鵜呑みにすることではなく、自然の事物の原因について探求することである」[30]。

重要な知的集団では、すべてがすでに神により明らかにされているという発想は、知識に対する新たな渇望により疑問視されるようになってきたし、慎ましい進歩の発想すら出てきた。1306年ピサでの説教で、フラ・ジョルダーノはこう述べた。「だがあらゆる技芸がすでに見つかっているわけではない。その発見の終わりを目にすることはあるまい。（中略）そして常に新しいものが見つかっている[31]」

どんなアイデアでも、正統教義にされてしまうと進歩を阻害しかねないという事実の何よりの証明として、宗教政治当局の手にかかるとアリストテレス思想ですら、化石化して新しい発想を抑圧しかねないというものがある。アリストテレスの本を禁書にしたヨーロッパの大学が、こんどはアリストテレスを必読書にして、教会は物理や宇宙に関する彼の仮説の一部を、疑問視してはならない教義にしてしまった。13世紀には、アリストテレスはオックスフォード大学で邪教の説とされた。1世紀後に、その同じ大学は彼の哲学に従わない学士や修士に対し、アリストテレスからの逸脱一つにつき5シリングの罰金を科すと定めた[32]。

たとえば、アリストテレスは天の唯一の変化は円運動だと考えた。この発想は、教会による完璧な天国と動乱の地上という区分に都合がよかったので、教会はこれを正統教義として強制した。木星の周りの月や、その他理論にしたがえばそこにないはずの各種の事物を示す、新たな望遠鏡を覗くのを教会が——少なくとも伝承では——拒否したとき、自分のものを含むあらゆる理論は「人生の事実の検証に直面せねばならず、もし事実と一致すればそれを受け容れるべきだが、衝突するようならそれがただの空論だと考えるべきだ[33]」というアリストテレスのこだわりを、教会は都合良く忘れてしまったのだ。

　だがこれは、教会とますます世俗的になる知識人との間の溝を、なおさら深めてしまった。イタリアの大学における自然研究はますます実務的で実験的にすらなりつつあり、いまやそれが伝統的な世界観に、次々と打撃を与えていた。太陽黒点や超新星の発見は、天も絶えず動いていることを明らかにした。惑星は実は円軌道ではなく楕円軌道で動いていた。天文学者コペルニクスとガリレオ——どちらもパドア大学とつながりを持つ——は、宇宙の中心から地球を外しさえした。理性と実証研究がすでに重要な役割を与えられていたため、新事実の洪水は保守勢力に大規模な信頼性の問題を引き起こしていた。


　グーテンベルクの印刷機は、新しいアイデアや発見についての知らせを広めた。１５００年には、１０００万冊ほどの本が流通しており、人々の識字率もますます上がっていた。

　１５００年以降、ヨーロッパの精神はますます開かれた。アジアとの通商ルートを発見しようという試みをきっかけとした、様々な発見をもたらす大航海のおかげだ。「かの半球で私は哲学者の意見と相容れないものを見た」とアメリーゴ・ヴェスプッチは、後に自分の名前がつくアメリカ大陸について書いている。ヨーロッパ人は新しい洞察、見知らぬ植物、未知の生物を発見した。[34] インドや中国との接触が確立すると、驚愕した船乗りや貿易人たちは、さらに進歩した科学、目新しい製品や技法を持ち帰った。

　こうした不思議な場所についての知らせを広める人々は、公的な議論における重要性が高まり、彼らが目新しいものに最も興味を抱く人々だったので、これが文化の均衡を、伝統からイノベーションへと傾けた。1534年に、医師として務めるべくゴアに航海したガルシア・デ・オルタは、考察よりも旅の目撃者情報のほうが重要だと結論づけた。「ローマ人が100年がかりで得たよりも多くの知識を、いまやポルトガル人から1日で得られる」[35]

イギリスの哲学者フランシス・ベーコンが1626年に発表した空想科学ユートピア『ニュー・アトランティス』（邦訳岩波書店ほか刊）には、「光の商人」と呼ばれる12人の仲間が登場し、その唯一の目的は外国へと船出して、新しい知識を集めることだった、というのは示唆的だ。そして商業の増大のため、物事や製品を理解し、記述し、計測して値づけする活動に新たに力点が置かれるようになった。この世の事物についての正確な情報は、交易者にとって、不可欠な研究対象となったのだ。[36]

16世紀には、イベリアのスコラ学派は、アリストテレス主義とルネサンスの人文主義を組み合わせ、天文学と新大陸についての新しい発見に取り組んだことで、経済学と国際法の急先鋒となった。サラマンカ学派（最も影響力ある大学にちなんだ呼び名）は、フランシスコ・デ・ビトリアを筆頭に、アメリカ先住民をスペインやポルトガルによる奴隷化と強制改宗に対して擁護し、人権という大義の先駆者となった。先住民は自分たちとはちがっているし、キリスト教徒ではないかもしれないが、理性と自由意志を持っているから生命、自由、財産の権利があるのだ、と彼らは述べた。スペインのスコラ学派の一部はこれを、個人の人権と自由市場の原リベラル的な思想へと拡張し、王の役割はそうした権利の保護に限られると考えた。イエズス会の聖職者やフランシスコ・スアレズ、ファアン・デ・マリアナといった著述家は、王は人民に雇われているのだと考え、だから王が国民を裏切れば、国民は反逆する権利があるのだと主張して、伝統主義者を青ざめさせた。[37]

サラマンカ学派の思想はやがて、プロテスタント諸国でも影響力を持つようになる。オランダの外交官で法学者フーゴー・グロティウスや、ドイツの政治哲学者サムエル・プフェンドルフなど、影響を受けた自然法思想家たちは、彼の思想を自分の思考体系に組み込んだのだった。

正統教義の逆襲

1700年頃には、ヨーロッパは暗黒時代からある程度は抜けだしかけていたが、アジアを追い抜くほどではなかった。アジアのほとんどの地域では、平均所得や生産性はヨーロッパより高かった。そしてヨーロッパ人の識字率は上がりつつあったが、中国人に比べれば識字率も教育水準も低かった。

だがヨーロッパには別のものがあった。この時代までに、ヨーロッパはついに他の文明よりオープンになっていた。この事実が世界史の方向を変える。

1500年代末から1600年代半ばにかけて、地球の寒冷期（「小氷河期」）に、人口増と食品価格上昇が同時に起こったので、反乱や内戦、国家崩壊がヨーロッパと中東、アジア各地で相次いだ。ヨーロッパの宗教改革は、宗教紛争と三十年戦争をもたらし、イギリス内戦でチャールズ1世王は首をはねられた。オスマン帝国は反乱にあい、1622年にスルタンのオスマン2世は軍事蜂起により処刑された。中国では明朝が満州族に打倒され、1644年に清朝が北京で建国された。一方、インドではムガール帝国が崩壊を始めた。

こうした悲惨な危機に直面した支配者たちは、構造を見直して社会秩序と自らの権力を温存しようとした。ここから生じた最大の長期的影響は、いまやおなじみの結論が引き起こしたものだった。つまり社会と宗教の近代化のせいで自分たちは弱体化した、というものだ。

多くの人は、こうした騒乱が到来したのは、自分たちが伝統的な信念を捨てたからだと思い込んだ。そこで激しい反動が生じた。[38] オスマン帝国の宗教エリートは、伝統的な信仰を捨てたといって指導者たちを責め、「美徳の輪」を導入しろと主張した。これは敬虔な支配者と従属的な臣下が立場をわきまえ、スンナ派イスラムの保守的な解釈に忠実にしたがう仕組みだ。

1650年以降、過去に物事が行われていたやり方を発見し、それを見習うというのが最大の目標となった。オスマン帝国の寛容な伝統が放棄され、外部世界と国内イノベーションが見下されるようになった。隣のサファヴィー朝ペルシャはその当時、シーア派イスラムの強制を始めており、スンナ派聖職者を追放したり殺したりした。インドのムガール皇帝たちもまた寛容政策を逆転させ、シーク教やヒンドゥー教の神殿を破壊した。

一方、征服者である満州族は、中国に対する自分たちの新しい支配を正当化しようとして、厳しい儒教国家正統教義を課し、仏教や道教の影響を排除した。階層構造が確立され、イノベーションは嫌われ、独立した知的生活はつぶされた。古い文献から危険な思想が排除されて改変され、古典の暗記が公職の要件となった。政府は「文字の獄」と呼ばれる、読み書きしたものについて知識人を迫害する活動を開始した。ガサ入れにより禁書が捜索され、反清朝の嫌疑をかけられた学者は、処刑、追放、強制労働の刑となりかねなかった。これは主に、知的な異論者よりは政治的な異論者を狙ったものだったが、教育機会には長期的な被害を与えた。[39] 他の新しい順応主義レジームと同様に、科学とイノベーションは停滞した。

最初はヨーロッパも同じだった。エリートたちは17世紀の危機に対し、中東やアジアとまったく同じ反応を見せた。政治的な権威と知的正統教義の押しつけだ。

でもヨーロッパがちがっていたのは、それが失敗したことだった。

プロテスタント改革者たちは、もっと純粋で伝統的な形のキリスト教に戻りたいと考えた。彼らは、ローマがそれを裏切ったと考えたのだ。ルターはプロテスタンティズムが確立した場所では宗教的寛容など論外と考えており、冒涜（ぼうとく）の邪説を唱えた者は死刑にしろと主張した。カルヴァンがいたジュネーブは警察国家で、教会通いは義務であり異端者は拷問を受けて火あぶりになった。オープンなオランダですら、この困難な時期にはカルヴァン派教会からの圧力に屈し、1656年にはデカルトを教えるのはオランダ国家に禁止された。同年、アムステルダムのユダヤ教社会はスピノザを破門し、死後に彼の本は禁書となった。

カトリック教会も己の権威を再確立しようとして、この改革反動期に抑圧性を増した。ローマカトリック教会の異端審問は、異端の捜索に力を入れるようになった。ジョルダーノ・ブルーノ、リチリオ・ヴァニーニ、フェランテ・パラヴィチーノなどの思想家や著述家が処刑された。コペルニクスは、地球が太陽の周りを回ると主張したため、カルヴァン派とルター派の両方から糾弾された。1616年、コペルニクスの死後37年目にしてローマがやっとその主張に追いつき、その著作を禁止した。1633年に、異端審問がガリレオを拷問で脅して、太陽中心説の撤回を強制したのは有名だ。彼はその後の生涯を自宅軟禁で過ごす。重要な天文学上のブレークスルーを実現したトマス・ハリオットなどの偉大な科学者は、自分の発見を秘密にしておいた。「名声より生命」というわけだ[40]。

こうした有名な事例のおかげで、イタリアだけでなく、やはり異端審問のあったスペインやポルトガルでも、自由な探究が制約された。イギリスの若き詩人で言論の自由支持者ジョン・ミルトンが1638年にフィレンツェのガリレオを訪ねたとき、弾圧と自己検閲が「イタリアの知性の栄光を鈍らせた」と書いた[41]。他の分野の研究は続いたが、学者たちはますます受容されるものの境界を意識するようになった。宗教改革の反動が最も強かったのはスペインで、伝統的な権威の強い復活が見られ、ときにはそれが攻撃的な愛国主義と組み合わさってしまった。サラマンカ学派の旗印の下で世界最先端だったスペインの大学が、いまや硬直したカトリックのイデオロギー支配下となり、その好奇心の精神はつぶされた。

フランスの大学でも伝統主義的な反動が進み、オーストリアとドイツは三十年戦争の後で荒廃している状況だった。だからこれは、科学史研究者フロリス・コーエンの言うように、ヨーロッパが「勢いを失い衰退、萎縮、最終的には滅亡へと向かう最初の一歩となりかねない」時期だったのだ[42]。

ヨーロッパという例外

だが、わずかな希望が残されていた。ヨーロッパの伝統主義者も、中東やアジアと同じような反応を示したとはいえ、ヨーロッパで彼らが直面した障害はもっと面倒だった。政治、宗教、民族、言語的な分裂、城壁、自治大学、大量のちがった宗派だ。彼らの権力的な野心はいささかも劣るものではなかったが、ヨーロッパの半島、森林風景、河川湿地、山脈といった大きな地理的制約にもぶちあたった。

スコットランドの哲学者デヴィッド・ヒュームが1742年に説明したとおり、「現在のヨーロッパは、ギリシャに見られたミニチュア版多国家間の競争パターンを大きく拡大したものとなっている」。そして「近隣の独立国の間に自然に発生する模倣は、明らかな改善の源だ。だが私が主にこだわりたいのは、こうした限られた領土が権力と権威の両方にもたらす限界なのだ[43]」。

ヒュームが言っているのは、ヨーロッパは古代ギリシャと同じく、絶妙な状態にあるということだった。あまりに分裂していて、たった一人の支配者やエリートが、大陸全体にある正統教義を押しつけることはできない（中国はそうなってしまった）。だが同時に、それは相互の取引でつながっているので、各領土は絶えずお互いに学び合える。1700年代末になると清朝中国は1470万平方キロメートルほどの面積だった。西欧最大の列強二つ、フランスとオーストリア帝国は、70万平方キロメートルもなかった[44]。スペインとフランス、およびイタリアとヨーロッパは山脈で隔てられている。オランダの川やスイスの山は侵略のコストを高いものにする。

16世紀初頭、ヨーロッパにはほぼ独立した政治ユニットが500以上存在していた。こうした政治区の一部ではものすごい弾圧と迫害が行われたが、それをやると他に追い越される可能性が高まってしまう。さらに、そのすべてが同じまちがいを犯すとか、そのすべてが協調して弾圧を行うとかいう危険は小さかった。大国が圧倒的になっても、同盟関係が揺れたので、単一の強国が支配するのはうまく避けられた。

スペインやオランダのような国は、地域ごとに地元当局を持ち、かなりの自由を享受していた。

西欧はまた、多くの自治都市を持ち、これが独自の政府で実験をしていた。バーゼルなどの都市は難民を受け容れ、各地の専制君主にとっては悩みの種となった。強力な都市国家ヴェネツィアは、ローマ教皇の要請があっても異説者たちをローマに送還するのを拒んだ。さらに、準自治大学やアカデミーもこれに加えられる。

同時にヨーロッパは商業、知的ネットワークと言語、つまりエリートの使うラテン語で結ばれていた。この分断された大陸にはある種の文化的統一性があったので、イギリス＝アイルランド系の政治家で哲学者エドマンド・バークは「ヨーロッパ人はこの大陸のどの国にいても、完全な追放者のような気分にはならない」と宣言している。[45] 王族は絶えず、お互いを罵倒し、バカにし、攻撃し合ったが、一方ではお互いに政略結婚もして、お互いの商人や知識人を招き、不正に得た財宝をお互いの金庫に蓄財した（主にアムステルダムやロンドンに貯め込んだ。というのも、自分の一味よりも不道徳な商人どものほうを信頼していたからだ）。1582年に教皇が暦（こよみ）をグレゴリオ暦に切り替えると、ヨーロッパ全土がやがてそれを採用した。イギリスですら1752年に採用している。結局の話、やりとりや交易のなめらかな流れを確保するほうが、ライバルたちの鼻を明かすよりも重要だったのだ。

これは、他の大陸には存在しなかった、知識人にとっての非常口を生み出した。どの国も何かしら弾圧はしたが、自分固有の邪説に最も寛容なところに引っ越せば、自由思想家は常に発表が可能だった。エラスムスやコメニウスのような思想家は常に、自分の活動にいちばん目くじらを立てない場所に移動し続けた。ホッブスが『リヴァイアサン』（邦訳岩波書店ほか刊）を書いたのはパリ亡命中だったし、ロックが主要著作を書いたのはアムステルダムの難民生活中だった。

オランダの自然法思想家ユーゴー・グロティウスはオランダを逃れてパリに向かい、自由に執筆した。フランスの哲学者デカルトは、同じ理由で逆方向に亡命した。ヴォルテールは１７５８年にスイス国境にあるフェルネに引っ越し、フランス当局の機嫌を損ねたらすぐに逃げ出せるようにしていた。だがここはジュネーブのすぐ外でもあった。これはカルヴァン派による演劇禁止を避けるためだった。

哲学者クリスティアン・ヴォルフの運命は好例だ。１７２３年にプロイセンのフリードリッヒ・ヴィルヘルム1世は、ヴォルフの思想が宗教と社会に危険だと敬虔主義者に吹き込まれ、彼に48時間以内に領土を去らないと絞首刑にすると命じた。ヴォルフはその日のうちに立ち去り、中央集権帝国なら話はそれっきりだ。だがものの数日でヴォルフは、近くのマールブルク大学（現代のドイツ内）で教授職を得て、しかも検閲を受けないという約束ももらった。ここで彼はますます名声を高め、フリードリッヒ・ヴィルヘルム1世が１７４０年に死去すると、プロイセンに再び歓迎されたのだった。

思想家や著述家自身が国境を越えなくても、彼らの本は超えた。ガリレオ『天文対話』（邦訳岩波書店刊）禁止のわずか2年後、この本はイタリアから密輸され、コスモポリタンな国境都市ストラスブールで刊行された。独立精神を持つカトリックの著書は、プロテスタント諸国で刊行できるし、その逆もなりたち、どちら側が何を検閲しようとも、常にアムステルダムがあった。ヨーロッパ全土に散らばる印刷所のおかげで、どんな本でも長くは読者の目から遠ざけられなくなった。スピノザは、カルヴァン派とカトリックの両方が禁書にしたが、それでもラテン語、フランス語、英語、オランダ語で、どこでも読めた。多くの危険な版が違法流通を狙って、偽の版元名と出版地を奥付にのせていた。版元は他の面でも重要だった。著者たちに収入を与え、難民に隠れ場所と集会場所を提供したのだ。

18世紀末近く、乾隆帝は偉大な中国の技術経済問題百科全書『天工開物』を燃やすよう命じたので、この本は消えてしまった［訳注：原本が日本で保存され、すべて現存している］。一方フランスでは、ディドロとダランベールが独自の『百科全書』を編纂し、ときの権力者たちを挑発した。カトリック教会はそれを禁書一覧にのせ、フランス王はそれを完全に禁書にした。だがロシアのエカテリーナ2世とスイスの出版社からの個人的な支援もあって、ディドロは諦めず、本は大成功を収めた。ベストセラーとなったこの全書が、啓蒙思想を大陸の他の部分に広めたのだった。

妬みによる模倣

ヒュームはヨーロッパ近隣国同士の「妬み（ねた）による模倣」という話をしている。だれかが経済や国防を改善するものを思いついたら、それは他の国に真似られた。王侯貴族は、最も成功した科学者や著述家のパトロンになり、つまりは庇護を与えようと競争した。これは自分の名誉のためもあったが、同時に商業的、軍事的な目的で彼らを必要としていたからだ。どの地域も自前の数学者、地図製作者、エンジニア、職人、武器製造人、船乗りを必要としていた。イノベーションを迫害する国――多くがそうした――は、しなかった国に後（おく）れを取った。1000年から1800年にかけて、絶対主義支配者が統治した地域は、もっと自由な地域に比べ都市の総人口が1世紀あたり10万人ずつ減った。[46] 出自や宗教にとらわれない指導者たちは、イノベーション、富、人口増大で報われた。
1784年にプロイセンの哲学者イマニュエル・カントは、この競争と模倣が啓蒙主義の発展をうながしたのだと述べた。

いまや各国は今日においてお互いに密接な関係でつながっており、どの国であっても、この内的な文明を止めたり緩めたりすれば、他の諸国に比べて力や影響力を失わざるを得ない。（中略）したがって個人的な行動の自由への制約は常にますます取りのぞかれ、宗教においてすら普遍的な自由がやがて認められるようになる。このようにして、多くの妄想や気まぐれが割り込む場合はあれど、啓蒙主義の精神は大いなる前として次第に台頭することになる。これは支配者が己の強大化を求めるという利己的な目的によるものであっても、彼らが己に何が有利かを理解しているなら、人類が必然的に獲得するべきものなのである。[47]

重要な点として、教会は政府とは独立した統合勢力として存在していた。これはロシアやビザンチン帝国の正教会とはちがうところだ。ヴァチカンは常に、どんな支配者も自らに対して支配力を獲得できないようにがんばってきた。そのためにたとえば枢機卿を指名したりする。イタリアやドイツの都市から支持を取り付けて、神聖ローマ皇帝の力を制約しようとしたから、どちらもヨーロッパの政治的な分断を利用しつつ、それを深めることになった。そこへ宗教改革がさらに分断をつくりだし、当局の権威を全般的に引き下げた。聖職者を介さない、神との個人的な関係についてのプロテスタントの容認は、教会の役割を全般的に制限する役割を意図せずして果たしたのだった。

オープンな論争と研究が否定されたら、必ず出てくるのが権威への盲従だ。だが宗教改革の後ではみんな、「どっちの権威に盲従しようか」と考えねばならなくなった。多くの人は、どっちの権威を参照しても自分の見方は正当化できず、常識と理性に頼るしかないと結論した。この複雑な背景のおかげで、革新的な思想はヨーロッパのどこかで生き残り、やがてその価値が証明されて、もっと多くの地域で採用されるようになる。18世紀半ばになると、絶対主義王政ですら、異論の弾圧は危険な脅しというよりは、形ばかりの儀式になった。[48]

妬みによる模倣のおかげで、ヨーロッパ人は競争相手や信用していない相手、嫌っている相手ですら平気で真似するようになった。これは彼らがアラブ、インド、アジア文化と接触し、その目新しいアイデアや手法を夢中で吸収したときに決定的な役割を果たした。これに対し、中国の学者はしばしば西洋からの学習を当局に認めさせるにあたり、それが実は中国起源であり、したがって正統なものだと主張しなければならなかった。ヨーロッパ人はそんなこだわりはなく、イノベーションを学習した場所にちなんで命名している。彼らは「アラビア数字」で計算し、「七面鳥（ターキー）」を食べ（これはアメリカ産だが、トルコ商人と結びつけられたのでこの名がついた）、「陶磁器（チャイナ）」を使って、ペルシャ絨毯（じゅうたん）で家を飾り、「ジャパニング」という漆技法を導入した。

新しいアイデアや手法、発見へのアクセスは、想像力を新しい高みへと引き上げた。

17世紀末には、学会やコミュニティや「見えない大学」が急成長した。そこでは哲学者や科学者たちが集うのだった。１６６０年に王立協会がロンドンで設立されたが、そのモットーは「Nullius in verba」、だれの言うことも鵜呑みにするな、というものだ。彼らは証拠を求め、古代の思想家に対しても、古人たちが以前の人々に示したのと同じくらい、最低限の敬意しか示さなかった。6年後に設立されたフランス王立科学アカデミーとちがって、イギリスの協会は新しい有益な洞察や発明を行った人すべてに開かれていて、専門の科学者に限定されなかった。

多くはフランシス・ベーコンによる、知識が協調されて広く公開されれば、実験科学が有益な技術を作り出すというビジョンに影響を受けていた。これは目新しいことだった。古代の思想家は科学がそれ自体として目標だとされ、農学、鉄工、造船、繊維といった分野はそれに劣るもので、奴隷に任せておくべきだと考えていた。ほとんどの場合、職人は単に古い手法を再現するだけで、ごくたまに、しばしばただの偶然により新しいアイデアを思いついた。いまや知識人が、科学を技術と商業の大飛躍のために応用する方法について考えはじめた。

その500年以上前、光学のイブン・アル゠ハイサムや、化学のジャビル・イブン゠ハイヤーンは、仮説を検証して有益な知識を作り出すには実験が必要だとすでに主張していた。だがベーコン以後の科学者たちは、これをさらに進めて新しい道具を作り、さらに実験を行って、科学者と産業家、哲学者、職人の間の橋渡しをした。新しい望遠鏡、顕微鏡、温度計、気圧計、クロノグラフ、真空ポンプを使って（彼らはしばしばそれを自作した）、彼らは空前の勢いで自然の秘密をさらに明らかにしたのだった。

手紙の共和国

哲学者と科学者をつなげたのは、驚異的な手紙の共和国だった。これは、その重要性を記録したオランダ＝アメリカ＝イスラエル系の歴史学者ジョエル・モキイアによると「科学革命と啓蒙主義の間に有用な知識が彗星のように拡大した背後にある主要な制度機関だ[49]」。

手紙の共和国は、自発的に組織された制度機関で、哲学、政治、科学についてやりとりをした知識人たちで構成されていた。だれかが設置したものではないし、設計されたものでもなく、参加者のだれ一人として、それがやがて持つ重要性など夢にも予想しなかったはずだ。

これは、似たもの同士の思想家たちの小集団で始まった。彼らは新しいアイデアを共有して検証し、他の人の活動をフォローしておきたいと考えたが、彼らの自由な参入と批判・疑問視容認の原理――イギリス王立学会と似たもの――はそれを大規模なコミュニティに変えた。そしてこれは啓蒙主義や、繊維、製鉄、電力、医薬など無数の分野における技術進歩にとって、きわめて重要なものになった。この仮想共和国は、１６００年代末にはヨーロッパ全土に会員１２００人程度、そしてその1世紀後には1万2千人ほどいたとされる。

これはコスモポリタン集団で、あらゆる国のあらゆる肩書きの人物で構成され、金融と交易の必要性に応えて開発された新しい全大陸的な郵便システムを使い、絶えず相互にやりとりしてお互いに影響を与え合っていた。その創設者の一人ジョン・ウィルキンスは、その目的が「バベルの廃墟を修復すること」だと述べた。そしてこの点でそれは見事に機能した。ちがった宗教の人々が科学問題について密接に連絡しあった。これは他の人々の考えを毛嫌いする原理主義者さえ含まれた。各国の軍隊は戦場で殺し合いをしていたが、その双方の知識人は最高のアイデアの交換を続けた。「ある国の哲学者は、他国の哲学を敵視しない。彼は科学の神殿で自分の席にすわり、その隣にだれがすわるかなど意に介さない」と18世紀の政治思想家トマス・ペインは書いている。[50]

絶え間ない手紙、書籍、論文のやりとりにより、こうした啓蒙思想家たちは宗教タブーを無視し、政府の検閲を逃れた。彼らが権威として認めたのは証拠と論理だけであり、この権威は権力や先祖や富を持つ伝統的な当局に限らず、だれでも利用できた。どうやら、参加者たちが身をさらした検証は熾烈なものだったようだ。

フランスの哲学者ピエール・ベイルは、ロッテルダムに亡命したばかりだったが、そのエートスを次のように説明している。

この共同体は極度に自由な国家である。その中で唯一認知されているのは、真理と理性の帝国のみ。そしてその庇護の下で、無邪気な戦争が万人に対してあらゆる面について仕掛けられている。そこでは、友人たちは自分の友人を警戒し、父親は子供を警戒すべきだ。(中略)そこの万人は、それぞれが独立国であり、同時に他の万人の管轄下にあるのだ。[51]

批判と訂正を逃れられた者はだれもいない。当時最高の科学者アイザック・ニュートンですら同様だ。

ニュートンはレンズの色収差を補正するのは不可能だと主張した。これは色によって屈折率がちがうので、それがきちんと混じり合わないというものだ。だがニュートンの結論を否定する人々もいた。

啓蒙時代のオープン科学の理想の、完璧に近いお手本として、王立科学協会はこの問題を解決するにあたり、宗教権威や古代の本に頼ったりはしなかった。独学で光学を学んだ、ユグノー派難民の息子で絹織り業のジョン・ドランドに判定を任せた。当初、ドランドはニュートンの言葉を信じたが、やがて各種のガラスで実験を重ねるうちに、かの偉人がまちがっていると確信するようになり、1758年には、色収差を補正した望遠鏡を作った。後にこの独学光学者は自分の肖像画を注文した。その肖像はニュートンの名著を抱えているが、ニュートンがまちがっていた場所がしおりで示されている。[52]

オランダの数学者で医師のニコラス・ハーツェカーは平気でニュートンを批判したが、この相互批判こそが新しい科学の血脈だと考えた。

私が、ときにあまりに自由放埓(ほうらつ)に攻撃してきた意見を支持している皆様には、それを悪く取らないでいただくよう、伏してお願いするものである。というのも、私がそうしたのは単に、その皆様が私の意見に対して同じことをしてくれるのを期待してのことだからだ。この哲学戦争はおそらく、いささかインキを費やすことにはなっても、血が流れることはない。[53]

これに対応する啓蒙主義思想家たちは、自分たちが正しいと思ったものを流通させ、有望と思ったものは改良し、まちがっていると思ったものは攻撃した。それは世界と自分の評判を改良したかったからで、それにより名声、富、パトロンの支援を得たいと思っていたからだ。史上初めて、アイデアの権威が、権威当局のアイデアに取って代わった。そうすることで彼らは、批判の伝統を確立した。これは世界史上で、きわめて珍しいものだ。伝統とはその定義からして、先代から伝えられた行動だ。手紙の共和国などの啓蒙思想家が成しとげた傑出した業績は、伝統に挑むことを新たな伝統に仕立ておおせた、ということなのだ。

正統教義の惰眠

研究は、競争的な活動であると同時に、協力的でコスモポリタンな活動でもある。今日の1本の学術論文は、手紙の共和国にも似たものに見える。2014~2018年で、オンライン学術データベース「ウェブ・オブ・サイエンス」のサイテーション一覧に載った1000人以上の共著者を持つ科学論文は、1315本もあった。同時期に、60ヶ国以上の科学者が共著した論文は49本あり、その3分の2近くは著者が80ヶ国以上からきていた。[54]

啓蒙主義の伝統は、言論の自由、独立メディア、大学、学術誌の仕組みに生き続けている。だからこそ、支配的な政治多数派とは独立した教育システムが必要なのだ。これは、確証バイアスに対抗するために作り出された仕組みだ。人間は、自分の思いこみを支持するようなデータポイントに注目しやすい、というのが確証バイアスだ。それに任せたら、情報が増えても単に、既存の思いこみに納得するだけで終わってしまいかねない。そしてこれは、専門家についても言える。

20年にわたり、アメリカの心理学者フィリップ・テトロックは、世界、経済、政治、大規模事象についてのトレンドについてコメントし、助言をするのが仕事の専門家284人から、予測を8万2361件集めた。だが、専門家は知識のある素人に比べて大した成績を上げられていないのがわかった。それどころか、新しい情報への適応にかえって苦労する様子さえ見られた。「何かがもはや疑わしくないと思ったときに、それについて考えるのをやめてしまうという致命的な傾向が、彼らのまちがいの半分以上の原因だ」とジョン・スチュアート・ミルが『自由論』（邦訳日経BPほか刊）で書いたとおり。[55]さらに専門家は、自分の分野ですら傑出した成績を上げられていない。なぜなら、彼らはしばしばお気に入りの予測を持っていたからだ――ほら、ちょっとたてば絶対に正しいと証明されるのがわかっているような予測だ。

テトロックがこの点で挙げる例は、生物学者で環境論者のポール・エーリックだ。この人は1968年に、人口過剰によって間もなく世界的飢餓が起こると論じた。ところが慢性栄養失調は着実に減った。エーリックはそれに対して、この問題に戻るたびに、災厄の日を少しずつ先送りしていった。終末の日が予言通りに起こらないと、それを先送りし続ける狂信者にも似ている。だがそれでも、飢餓は減少を続けた。いまやそれは、エーリックが執筆した頃にくらべ3分の1くらいにまで減った。[56]

この問題は知識だけでは解決不能だ。知識が増えれば、自分の思いこみを支持するデータポイントや理論もそれだけ増える。では正統教義の惰眠から目覚めるにはどうしたらいいだろう？ むりやりでも論敵の意見に耳を傾けることだ。彼らも同じくらい強い確証バイアスを持っているが、反対の信念を抱いているのだ。「汝（なんじ）の敵を愛せよ」はちと行きすぎかもしれないが、敵の言うことを聞けというのは絶対にまちがいない。

法廷で真実を見つける方法を見よう。得られた証拠を見て、腹を決めようとするのではない。検察官に、証拠に基づいて被告有罪についてなるべく強い主張をしてもらい、弁護士にも証拠を見させて、その人が無罪だというなるべく強い主張をしてもらう。そしてお互いに相手の観点をつぶさせるのだ。二つの集団が世界を反対側から見るという敵対システムを作り出す。そうすることで、本当の話に近づく見込みが高まる。

　自分の意見に反対する人々は、それがない場合よりも世界の理解を深めてくれる。そんな仕組みは、あって当然と思ってはいけない。意見のちがう人々の存在をありがたがるというのは、直感に反することだ。多くの人は、科学が世論や政治的嗜好に応えるべきだと考えている。どんな知識体系だろうと、正統教義へと硬直化するのは実に容易だし、部外者が裏切り者と思われるのも簡単なことだ。中世のアリストテレス主義を見れば明らかなように、反論の封印を許されてしまえば、最高のアイデアですら破壊的となり、知識進歩を促進できなくなる。もっと最近では、人間の意識は空白の石板（ブランクスレート）だという発想――しばしば、これが平等性を意味すると思われたために受け容れられた――が学問的な正統教義となった。このため多くの社会科学者は、進化生物学や行動心理学の知見を、中身も見ないで一蹴してしまった。

　これは専制主義、独裁主義の諸国では、例外というよりも常態だ。だからこそ、彼らは巨額の研究費を費やしても、活発な科学エコシステムを創れない。

　ソビエトの筆頭農学者トロフィム・ルイセンコが、遺伝子など存在せず獲得形質がすべて受けつがれるのだと言ったら、それに反対する科学者は口を封じられるか殺され、収量は激減し、生物学と農学は半世紀分も後退した。１９３０年代のソ連の生物学者として最有望株の一人だったノコライ・ヴァヴィロフは、おまえの研究はダーウィンに基づいていてマルクス＝エンゲルスに基づいたものではないと、直接の叱責を受けている。「君は進化を単純化のプロセスとして見るべきだと書いた。だが党史第４章には、進化が複雑性増大であると書かれている」。ヴァヴィロアは間もなく逮捕され、ソ連の農業を破壊したと糾弾されて、57歳で栄養失調のため獄死した。[57]

毛沢東以後、中国共産党は自分たちが科学的真実を知っているのだという主張を和らげて、そうしたまちがいを避けようとしてきた。かわりに彼らは古代中国の「実事求是」(事実から真理を追究すること)を意図的に復活させてきた。一部の分野では、おかげで科学者の活動余地が広がった。だが専制主義の構造そのものが、少しでも議論になりそうなことを考えたり言ったりするのを怖がらせ、これが絶えず緊張を生み出す。中国の科学者や知識人が、己の身を案じて決して探究しない有望な方向性がどれかは、まだわからない。だが予想外のことが起きるたびに、その破壊的な影響はすでに目につくようになっている。

ウイルス性の呼吸器系疾患ＳＡＲＳが２００２年11月に中国南部に登場したとき、政府は何ヶ月もそれを隠し、世界だけでなく自国の対応も遅らせた。それで懲りただろうと思うかもしれない。だが新たなコロナウイルスで、歴史は繰り返された。中国当局は、最初の症例が発見された瞬間に行動していれば、それが世界的パンデミックになるのを防げたかもしれないのに、反射的に内部告発者たちを黙らせて、ヒトからヒトへの感染を否定した。アウトブレイクを警告した医療専門家たちは警察に拘束された。国営メディアはその危険性を何週間も伝えず、ネットユーザーたちにはその噂を流すなと警告した。武漢保健委員会は、どうも1週間にわたる共産党秘密会議の間は、親分たちのメンツをつぶさないように新規感染者の存在を否定さえしたらしい。この秘密会議終了の10分後に、悪い知らせが明かされた。

中国の最高人民法院は珍しく、医者を黙らせた警察を本当に非難している。「もし当時の社会がそうした『噂』を信じており、マスクをつけて殺菌剤を使い、ＳＡＲＳ流行があったときのように野生動物市場に行くのを避けていれば、今日コロナウイルスをもっとうまく抑えられていたかもしれない」。そして邪説を止める方法は一つしかないと付け加えている。「噂は、オープン性があると終わる」[58]

だが専制国家が本当にオープン性を求めていたら、そもそも専制国家にはなるまい。

不可欠なまばゆい火花

民主国でも、警戒を怠(おこた)ってはならない。社会心理学者ジョナサン・ハイトは、アメリカの大学が危険にさらされているのではと懸念している。多くの大学はキャンパスを客観的研究と真理探究の場とは考えず、もっと大きな文化戦争の戦場だと思っているからだ。1970年代から始まった、進歩派や社会リベラル派の大量流入があまりに広がり、他の嗜好を持つ人々はいまや、この環境に魅力を感じず、ときには差別さえ受けているのだ。学術心理学者の38%近く――他の人々よりバイアスや差別を研究してきた人々――は、保守派だとわかったら能力があっても雇わないと回答している。4人に1人は補助金申請で保守派を差別する。[59]

これは危険だ。本書で私が使ったオープン性の便益についての科学は、ほとんどがオープン性の好きな学者によるものだ。だからこそ彼らはオープン性を研究し、問題をこういう形で構築する。それはそれで結構。でも反対側の立場から同じデータを厳しい目で検分し、その弱さやまちがいを指摘する人がいなければ、そうした研究を信用できなくなってしまう。オープン世界にともなう問題やリスクをもっと懸念している人のほうが、データを批判的に検証しやすい。大学が、似たような世界観と政治信条の人だらけになれば、そういう視点を共有する人々にとってすら、大学の有用性は下がってしまう。

２０１８年のギャラップ世論調査によると、アメリカの学生の61％は、キャンパスが「だれかの機嫌を損ねかねないから一部の人は自分の信念を口にできない」雰囲気だと考えている。そして民主党支持者や独立系を自称する人々のほうが、共和党支持者よりそう考える割合が多い。その理由は、この研究の別の部分で説明がつきそうだ。それによると、学生の37％は議論の分かれる講演者を黙らせるのが容認できると考え、10％もの学生は、そうした人々の講演を中止させるのに暴力を使ってもいいと思っているのだ。[60]

一部のキャンパスでは、少数派差別を防ぐための重要な作業が姿を変えてしまい、きわめてどうでもいい意見の相違を、ヘイトと弾圧の証拠に仕立て上げられるかという競争になってしまっている。経済や積極的格差是正措置（アファーマティブ・アクション）について別の見解を持っているだけで攻撃されかねない。これは奇妙なことではない。こうした異論粛清は常に、均質な集団が正統性を掌握したら起こる。

だが大学がオープンな探究の場であり続けたいなら、そんな動きに同調すべきではない。ジョン・スチュアート・ミルも「教師も学習者も、その分野に敵がいなければすぐに惰眠をむさぼってしまう」と述べている。[61]

ありがたいことに、一部の大学はきちんと対抗しはじめている。一部はこの問題に対抗するため、言論の自由についての「シカゴ原則」を採用した。この原則はこう宣言している。「慎みや相互の尊重などの配慮は、アイデアの議論を閉ざすための口実としては絶対に使えない。そのアイデアがコミュニティの一部にとって、いかに反発を感じる不愉快なものだったとしても」。彼らの見方では、大学の役割は人々を快適にすることではなく、人々を考えるように仕向けることだ。

この宣言に初めて署名したのはシカゴ大学だ。この大学は、この面で誇り高い伝統を持つ。学長ロバート・M・ハッチンスは、1932年に学生組織の招きで講演に来た共産党指導者を辞めさせろと批判者たちに言われたときに次のように答えた。「それを治療するには、禁止よりもオープンな議論を通じたほうがよいと私は確信しています」。保守派は、ハッチンスがオープンなキャンパスを擁護したのは、彼が個人的に「アカがかった思想」を支持していたからだと揶揄してみせた(ちょうど、今日でも一部の大学活動家たちが言論の自由擁護者を、隠れレイシストと糾弾するのと同じだ)。だが彼は、このアカデミーの存在意義そのものが意見の対立にあるのだとはっきり述べている。「自由な探究はよい生活に不可欠であり、大学はそうした探究のために存在するのであり、それなしでは、そこはもはや大学ではなくなる。(中略)それが答えです」[62]

すでに自分と同じような考え方をする人とだけつきあって、話をするほうが楽ではあるから、知的純粋性を探したくもなる。部外者がいると、ときにみんなロバート・パットナムのように防戦モードに入ってしまう(148ページ参照)。だがほとんどの偉大な業績は、人々が自分の知的な安全地帯から引きずり出され、新しい考え方をする必要が出てきたときに生じる。ミルの友人で同時代人の哲学者兼社会学者ハーバート・スペンサーが述べたように「真実が、精神と精神の対立から生まれたことなどない。それは対立するアイデアの衝突で生じるまばゆい火花なのだ」[63]。

人々とアイデアの入り混じりは、ルネサンスと啓蒙時代と産業革命をもたらした。人々が国境を超えて出会うと何が起きるかを如実に示すのが、手紙の共和国だ。だがこの時期には社会の内部でも、職業の境界を超えた入り混じりが見られた。公式科学、実務作業、商業技能との間の橋渡しが行われたのだ。

ベーコンは、識者たちと造者たち――ものを知っている人とものを作る人々――との協力を呼びかけ、やがて哲学者たちは機械工房を訪れ、職人が科学論文を読むようになった。知識人やイノベーターはコーヒーショップに集って最新のニュースやゴシップに耳を傾け、新聞を読み、アイデアを議論して理論を検証した。イングランドでは、コーヒーショップは「ペニー大学」と呼ばれた。というのも、コーヒー1杯の値段でだれでも議論に参加して最新の仮説を聞けたからだ。当時の詩に言う通り「郷士、商人、みんな歓迎／敵意もなしに仲良くすわる」。

イギリスの科学技術ライターのトム・スタンデージが指摘するように、コーヒーハウスは啓蒙時代のインターネットだった。そしてインターネットとまったく同じで、コーヒーハウスも無秩序でしばしば不愉快で、何が起きても不思議はなかった。幸運なことに。[64]

かつては哲学者、科学者、エンジニア、職人、起業家の間に、強い法的、文化的、心理的な障壁が立ちはだかっていた。エンジニアがビジネスマンの下で働くとか、職人が科学者とコーヒーを飲みつつ意見交換するなど、前世代や他の文化では信じられず、恥ずかしいとすら思えることだった。だが啓蒙時代にその障壁は壊れつつあった。みんな共通の目標を持っていたからだ。世界を理解して改善し、ついでに儲けることだ。

この思考者たちと試行者たちの流動的な混在が、政治的、経済的なオープン性と組み合わさって、生まれ出たのが現代世界だった。

第4章

オープンな社会

なぜ産業革命は、技術と人材に恵まれた中国ではなく、イギリスで起きたのか？　無能な当局と無礼講精神のおかげだ。

オープンな精神、オープンなやりとり、オープンな門戸がある程度の期間にわたってそろうと、発見や業績が生まれ、それが新しい発見や業績を後押しする。この正の循環が権威当局や災害により断ち切られない限り、その結果は技術と生活水準の飛躍的な向上だ。

経済史の偉大な事実は、経済学者兼歴史学者のディアドラ・マクロスキーが「大いなる富裕化」と呼んだものだ。1800年代初頭から、世界史上初めて、発展が阻止されなかった。成長が頭打ちにならなかった。ひたすら成長が続いた。富が倍増し、さらに倍増、倍増、倍増、倍増を繰り返した。ほとんどの先進経済では、平均所得（インフレと購買力調整済み）は1800年以来、1日3ドルからざっと100ドルに上がった。だから平均的な人物に提供される財やサービスは、少なくとも30倍になった——あるいは以前の3000%近くだ。[1]

実は、余暇の時間を、それを得るために犠牲にしていい資産の価値で計測するなら、その所得はいまの数字の2倍も増えている。というのも平均的な被雇用個人は、今日では年にかつての半分の時間しか働いていないからだ。そして働きはじめる年齢が上がり、引退年齢も早まり、引退後に長生きすることまで考慮すれば、さらに多くなる。

貿易と移民は、それだけでも静的な利得を作り出すには十分だ。分業は、低水準の生産から高水準に移行するのを助けてくれる。そして財、サービス、アイデア、技術の交換は、いったん生じたダイナミックな利得を急速に広める手助けはしてくれる。

だがそれだけでは、追加の３０００％は得られない。それが起きるのは、収穫と脱穀を手作業じやるかわりにコンバイン収穫機を使うようになったり、貨物輸送を帆船からコンテナに移行したり、筋肉を石炭や原子力や太陽光で置きかえたり、シャベルをトンネルボーリング機で置きかえたり、ロバ急報を携帯電話にしたり、そろばんを表計算にしたり、オイルランプやロウソクを電灯にしたり、目、耳、脳をセンサー、バーコード、アルゴリズムにしたりしたときだけだ。

要するに、オープンな交換、門戸、精神が組み合わさって相互に強化しあわないと実現しないのだ。

これは毎日自分でも、日常生活の中で観察できる。生活は2世紀前のご先祖とは見ちがえるほどに変わった。それは科学知識、技術進歩、組織イノベーションと経済成長のおかげだ。みなさんは極貧ではないという事実がそれを示す――１８００年には、世界人口の90％は極貧生活をしていた。今日では、90％以上は極貧ではない。みなさんは字が読める（字が読めないなら、本書を買って大いにお金を無駄にしたことになる）。だが１８００年には、世界のたった12％しか読み書きできなかった。今日では、非識字率のほうが12％だ。そしてみなさんはほぼまちがいなく、まだ死んでいないはずだ。でも１８００年なら、とっくに死んでいた可能性はかなり高い。１８

〇〇年には、子供の半分は5歳の誕生日を迎える前に死んだし、出産は女性にとって6発式リボルバーでロシアンルーレットをやるくらい危険なものだった。今日では、幼児死亡率は４％未満だし、母体の死亡率は〇・２％だ。世界の期待余命は29年から72年以上に延びた。[2]

あなたは30歳以上だろうか？　ならばイギリス人に少し感謝しよう。１７００年代にすべてが始まったのがイギリスだからだ。各種のちがう分野でのオープン性の相乗効果で、社会を階層的な設計図ではなく、社会のあらゆる部分からきた、ますます多くの人の継続的な行動に基づいて作るようになったのだ。これはつまり、文化と経済が成長、変化を続けてその支配者すら驚かせたということだ。その結果は産業革命だった。そしてアメリカがこのオープン性を受けつぎ、それをさらなる偉大な驚異の実現に使った。

だからといって、大いなる富裕化が一部の人の言うような、西洋やプロテスタントの遺産だということではない。創造性と成果の黄金時代は多くの時代や文化で見られた。たとえば異教のギリシャ、イスラムのアッバース朝カリフ国、儒教の中国、カトリックのルネサンス期イタリア、カルヴァン派のオランダ共和国などだ。その共通要素は、それが他の同時代文化に比べてオープンで、もっと多くの交易や接触があり、それが文化とアイデアの混合につながったということだ。[3]イギリスとのちがいは、そのオープン性が長続きしなかったことだ。侵略者、暴君、反動的な反発によってつぶされてしまったのだ。

中国が最初であるべきだった

産業革命とオープン社会の始まりは、宋代中国（960〜1279年）で起きた可能性も十分にあった。

1000年前、ヨーロッパがあまりに僻地で襲撃する価値すらないと思われていた頃、中国はすでに羅針盤で航海し、活字印刷の本を読み、火薬で戦っていた──1860年代に執筆していたカール・マルクスが、西洋資本主義をもたらしたとする三つの発明だ。歴史学者スティーブ・デイヴィスはこう書く。「経済、行政、社会構造、知的生活、科学探究の重要な分野において、宋代中国は18世紀ヨーロッパと同じくらい現代性に肉薄していた[4]」

初代宋皇帝の太宗は、不穏と排外主義の時期を経て、中国統一のためにがんばって戦ったが、それが終わると、混乱と戦国時代への逆戻りを阻止しようとした。そこで将軍たちを祝宴に招き、そろそろ引退の時期だと説得する演説をした。彼らがみんな軍役を退き、帰郷してたっぷりした退職金で暮らすようにしないと、平和はやってこないと述べた。歴史（少なくとも宋のプロパガンダ）によれば、驚いた将軍たちはみなそれを受け容れたので、中国は民政となり、軍事拡大よりは国内開発に注力しはじめたという。

これは政府が比較的限定されており、それまでの時代の絶対主義が廃れ、もっとルールに基づく仕組みになった時代だ。皇帝は、宰相が主導する閣僚評議会すら開始して、官僚制度をもっと専門的で能力主義的なものにした。

宋朝は唐（618～907年）のコスモポリタン的な伝統を復活させた。イスラム商人、インド僧侶、ペルシャ人やユダヤ教徒が再び歓迎された。初代皇帝は主任天文学者としてアラブ系イスラム教徒を指名した。都市は世界のあらゆる部分からの商人や科学者であふれ、文化やアイデアのるつぼとなった。知識水準を高めるため、政府は百科全書やアンソロジーを編纂し、そこにはフィクションの物語や政治論説から、数学、医学、農学の知見がまとめられて、ますます識字率の高まる国民にそれが提供された。学者たちは新しい知識を自由に探究して研究できた。

中国は最高の才能とイカレたアイデアが遭遇する場所となり、急速なイノベーションと成長が引き起こされた。外国の財を見た職人たちは、新技術をいろいろ試すようになり、中国の芸術家や詩人は新しいアイデアや様式を採用した。

ベトナムからはコメの優れた品種を輸入し、中東からは風車を持ち込んだ。科学者や学者が活躍して、数学、天文学、医学、冶金を発展させた。木版印刷により学習が広まり、1040年代には平民の畢昇（ひっしょう）が、陶製の活字（膠泥（こうでい）活字）による印刷を発明した。その活字を鉄板に固定し、そして次の印刷ではそれをはずして固定しなおすのだ。この手法により、何百、何千もの文書が素早く、かなり安く印刷された。

都市住民の腹を満たしたのは、短期間で収量を倍増させた革新的な農民たちだった。そうした農民は、財産権の確立と自由な取引のおかげで「適応力のある合理的な、利潤指向のプチ起業家の階級」になりつつあった。[5] 商業を統制して人々をむりやり働かせるかわりに、啓蒙的な支配者たちは人々や財が自由に流通するのを許した。

アメリカ開墾（かいこん）法のはるか昔のお手本として、新しい土地を開墾して農地にした人々は、その土地に対する永続権を獲得し、それを売る権利も得られた。耕作地面積は激増し、ごく最近までその記録が更新されることはなかった。農民たちはまた、絶えず収量の高い新種を採用した。効率性が高まり、多くの農業労働者が不要になったので、それが都市や製造業に移行した。大量の硬貨を運ぶ危険と負担を負いたくなかった茶の商人たちは、借用証をやりとりして、故郷に戻ったらそれを現金化するというアイデアを思いついた。これは紙幣の発明で、これが特に地方部の交易に大いに役立った。

国内移動の制限はゆるめられ、世界で最大の統合市場が作り出された。中国はその頃にシルクロードへのアクセスを失ったため、海洋商業の重要性が増し、商船隊は無敵となった。金融イノベーションにより、所有と経営の分離が実現して、その商船隊の活動は続いた。支配者たちはこう主張した。「海洋商業からの利潤は莫大である。適切に管理すれば何百万にものぼる。このほうが人民に課税するよりよいではないか?」[6]

見事な道路網が構築され、作物、果実、野菜、材木、紙が港に運ばれ、それがペルシャ、アラブ、東南アジアの設計に基づく大型船に積み込まれた。水門が発明されて、川や運河の高さのちがう閘門(こうもん)で船を上げたり下げたりしたので、黄河と揚子江との接続が大いに改善された。外洋船はマストを最大6本も持ち、防水区画と、最大1000人の船員を持っていた。結果として、富が激増し、人口も爆発した——それまで500年にわたり5000万人ほどで安定していた人口が、2倍以上になった。

古い伝統や世襲特権は、大量の国際貿易と国内の都市化により地位が低下した。これにともない、個人主義の急進的な新文化、自己発見と自己研鑽の強調がやってきた。[7] ちがった背景の人々が、これまで世界的に例をみないほどイノベーションや技術で競い合うようになった。

宋代中国は、オープンな取引、オープンな門戸、オープンな心に基づく世界で最も進んだ文明だった。そして次の第一歩として現代世界に踏み込む寸前まできていた。ジェームズ・ワットがチラリとでも思いつく500年前に、産業革命を引き起こす寸前だったのだ。

中国は森をまるごと伐採し、巨大な溶鉱炉で鉱石を溶かして鉄を作り、これで木が不足したら、一部の革新的なビジネスマンたちは石炭として蓄積されているエネルギーを発見し、利用する方法を見つけた。納税記録によると、11世紀末には中国の鉄生産量は、ヨーロッパ全体の1700年頃の生産量に匹敵した。またペダルや水車動力の繊維機械の実験もしており、おかげで布も量産できた。こうした発明に驚愕した中国歴史学者マーク・エルヴィンは、それが示す進歩の方向性がもう少し続いていたら、中世中国は西洋より400年以上もはやく、繊維生産における真の産業革命を実現していただろうと推測している。[8]

宋の没落

だが、そうはならなかった。

そしてそれは、中国が材料、エネルギー源、科学知識を欠いていたからではなかった。ひどい戦争の時期はやってきたが、アイデアや知識は消えなかったので、中国が復活をとげることもできた。もっと問題になったのは、中国が戦争と不確実性の時代に見せた対応だった。自分たちのオープン性とコスモポリタンな性質を否定したのだ。

1127年に宋は、女真族に北部中国を奪われ、首都を現在の杭州に移すと、現在では南宋と呼ばれる、ずっと小ぢんまりした国を作り出した。だが同じオープン性と商業の基本原理が適用され、むしろ強化された。起業家たちは、そこで利用できたもっと汚い石炭の利用法を学び、製鉄の副産物から銅を抽出する方法も発見した。やがて宋では再び、文化と経済が開花した。首都ではこんな金言が交わされた。「西の野菜、東の水、南の材木、北のコメ」[9]

1235年にモンゴル族が南宋を攻撃しはじめたが、外輪式の船艦、火薬や焼夷弾を投擲（とうてき）する船上カタパルトといった大きな海洋イノベーションのおかげで、中国人は防衛線を守りおおせ、一時はモンゴル族を押し戻した。だがモンゴルはしつこく、1279年には最後の宋艦隊が崖門で撃破されてすべてが終わった。最後の抵抗として、宋のエリートたちは降伏を拒絶して自害した。宋代最後の皇帝は弱冠7歳にして摂政の腕に抱かれ、崖山から眼下の海に飛び降りて自殺した。

だがチンギスの孫フビライ汗は、中国の征服者にとどまらず、その生徒でもあった。オープン性のおかげでこの国がすさまじく豊かになったのに気がつくと、中国の農地から人払いしてウマの放牧場に使おうという考えを捨てた。そしてフビライ汗の新生中国は、宋の科学技術遺産を保存し、それをモンゴルがユーラシアの他の部分から拾っていた新しい手法や技能と組み合わせた。ユーラシアはいまや、再びシルクロードで接続されていたのだ。モンゴル帝国支配下の平和（パックス・モンゴリカ）のもとで国際貿易は拡大した。

フビライ汗は、ウイグル人、ペルシャ人、中央アジア人、ヨーロッパ人を、知事や大臣として登用した。アラブやギリシャの科学者たちは、高度な地図や天体図を製作した。世界中からのあらゆる宗教の商人、職人、労働者が街路に群れ集った。イスラム医師は手術を理解していたが、中国のほうが体内器官の知識は上だったので、両者が協力すると大きな進歩が実現した。これこそ、ヴェネツィアの探検家マルコ・ポーロをあれほど驚嘆させた中国だ。そのマルコ・ポーロも、楊州市の役人に任命された。中国はヨーロッパよりあまりに先進的だったので、多くの人は、野蛮人たちがつくった高度な文明という彼の話がすべてでっち上げではと思ったほどだ（もちろん、明らかなでっちあげも一部はあった）。

モンゴルですらペストの大流行には勝てなかった。何百万人もが死んだだけではない。ペストは国際貿易とその富の大半をつぶした。モンゴル宮廷に対する一連の反乱の結果、漢民族で構成される明朝が１３６８年に成立した。いくつか創造性の噴出は見られたものの、これは中国の偉大なコスモポリタン時代の終わりを告げるものだった。外国人に征服された恥辱のため、新しい支配者は排外主義的になっていた。宋の崩壊は、そのオープン性と商業が作り出した弱さと無秩序のせいだとされた（いまにして思えば、これは不公平だ。モンゴルはいたるところで連戦連勝だったし、それに対して宋があれほど持ちこたえたのはそのイノベーションのおかげなのだから）。だから新たな支配者たちは、権力の均衡と抑制を解体し、巨大な壁を作って外国人を閉め出し、近隣国と貿易戦争を始めた。

新しい明朝は、自らをダイナミックで繁栄した宋の正反対に位置づけた。こちらは安定した抑圧的な社会で、知識人を（粛清、検閲、スパイにより）義務でがんじがらめにして、自給自足の農民をもたらし、地元産品しか扱わない従順な商人を誘導した。イノベーションなど必要とせず、機械式の時計などを旧王朝の宮殿でみつけたら、それを破壊した。天文学に民間が関わるのを禁し、いまや異端となった地位に就いた人々がやり方を知らなかったので、暦の再調整を止めねばならなかった。明は、市民の服や髪形を５００年前の古き良き日のそれに戻すよう勅令を出したほどだ。

初代の明皇帝は、家から13キロメートル以上移動する必要のある人などいないも同然だと主張し、国内移動統制が復活した。民間の海外貿易は死罪をもって禁止され、船舶、波止場、港湾は壊された。外国語と習俗は禁止され、宗教の自由もなくなった。商業をやりにくくするため、何度か銀貨が禁止された。１５００年になると、臣民たちはもう国外に出られなくなった。これは実質的に反近代革命で、その狙いは上から安定した伝統主義の社会を押しつけることだった。[10]

１６４４年からの満州族支配は、前章で見たとおり事態をさらに悪化させた。異人で、ステップ地帯からの小規模な遊牧民が古代文明を掌握した存在である清朝は、自らの支配を正当化するために、さらに硬直した伝統主義的な儒教イデオロギーの解釈を採用した。清朝の下では、厳しく統制された学者たちは、危険な改変やイノベーションを除去することにより、古典文献を「純化」するのが仕事だった。だから異人の満州王朝の下で、中国はついに正統儒教国家になり、そのオープンな伝統を捨てた。

やがて清はヨーロッパ人たちをだまして、中国は何世紀にもわたり伝統的で不変だったと信じ込ませた（１８５９年にジョン・スチュアート・ミルは「中国人は停滞した——何千年にもわたりそのままだった」と書いている）。[11] 清朝の下でも農業などでは大規模な改善が見られたが、貿易とイノベーションに対しては原理的に敵対した。民間財産を接収して、１６６１年にはかつて繁栄していた南沿海部の住民全員を、30キロメートル内陸に強制移住させた。

明も清も、その懐古趣味の反革命に完全に成功したわけではない。中国人は昔から、統制をすり抜けて貿易を再確立する方法を見つけたが、華やぐ革新的な社会は生き残れなかった。自国主義のバックラッシュを皮切りに長い停滞が始まり、世界最先端の文明が悲惨な貧国になって、19世紀にはもっと強力な欧州列強により攻撃され、メンツをつぶされる。中国が世界の舞台に復活するのは、20世紀末になって再び世界に経済が開かれてからだ。

　中国の進歩がこれほど脆弱だったのは、中国政府が強すぎたためだ。同国は全能の皇帝と効率的な官僚制により中央集権化されていた。ある皇帝がオープン性と交易を認めれば、結果はすばらしいものだったが、ある皇帝がそれに反対しようと決めたら、すべてが崩壊する。

　１７９３年のイギリスによる交易要求は、中国はすでに何でも持っていて「貴国の製造物などいささかも必要としない」と拒絶されたことで有名だ。アマハースト卿は１８１６年にはるばる送り返されてしまった。皇帝に謁見するさい、ひざまずいて額を地面につける叩頭の礼をしなかったからだ（その１０００年前にアラブの使節団が唐皇帝に同じような拒絶をしたが、皇帝は単に「宮廷儀礼は国によってちがう」と述べ、相手を歓待した）[12]。

　それでも当時、皇帝の主張はたしかにまだ真実に近かったが、タイミングは最悪だった。ヨーロッパがまさに離陸しかけているときだったからだ。

鄭和vsコロンブス

ヨーロッパと中国の命運が赤裸々に対照的だったことを示す、最もセンセーショナルな事例は、大発見時代の役割交替だ。新世界を発見するのは中国であるはずだった。明朝皇帝たちが民間航海を禁じたときも、中国が貿易をやめたわけではない。政府がそれを独占し、役人たちを肥え太らせたのだった。１４０５年から１４３３年にかけて、皇帝はインド洋周辺に権力と富を投射して、属国群をつくり出すため、巨大艦隊を7回にわたり送り出した。イスラム教徒の宦官、鄭和（ていわ）の指揮下で、総勢3万人ちかい２５０隻の艦隊が東南アジアと南アジア、アラビア、東アフリカに航海した。コロンブスが生まれる何十年も前に、彼らはコロンブスよりはるかに長距離を旅し、使った船もずっと大きかった。鄭和の旗艦はおそらく、全長１３５メートルで、これに対してコロンブスの小さなサンタマリア号は、わずか20メートルだ。

だが中国の海洋冒険は、たった一つの決定によりつぶされた。ある日、皇帝はもうたくさんだと決めた。１４３３年に航海は終わり、その3年後に外洋船の建造は違法とされた。世界史上空前の大艦隊は腐って消えた。残った船はどうやら焼き払われたらしい。一部の廷臣が何十年も後に、航海しようという考えを蒸し返すと、人々が変な考えを起こさないよう、公僕たちによって航海の記録は破壊されたのだった。

なぜ中国が海を捨てたかについては諸説ある。イデオロギー上の決定で、明朝での新しい島国根性のせいだったと考える人もいる。外部世界との接触は政治的にも社会的にも不穏材料だったのだ。また人によっては、単に高価すぎたし、万里の長城再建に大量のリソースが必要だったせいだと言う。第3の仮説は、航海を主導した宦官派閥と、そのグローバル主義的な野心を糾弾した儒学官僚の宮廷権力闘争の結果だったというものだ。

だが、理由はもうどうでもいい。重要なのは、それが可能だったということだ。たった一人

（あるいは少なくとも若き皇帝の強力な顧問たち）のたった一つの決断が、文明全体を内向きにしてしまえた。

ヨーロッパでも、ジェノヴァの船乗りクリストファー・コロンブスは権力者たちにつぶされた。アジアへの西向き航路探索に出資してくれる人が自国イタリアでは一人も見つからなかったので、ポルトガル王に頼んだが、これも断られた。またメディナ＝シドニア公たちも、イングランドやフランスの王たちも断った。パトロンとなる王を探して、彼は20年も苛立たしい年月を過ごした。中国なら、話はこれでおしまいだ。だが断片化したヨーロッパでは、探し続けられたし、やがてスペイン王宮が出資に同意した。１４９２年に彼は出発した。

オープンで競争的な社会でだれかが成功すると、模倣される。コロンブスによる新世界の発見は、他の欧州列強にとって衝撃的な瞬間だった。コロンブスを断ったポルトガルは、即座にアメリカに向かった。ローマ教皇は、慌てた領土合戦の混乱を止めようとして、地球を東のスペイン半分と西のポルトガル半分に区分することで、来る発見の時代を秩序あるものにしようとした。だがフランス王は、こんな決定が下された根拠を示せと要求した。イギリスやオランダのようなプロテスタント国は、ローマ教皇など完全に無視した。

権力を握るラッダイト

これは西洋と中国の決定的なちがいだった。西洋の支配者が賢かったとか、博愛主義的だったとか、イノベーションにオープンだったとかいうわけではない。考え方はハプスブルク帝国のフテンシス1世皇帝と同じようなものだった。彼は1821年の教師向け集会で、だれかが「新しいことを思いついたら、その者は辞職するか、私がクビにしてやる」と宣言した。[13] 中国の支配者とまったく同様に、「秩序と安定」を課し、既存秩序をおびやかしかねない異論やイノベーションをつぶそうとした。ただ、それがあまり上手ではなかったのだ。

明や清の手引き書丸写しにすら思える、創造的破壊への攻撃がヨーロッパにもはびこった。エリザベス女王はウィリアム・リーに、1589年にその先駆的な編み機の特許を与えなかった。理由はそれが雇用をつぶすからだ。1623年にイギリス枢密院は、針を製造する機械を禁止し、それで作った針はすべて破壊せよと命じた。1632年にチャールズ1世は、真鍮バックルの鋳造を禁じた。鋳造技師6人が、労働者600人の仕事を奪うからという主張だ。[14] 1704年には、デニス・パピンが初の蒸気船を建造したが、その処女航海は船乗りギルドの独占を破ったので、フルダでパピンは襲撃され、蒸気機関は粉砕された。ドイツの都市では、自動織機が1685年に禁止され、ハプスブルク帝国の皇帝はウィーンの工場を禁止した。蒸気機関車も禁止したので、帝国内初の鉄道路線は馬車式車両を使わねばならなかった。

経済史研究者シェイラ・オギルヴィーはヨーロッパのギルド活動を研究した。ギルドは、都市内で独占権を与えられた労働者カルテルで、だれが何をどうやって生産するか、だれとどんな価格でそれをやるか、統制する権限を持っていた。その結論は、500年にわたって見ると、「イノベーションへの反対はギルド活動の偶発的な側面などではなく、特権利益団体としてのインセンティブの核心なのだ」というものだった。[15] これはあらゆる場所のあらゆる産業で、イノベーションが事業利益をおびやかすと思われたとたんに起こる。

産業革命以前には、進歩とオープンな探究の偉大な企(くわだ)てはすべてつぶされた。社会的地位、正式な技能、暗黙知、特別な設備、天然資源、など、何かをやって作る特定のやり方と関連した、どんな種類の特権的立場を持つ人々でも、だれかがそれをおびやかすような新技術や組織形態を導入すると、常に致命的な危険を感じ取った。だから、政治プロセスを動かしてそれを止めるインセンティブがあった。少なくとも、その速度を抑えようとはした。そして彼らはいつもそれに成功してきた。ただ1回だけ例外があり、それだけで世界は一変したのだった。

前章で、ヨーロッパの支配者たちが科学イノベーションと知的な異論を根絶やしにしようとして失敗したのは、そうした思想家が理論や知識を道連れに逃げ出せたからだというのを見た。同様に、こうしたエリートは経済変化を統制しようとがんばったが、同じ問題に直面した。迫害されたイノベーターや起業家は、機械やビジネスモデルをまとめて引っ越し、近隣国を豊かにしてしまえる。だから最も賢い支配者は、ある程度のエキセントリックな者たちやトラブルメーカーを容認するほうが、そいつらが引っ越して仇敵を豊かで強力にするのを眺めるよりマシだと気がついた。

パピンのフルダでの不幸があっても、イギリスは蒸気機関の実験をやめなかった。織機に使われる、多杼(たひ)式リボンフレームはヨーロッパの大半で禁止されたが、１６０４年以降にオランダで広まった。フランスのイノベーターたちは、他で禁止されている新技術の導入に、藩主領の飛び地サンセヴェールに逃れた。１７８０年代に、この小さな村には大規模な綿紡績工場が20軒、染色と綿布の仕上げ工場が50軒、陶器工房が23軒あった。教会領もフリーゾーンとして使われた。たとえばサンスーリンやサンアンドレなどはあまりに悪名高く、近くのボルドーのギルドはそこの住民を見下して「ノヴァチュール」（革新者）と呼んだ。[16]
アクトン卿は、ヨーロッパの恩恵は人々に対する支配力をめぐる、教会と国家の独特な戦いからきたのだと考えた。

400年にわたるこの紛争のおかげで、市民の自由が台頭した。教会が、祝福した王たちの玉座を牛耳り続けていたら、あるいはこの闘争が即座に一方の圧勝で終わっていたら、ヨーロッパ全土はビザンチン式またはモスクワ式の専制主義の下に沈んでいただろう。というのも対決する両勢力の狙いは絶対権威だったからだ。だが彼らが苦闘したのは自由のためではなかったが、世俗権力と宗教的権力が国民を味方につけるのに使った手段が自由だったのだ。[17]

言い換えると、絶対権力を目指す闘争の中で味方を得る唯一の方法は、彼らに権力からの自由をある程度認めることだったというわけだ。多くのヨーロッパ人は、専制君主をお互いに戦わせることで自由を手に入れた。12～13世紀に神聖ローマ皇帝がイタリアの都市国家を支配しようとしたら、都市国家はロンバルド同盟を形成してそれを阻止し、ローマ教皇の支援を得た。ローマ教皇がイスラム世界との交易に反対すると、ヴェネツィアはコンスタンチノープルの皇帝から貿易譲歩を得て勝手に交易を進めた。ときには、国境地域の人口がまるごと、税率の最も低い勢力に忠誠を鞍替え（くらが）えすることもあった。[18]

内戦

まっさきに近代に到達したのはイギリスだった。ここでも、歴史をさかのぼって読んで、イギリス史のリバタリアン的な側面をあまりに強調しすぎるのは慎もう。奴隷制や独占を廃止し、自由貿易と言論の自由を受け容れ、工業化する最初の国がイギリスだったのは、何やら歴史的な必然だったのだ、などと言うのは控えねばならない。

17世紀初頭、イギリスは——その近隣国（オランダ以外）とまったく同じく——絶対王権、検閲、ギルドや独占利権が支配する重商主義的な統制経済で、創造的なイノベーションと破壊は阻止された。マルクス主義の歴史学者クリストファー・ヒルはこの時代の競争欠如を描写したさい、次のように想像してみようと述べている。

> 独占レンガで作った家に住み、その窓は（あれば）独占ガラス製、暖房は独占石炭（アイルランドなら独占材木）、それを燃やす灰落としは独占鉄でできている。その壁は独占タペストリーが飾られている。独占羽毛の上で眠り、独占ブラシやくしで髪を整える。独占石けんで身体を洗い、服につける洗濯のりも独占。着るのは独占レース、独占理念、独占皮革、独占金糸。[19]

ヒルの独占一覧はひたすら増える一方で、帽子、ベルト、ボタン、染料、バター、サーモン、ロブスター、塩、こしょう、酢、ガラス、びん、ワイン、酒、ビール、タバコ、ペン、紙、本、ゴルフボール、その他各種品目に及ぶ。1621年のイギリスにはそうした独占品目が700品もあり、それが各種の頼みごとや袖の下と引き換えに認められていた。

ヨーロッパ諸国の王室は当時どこも、課税と独占をめぐって議会と死闘を繰り広げていた。イギリスがちがったのは、長期的には王室がまったく成功しなかったという点だ。スペインの王室は外国帝国、強制労働、金銀で繁栄していたが、イギリスの王や女王はアメリカとの貿易独占ができず、独立貿易商が豊かになり、王室や王党派は豊かにならなかった。イギリスはますます、カール・ポパーが「閉鎖社会にとって最悪の危険——商業と、通商や航海に従事する新階級」と呼んだものにより定義されるようになった。[20]

王と議会との権力闘争が拡大した結果、1642~1651年のイングランド内戦に拡大した。これは国王殺しとクロムウェル独裁、やがてはスチュアート王朝下での王政回復にいたったが、それでも何か別のものが可能だという発想に人々の目を開いた。内戦で初めて、一貫性のあるリバタリアニズムの思想が「平等主義(レヴェラー)」という運動により提案された。これを創始したのは急進派の都市住民ジョン・リルバーンやリチャード・オヴァートンで、独立宗派、貿易商、職人、店主の間に広まった。レヴェラーは、自己所有の哲学をまとめた。あらゆる権利は個人にあるので、議会や王は個人の使用人なのであり、個人の権利によって制約される。正統な政府は「マスコミを開放し」、宗教統制を廃止し（というのも「聖なる真理は人間の手助けなどなくても支持されるから」）、あらゆる世襲の特権や例外を「無効として廃止」し、「あらゆる公益や商業をすべての独占から解放したはず」である。[21]

レヴェラーたちはクロムウェルに粉砕され、その最後のパンフレットは「ロンドン塔の囚人一同、1649年5月1日」と署名されている。だが彼らが点けた火花は、多くの炎となった。論理的には、自分が自分自身を所有するという発想は、自由の大もとであり、そこから他のすべてが出てくる。だが歴史的には、それは人々が自分の個人圏を拡大する権利を与えられ、人はみんなちがっていて、独自のちがった人生を持ち、個別の理性を用いて真実を探して繁栄しなくてはならないとわかってから、最後になって発見されたのだった。

多くのレヴェラー思想は、やがて古典リベラル派のイデオロギーに採り入れられて、それが英米を一変させることになるが、その主張はもっと穏健になった（たとえば労働者の結束要求が咀嚼されるまでには数世紀かかる）。反逆罪の判決を受けて絞首台に登ったレヴェラーのリチャード・ルンボルトの辞世の言葉は「神により他の人間より上とされて生まれてきた人はいないはずだ。というのも、だれも背中に鞍をつけて生まれてはこないし、またそういう人に乗るためブーツをはいて拍車をつけて生まれてきた人もいないからだ」というものだった。[22] 1世紀以上後に、トマス・ジェファソンなどアメリカの建国者たちはその言葉を引用して、自分たちの革命を擁護した。

イングランド内戦から数十年たって、比較的オープンで急速に都市化が進んだイギリス経済は、さらに多くの独立の富を作り出した。こうした新しい商業的な集団は、イギリスを活発な商業社会と考えるようになり、形式的にすべての土地を持つ王が支配する、地主貴族社会という古い理想を捨てるようになった。こうした思想家たちはレヴェラーの着想と自分の体験を元にこうした主張に到達しただけでなく、スペインとオランダ共和国との目を見張るような対比にも刺激を受けた。古いコンセンサスは、土地と天然資源が豊かさを作るというものだったが、それをすべて持っていたスペインはいまや荒廃寸前である一方、どちらも持っていないオランダは市民に革新と交易を行う自由を与えるだけで、世界で最も豊かな国になった。

あるイギリス人評論家は、オランダの土地は何も生み出さないと指摘している。

> 穀物も、ワインも、油も、材木も、金属も、石も、羊毛も、麻も、瀝青（れきせい）も、それ以外にともに使える商品はほとんど何も生み出さない。それなのに、こうしたものをオランダ以上に豊富に享受できる国は一つもないほどだ。[23]

いまやイギリスもオランダになりたいと思った。当時最も広く読まれた経済著述家ジョサイア・チャイルドは、「もし世界の貿易を手に入れたいならオランダを真似るべきだ」と論じた。[24] 1685年に、経済に関する有力な著述家ケアリュー・ライネルはこう述べた。「イングランドはまさしく交易の国である」。「交易を促進して花開かせる主要なものは、その国が自由であること、帰化〔つまり移民〕、人口性〔人口の多さ〕、理解〔寛容性〕、逮捕からの自由、財産の確実性と、恣意的な権力からの自由である」[25]

この頃に、王家絶対主義に反対し、経済自由化に好意的な政党が生まれ、当時の人はそれをレヴェラー運動再興の試みと考えた。[26] これがシャフツベリー卿率いるホイッグ党だ。この話での重要人物は、シャフツベリーの専属医ジョン・ロックで、シャフツベリーはロックを説得してもっと政治について書かせ、そしてやがてロックは古典リベラリズムの開祖となる。

台頭するホイッグ党イデオロギーによれば、経済はゼロサム・ゲームではない。富は他人から奪うだけのものではなく、生み出されるものだから、無限ですらあり得る。貿易はその双方を同時に豊かにする。

オランダ共和国に亡命したジョン・ロックは、土地はそれ自体としては大した価値を持たないと論じた。その価値の99％は土地の耕作に使われた労働力と技術からきているのだという。ロックにとって、これは「領土の大きさに比べて人間の数のほうがどれほど望まれるか」を示すものだった。[27] 戦争や所有物が国を偉大にするのではない。生産的な人口だけが国を偉大にするし、そのためには自由が必要なのだ。

ロックは、革命でもないとそれは得られないと思った。

名誉革命

王家の絶対主義に対する最後の一撃は、1688年の名誉革命だった。ジェームズ2世王はますます専制的と見なされ、国民にカトリック信仰を押しつけようとしているようだった。だが多くのカトリック教徒も王に敵対していた。王は自分が独立主権を持ち、ローマ教皇ですら自分の権力を制限できないのだと主張していたからだ。今回のスチュアート朝の王に対する反乱は、内戦よりは暴力性が低かったが、その影響はもっと強く、世界の長期的な制度変化史を描いたダロン・アセモグルとジェームズ・ロビンソンによれば、「世界初の包含的な政治制度」を構築するものとなった。[28]

名誉革命は単なる革命ではなく、オランダによる露骨な侵略とも言うべきものだったが、議会はそれを奨励した。というのもますます専制化する王とカトリック復活が恐れられたからだ。オランダは、英仏が手を組んで自分たちを破壊するのを防ぎたかった。1688年11月、オランダ総督（実質的な国家元首）オレンジ公ウィレム（ジェームズ王の甥であり義理の息子でもある）はスペイン無敵艦隊の4倍の艦隊を仕立ててイギリスを侵略した。500隻近い艦船に、2万人ほどが乗っていた。オランダ兵、外国の傭兵、イギリスの反乱者たち。多くの町で人々が蜂起してそれに加わり、多くの王党派将校も寝返った。彼らがロンドンに近づいても、ほとんど抵抗は生じなかった。ジェームズはフランスに逃亡し、ウィレムとその妻メアリー（ジェームズ王の娘）が共同統治者となった。

第2章で検討したリベラルなオランダの態度、政策、イノベーションが、いまやイングランドに移植された。1707年のスコットランドの合併後は、大英帝国として知られるようになる。イギリスに向かうメアリーの船上にはジョン・ロックも乗っていた。オランダ亡命中に彼は『統治二論』（邦訳岩波書店ほか刊）を書いた。これは専制者に対する革命を呼びかける新レヴェラーの主張だ。その主張によれば、政府は市民の自由を守るためだけに作られ、したがって制限され抑制されねばならない。市民の生命、自由、財産の権利を保護せず、むしろそれを侵食する王は、自らを「非王化」している。いまやロックはこの本を安全に発表して、その理想の一部を実現できた。

ウィレムとメアリーが玉座につけたのは、権利章典を遵守して、議会の権威を尊重すると約束したからだ。これは『統治二論』が求めた通りだ。これはイギリスが立憲君主国として法治国家になった瞬間だった。議会は包括性をあまり高めなかったが、請願権は普遍的となり、そうした請願は真剣に考慮された。王家は司法への介入をやめた。裁判官は終身職となり、政治的な理由でクビにできなくなった。

いまやイギリスの法律はあらゆる市民に適用され、貴族が裁判所で平民に対して負けることも可能になった。これが因襲からどれほど隔絶した急進的なものかを理解するには、多くのヨーロッパ人は基本的に、貴族との紛争においては法の外にいる存在だったということを思い出そう。18世紀になっても、アンスバッハ侯は愛人に射撃の腕を自慢するため、城の塔からタイル職人を射殺できたし、メックレンブルク公は高位顧問を気まぐれで殺して、その妻と同衾できたのだ[29]。

アセモグルとロビンソンは、法治がその革命の性質による結果だったのだと指摘する。これは一つのエリートが別のエリートに取って代わる話ではなく、郷士、商人、製造業者の広い連合であり、さらにホイッグ党とトーリー党の両方が王に刃向かって立ち上がったのだった。「多くの政党がテーブルについて権力を共有する状況では、法や制約をその全員に適用させるのが自然だった。そうでないと一つの勢力があまりに多くの権力を貯め込むようになり、最終的には複数主義の基盤そのものを台無しにしかねないからだ[30]」

古い恣意的な経済介入の多くが廃止され、政府は財産権を、知的財産権も含めて保護しはじめた（1710年には、著者たちもついに自分の本に著作権をつけられるようになった。ありがとうございます！）。信頼できる定期的な課税の下で苦しむ私たち現代人からすると、恣意的な課税を終えるのがいかに重要だったかは理解しづらいかもしれない。だが支配者がかつて頼っていた、強制融資や露骨な接収は、長期的な結果を求めて投資したりがんばったりするインセンティブをすべて台無しにした。イギリス王が、商人たちが安全のためにロンドン塔に貯めておいた金塊13万ポンドをあっさり懐（ふところ）に入れてしまえると知っていたら（1640年にはまさにそれが起きた）、短期の消費を犠牲にして、将来の利得の可能性に投資したがる人などいるだろうか？あるいは専制者が兵に報酬を与えるとき、彼らが都市の商業地域を荒らし回り、銀行強盗をして店に押し入り、運べるものをすべて盗むのを認めて「自分の懐に入れる」ようにしたらどうなるだろうか？　20世紀末にザイールのモブツ・セセ・セコ大統領は何度かこれをやった。[31]

もっと移動性の高い、革新的で成長するイギリスというビジョンは、炉税を土地税で置きかえようという決定がきわめて急速に行われたことからもわかる。炉税のおかげで火と加熱に依存していた製造業者が割を食っていたのだ。別の要素として、新しい金融産業がある。このおかげでイギリスには深い資本市場ができて、資本費用は低下し、おかげで多くの希望に満ちたイノベーターや起業家に対して資金がついた（さらにフランスとの高価な戦争費用も捻出できた）。

もちろん、新しい支配的な事業権益は、政府を使って自分の産業を保護させようとした。だが主要なプレーヤーはもっと多様な集団になっていて、しばしば正反対の野心を抱いていたから、どれか一つの商業エリートがその反競争的な野心をまとめるのはむずかしかった。独占や保護の試みはすべて、他のみんなから袋だたきにあった。

オープンな取引

イギリスと、それに追随した国々がオープンになったのは、もはや支配的な社会階層がなく、全体を律する計画はなく、みんなが従うべき道筋もなかったからだ。いきなり、予想外のことが起きる余地ができた。初期の産業革命におけるイギリスの優位性を生んだ重要な理由は、政府が重要な技能を持った人々に、どこへ行けと指図しなかったことだ。大陸ヨーロッパでは、エンジニアたちは軍か公僕か教職につくのが当然だった。国を強力にするためだ。イギリスでは、エンジニアは雇用を求めて民間部門に行かねばならず、もっとよい時計、工場、灯台、紡績機などの設計を行った。[32]

教育を受けてアイデアを持った人々には、大学や教会以外の行き場ができた。識字率が上がると、新聞業界も拡大し、既存の体制に不満な人々に声を与えて、それがさらなる変化を後押しした。小説家たちは大衆読者向けに直接書きはじめた。著者たちはますますリアリズムの実験を推し進め、人々の日常生活や社会問題を扱い、歴史小説ですらそれをやるようになった。貧困、人種差別、女性の役割といった微妙な問題が、いきなり通俗小説で論じられるようになった。

まるで、新しい制度は人を驚かせるよう細工されているかのようだった。法治は起業家たちに、長期的な探究でもある程度の予測可能性を与えた。独占がないので、伝統的な利害をおびやかすものであっても、新しいアイデアや製品で競争が自由にできるし、成功したら儲かるということだ。資源は土地の所有者のものだったから、鉱物資源や溶鉱炉や内燃機関用の石炭は嬉々として採掘された。それが王室のものだったヨーロッパとはちがった。恣意的な課税が禁止され、財産権が保護された。[33]

いまや銀行はお金を最も有望なアイデアに振り向け、新しい有料道路（ターンパイク）や運河が、事業の必要性に応じて民間により建設された。イノベーションで大きな報酬が得られる見込みを作り出す、新しい特許制度もあった。決定的なこととして、フランスやオランダの特許制度とちがい、イギリスは発明が社会にもたらす貢献を評価する仕事を、役人には任せなかった。イノベーションの権利は、役人がそれを気に入ろうと気に入るまいと保護された。経済学者で歴史学者のディアドラ・マクロスキーの用語で言えば、イノベーションはもはや専門家が検証するものではなく、取引により検証するものとなった。これは未来を予測しようとするか、驚きを受け容れるかの差だ。

大量の増大しつつある中産階級消費者たちが、経済の方向性を決めるようになってきた。「イギリス人は、金持ちのためでなく、人々のために製品を作るだけの知恵がある」とフランスの政治家シャルル・ド・ビアンクールは指摘している。[34]

傑出した知的財産権の成功、たとえばジェームズ・ワットの蒸気機関などは、多くのイノベーターたちに運試しを決意させ、それが経済に計り知れないほどの恩恵をもたらした。[35] おかげで常にいろいろいじって実験し、人類の問題を解決しようとするのにすべての時間を費やす、専業発明家という概念が生まれた。

産業革命というと、蒸気機関に繊維機械を連想するが、これはもっと広範な進歩への信念が生まれた時代だった。あらゆる立場の人々が、自分の活動をもっと注意して見直し、それを改善する方法がないか考えはじめた。農器具のイギリスでの特許は、1760年以前には10年あたり5、6件だったのが、1830年代には10年あたり10件に増えた。[36]

都市職人ギルドは、新しい競争相手や手法、機械を排除できなくなってきた。新しい事業や地方部はイギリスではギルドの管轄外だった（ドイツ、オーストリア、スペイン、イタリアはちがった）ので、起業家は一般に新しいアイデアや工場で実験する逃げ場があった。港湾都市や、いなか都市、ミッドランドの工業ニュータウンなどでは、自由な参入と競争が認められた。ときには起業家が郊外に引っ越すだけで、ギルドの統制を逃れられた。たとえばロンドンの企業がホワイトチャペルやスピタルフィールズのような郊外に逃れたのはそのせいだ。やがて役人は、ギルド制の施行そのものを拒否しはじめた。18世紀半ばになると、統制は実質的に崩壊したが、南欧ではずっと強いギルドが、さらに1世紀も統制力を持ち続けた。オーストリア、ハンガリー、ポルトガルでは、強制事業組織は1870年代と1880年代になるまで廃止されなかった。

イギリスでも、競争に直面した人々からの抗議はあった。特にイギリス西部では、羊毛労働者たちは暴力的にジェニー紡績機や飛び杼（ひ）や毛羽立て機を打ちこわしたが、自分たち自身の産業基盤を破壊する結果となってしまい、おかげで産業はヨークシャーに追い出された。議会は、創造的な破壊を禁止するような法制を断固として拒んだ。プレストンの治安判事の決議は、当局の態度を反映したものだ。「イギリスにおいてそれら［新しい機械］の設置の全面阻止が法制により定められたら、単にそれが外国に設立されて、イギリスの交易に損害が及ぶだけだ」[37]

名誉革命が示している過去との決別を過大評価してはいけない。多くの変化は1688年以前に始まっていたし、さらに多くの変化はずいぶん先まで起こらない。カトリックの解放は、その最初のつつましい一歩を1世紀後にやっと踏みだすし、人権が人類の女性半分に適用されるという発想は、まだずっと先のことだ。飢えた人々を犠牲に地主が儲ける穀物法が廃止され、自由貿易が勝利するのは150年以上先だ。そして法治や財産権、言論の自由というお題目を唱えつつも、イギリスは相変わらず植民地の先住民たちを奴隷化し、強奪し、口を封じた。それでも、それ以前にあったものと比べれば（それもイギリスに限らず世界中で）、変化はすさまじいもので、同国は新しい道へと転換し、その後のもっとオープンな社会への足取りがもっと自然に生じるようにした。

1688年以降のイギリスで最も重要な変化は、態度の変化だったかもしれない。それはその後の変化の多くを後押しし、インスパイアする変化だった。都市と商業の価値観が勝利したことで、交易人や製造業者は自尊心が大いに高まり、自分たちが新しい世界を作り上げているのだという気運が生じた。貴族の古い文化やお屋敷を目指さねばならないとは、もう感じなくなった。むしろ貴族のほうが、もっとブルジョワ的になろうと志すようになりはじめた。これが本当の革命だった――貴族になりたいと思わない集団がますます増えてきたのだ。[38]

新しい中産階級が大きな購買力を持ち、地主階級よりも重要な集団になりつつあった。当時の文学者サミュエル・ジョンソンは台頭する資本主義が社会の障壁を壊しているとグチった。靴磨き職人は、かつては自分が依存している社会的地位の高い人々にもっと敬意を払ったものだが、いまや身分の上下など関係なく万人が顧客となったので、みんなを平等に扱うようになっていた。契約社会が身分社会にとって変わるようになると、現状擁護者の多くは交易人や労働者が「生意気」で「無礼」になってきたと警告した。[39]

これはディアドラ・マクロスキーの見事な三部作の主題だ。彼女の主張は――統計、歴史、社会学、心理学、芸術、文学からの莫大なデータや事例に基づいたもので――過去200年の大富裕化の原因が資本の蓄積や制度変化ではない、というものだ。そういうのは、私たちが商業や社会移動性の大変化と考えるものの副作用にすぎない。オランダ共和国で始まりイギリスにも広がったブルジョワの活動――かつては階級社会はえらい人の貴族的ライフスタイルをまかなうための必要悪と思われた――が改めて見直され、それ自体として望ましく、立派なものとすら見なされるようになりはじめたのだ。

これを見ると、多くの古い制約がまだ正式には残っていたのに、イギリスが急速に発展できた理由が理解しやすくなる。新しい商業文化では、イギリスは古くさくて不道徳と思った法律をあっさり無視して回避したのだった。たとえば、国内取引と労働や土地市場の規制は地元判事の手に握られていた。彼らはやりたければ人々の生活にむりやり介入できたが、実際にはそんなことはしないのが通例だったので、実質的には自由放任政策が生み出された。[40]

それまでは金利上限規制のため、銀行は最も信用力の高い人にしか融資できなかった。だが銀行はそれを迂回するようになった。このため、融資をその口座の過剰引き出しとして扱ったり、郵便手数料といったものについて大幅に料金を過大にしたりしたのだ。植民地との取引をイギリス船だけに限定した航海法は、貿易商が抜け穴を使っただけでなく、この規制をバカげていると思った役人たちに意図的に無視された。貿易が高い関税で禁止または抑えられたときにも、密輸人が海洋をオープンにして、消費者に他国の創造性へのアクセスをもたらした。たとえば、もっと安くて色彩豊かな布などだ。

アダム・スミス（のちに関税局長となる！）は、密輸は正当な活動だと述べて擁護した。通常、それを行っているのは「立派な市民」で、たまたま法が不当にも処罰していることをやったにすぎない、というわけだ。それがあまりに横行したので、スミスは密輸品の購入について何かためらいを感じるふりをしている連中は、明らかに偽善ぶっているだけだ、とさえ書いている。そんなためらいを表明しても「だれかからの評価が高まるどころか、そんなことを実践する人に、ご近所のほとんどよりもひどい悪漢だという疑念を向けられるようになるだけなのである」[41]。

オープンな門戸

イギリスの門戸はまた、必要とする人材にも開かれた。ウィレムとメアリーといっしょに、多くのユグノー派やユダヤ教徒がやってきた。彼らはイギリスの来る経済台頭に不可欠な存在だった。ちょうどそれ以前のスペインと同様に、フランスは宗教の自由の廃止が自殺行為でご近所に利するだけだったと学んだ。サン・シモン公爵はほとんど誇張なしに、ユグノー派への攻撃は「まったく必要性についての口実もないもので、王国の4分の1の人口を失わせ、商業を破壊して国のあらゆる部分を弱めた」と述べている[42]。

彼らの知識とネットワークの助けを借りて、ロンドンは間もなく世界の金融センターの地位をアムステルダムからもぎ取った。製造業の多くの分野におけるユグノー派の技能のおかげで、イギリスは他国より早く工業化のフライングスタートを切ることができた。最も重要だったのは、時計と計器の製造で、これが機械工学の細かい加工を向上させ、精度の価値を高めた。この時期の多くの発明家は、つつましい時計職人や計器職人から出発している。

他の民族や宗教の人々が、公職への立候補と旧大学への出席を除くあらゆる権利を備えた市民権を与えられた。だがこうした除外のために、彼らはビジネスや金融部門に向かった。ロンドン市がジョージ2世に対して忠誠を宣言した文書を見ると、重要な商人の中で移民がどれほど多かったかわかる。署名者542人のうち、少なくとも3分の1は非イギリス出身者で、100人以上がユグノー派、ユダヤ教徒40人、オランダ人は37人だ。同様に、1760年のジョージ3世即位についての宣言でも似たような構成比が見られる[43]。

ヴォルテールは1720年代のロンドン訪問で、寛容な商業の精神について、次のように書いたことで有名だ。

ロンドン証券取引所に行ってみよう――多くの宮廷よりも立派な場所だ――するとあらゆる国の代表が、人類の役に立つために集まっているのがわかる。ここではユダヤ教徒、モハメット教徒、キリスト教徒が、まるで同じ信仰の者であるかのように取引を行い、邪教という言葉を使うのは破産した人々に対してだけだ。ここでは長老派が再洗礼派を信頼し、英国教会派が、クェーカーからの約束を受け容れる。この平和で自由な集会を後にした一部の人はシナゴーグに向かい、一部は飲みにでかけ、ある者は父と子と聖霊の名において洗礼を受けにでかけ、こちらは息子の包皮切除をしてもらって子供に向かい理解もできないヘブライ語の用語をもがもが語りかけてもらうし、また他の人は教会にでかけて帽子をかぶって神の啓示を待ち、そしてみんな幸せだ[44]。

イングランドとスコットランドの合併もまた、活力をもたらした。当時の最も重要な思想家や解釈者たちはスコットランド人だった。たとえばデヴィッド・ヒューム、アダム・スミスなどだ。だがイノベーターも多かった。スコットランド人とイングランド人はしばしばアイデアや狙いを組み合わせてイノベーションを実現した。この時代の原動力、蒸気機関は、スコットランドの発明家ジェームズ・ワット（機器製作者）と、イギリスの産業人マシュー・ボールトンとの共同作業によるものだった。ボールトンは彼の活動に出資して、ワットをバーミンガムに引っ越させて、商業的な収益性を持つ機関を作らせ、それが経済を一変させた。スコットランドはまた製鉄でも先端で、その最も重要なイノベーションである高熱高炉を考案したのは、スコットランド人のジェームズ・ビューモント・ニールソンだ。

植民地では、イギリスと他の欧州列強は現地住民を征服、従属させ、差別した。[45]だが自国では、商業社会が封建統制に置き換わりつつあり、事業では何ができて何を提供できるかのほうが、身分や出自よりも重要となった。個人が偏見を受けることはあっても、オープンで競争的な市場における全体としての意思決定は、必然的に肌の色には目をつぶった。他の宗教だからといって、潜在的な出資者やパートナーや顧客を排除する者は、そうしなかった者に負けた。

オープンな精神

イギリス産業革命についての優れた著書で、ジョエル・モキイアは革命を後押しした二つの文化的態度を指摘する。そしてどちらもオープン性をめぐる態度だ。[46]

一つはいまやおなじみの、他人から積極的に拝借する意思だ。これはアジアや中東のもっと古くて進歩した文明との接触により啓発されたものだった。イギリスは他の場所からのアイデアについて底なしの好奇心を示し、既存技術を適応させていじるので有名になった。「ここで発明したものではないから使うな」というスローガンが「堂々と盗みました」で置きかえられたに等しい状態だった。『ロビンソン・クルーソー』で有名なダニエル・デフォーは、「いまや私たちが筆頭となり、近隣国すべてを大幅に超えている偉大なもののほぼすべては、実は他人の発明を元に築き上げられたのだ」とまで述べている。[47]

２番目は、前世代の認めた叡智から平気で逸脱したことだった。正典や父祖たちの言葉を神聖なものとして扱う文化は、イノベーションを押しつぶした。「例外、逸脱、常軌を逸したものこそが変化をもたらす」というのは、１９９０年代アップル社の「Think Different」広告のキャッチフレーズめいてはいる。これまでのほとんどの文化では、逸脱は邪説と見なされた。だが手紙の共和国などの啓蒙思想家のおかげで、批判の伝統が生じた。歴史の中のごく一時期、世界のごく小さな部分で、最も社会的な栄誉を持っていたのは、伝統の擁護者ではなく、すべてを疑問視してもっといいやり方があると考えた、思想家やエンジニア、イノベーターたちだった。

18世紀には、イギリスは啓蒙科学に心を開き、港湾を貿易に開き、門戸をあらゆる場所からの才能に開いた。それ以前のあらゆる社会に比べると、イギリスはいまや、変わった新しい知識を探求し、新技術で実験する自由度が高くなっていた――それが成功すればかなり儲かるという見通しもあった。

もっと重要な点として、だれかがもっといいやり方を考案したら、イギリス人もそれを試してみて、そのアイデアや技術、製品を気に入った人が増えれば、既存勢力を打倒するのが許された。思考者や試行者、イノベーターや産業家が絶えずお互いに相談し、協働して競争したオープンな文化と組み合わさって、イギリスは伝統的な、えらく間隔のあいた散発的なイノベーションから、技術史研究者Ａ・Ｐ・アッシャーが「絶えず創発する新規性」と呼ぶものへと進歩した。[48]

トマス・ニューコメンが、真空と大気圧を活用する蒸気機関のアイデアを得たのは、王立協会の科学者たちからだったが、水没した炭坑での経験や、鉄工職人としての技能がなければ、それが実現することはなかっただろう。醸造家ジェームズ・プレスコット・ジュールは科学者ジョン・ダルトンに刺激されて、電気モーターで実験してビールを作った。ここからジュールはエネルギー保存則を発見した。その発見は最初は受け容れられず、論文も棄却されたが、やがてはこの好奇心旺盛な醸造家が科学者たちを説得した。そこから出てきたエネルギーの単位ジュールは、彼にちなんで命名された。

人類は昔から、物事のもっといいやり方に出くわしてきたし、模倣傾向のおかげでそれが移動性の高い社会では急拡大したが、1750年頃までそうした技術は、まともに認知されていなかった。言い換えると、自分が何をしているかについて、みんなほとんど理解できておらず、このためそれを改善しつづけるのもむずかしかった。モキイアの表現では、その世界とは‥

> 力学なしのエンジニアリング、冶金学なしの製鉄、土壌科学なしの農業、地質学なしの鉱山採掘、水力学なしの水力、有機化学なしの染料づくり、微生物学と免疫学なしの医療だ。[49]

この産業啓蒙時代に、人々は工房、炭坑、実験で学んだことを体系化した。その科学を技術に適用することで、意図的に材料、機械、手法を操作し、デバッグして改良し、ちがう状況や新しい用途に適応させることが可能となった。「時代は狂ったようにイノベーションを追い求めている。そして世界のビジネスがすべて、新しい方法で行われることとなっている」と先の文学者サミュエル・ジョンソンはグチっている[50]。

この文化は、実際のモノに裏づけられることで強化された。人々は新しいナラティブに流されるだけでなく、それが機能するのを見た――巨人の力をもたらす巨大で騒々しい蒸気機関だけでなく、同じくらい重要な、安くて快適な下着についてもそうだ。気球で人々は重力に対抗できるようになったが、釘やネジも改良された。鉄道や蒸気船で長距離を移動できるようになり、予防接種で人々は天然痘から救われた。

みんなそれを自分の生活水準で実感できた。産業革命はしばしば、極貧とひどい労働条件の時代とされる。現代に比べれば確かにその通りだが、この結論は地方部や工業化していない町での、ずっとひどい生活水準を都合良く無視している。だからこそ、何百万人もの人々にとって、工場町に逃れるのがいちばんの希望に思えたのだ。文豪ディケンズが描く薄汚いロンドンでは、労働者の実質賃金が１００年足らずで倍増したのだった。こんなことは他のどこでも起きたためしがない。１９００年にヨーロッパの工業化地域は、工業化していない南欧の3倍以上も豊かだった[51]。資本主義と工業化が恥知らずな収奪を意味するとしても、収奪されるよりひどい唯一のことは、まったく収奪されないことだ。そしてそれは開発のひどい社会的な副作用に対抗するためのリソースも作り出した。ディアドラ・マクロスキーが書いたように：

現代の経済成長は、そのままなら貧困で無知だったはずの何億人にとって、洗練を減らすどころかそれを高めた――あなたや私のご先祖のほとんどは、まさにその無知や貧困の中で生きていたのだ。いまここにいるあなたや私は、資本主義の長所や短所について、知識たっぷりに議論している。あなたや私のご先祖のうち、コフーンやコールリッジのような教育や余暇をもってそんな議論ができた人がいるだろうか？[52]

それまでの文化は、地主と世襲階級によって定義され、マシな場合ですらそのアイデアや表現がゆっくりと低位階級に流れ落ちただけだった。自由と識字能力、購買力の拡大で、新しい階級はもっと自信を獲得し、文化的な需要を動かせる機会ができた。そうした人々はますます小説を読み、新聞を買い、劇場にでかけて新しい芸術形態や装飾を見た。都市で増大する中産階級の中で新しいファッションが始まり、それが伝統的なエリートにさかのぼっていった——そしてそのエリートはその時代から、大衆文化について文句を言い続けている。

芸術でもこれはイノベーションの時代だった。めまいがするほど急速に、ロマン主義に代わって写実主義、新古典主義、自然主義、表現主義、象徴主義が次々にやってきた。またジャンル間でも意図された観客の間でも、伝統的な区分が崩壊した。イギリスのミュージックホールとアメリカのボードビルは、歌と風刺と漫才の組み合わせで1850年代以降に急激に人気を博し、それを観ながら観客は飲み食いできた。同じ主題が今度は新しい映画産業に取り込まれた。彩色リトグラフと、間もなく写真によって芸術雑誌が刊行された。アールヌーヴォーのような新様式は、芸術と応用芸術を組み合わせ、多くの芸術家は家具、金属加工、ガラス細工、陶器を量産して、デザインを民主化して人々の家庭においてもらうという野心を抱いていた。

豊かさが高まると、余暇も増えた。都会人はレストランやカフェに集まり、公園や美術館に出入りできるようになった。列車で浜辺に行くのがお気に入りの娯楽となり、工場労働者ですらそれをやった。サッカーのようなチームスポーツもルールが標準化されて、ますます学校で実施されるようになった。イギリスなどの急速に工業化した国は、市民社会組織や団体の劇的な成長を経験した。人々は娯楽、相互支援、女性の権利主張、奴隷制反対などの社会問題を核に集まるようになった。

最も驚天動地の変化は、恋愛の文化的な容認だ。それまで結婚は、政治的または金銭的な制度と考えられており、したがって年配の親戚が手配するものだった。愛のために結婚するなどというのは家族に対する身勝手な裏切りとされた。家族は、生存闘争のために労働力の供給と有益な親族が必要だからだ。アメリカの歴史学者ステファニー・クーンツは、これが啓蒙主義思想と市場経済の賃金労働の普及でどう変わったかを述べている。これによって、子供は以前ほど親に依存しなくなった。突然、個人の選択が望ましく実践可能と見なされ、みんな愛のために結婚するよう奨励された。「5000年で初めて、結婚は大きな仕組みの中でのつながりの一つではなく、二人の個人の私的関係と見なされるようになったのだ[53]」

アメリカ革命

世界が進歩にとって安全な場所になったのは、イギリスのオープン性が、大西洋を越えて入植者たちによりアメリカに伝達されたためだった。そこではオープン性が、世界最強の国を作るのに使われる。世界各国の思想や政治体制に永続的な影響を与える国だ。

この新世界は古い思想を受け容れたことはなかった。イギリスのエリートたちは、スペイン型の強制労働つき階級型植民地すら作れなかった。王の憲章によるヴァージニア会社が1607年にジェームズタウンを設立したら、そこには盗むような黄金もないし、分散した原住民集団を働かせることもできないのがすぐにわかった。その代案は、イギリス人入植者たちにギリギリの報酬で働いてもらうことだが、これまた失敗した。あまりに多くが逃亡して先住民たちと暮らしたり、自分で運命を切り拓こうとしたりしたからだ（これは死罪だったのだが）。万策尽きると、まともな植民地を作る唯一の方法は入植者に自由を与えることだった。1618年に彼らは契約から解放され、土地の所有権と、投資、建設、生産の市場インセンティブを与えられたのだった。

イギリスのエリートたちは繰り返し、貴族と臣下を持つ専制主義コミュニティを外国にも作り出そうとしたが、毎回それは入植者たちが経済的な自由と植民地統治をめぐる発言権を求めたために破綻（はたん）した。自由を得た入植者たちは、他人に自由を与えようとしたわけでは必ずしもない。それは、16世紀にスペインから来たコンキスタドールたちや、ヴァージニア会社と同じだ。その多くは、アフリカから奴隷を輸入して独自の強要制度を構築し、隙あらばアメリカ先住民たちを土地から追い立てた。だが植民地化のその様式は、北米の政治的伝統に深い影響を及ぼした。ジェームズタウンを筆頭に、イギリス植民地はあらゆる男性地主の集会に基づいた一般議会を作り出した。アセモグルとロビンソンが書いたように「それはアメリカ合衆国における民主主義の皮切りだった[54]」。

やがて1776年に、アメリカの入植者たちはイギリスに対して独自の革命を起こした。それは多くの同じような思想に触発された、同じような理由から生じたものだった。こうした思想は、革命的な雰囲気をもたらした。その秘密を解明した先駆的な歴史学者はキャロライン・ロビンズで、彼女はかつての入植者たちと同じ道筋で旅をした。１９２６年に彼女はロンドン大学で女性として初の歴史学博士号を取得したが、アメリカのブリンマー大学に移ったので、この二つの大陸間の知的なつながりをたどるのに絶好の立場にいた。１９５９年の彼女の研究『18世紀のコモンウェルス人』でロビンズは、１７７６年革命を理解するにはイングランド内戦と、その後流通した思想を理解しなくてはならないことを示した。彼女は何世代もの政治言論活動家や異論者をたどり、彼らが継続的で長期にわたり、内戦時代の急進主義や、ロック的ホイッグ主義との対話を続けていたことを記録した。彼らは思想の自由、宗教の自由、法の下の平等といった思想を大西洋を越えて運び、革命的な情熱を巻き起こした。遠くの専制的な国王に統治されることについての古いイギリス人の不満は、その王様が海の反対側にいるとなると、さらに高まり、ほとんど熱病じみた性質を持つにいたったのだ。

アメリカの独立宣言は、ロック『統治二論』の要約版（あるいは詩的な言い換え）のような感じがする。トマス・ジェファソンはロックのその本を「完璧」と評している。彼はロック、ニュートン、ベーコンこそ史上で最も偉大な人々と考えた。[55] 革命以前のアメリカを研究したバーナード・ベイリンは、ロックが著述家たちにしょっちゅう引き合いに出され、「まるでその著者の論じていることすべてについて、ロックの支持をあてにできるとでもいうようだった」。ロックの影響力に匹敵するのは、「ケイトーの手紙」と呼ばれる１４４本の広く流通した論説だけだ。これを書いたのは急進派ロック主義者ジョン・トレンチャードとトマス・ゴードンだった。[56]

アメリカ革命が世界に与えた影響の何よりの証明は、フランス国王ルイ16世が、アメリカ植民地のイギリスに対する抵抗を支援したのを後悔するようになったという事実だ。その支援は彼にとって、単なるパワーポリティクスでしかなかったが、その結果として、単純な入植者のほうが強力な王侯よりもうまく自分で統治できるということが世界に示されてしまった。いきなり、オープンな開かれた社会という発想は単なる夢物語ではなくなった。不穏なフランスの大衆もその教訓を採用し、１７８９年には自分たちもそれに追随しようとしたが、それほどうまくはいかなかった。

全き激情

イギリスが工業化している間、アメリカはまだ農業経済で、世界問題にはあまり関係なかった――世界の政治経済中心からはるか離れた、小規模な人口だ。だが、イギリスにもまして、アメリカの経済と文化はオープンだった。イギリスは古い階層を避け、迂回し、薄めねばならなかったが、アメリカはそうしたものがないところから出発できた。ここは王も貴族も国定教会も、ギルドや封建主義の名残すらないところだった。独立宣言は、政府の目標は信仰と秩序と伝統だなどとは述べず、各個人の生命、自由、幸福の追求だと述べた。

憲法はアメリカを一つの共通市場にした。そこは国内関税も国境もなかった。移住はオープンで、世界中から人々がやってきて、そのアイデアと技能をもたらし、それを大陸全土に広がる新しい組織や事業ベンチャーで試せた。広がる河川系で新しい蒸気船が航行して西部を拓き、記録的な時間で鉄道が建設されて、大陸を一つにまとめた。１９０５年に、世界の鉄道総延長のまる14％が、シカゴというアメリカのたった一つの都市を通っていた。移民はそれまで眠っていた資源を大量に含む土地を活用しはじめた。南北戦争末から第1次大戦勃発までの間に、新しいアメリカ人たちは、4億エーカーの処女地を耕作地にした――西欧の2倍近い面積だ[57]。

多くの技術が丸ごと輸入された。サミュエル・スレーターはアメリカ人には「アメリカ産業革命の父」として知られるようになった。だがイギリス人は彼を「裏切り者スレーター」と呼ぶ。彼はイングランドの綿紡績工場見習い時代に、工業機械の設計を記憶してから1789年に逃げてニューヨークに赴いたのだ。繊維労働者にそれは許されていなかった。そこでスレーターは機械を再現し、一連の紡績工場を創建した。

ビジネスのセンスと、貧乏人から金持ちに移行できるという信念により、イノベーションは庶民の活動にもなった。小さな町の屋根裏や畑にいる人々は、ほんのちょっとしたことにも創造的になった。蹄鉄特許の数は、1840年以前は年に5件だったのが、1890〜1910年には毎年30〜40件という驚異的な数になった。アメリカ政府は特許申請料を、イギリス政府のたった5%で設定したので、人口の中でずっと大きな割合の人々が特許を取得できた[58]。

デラウェア州ニューポートから来た田舎少年オリヴァー・エヴァンスは、工場や蒸気船向けに高圧蒸気機関を発明し、世界初の自動生産ラインを、ヘンリー・フォードが生まれる半世紀も前に作り出した。いまや超越主義的な詩人で、ウォールデン湖ほとりの単純な生活をめぐる思索で知られるデヴィッド・ソローが、実は発明家でもあって、黒鉛と、つなぎの粘土を組み合わせるという着想を活かした鉛筆の主導的な生産者だったというのは、実にこの時代らしい出来事だ。

エイブラハム・リンカーンはこう宣言している。「若きアメリカは、『新しきもの』に対する大いなる情熱――全き(まった)激情――を持っているのだ」。リンカーン自身もまた、砂州を越えて船を運ぶ装置で特許を取得しており、アメリカ人が何か古いものを我慢するとしてもそれは「古いウィスキーと古いタバコだけ」と考えている。[59]

アメリカは他の国よりすばやく、スチール、油、電力、内燃機関を一般向け消費財にした。やがてアメリカはその古い植民地領主であるイギリスに、技術と豊かさと勢力の面で追いつき、そして追い越した。1800年にイギリス経済は、アメリカの2倍以上の規模だった。その100年後、イギリスの急成長にもかかわらず、アメリカ経済はイギリスの2倍以上で、世界政治に占めるイギリスの役割も圧倒しようとしていた。

人道主義革命

他の国も、英米と似たオープンな価値観と制度、そしてそれが可能にした技術と経営慣行を採用するにつれて急成長を始めた。これは大いなる富裕化の始まりだった。それは人々を豊かにして早死にから救ってくれるにとどまらなかった。それは道徳感情に革命を引き起こし、よいほうに変えた。多くの人は、自由市場の決定的な特徴は利潤動機だと考えているが、ドイツの社会学者マックス・ウェーバーが書いた通り、購入衝動それ自体は資本主義とは何の関係もない。

それは給仕、医師、御者、芸術家、売春婦、汚職役人、兵士、貴人、十字軍、博打打ち、乞食などみんなが抱いている衝動だ。それは地球上のあらゆる国で、あらゆる時代のあらゆる種類のあらゆる条件の人々が共通に持っているものだとすら言える。[60]

自由市場をちがったものにしているのは、お金を儲けるためには、だれかにその相手が、かかる費用よりも価値が高いと思っている何かを渡さなければならないということだ。これは革命的だった。他の個人や集団はもはや敵ではないし、相手がこちらのお金を盗んで、特権や独占を濫用するのをやめさせたら、他人の洞察、仕事、プロジェクトはこちらをおびやかすものにはならない。それどころか、それはもっと大きな人々やアイデア、技術、財、サービスのプールを作り出し、それに対してオープンであれば自分の生活を改善し生産性を高めるのに使えることになる。他人の啓蒙された利己性を抑制する必要がないなら、自分を保護するために絶えず他人を統制し、差別する必要はなくなる。つまり他の国は生来の敵などではなく、戦争が不可避ではないということだ。他の集団の前進は、必ずしもこちらから何かを奪うわけではないし、だから相手を抑えつけたり、自衛したりする必要はない。食うか食われるか、ではなく共存共栄なのだ。

この世界観のおかげで、19世紀の偉大な古典リベラル思想が大きく飛躍した。この思想が自由なメディアを持つ民主主義をもたらし、政治プロセスでちがった利害が競合できる状況を生み出した。他の民族や宗教団体を阻止し、差別してきた障壁が、だんだん消えはじめた。1800年には女性は、ほとんどの国で男性の財産としか思われていなかったが、ゆっくりと教育や仕事、所有、相続、やがては投票し公職に立候補する権利まで得られるようになった。そしてこれは別の経済革命を解き放ち、それが20世紀にはもっと目に見えるものになった。というのも女性解放は人口の他の半分が持つアイデアやエネルギーを社会に解き放ったからだ。

最も決定的な成果は、最も醜悪な領域に訪れた。1800年に奴隷制はほとんどあらゆる国(少なくとも植民地)で実施されていた。それは1万年前から続いていたことだった。奴隷制はあまりに確立していたので、ワシントンやジェファソンなど、奴隷制に反対していた人々の多くも、奴隷を所有していた。そして解放されたり反逆したりした奴隷たちも、実は自分で奴隷を持つようになった。だがそのわずか100年後、奴隷制はほとんどの国で廃止された。これは大西洋の両側における辛抱強い奴隷廃止運動の活動のおかげだ。イギリスは1808〜1867年に奴隷取引を抑えるため、西アフリカ船団を設立したほどだ。その頂点で、この船団はイギリス海軍全体の6分の1にもなった。

ますますオープンな社会で、英米法が義務を同意に基づいてしか受け容れなくなると、奴隷制は時代錯誤の異常事態に思えてきた。問題設定を行いはじめた古典リベラルたちにとっての出発点は、自己所有と自発的なアイデア交換だった。「人によっては、人間の社会的世界は命令で始まると主張するし、人によってはそれが取引で始まると考える」と、アメリカ史の忘れられた部分を復活させたデヴィッド・M・レヴィーは書く。[61] アダム・スミスのようなリベラル派経済学者たちが奴隷商人たちを「ヨーロッパの牢屋のカスども（中略）で、その軽薄さ、残虐さ、卑しさは被征服者の恨みを正当にも買うものである」[62]と評したとき、芸術や文学界の主要な人々と本当に戦わねばならなかったのだ。そうした人々は、自然の階級構造のほうが需要供給よりも立派なものだと考えた。

「陰気な科学」という表現を、経済学を指すのに使った人もいるだろう。だがこの表現を考案したのは、高名な伝統主義の作家兼歴史家トマス・カーライルで、被創造物の頂点という白人の自然な地位が市場取引によっておびやかされるのを嫌ったためにこの表現が出てきた、というのはご存じないかもしれない。カーライルは、経済学者の「人を好きに任せる」、特に他の人種すら好きにさせるという理想が、みんながその正しい居場所をわきまえない、悲惨で陰気な世界を創り出すと考えたのだった。彼はむしろ、黒人が「そのふさわしい居場所で働くようにうながされ、それを作り上げた造物主の意志通りに活動する」階層的な秩序のほうを好んだ。[63] そしてこの退行的な戦いを支持したのが、ジョン・ラスキンやチャールズ・ディケンズといった天才たちなのだった。

同様に、歴史家トマス・ハスケルは、1750年以降の人道主義は、部分的には市場が育んだ人間関係認識の新しい形の結果だと論じた。彼が注目したのはクェーカー教徒だ。先駆的なビジネスマンとして有力だし、奴隷制廃止などの人道的な大義を支持してきた主導的な存在でもある。見知らぬ人々とひんぱんに市場関係を持つと、肌の色や宗教など気にしないようになり、みんな個人だから、自分の行動が他人にどう影響するかについても責任があるというコスモポリタン的な感覚も促進される。[64]

資本主義を敵視する学者たちは、解放と人道主義はブルジョワの階級利害の結果でしかなかったと文句を言う。マルクス主義の開祖の一人フリードリッヒ・エンゲルスは、交易が「道徳性と人道性に敬意を示すような側面がある」とは認めた。協力は儲かるので、資本主義は人々の平和的な習慣と友愛をもたらした。だがエンゲルスはそれでも、それを完全に否定した。ブルジョワがそれを完全に人道的な理由でやっているのではなく、利潤のためにやっているというのだ。「親しくなれば、それだけ有利になる」と彼は書き、それが道徳を不道徳な目的のために誤用する偽善的なやり方だと考えた。[65] それほど道徳主義的ではない観点からすると、不道徳な行為すら道徳的なものにしてしまう、生産と取引のルール体系は、人類の害悪どころか、その至高の形に見えてしまうのだが。

ヨーロッパの華々しき失敗

というわけでついに、新世界が手に入った。３０００％も豊かになり、圧倒的に優れた世界だ。それは王様の聖なる権利のかわりに個人が人権を持てたからだ。しばしばそれが、形ばかりにしか遵守されなかったのは確かだ。だが少なくとも史上初めて、形式的にしても広く遵守されるようにはなった。これは正のスパイラルだ。人々の自由が増し、社会が女性や少数派は移民の参加にオープンとなると、ますます才能が解き放たれた。

この革命はヨーロッパ北西の隅で始まったが、それが起きたのはその住民が何やら優れていたり、その支配者が多少なりとも賢かったりしたせいではない。ほかの場所で起きた可能性もある——開花の他の事例でもそれは証明される。そしてほかのところでだって十分にあり得た。これは最近のグローバル化の波でもわかるとおり。経済を開放した国は、この発展を再現できたのだ。東欧、東アジア、そして中国、インド、ベトナムのような巨人ですらそれができた。彼らもイギリスが先鞭をつけた経済転換を実現できたし、それにかかった時間は3分の1から5分の1だった。その理由の一部は、間をとばして最新の技術を使えたし、すでに行われた洞察やイノベーションを活用できたからだ。

少数のエキセントリックな声を除けば、こんなグローバルな発展は主流エスタブリッシュメントが念頭においていたものではなかった。彼らは他の地域のエリートとまったく同じで、秩序と統制を求めていたが、いつでもよそに引っ越せるアイデア、技能、機械に追いつけなかったのだ。秩序を押しつけられたスペインのような国は、それに失敗した国に負けた。オランダ系アメリカ人歴史学者パトリシア・クローンが言うように「ヨーロッパは失敗した。成功していたら、前工業社会のままにとどまっただろう」[66]。

実際、ヨーロッパの最終的な勝利は、ヨーロッパの失敗の物語とさえ言える。王や皇帝がヨーロッパ大陸を統一できなかったこと、教会当局が単一の正統宗教を押しつけられなかったこと、ギルドや独占体が、新技術やビジネスモデルを阻止できなかったこと。別に、やろうとしなかったわけではない。だが西欧の封建領主たちは、14世紀にペストが労働力を壊滅させたあとで統制を維持できなくなり、農民は農奴制に代わり労働市場を作れと要求した。労働者たちには、逃げ場として多くの他の都市や独立した町があった。フランダース伯爵がブリュージュの市(いち)で自分の逃亡奴隷を見つけ、それを逮捕すると、市民たちは即座に武器を取って伯爵を追い出した[67]。農奴を取り戻すため、伯爵は強い軍を仕立てて戻らねばならず、これは明らかに封建領主となる費用を高くつくものにした(これは東欧との大きな差だった。東欧ではペストの後で所有権が拡大し、農奴に対する統制が強まった)。1381年にワット・タイラーの農民一揆(いっき)でロンドンが占拠されると、当局は労働制定法の施行を止めた。この規定は賃金を固定し、労働拒否やよい仕事を求めての転居を違法にしていた。

カトリック教会は大陸で支配力を維持できず、プロテスタント教会はどれも、それに取って代われなかった。ハプスブルク家は、独立精神を持つオランダをつぶせなかった。それがお手本になったので、イギリスの王やギルドは事業を統制できず、そうした事業は手を組んで独占慣行を思い通りに協調させられなかった。イギリスはアメリカで、望んだような階級的収奪植民地を構築できず、最終的には植民者が独立を宣言して、大西洋の反対側で自由の保護地を作り上げるのを阻止できなかった。

そして王侯、新興財閥（オリガルヒ）、聖職者たちが行動や文化、技術、ビジネス、金融の変化に追いつけないと、そのたびに実験と意外性の余地が生まれ、そこで魔法が起こる——印刷、世俗科学、蒸気機関、工場、金融市場、自由貿易、女性の権利、農奴廃止だ。単純に言えば、ヨーロッパは失敗の連続によって成功したのだ。

振り返ってみれば、こうした進歩こそが現代世界を作り上げたのは明らかだ。だが当時はそれが実に激しい反対と迫害を受け、ごく少数の勇敢なマイノリティだけが支持していた。そしてその政治、経済、文化のオープン性が、継続したオープンエンドな改良の探究をもたらす最高の方法なのも今ではわかる。

唯一残る困った問題は、もしこうした制度が計画されたものでもなく、求められたものですらないなら——それが実質的に歴史の偶然であり、それが残ったのはあまりに成功してみんなが驚いたからというだけなら——長期的に生き残れるものだろうか、ということだ。思い出してほしいのだが、人類史上で有望な開花が、オープン性に反対する力によって中断させられなかったことは一度しか起きていないのだ。

そしてそれも、今のところはまだ中断されていない、というだけなのだ。

第Ⅱ部

クローズド

第5章

「ヤツら」と「オレたち」

なぜ世界は「敵と味方」に分かれるのか？　なぜ戦争やヘイトは起こるのか？
21世紀の今なお、進化が生んだ「部族主義本能」に私たちは動かされている。

その時代に生きるのは、何ともすばらしいことだっただろう。列強間の平和があった。世界はかつてないほどの自由、機会、豊かさへと突進していた。戦争、飢饉、反乱は、人類が未だに未熟で無知蒙昧（もうまい）だったはるか昔の記憶に思えた。そして人々は日々科学と技術の驚異を体験した。病気は治療され、人々は信じ難いほど離れた所と通信し、世界を高速輸送手段で行き交える。貧困は克服され選挙権は拡大した。人権がさらに多くの集団に拡張され、司法はもっと人間的に施された。

その時代のある人によれば、ある10年が終わるごとに、それをもっと良い10年の前触れと見なし、私たちは「あらゆる最良の世界へとまちがいなく真っ直ぐ向かう途上にある」と結論づけたくもなったものだという。

そうは問屋がなんとやら。

いま述べた時代にも、現在と同じ進歩への力が働いていた。だがその当時、それは十分ではなかった。というのもこれは、オーストリアの小説家シュテファン・ツヴァイクが1914年以前の世界について、それが国家主義と軍国主義によって粉砕される以前に、未来についての自信に満ちた楽観主義を抱いて書いたものだったから。『昨日の世界』(邦訳みすず書房刊)のなかのひどく悲痛な一節には次のような描写がある。ツヴァイクはこう書いた。

私は以前の世界を、第1世界大戦直前のあの数年間以上に愛したことは決してないし、あの当時ほどヨーロッパ統一を熱烈に願ったこともなければ、あの当時以上に未来を信じたこともない。あのときは、自分たちが新しい夜明けを目にしていると思ったのだ。だが実はそれは、近づきつつある世界的な大災のぎらつきだった。[1]

1930年代から1940年代初頭に書かれたこの本のなかで、ツヴァイクはわずか数年前まで世界を活気づけていた輝かしい希望と楽観主義の感覚を、若者に伝えるのはむずかしいとすでに感じていた。なぜなら当時の若者は「破滅、破綻、危機のまっただ中で育っており、そこでは戦争の可能性が常にあり、いつ起こっても不思議はないほどだったからだ」。

19世紀末を通じて古典リベラル派たちは、他国民の植民地化による征服がひるがえってヨーロッパを悩ませることになると警告した。それはもっと中央集権化した軍国主義的文化をヨーロッパに生み出して、互恵貿易をゼロサム的な帝国主義的海外征服に変えてしまうからだ。

1902年、失意のイギリス人哲学者兼社会学者ハーバート・スペンサーは、集団と集団、人種と人種、国家と国家を競わせる「世界の再野蛮化」を警告した。征服と国家の優位性を賛美することで、「絶えず血に飢えた文化」が現れ、文明を解体し、まちがいなく血と涙で終わらせるというのだ。[2]

人類は進歩を生み出すだけではない。ときとして私たちは進歩をつぶす。多くの場合は協力して平和な貿易を行うが、ときに貿易戦争や本物の戦争を始めて、国境を閉ざし、新技術をつぶし、異論者を殺し、マイノリティを迫害する。

歴史家ヒュー・トレヴァー＝ローパーは、途切れることのない発展史観に対抗して、16〜17世紀の魔女狩りを引き合いに出した。もちろん、魔女狩りが起きたのは暗黒時代だが、組織化された迫害と大量処刑が起きたのはルネサンス後だ。

　それは発展の預言者たちが考えていたような、いまにも消え去りそうな、しつこく残っている迷信ではなかった。時の経過とともに絶えず恐ろしいほどに拡大する爆発的な力だった。その一見すると煌々（こうこう）と光り輝く年月に、少なくとも空の4分の1で暗黒が光を犠牲に明らかに広がりつつあった。[3]

明朝はイノベーションとグローバル化に背を向けた。イスラム黄金時代はつぶされた。オスマン、ペルシャ、ムガール、スペイン帝国は、オープン性の基盤を解体したことによって滅びた。ヨーロッパは国家社会主義者と共産主義者に乗っ取られ、20世紀の間に2度（冷戦も勘定に入れると3度）も自己破壊しようとした。ときに私たちは発狂し、お互いののどをすさまじく効率的に掻き切ろうとする。大排斥と大虐殺が独裁者によって命ぜられるが、それを行うのは民衆だ——たとえ後になってそれを忘れたくなり、一人の扇動者にすべてをなすりつけはしても。

だがなぜだろう？

痛ましい事実ながら、生活を以前よりもより安全、裕福、健康にしたオープン性の維持は、ひどくむずかしいのだ。人はしばしばオープン性に不安を感じ、自由が保証してくれないある種の確実性と帰属感を求める。第Ⅰ部で論じたように、人間の協力、取引能力は成功の鍵だ。だが逆説的ではあるが、この能力は競争のため、つまり他者を負かすための手段として発達したのだ。サンタフェ研究所の行動科学プログラム部長サミュエル・ボウルズはこう言う。

> 私たちの祖先の間で、戦争状態はかなり日常的で致命的だったから、偏狭な利他主義と私が呼ぶものの進化が促進された。それは集団のメンバーに対して協力的で外部の者に対して敵意を持つ傾向だ。[4]

科学者たちが動物界で目にしてきた利他主義の例のほぼすべてが、遺伝的に近い身内のための自己犠牲だ。だが人間はまったくの他人でも思いやって協力できるし、たとえ個人的に大きな損失を被っても、善行に報い、社会規範を破った者を罰する。一方で人間は偏狭で、パートナーを選んだり資源を配分したりする際に、よそ者よりも集団内のメンバーを、親族でなくても選り好みする。これらの戦略はどちらもコストが大きいため、多くの進化生物学者たちを悩ませてきた。だがボウルズは、集団メンバーのために進んで他の人々と戦おうとする偏狭利他主義者たちが現れて急増したのは、頻繁な戦闘に理由があったと考えている。最も良く協力する小集団は、自分たち自身とその資源を守りやすく、その結果チームで狩りをして競争相手を殺す機会を手に入れた。[5]

協力して投石すれば自衛できると学ぶと、ヒトは地球上で最も恐ろしい動物になった。どんな捕食動物も二度とヒトを倒せない。いまやヒトを倒せるのは、他の人々だけとなった。これが知的軍拡競争の始まりだ。最も協力的な集団――脅威に瀕したとき、ただちにあらゆる不和をうち捨てて、共に戦える集団――が他を負かした。

心理学者兼神経科学者ジョシュア・グリーンは、こう書いている。

生物学的に見て、人間は協力するようできているが、その相手は一部の人だけだ。ヒトの道徳的な脳は集団内で協力するよう進化し、それも個人的関係という文脈だけに限られるのだろう。[6]

それを原罪と呼んでもいい。だがこの私たちの最も印象深い特徴と道徳的態度の非情な起源は未だにヒトにつきまとい、内省的自己にとっては衝撃的すぎて信じられないようなことを私たちにやらせる。それは常に世界を「オレたち」と「ヤツら」に分けさせようとする。他の集団、階級、よそ者、移民、外国を怪しいと思わせ、煽動家と独裁者たちに、他の集団への偏見と暴力を煽る機会を与える。他の集団とはユダヤ人、イスラム教徒、論争的な女性たち、帝政ロシアの富農(クラーク)、ツチ人、ボスニア人、ゲイといった人々だ。

青組と赤組、ラトラーズとイーグルズ

人間の部族的本能を引き起こすのに、肌の色、宗教、国などの差は必要ない。私が初めて集団同一化の力について学んだのは、学校だった。

私はストックホルム西部ヘッセルビーのマルテスホルム学校で1年生のときに1b組に割り振られた。1bの私たちは、たまたまその組に組み入れられただけなのに、すぐに1aよりも自分たちのほうが優れていて賢いと考えるようになった。そして1aの子供たちがいかに悪い奴らかという（とてもここには書けないようなものも含め）噂を広めはじめた。たいていはまったく無邪気なものだったが、ちょっとしたライバル心が常にあり、私たちはいつも学校で一番いいもの――一番いい教室や新版の教科書など――は常に私たちのところに来るべきだと考え、もっといいと思うものを1aが得るとえらく腹を立てた。同級生と他のクラスのだれかがけんかを始めると、自発的に同級生の味方をした。

しかし私たちのクラスは一方では青組と赤組という二つのグループに分かれており、算数や体育やその他の授業を受けるときにはそれが効いてきた。私はまったくの偶然で青組に割り振られていたが、私たちはすぐに青組が最高で、赤組の子供たちは負け犬だと考えるようになった。

年月が過ぎて、赤組の児童たちと仲良くなると、彼らと自分には共通することがあるとわかった。しかしその後大きな変化が起きて、それが赤組と青組、6aと6bを団結させた。共通の敵だ。私たちの学校はトロールボダ校と合併し、突然私たちが「トロールボダのシラミたち」と呼

んでいた奴らといっしょになることになった。彼らは私たちと同じに見え、育ちも同じだったが、ずっと遠く（厳密には3・2キロメートル）から通ってきた。私たちは彼らのことを知らなかったため、当然ながら彼らを危険視した。けんかになれば、私たちは無意識のうちに善き者たち、すなわちマルテスホルム出身の良い子の味方をした。たとえその子が赤組や6aであっても。

控えめではあるが、私の学校体験は集団バイアスと対立に関する最も有名な心理学実験と共通する点が幾つかある。

1954年夏、オクラホマ市の学校から22人の少年がオクラホマ州ロバーズ・ケイブ州立公園のキャンプに送られた。11歳と12歳の少年たち――全員が白人、中産階級、プロテスタント――は二つのグループに分けられ、引き離されて、グループ内で互いに仲良くなった。6日目にもう一方のグループの存在が明かされると、関係は急速に敵対的になった。

グループはそれぞれラトラーズとイーグルズを名乗り、すぐに自分たちのマークを考え出してシャツに明示し、習わしと規範を作り出した。ラトラーズ内で地位の高い者が足を怪我しても何も言わなかったため、ラトラーズは自分たちを強者と決め、強者であるが故に悪態をつきはじめた。一方のイーグルズは、自分たちはちがうとアピールするために罵る(ののし)ことを禁じ、祈りの時間を組み入れた。マッチョなラトラーズはイーグルズを「意気地なし」の「女々(めめ)しい奴ら」と見なし、信心家ぶったイーグルズはラトラーズを「能無し」と呼んだ。集団から逸脱した少年はすぐにお仕置きを受けた。

第2週になると、チームは野球や綱引きといった競争的な活動に熱中し、ほどなく事態は常時対立と蛮行に陥った。けんかが頻発し、負傷を避けるために職員が両集団を引き離しておく必要があった。わずか2週間のあいだに、最も重要な点でまったく同じ少年たちが、まったく異なる規範を持った二つの別個の部族を作って、互いにもう一方を敵視し、接近したときは鼻をつまんだ。この実験を設計した社会心理学者ムザファー・シェリフは自身の主張を証明したのだ。集団の対立には天然の差などまるで必要ない。限られた資源を巡って競争的、闘争的な状況に置かれると、どんな集団の間でも対立は起こりうる。彼は共通の重要な目標だけが競合するグループを団結させると考え、第3週にこれを実証しようとした。

ロバーズ・ケイブ実験は世界中から注目された。同年、ウィリアム・ゴールディングが小説『蝿の王』（邦訳新潮社ほか刊）で、十分な教育を受けた少年たちが、すぐに同族優先的で野蛮になる様子を描いた。しかしここでは現実の実験で、同じような生い立ちの素直な少年たちが、あっという間に他の少年たちを憎み、傷つけはじめることが示された。たとえ集団間のちがいが取るに足らないものだったり、ないも同然だったりしても、内集団、外集団という考え方をしがちだ。人類学者ドナルド・ブラウンによると、ある種の「自民族中心主義」はあらゆる文化に普遍的に見られる特徴だ。[7]

別に人間の共感が足りないということではなく、内集団の愛がしばしば外集団に対する憎しみに変わるということだ。最近の研究によると、共感力の高い人々は政治的外集団に対する否定が強い。実際、共感力のある生徒のほうが、共感度の低い生徒に比べて、対立する政治観を持った生徒が負傷したという知らせを喜ぶ。[8]

『ドナウ』（邦訳NTT出版刊）で、イタリア人学者クラウディオ・マグリスは、ファシズムは友人、家族、母国への愛ではないと説いた。それは友人、家族、母国への愛にはちがいないが、同時に見た目のちがう他の場所の他の人々も、彼らの友人、家族、母国を愛していると認識できないことなのだ。[9] 内集団への順応は、こうして物事の見方をゆがめるのだ。

最小グループ・パラダイム

ムザファー・シェリフは、なぜ集団内の思いやりが強いほどよそ者に対する残忍さも強まるのか、何とか理解したかった。若き日の彼は、オスマン帝国の臨終近くに凶暴な民族紛争を目の当たりにした。アルメニア人の少年たちがある日突然学校から消え、ギリシャ人兵士が彼の街を占領してトルコ人を見境なく殺しはじめたとき、彼自身も殺されかけた。

別の心理学者アンリ・タージフェルもまた集団嫌悪を間近で目撃している。ユダヤ系ポーランド人の彼は、ホロコーストで家族全員が殺されるのを見た。非理性的感情と権威主義的性格でナチスの暴力を説明できると考える人もいるが、タージフェルはどうしてもそれを信じられなかった。なぜなら実に多くの普通のドイツ人が残虐行為に加担するのを見たからだ。彼はむしろ、偏見は自然な社会分類化が暴走した結果だと考えた。

一連の実験でタージフェルらは、無意味なちがいに基づいて作った集団での内集団バイアスを測定した。これらの研究は比較の基準値を設定するためのものだ。そこから何が衝突を生み出しているのか見極めるために、負のステレオタイプや他の条件を加えようというわけだ。しかし残念なことに、他の条件などいらなかった。人々は集団に加えられただけで、内集団への忠誠と外集団への差別をあらわにした。ちがいが些末なもので、だれが他のメンバーか知らず、彼らに会ったこともなければ声すら聞いていなくてもそうなった。
ある研究では、学生たちにワシリー・カンディンスキーとパウル・クレーの絵を見せてどちらの表現が好きか訊ね、彼らの好みに基づいて集団を分けたと告げた。接触、議論、価値衝突も個人的利益の可能性もないため、差別は起こらないと予想された。しかしある「カンディンスキー派学生」に匿名で見知らぬ人に報酬を割り当ててもらうと、彼はクレー派より他のカンディンスキー派をひいきした。だがもっと悪いことに、学生たちは自分たちの集団のメンバーへの恩恵が小さくなる場合ですら、両グループのメンバー間になるべく大きな差をつけようとした。被験者たちは内集団の利益を最大化しようとするのではなく、できるだけ外集団に勝とうとしたのだ。[10]
その追跡研究の一つとして、メンバーが集団編成が完全に無作為だとわかっている集団を設定してみた。驚いたことに、コイントスでグループ分けされた被験者ですら内集団バイアスを示した。[11]人をある集団のメンバーとして考えるという単純な事実が、人間の中にある何か、「オレたち」に「ヤツら」を負かすよう求める何かを発動させるのだ。そして部族主義が進化してきた時代は、もっと危険で、自分たちが生き残るためには進歩が遅れようとも、外集団を負かすほうが重要だった時代だから、これは完全に筋が通っている。[12]
この傾向は、東欧の寓話にちなんで「ウラジーミルの選択」と称されるときもある。貧しい小作農ウラジーミルの前に神が現れ、彼に一つだけ望みを叶えてやると告げる。ウラジーミルが望みを言う前に、神は一つ条件を付け加える。「おまえに与えるものが何であっても、それを隣のイワンには2倍与える」と。ウラジーミルは眉をひそめて熟考し、そして完璧な計画を思いついて顔を輝かせる。「わかりました。では私の眼を一つ奪ってください」[13]

もちろん個人としてはこんな行動はとらない。だからこそウラジーミルの選択は笑い話になる。だが競合しあう集団という状況を設定すると、人は集合的にそういう行動をとる。そうなると、最大の利益よりも最大の差を優先する。

タージフェルの先駆的実験以降、多くの他の研究で内集団えこひいきが実証されてきた。新たな協力関係や同盟を形成する人間能力は強力で、恣意的なグループに忠誠を尽くし、自分たちのグループのメンバーは他よりもより賢く善良で、道徳的だと考える。自分たちのグループのメンバーの不品行は説明可能な1回限りの例と見なすが、外集団が同じことをしたら、性根が悪い証拠と見なす。そして自分たちは多様な個人の集まりとして認識するが、外集団は均質な集合体と見なす。抱いているステレオタイプを裏づける情報ばかり記憶に留め、自己肯定感や集団の価値がおびやかされると、内集団に肯定的になり、よそ者に対して偏見を持つようになる。[14]

タージフェルの最小グループは、ムザファー・シェリフの「現実的紛争理論」の発想よりもずっと困った問題を明らかにした。シェリフは、差別と紛争には権力と資源をめぐる現実の紛争という理性的な基盤があると示唆した。当然、そうしたものがあれば、紛争は激しくなる。だが、タージフェルはそこに実利が存在する必要はないことを示した。経済的、政治的理由がなくとも、思いこみだけの差があれば十分だと。

私たちの無作為グループへの忠誠規範の主張は、行動免疫システムなるものにも関係している。私たちは鼻水をたらしていたり、咳をしていたり発疹している人を避けるたびに、原始的な予防医療を実践している。この無意識の反応は、微生物に対する理解を持つずっと以前に発達し、病気の兆候を見逃したことによる結果が致命的な場合もあったため、必然的に過敏になっている。

だから標準から逸脱しているように見える人はすべて、不快感や嫌悪感といった直感的反応を引き起こしかねない。肌の色がちがう人、別の性的指向を持つ人、人とはちがう装いをした人、あるいは身体障害を持った人ならだれでも、たとえ疾病的脅威など皆無でもそうなる。[15] さらにそれが、「不自然」なテクノロジーにまで拡張されることもある。

病原菌を恐れる人は、外国人に対してずっと否定的な態度を見せることがわかっている。だからこそマイノリティに対する敵意を煽ろうとする人々は、しばしばマイノリティを動物に例えたり、汚いと触れまわったりする。ドナルド・トランプはメキシコ移民について「とてつもない感染症が、国境を越えてやってくる」と述べた。

私たちは自分たちの集団内のちがいや複雑さについてはいろいろ知っているが、よそ者は大きく不吉な腫(は)れ物のように見える。クモを怖がる人は、クモが実際よりも大きく素早く動くと思ってしまう。[16] 同様に、ライバル集団は物理的に実際より近くに見える。これは人の世界観がしばしば脅威の認識と結びついていることを示唆している。ある見事な研究によると、ニューヨーク・ヤンキースのファンは、ライバルチームのホームグラウンドであるフェンウェイ・パークが実際よりも近いと考えていたが、ファンでない者はそう考えていなかった。ニューヨーク大学関係者は、高名なコロンビア大学と自分たちを比較した怖い文章を読んだら、コロンビア大学が実際よりも近いと考えるが、敵対していない大学については同じまちがいを犯さない。[17] これによって、なぜ自国主義者は国内の移民数を過大に見積もるのか説明できるかもしれない。

研究によれば、人は非常に若い年齢から差別を始める。何らかの社会構造から差別という行動様式を学ぶ前にそれは始まっているのだ。ある実験では、月齢9ヶ月と14ヶ月の幼児が、たかが食べ物の好みを基に、好戦的な同族意識を示した。研究者たちは幼児がインゲンとクラッカーのどちらが好きかを調べ、食べ物の好みが同じウサギの人形と、逆のウサギの人形が野球の試合で、イヌの人形に助けられたり痛めつけられたりするのをかわるがわる見せた。次の段階で、乳児たちはイヌの人形をどれか手に取れる。乳児たちはクラッカーとインゲンについて自分と逆の好みを持ったウサギを助けたイヌではなく、痛めつけたイヌを選んだ。[18]

ユニフォームに熱狂する

いまの話は、スポーツと呼ばれる人間の奇妙な身体活動をご存じの方には、少しも意外ではないだろう。スポーツ競技中ほど同族意識が公然と誇示されることはめったにない。サッカーチームは世界中から集まった、常に入れ替わる選手集団で構成され、ときには以前はブーイングしていたライバルチームの選手が、応援チームの称賛すべき一員になることもあるが、それでもサッカーチームは人口の相当部分に、全面的で献身的な愛情を引き起こしている。他チームのサポーターに敵意や憎悪を感じ、暴力をふるいたいとさえ感じる人もいるほどだ。コメディアンのジェリー・サインフェルドが言うように、「スポーツチームのどれかに対する忠誠は、なかなか説明しがたい。選手たちは常に入れ替わるし、チームが他の都市へ移転することもある。どうも奥底のところで見ると、みんなチームのユニフォームを応援しているってことになりそうだね」。

ある不穏な研究では、他人が手の甲に付けた電極から電気ショックを受けているところを見ている男性サッカーファンの脳をスキャンした。仲間のサポーターの苦痛を見ているときは、感情移入に関係している領域が活性化したが、ライバルチームのサポーターの苦痛を見たときは、報酬に関係している領域で活性化が起きていた。彼らは、外集団の不幸から喜びを得ていたようなのだ。[19]

サッカーの暴力性に関するオランダでの研究によると、同じフーリガンの集団には異なる民族が入り交じり、貧民、労働者階級、高所得男性など様々で、「現実」の忠誠心など背景にない。彼らはチームの色のために自分の命と健康を危険にさらしている。[20]

これには長い歴史がある。ローマ帝国とビザンチン帝国では、好戦的な一群が戦車レース・チームを応援した。コンスタンチノープルでは、「ブルー」と「グリーン」という別々のレーシング・チームのファンが、フーリガンと政党の中間のような存在となって、しばしば殴り合った。532年、ブルーを応援していたユスティニアヌス1世の支配を大衆暴動がおびやかし、都市の相当部分が破壊され、おそらく3万人が殺されたが、その大半はグリーンだった。

集団の影響を受けやすいのはスポーツファンだけとは思わないでほしい。政治に興味があるアメリカの学生についての研究を見よう。民主党支持の学生は惜しみない福祉政策を好み、共和党支持の学生は緊縮政策を好むが、支持政党が逆の政策を支持していると伝えると、それがコロッと変わる。支持政党の政策を知ると、被験者たちは立場を変え、民主党支持者は厳しい福祉プログラムを好み、共和党支持者は惜しみない政策を好むようになる。もちろん彼らは、自分たちの考えは政策内容の客観的評価だけに基づいていると主張するが、実際には政治的なレッテルに染まっていたわけだ。[21]

だれもかれも狂っているようにも聞こえる。だが実は、ユニフォームやラベルに本能的に肩入れするのは、それほど驚くことでもない。ヒトは生き残って繁栄した動物だが、それは人間が集団を作り協力したからだが、その集団があまりに大きくなったので、文化的に獲得したアイデンティティの印——方言、服装、髪型、化粧、立ち振る舞い——がなければ互いに認識できなくなったのだ。

人間の脳は、「白紙状態」または空白の石板だと信じる思想家たちが考えているような、入力とは無関係の汎用コンピュータではない。最近の進化心理学における飛躍的進歩——神経心理学、遺伝学、純古生物学などの科学の恩恵も受けている——によれば、人間の脳は様々な問題解決に特化したモジュールで構成され、そのモジュールが大きく不均質なネットワークを形作っている。それはコンピュータよりもインターネットに似ている。投身自殺のために橋の上で車を停めた人たちが、身を投げる前に車をロックするのはこのためだ。また戻って来るかもしれないとか車に触ってほしくないとか考えて意識的に下した判断ではない。脳の一部は所有物を自動的に守ろうとするというだけなのだ。その部分は脳の他の部分からの、最も劇的な情報の影響すら必ずしも受けない。

人間には、ある特定の問題に直面していると知らされると、入念な推測を苦もなくこなしてしまう理性的本能がある。動物が本能に支配されているのとはちがい、それは人間行動を完全に決定しているわけではないが、それを修正し封じるには意識的な努力が必要だ。

おかげで脳は多大な計算力を節約できるが、このように進化した回路は先祖たちの生活環境から受け継いだものだから、時々、人をダメなタイミングでまちがった問題を解決するよう仕向けてしまう。いまだに目の前にあるすべての糖類を食べたくなるのは、ピザやコーラが「旬」なのは今週だけだと考えてしまうからだ。同様に人間は今でも自動車やタバコよりもヘビやクモを怖がる。そしていまだに集団に属したがって他者を疑うのは、かつてそれで協力が可能になったからだ。集団で定期的に狩猟採集し、住まいを建てるなら、タダ乗り屋に搾取されないように、貢献した人を認識する方法も必要になる。そして他の集団は縄張りや命さえもおびやかすから、よそ者を識別する高度な能力が発達する。人間は、出くわす相手が自分の社会領域の中のどこに当てはまるか細心の注意を払い、自分たちに似た人々のほうを好むのだ。

最悪と最善

この逆説は、人間に関する多くの基本的問題への答えを示唆している。人間は生まれつき善人なのか悪人なのか？　人間はルソーの印象どおりの（近代文明によって堕落させられた）高貴な野蛮人なのか、それともホッブスが考えたような（強い政府によって静められた）攻撃的エゴイストなのか？　人間はチンパンジー――その社会は暴力と支配に基づいており、殺せるというだけで他の集団からきたチンパンジーを殺してしまう――に似ているのか、それともチンパンジーと同じ類人猿で温和で平和的でかなり寛大らしく、しばしば社会的緊張をセックスによって緩和するボノボに似ているのか？

どちらの世界観も十分に支持できるのは、どちらも人間の本質の半分を正確に映し出しているからだ。人間は多くの場合他の動物よりもおとなしいが、特定の状況下では、とほうもない規模の殺戮も厭（いと）わないほど攻撃的だ。人類学者リチャード・ランガムの言によると「私たちは最悪の種であり、最善の種でもある」[22]。人間はグループ内ではボノボに似ているが、グループ間ではすぐチンパンジーのように振る舞う。内では平和、外では戦争。実際、人間は日常生活ではボノボ（捕らわれているときよりも、野生のほうが暴力的）よりもずっと平和的だが、機械的戦争や計画的虐殺には決して携わったりしないチンパンジーよりもずっと攻撃的になりかねない。チンパンジーは地下鉄に乗って、見知らぬ人の隣にすわったら必ずけんかを始める。だが（たとえ爆弾を作ることができたとしても）宗教的、あるいは政治的理由によって人々を殺すために、バックパックに爆弾を詰めて地下鉄に乗ったりすることも決してしない。

著書『善と悪のパラドックス：ヒトの進化と〈自己家畜化〉の歴史』（邦訳NTT出版刊）の中で、人間がこのように振る舞うのは、人間が自己家畜化した種であるためだとランガムは説いている[23]。人間は類人猿や共通の祖先に比べてかなり反発性が弱い。普段は激怒したり、つっかかったりしない。他者の服従を求めて、絶えず攻撃しあったりもしない。これは、文明を可能にしている互恵の維持には欠かせない。通常は人は食料を分け合い、もっと多くの食料を得るために協力する。対照的に、２匹のチンパンジーを食料のある部屋に入れると、食料を得るのは普通はどちらか１匹だけだ。

だがなぜこうなったのか？　平和的関係と協力的な行動様式は集団、ひいては種にとって長期的には有益だが、それではこうした変化の説明になっていない。進化はそんなに単純ではない。従順な人がいれば、暴力的な人が彼らを支配するのも容易になる。では人間はどうやって独裁を回避したのだろう？

実は１８７１年に、「暴力的で短気な男はたいてい流血の結末を迎える」と書いたチャールズ・ダーウィンは、どうやら真相に迫っていたらしい。

ランガムによると、一貫して他者を脅して虐待し、自分の取り分以上を取ろうとする男は、それを続けたらかなりの確率で処刑されてしまうのだ。言語の進化により、支配者の寝首を掻くか、無防備なときに殺してしまおうと集団の残りの者がこっそり相談できるようになった。たいていグループ内のすべての男性が独裁者を刺して、それが全員一致の決定だったことを示す。報復の繰り返しを避けるために、全員（たとえそれまで独裁者カエサルと親しかったブルータスのような人であっても）が参加する必要があった。

人類にとっての結果は革命的だった。これにより遺伝子プールからいじめっ子志望の反射的攻撃性を取り除き、それで従順で寛容な人たちの生活が安全になり、彼らが子孫を残せるようになった。非協力的な連中の排除によって、人間は熟達した協力者になった。しかし同時にこのプロセスは、人間の暴力を狡猾なもの――突発的な攻撃性によるものではなく、動機（怒り、報復、物質的利益）によって導かれた、計画的な熟考による攻撃――にした。チンパンジーも不当な扱いを受けたと思ったときに暴力的に報復するが、群れをなして報復するのは人間だけだ。

人類は暴力的なのか、それとも平和的なのかについて思想家たちが意見の一致をみなかったのは、彼らが攻撃性を大きいものから小さいものへの連続体として考えてきたからだ。難問を解く鍵は、反発的暴力と能動的暴力は同じ攻撃性のちがった側面だと理解することだ。前者は「激しく」、後者は「冷静」だ。

人間の「冷静」な計算ずくの暴力は、（司法制度や他の制度による）抑制を欠くと、反発性のものに比べ、すぐに制御不能に陥りかねない。理由の一つは、人に与える痛みよりも、自分が受けた痛みのほうが意識にのぼるからだ。自分たちの痛みのほうが耳に入りやすいせいもある。メディアも友人や家族も、自分たちの集団に関するニュースを伝えようとするので、人は常に似た人々にふりかかった大惨事のほうが耳に入る。同時に人間は、自分たちが他者に与える痛みを過小評価しがちだ。

ある興味深い実験で、被験者は右手人差し指で、別の被験者の左手人差し指につけたトランスジューサーを交互に押した。それぞれ、相手の参加者から受けた力とまったく同じ力を加えるよう命じられる。しかし彼らは常に相手が使った力を過大評価して、自分自身が使った力を過小評価するため、力はあっという間に大きくなる。交互に10回も押さないうちに、参加者はそれぞれ相手の指を最初の一押しの20倍近い力で押していた[24]。

子供が複数いる人なら、このシナリオにはなじみがあるはずだ。どっちも相手のほうが強くぶったと言うはずだ。この研究によれば、どっちの子供も本当のことを述べているつもりかもしれない。地政学とテロリズムの世界はこんな単純な知覚認識からはほど遠いが、この偏りのある認識のために事態が制御不能に陥るのはすぐに想像がつく。「奴らが挑発したんだ、そうだろ?」。こっちはそれに応じた対応をしただけなのに、相手がいきなりキレたんだ。戦争してくれと言わんばかりに。その研究者が指摘したように、目には目をではなく、片目には両目を、ということだ。

人間が自己家畜化したというランガム説に戻ると、自分の群れに処刑されかねない恐怖のため、自分の振る舞いが他者にどう見られているのかについて、みんなやたらに意識を集中するようになったはずだ(意識だけではすまないかもしれない)。支配的オスの不在が、成人男性の支配集団を生み、彼らは集団の規範と伝統の遵守を強化した。単独の支配者の代わりに、「一族による独裁」と呼ばれてきたものを確立した。ランガムによると、一度このシステムが敷かれると、だれであろうと遵守の重要性を認識させるには、集団内の高位メンバーが一言発するだけで事足りるはずだ。

他人からどう思われているかにこだわり、批判を恐れるのはこのためだと示唆されてきた。人が仲間の考えや行動にあわせたいと思うのは、同化した者は規律を乱したといって追放されたり殺されたりせずにすむからだ。社会心理学者ジョナサン・ハイトは次のように書いている。「濃い噂話のしがらみにおける第1のルールは、行動に気をつけろだ。第2のルールは、実際の行動は、人が思っている行動ほどは重要ではないから、自分の行動に肯定的な説明をつけられるようにしたほうが良い」[25]。これに第3のルールを付け加えてもいい。集団規範を明らかに破ってしまったら、責めを受け、後悔の念を示さなければならない。赤面してみせると、なおよろしい。

これは人間の承認欲求と、自分自身よりも大きな何か、共通の体験、あるいは記憶を持った集団に帰属したいという欲求を理解する際に、欠かせない背景だ。集団から無視され、忘れられ、拒絶されているという感覚は最悪だ。今日ではそうした村八分はストレス・ホルモン、血圧、ドラッグによって、人間を緩慢に殺す。だがかつては、それが即座に死をもたらした。自然の力、動物、他人に対して無防備になってしまうからだ。だからこそ人は、集団のまとまりを維持するためなら、ひどいことでも平気でやりたがる。そして今日の部族主義を引き起こす重要な政治的引き金が、「政府は、私のような人間なんかどうでもいいんだ」という感覚にあるのも、これが原因だ。

その一方で、人間を単なる共同体的存在だと思ってもいけない。ややこしい話だ。みんな帰属したいと思っているが、他人とは一線を画して独自の個人的生活を持ち、個人的な人生の目的を達成したいと願ってもいる。この緊張が、人間の条件に関わる多くの争いの源になっている。狩猟採集型の生活様式を離れた多くの人々は、群れの生活なんてジョージ・オーウェルの『一九八四年』（邦訳早川書房ほか刊）の世界のようだったと不平を言う——常に見張られて評価され、群れはそのメンバー、メンバーの人間関係、所有物を何でも好き勝手にできる。[26] 成人男性の支配集団が、多くのメンバーから一族の愛すべき仲間ではなく、一族による圧政と見られていることを忘れないでほしい。

流動的な部族主義

人為的につくられた集団ですら強い内集団バイアスが働くなら、集団の差が昔からの自然なものと思ってしまった場合——それらがたとえば肌の色、信仰、あるいは国に基づいているなら——あるいはシンボルやユニフォームが恣意的なものでなく、私たちのアイデンティティの重要な一部分を反映している場合に、この傾向がいかに強くなるかは容易にわかる。もしそうなら、このグローバル化した世界において、平和的共存のための方法が見つかる望みなどそもそもあるのか？

１９９４年４月、ルワンダのソブ村で、ツチ人たちはベネディクト女子修道会にフツ人民兵から護ってもらおうとした。フツ人の修道院長シスター・ガートルードは彼らをかくまうどころか民兵たちを呼び入れ、マチェーテと鍬で避難民たちは斬殺された。だが彼女はツチ人の尼僧たちは引き渡さなかった。彼女にとってその尼僧たちの、カトリック教徒としてのアイデンティティは民族性よりも重要だったのだ。修道女の被るベールが尼僧たちの命を救っているのを見て、19歳のツチ人アリーンはシスター・ガートルードにベールを請うた。聖職に就くつもりでアリーンは修道院で過ごしたことがあったが、まだ誓いは立てていなかったため、シスター・ガートルードは信教よりも民族性を優先して彼女を分類した。ガートルードはアリーンにベールを授けるのを拒み、アリーンは殺された。「私の娘は小さな布切れのせいで殺されたのです」とアリーンの母は7年後の裁判で語った[27]。

人間が先天的に部族意識を刷り込まれているからといって、何か特定の部族的気質を刷り込まれているということにはならない。いまの事例はあまりにひどい話ではあるが、それでも部族意識の変動性ははっきり示されている。シスター・ガートルードが民族集団だけを見ていれば、彼女は修道院にいたすべてのツチ人に即刻残忍な死の宣告をしただろう。だが彼女はすでに誓いを立てていたツチ人女性がやって来ると、ある集団の図をしまい込んで、別の図に従って世界を解読した。そしてこれは意識していようといまいと、私たちがいつも行っていることだ。

ノーベル賞経済学者アマルティア・センが『アイデンティティと暴力：運命は幻想である』(邦訳勁草書房刊)に記しているように、「キガリ出身のフツ人労働者は、自分自身をフツ人としてだけ見て、ツチ人を殺すよう強いられるかもしれないが、それでも彼は単にフツ人であるだけでなく、キガリ出身者、ルワンダ人、アフリカ人、労働者、そして人間なのだ[28]」。そして人間は多数性を持っているが故に、その場で問題になっている役割がどれかを自分で選べる。人は常に白分——そして彼ら——を創造し、それを見直しているのだ。

肌の色などの人種と結びついた特徴は、人々の判断の元になる区分として不動のものに思えるかもしれない。だがそれらが持つ意味についての評価は移り変わる。18世紀末、ヨーロッパの人種的態度が硬直しはじめ、強迫観念と化して恐ろしい結果をもたらした。理由の一つは、大西洋奴隷貿易と植民地計画正当化の必要性だった。ある国民をすべて支配、奴隷化、ときには絶滅させておきながら、夜には自分がまともな家族のお父さんだと思って熟睡するのはなかなかむずかしい——それらの人々をある種の劣った人間であると自分に納得させないかぎりは。だがそうした見方は不可避ではない。

徒歩で移動していた狩猟採集型の古代人の大半は、定義はどうあれ別の「人種」にはっきり分類できる人には、生涯で一度も会わなかったはずだ。一部の国や状況でなら、肌の色は提携関係を組めるか予測する際には非常に重要かもしれない。だが、先史時代の人種間の遭遇は、それについて認知機構を構築するほどは多かったはずはない。むしろ相手をあまり知らない場合の集団アイデンティティの代用だった可能性が高い。

これをはっきり示す、すばらしい実験がある。学生たちは、人種混合のバスケットボールチーム間の口論を聞かされ、その後に抜き打ちの記憶テストを受けることになった。学生たちは選手たちの発言と、それを言った選手の写真を組み合わせるよう求められる。被験者たちは肌の色はかなりしっかり把握していたので、白人の発言を黒人のものとすることはめったになかった。しかし実験者が色ちがいのシャツといったチームの標識を取り入れると、これが一変した。今度はチームごとに、学生たちは突然人種についてそれほど気にしなくなり、どのチームかに着目した。

文章と選手を対応させられるようになった。被験者たちは常に人種に注意が払われ、議論させ、政治的な武器にされる世界に住んでいるが、実社会を人為的に分類する別の方法に4分未満さらされただけで、人種への注目を劇的に縮小させた。「これは連携関係、すなわち人種は認知変数としては不安定で、動的に更新されるものであり、新しい環境によって容易に上書きされてしまうことを示している」と実験者は言う[29]。私たちは本当に、サインフェルドのサッカーファンと同じで、ユニフォームに熱くなっているだけなのだ。

新しい恣意的な集団分類でも人種と同じくらいの強力さを持つらしい——もっと強力なことさえある。興味深いことに、先述の実験結果は性別にはあてはまらない。たとえ色のちがうシャツを取り入れようと、応答者は男の言葉を女の言葉と見なしたり、その逆にしたりすることはほとんどなかった。性別は常にチームよりも強くコード化されていた。そしてこれは進化論的に筋が通っている。採食していた祖先たちで肌の色がちがう者に遭遇した者はほとんどいなかったので、肌の色は進化論的分類としてあまり根深くない。だが男と女には毎日会っていたので、それらは人間の祖先にとってもっと重要なちがいだった。

部族主義を利用する権力者たちは、これを理解している。共通の特性があると、古い集団分類が無視されかねないことを認識していた指導者たちは、しばしばマイノリティに特別な服装やシンボルを身につけさせるよう強いてきた。1215年、ローマ教皇インノケンティウス3世は自然発生的な混合を止めるために、ユダヤ教徒とイスラム教徒を「服装の特性をもって公衆の目が他の人々から区別できるようにした」[30]。その具体的な方法として彼らに、たとえばターバンや円錐形の「ユダヤ帽」をかぶらせ、ダビデの赤い星や、通常は白や黄色のバッジを胸につけさせた。

けさせた。ナチスはこの案をさらに邪悪な動機から再び導入し、すべてのユダヤ人に黄色いダビデの星をつけさせた。

人々を状況に応じて分類する方法は、何度も記録されている。人は自分と同じ人種の人を記憶にとどめやすい（「似た者」効果）という考えは広く共有されている。自分たちと似ている人たちと過ごす時間のほうが長いため、識別しやすいからだと言われる。だがある研究によると、これは人種とは関係なく、実際には自分の集団のメンバーであるかどうかに関わるほうが大きいという。二人の研究者は、人々を無作為の二つの人種混合グループ（たとえば「月組」と「太陽組」）に割り振った。研究者は彼らに両グループのメンバーの写真を見せてから、記憶テストを行った。どれだけ顔を覚えているかには、人種は影響しなかった。たとえグループ分けが恣意的でも、彼らは自分のグループに属するメンバーの顔のほうをよく覚えていた。[31]

例外は「スパイ」役を割り当てられた人々だ。彼らは一方のグループのメンバーに割り振られるが、最終的にはもう一方のグループに忠誠を尽くすことになっている。スパイたちは両グループのメンバーをよく記憶しているが、それは顔を記憶しておくのが彼らの目的のために必要だからだ。適切な動機があれば、人は外集団にも同じくらい注意を払えるし、そのメンバーを集合体としてではなく個人として見る。

社会行動の進化論研究の先駆者E・O・ウィルソンは、これを人間の重要な形質と見ている。

人間は社交儀礼について一貫性を持つが、その儀礼がだれに適用されるかについては際限なく揺れ動いている。実際、人間の社会性の才能は、連合関係の形成、中断、復活の容易さにあり、完璧とされる規則への強力な感情的訴えかけがともなっている。今日重要なことは、氷河期以来そうだったように、内集団と外集団の区別だが、その境界線の正確な場所は簡単に前後する。[32]

私たちの過敏な煙感知器

この弾力的な部族主義は、協力的な生き物にとっては筋が通っている。暴力的だった先史時代、暗い小道で外集団に出くわせば、遺伝子プールから即刻外れることになりかねなかった。そのように危険性が高い場合、私たちの警戒心はときには生命の危機を見逃すよりは、時々誤った警報を出すよう設計された煙感知器のように機能する。

だが第1章で見たように、最も成功をおさめた初期人類は、交易や、新しい考えと方法の習得のために多大な距離を旅した。よそ者からの潜在的な敵意を心配するのと同じくらい、彼らとやりとりする新しい機会にオープンでなければならなかった。最初の警戒には価値があるが、そのよそ者が信頼できそうで、価値があるかもしれない能力や資源を持っていそうな場合に、友好的な態度に素早く切り替える能力も大切だ。

私たちは常に人を分類しており、これは有益だが、ときには誤報をもたらす。どんな区分も、自分の集団とその集団との際立ったちがいに目を向けさせる。しかし集団アイデンティティを遵守するあまり、人はしばしば集団間のちがいを誇張し、ときにはそれをでっちあげさえする。

その一例が、国民性の研究だ。様々な国について思い浮かべるステレオタイプを人々に尋ねると、その答えは文化を超えて非常に似ている。だが性格テストを行ってみると、国平均の結果は国のステレオタイプとまったくちがう。実は人が近隣国に対して抱くイメージは、おとぎ話と大差ないことも多い。

たとえばアメリカ人はみんな、カナダ人は愛想が良く、アメリカ人は神経質で厚かましいと確信している。カナダ人とアメリカ人はどちらも、同調性と神経症的傾向について自分たちに10から15の標準偏差値の差——非常に大きな差——があると思い込んでいる。

だが性格テストを見ると、カナダ人とアメリカ人はこうした特質について数値はほぼ同じだ。どうやら人はそのようなステレオタイプを、他者との比較でアイデンティティを確立するために発展させているようだ。しかしときにはこれが奇妙な結果を生み出す。ステレオタイプ的な特徴では、カナダ人はアメリカ人よりもインド人に似ており、香港出身の中国人は本土の中国人よりもハンガリー人に似ている。[33]

これは良いニュースだ。たとえ人間に部族主義が埋め込まれているとしても、現代のみんながこだわる部族的な区分はどれも、決して手に負えなくはないということだからだ。人は必ずしも部族戦争をする運命にあるわけではない。人が着目する連合関係は、どんなときでも変化できるし、実際に変わっている。だからこそ第2章で説明したように、新参の移民はほぼ常に怖いよそ者と見なされるが、少し前にやってきた移民は模範的市民と見なされる。彼らはもはや「ヤツら」ではなく、「オレたち」なのだ。

問題は当然、この新たなアイデンティティがしばしば新たなよそ者たちとの対比に生み出され、強化されることだ。ロバーズ・ケイブ実験のラトラーズがよりタフに、イーグルズがより敬虔になったのはほぼ偶然だが、彼らはあっという間にそれらの規範を強調し再生産した。

新たな争いにより古い争いは忘れられる。これは人間の連合関係がいかに影響を受けやすいかを示す一例にすぎない。

1963年にロバーズ・ケイブ実験がベイルートで、11歳の少年たちにより繰り返された（キリスト教徒8人、イスラム教徒10人、多くはきわめて宗教的な学校からきていた）。二つの集団――青い幽霊団と赤い妖精団――の間にすぐ紛争が起きた。そして少年3人が、ある少年をナイフで脅すにいたり、実験は中止された。ベイルートの紛争に満ちた歴史を知る者なら、この結果には驚かないだろう。だがけんかは宗教の間で起きたのではなかった。ナイフを持った妖精団3人はキリスト教徒だったが、被害者のほうもキリスト教徒だったのだ。キャンプでは、「幽霊団／妖精団」の区別が、宗教にかかわり最も重要な分断となったのだった。[34]

外集団に対する評価も、集団そのものが変わらなくても、状況次第で絶えず変化する。1943年のアメリカの学生を対象にした研究では、中国人と日本人の説明が入れ替わったことがわかった。1930年代には狡猾で信用できないとされていた中国人が、今度は控えめで礼儀正しいとされた。芸術的で進歩的とされていた日本人が、今度は狡猾で信用できないとされた。1942年には勇敢で勤勉とされていたロシア人は、1948年になると残虐で自惚（うぬぼ）れているとされた。[35]

部族主義は一般人が持つ弱点で、それを抑えるためにエリートとインテリが必要なのだと結論づけたくなるかもしれないが、それは歴史を読みちがえている。人はみんなこの部族主義のデフォルト設定を共有しているが、ほとんどの人は新しい経験と出会いに応じて、分断の認識を絶えず調整している。しばしばそれが本当に危険になるのは、エリートや知識人が人の群れたがり性を利用し、ある特定の区分をイデオロギー的または「科学的」にでっちあげ、固定化し、その区分の流動性を忘れさせようとする場合だ。

カール・ポパーは、自分の職業こそこうした集団闘争を煽っているのだと考えた。

なぜ私たち知識人が手助けできると思うのか？　それは私たち知識人が何千年ものあいだ、極度にひどい損害を与えてきたからだ。見識、原理、理論、宗教の名において行われた大量殺人は、すべて私たちの所業であり、発明したものだ。知識人の発明だ。知識人が人と人を──しばしば善意で──刃向かわせるのを止めさえすれば、事態はかなり改善する。[36]

今日、ヨーロッパのナショナリスト右翼は、文明の衝突が宿命なのだと説得しようとして、ヨーロッパ大陸の歴史をキリスト教世界とイスラムの闘争という色めがねで語ろうとする。1683年の第2次ウィーン包囲──ポーランド・リトアニア人のヤン3世ソビェスキ率いるキリスト教連合軍が、イスラムのオスマン帝国からヨーロッパを救った──は、この神話創始の重要な一部分だ。

だが当時はそう思われていなかった。当時のヨーロッパはキリスト教とイスラムよりももっと重要な分断を抱えていた。プロテスタント国家を創設したイングランドのエリザベス1世は16世紀末にオスマン帝国のスルタンと同盟を結んだ。ウィンチェスター大主教は、ローマ教皇は「キリストにとってトルコ人よりも危険な敵であり、カトリックはイスラムよりもより偶像崇拝的だ」と公言した。[37] １６８３年オスマン帝国は、カトリックであるフランスのルイ14世と同盟関係を結んだ。彼は同じくカトリックであるハプスブルク王朝を、ムスリム以上に恐れていた。フランスは１６７８年のハンガリーにおけるルター派プロテスタントの反乱を助けた。彼らはオスマン帝国の支援と庇護を求めており、これらの連合勢力はフランスがハプスブルクの軍を西の前線に足止めしている間に、ウィーンに包囲戦を仕掛けたのだった。

その相手方も、宗教的な連合ではなかった。ヤン３世はスンナ派イスラムのタタール人の助けを借りて包囲網を破った。そのタタール人は14世紀末にリトアニアに亡命した避難民の末裔だった。ヤン３世はオルタナ右派の英雄だが、同時にムスリムの英雄でもあった。なぜなら彼は、タタール人に土地を与え、モスク建設を可能にすることで、ポーランド北東部で長期的なムスリム・コミュニティを創設した張本人だったからだ。

政治的同族意識

新たな、手に負えそうもない政治的断層——アメリカにおける赤い州対青い州、イギリスにおけるブレグジット支持者対EU残留支持者など——は、政治的部族主義を検証している多くの学者にとって何よりの資料だ。政党は単に道の穴を塞いだり雇用を創出したりするための手段ではなく、支持すべきチームでもあるのだ。

２０１６年の予備選挙では、ドナルド・トランプが共和党候補者だった。彼は従来の保守的正統教義をまるで遵守しなかったが、他の候補者よりもずっと巧みにヒラリー・クリントンと民主党に対して嫌悪感を顕にしたため、多くの支持者から最も信頼できる保守主義者と見なされた。

アメリカの学生たちにルームメイトにしてもよい人について尋ねると、その人が「潔癖できれい好きではまったくない」と自称した場合よりも、その人が他党に投票している場合のほうが嫌がられる。これは党員仲間に対する愛ではない。外集団の人といっしょに住みたくないという欲求は、同じ政党支持者といっしょに住みたいという欲求よりも7倍大きい。[38] 別の研究では、アメリカ人の77％が他の主要政党の党員を、進化が遅れた人間と評価している。[39]

イギリスでは、政党に愛着を感じているのは国民の3分の2だが、9割の人がEU残留支持者かブレグジット支持者のいずれかを名乗っている。結婚カウンセラーは、ブレグジットはカップルの深刻なけんかの一因になってきたと言うし、セラピストは自分の子供に嫌われた高齢両親たちを頻繁に目にしている。

ソーシャルメディアもこのごった煮に材料を追加している。

多くの人は、オンラインではみんな自分と同意見の人しかフォローしないのがいけないと考えている。私はそうは思わない。ニュースをオンラインで読む人は、印刷されたニュースを読む人に比べ反対意見を見つけやすいし、最も強い意見を持った人は、反対意見を避けるよりも積極的に探そうとするはずだ。[40] 各家庭が新聞を取っていた時代には、政治的な反対意見にお目にかかる機会といえば、自分と同じ側のジャーナリストが書いた悪意まみれの抜粋だけだった。1世紀以上前にスウェーデンの作家アウグスト・ストリンドベリは、新聞や本は読者にすでに信じていたことの論拠を与えるだけで、それらの信条と相反することはすべて排除されているので、「読者が標準潜水服を脱ぐことは決してない」と不満を漏らした。[41]

当時、反対意見の持ち主というのは遠い危機で、友人たちと軽蔑的に語りあう対象でしかなく、すぐそこにある危機ではなかった。今ではツイッターやフェイスブックを開くたびに、最悪の政治的敵対者との対面を日常的に経験する。彼らは目の前にいるが、同族ではない。そして敵対者が近いから、もっと激しい部族的反応が呼び起こされる。人間の石器時代的な脳は、悪い奴らが防御線を突破したので、反撃しなければならないと思い込む。部族主義のため、人は確実にそれらを最も悪意に満ちた形で解釈する。ヤツらのなかで最悪で最も無作法な主唱者――聞いたこともないが、友人たちがバカにしてリツイートしているだれか――が、ヤツら全員を代弁しているとすぐに思い込んでしまう。そしてそいつからあふれ出る暴言を友人たちとシェアして、さらに敵意をかきたてる。対照的に、自分たちの陣営の頭がおかしい人々に対しては、明らかに単なる困った例外としてだんまりを決め込むし、敵側がそれをこちら側全体の代表として扱うから、敵側はなおさら凶悪に見えてしまう。

しかしこれらの新しい分断は人の部族主義の例にとどまらず、アイデンティティがいかに変わりやすいかを示す証拠でもある。

狩猟採集民で、トランプやブレグジットに対する態度で自己規定する者はいない。それなのにいまや多くの人は、自分をそれ以外の存在として考えることさえむずかしい。多くの人にとって、自分のチームを応援するほうが、そのチームの活動そのものよりも重要だ。

２０１５年の世論調査で、国民皆保険制度を得策と考えるバラク・オバマを支持するかアメリカ人に尋ねると、賛成したのは民主党員の82％、共和党員ではわずか16％だった。同じ質問をこの案を支持しているのがドナルド・トランプ（当時の彼は支持していた）だと告げて行うと、民主党員の賛成者は46%に落ち、共和党員の賛成者は44%に増えた。[42]

ブレグジットの例は、新しい分裂が古い分裂から酸素を取り込むとき、人々のアイデンティティが変化し、みんながそれを元に自分を位置づけはじめるという見事な例だ。最近までイギリス人は、ヨーロッパをあまり気にしていなかった。２０１９年、彼らはお互いを裏切り者と罵り合ったが、そこで問題にされていたのは、国民投票以前の２０１６年にはわずか10人に１人しか重要視していなかった話なのだ。２０１９年の夏には87%の人がこの問題こそ自分を定義づけるものと考えている——実はこれは、国民投票に投票した人よりも15%も増えている。[43]

新たな対立の意味が強まると、それ以外の部族的分類の重要性などかすんでしまう。今やアメリカ人が政治的敵対者を非人間的に扱う割合は、ムスリムやメキシコ移民のような他の外集団を評価するときの2倍以上だ。[44]そしてイギリス人では、親族と異教徒との結婚に反対する割合は、２００８年から２０１８年までに18%から10%に減ったが、ＥＵ残留支持者のうち37%が親族のブレグジット支持者との結婚を不快に思う。[45]

人々がわずか数年前までろくに気にもしていなかった問題で部族意識をむき出しにできるなら、それは良い知らせでもあり、悪い知らせでもある。良い知らせは、個別のいかなる区分も人間性の必然ではないということだ。悪い知らせは、権力者やメディアが絶えず分断について語り、そして特に問題になっている他の集団におびやかされ侮辱されていると感じたら、人はすぐ戦いを始めるよう仕向けられるということだ。トランプの選挙運動に何より油を注いだのは、トランプへの投票者の中には「嘆かわしい人々」がいるとヒラリー・クリントンが攻撃したことだったし、ブレグジット派の指導者ナイジェル・ファラージは自分たちが「我々はバカでまぬけで、無知な人種差別主義者」と残留支持者たちから見なされていると、嬉しげに語った。

もちろん、これらの分断は突然現れたわけではない。従来からある若者対老人、都市対地方、自国主義対国際主義といった政治的忠誠をめぐる重大な分断はすでに存在していた。トランプの選挙運動とブレグジット国民投票はこれらのアイデンティティを兵器化したが、それらがこんなに大ごとになるのは、決して確実なことではなかった。

これは警告の物語となる。人々を集団分類するやり方をあれこれ論じると、そうした人々はまさにその方法に従って自己分類したがるようになってしまう。

これは最近のアイデンティティ・ポリティクスの台頭について考えるときに重要となる。

この運動は1990年代にアメリカの大学の極左勢力から政治、ジャーナリズム、そしてインターネット上の掲示板に次第に浸透していったもので、これまでの社会の仕組みの中にマイノリティや女性に対する差別が組みこまれており、このせいでいまだに彼らが添え物扱いになっているのだ、と批判する。従来の対応策は、敬意の輪を広げ、制度、職業、大学をすべての人に平等に開放し、集団を超えて、肌の色よりも人格の内面に着眼することだった。だがこれは時間がかかるプロセスだったので、一部の急進派はこれをひどく古くさいとみなして反発するようになった。そして個人の権利について語るかわりに、集団アイデンティティと集団間のちがいを強調しはじめた。みんなを平等にするのではなく、所属する集団の恵まれない立場にあわせて権利を調整しないと、被抑圧者の独自の経験を無視する同じような不公正になってしまう、と見なすのがこの立場だ。

これはわからないでもない。だが、制度化された人種差別は不可避で、異なる集団の共存は不可能という印象を生み出すなら危険だ。人は決して他の集団を本当には理解できないし、自分の集団アイデンティティに誇りを持ってそれを死守するしかできないと強調してしまうと、そういう感覚を多くの人が持つよう煽ってしまうことになる。自分の抱えた問題を提起するたびに、おまえは白人だというだけで労せず得た権力と特権があるんだぞと言われ続ければ、大卒資格を持たない貧乏な白人は自分の問題を宗教や教育や労働市場における地位との関連で考えるかわりに、白人アイデンティティという観点から考えはじめてしまう。

ちがった集団が出会って統合する物語を読むと、人はもっと寛容な価値観を示すようになる。だが分離が多く記された物語を読むと、マイノリティに対して不寛容になるし、他の政策領域でも専制的になる。既に2005年に、政治心理学者カレン・ステナーは警鐘を鳴らしている。

すべての入手可能な証拠から見て、異質性を見せられ、異質性について語り、異質性を賞賛すると(中略)もともと不寛容だった人々はますますそれを悪化させ、彼らの傾向は明らかに不寛容な態度と言動となって表明される機会を確実に増やしてしまうのはまちがいない。[46]

アイデンティティに基づく差別があれば、それについて語る必要があり、人種差別、性差別、ホモフォビアについて教えるためには、そうした集団が過去に直面した不正について語るしかない。だがそうした集団アイデンティティが人々について最も重要だと定義づけるほうにレトリックがシフトして、歴史的にそうした不正を行ってきた集団にたまたま生まれついたことを理由に、ある個人を非難するのは危険だ。2016年にあるアメリカの投票者は、不本意ながら「白人」

として（トランプに）投票すると決めたときこう言った。「もしアイデンティティ・ポリティクスをお望みなら、得られるのはアイデンティティ・ポリティクスだ[47]」

オープンな世界の部族的な脳

本書第1章で述べた進歩を損なうのは避けたい。でも人がこのような部族主義を持っているなら、オープンなコスモポリタン世界でどうやって生きていけるのかを、本章では考えよう。

私の確信として、人は部族的であるからこそ、オープンなコスモポリタン世界が必要なのだ。普段から他集団の個人と顔をあわせ、やりとりして交易しなければ、彼らは永久に不可解で、危険な外集団で、襲ってくる野蛮人のままだ。そういう相手は、有利な場合には襲うべきだし、向こうも隙を見せれば必ず襲ってくる。

『暴力の人類史』（邦訳青土社刊）のなかで、スティーヴン・ピンカーは経済、門戸、心をよそ者に開くまでは、戦いがずっと頻繁に起きていたことを記録している。部族は自分たちに人数や急襲による大きな優位性があると考えたとき、必ず近隣の部族を襲って殺した。だって、そうしない理由なんかないからだ。敵は一人でも少ないほうがいい。戦いは自然の摂理であり、平和は次の戦いに備える束の間の幕間にすぎないと王侯たちは心から信じていた[48]。

閉じた世界では、人々は双眼鏡ごしに他人を見る。オープンな世界では私たちは絶えず他者に出くわす。必ずしも簡単にいくとは限らない。敵意と対立を引き起こし、時には殴り合いになる。だがそれがまた新しい関係性と理解の基礎を築き、平和と信用が可能になる。

その過程を理解するために、話を『蝿の王』の現実版であるロバーズ・ケイブ実験に戻そう。実験を行ったムザファー・シェリフの死から数年後、彼の残した記録をオーストラリアの科学史学者ジーナ・ペリーが調べた。彼女は奇妙なもの――シェリフがロバーズ・ケイブの前年に試みたが中断した、同じような実験についてのメモ――を見つけた。そこではパイソンズとパンサーズと名付けられた2チームは、予想ほど敵対しなかった。パイソンズは綱引きで負けたとき、パンサーズのほうが優れていたから勝って当然と認め、偏った野球審判がどちらかのチームに不正に肩入れすると、肩入れされたほうのチームが抗議した。キャンプ指導員を装った研究者たちは、表面下に潜んでいると考えた部族的な敵意を煽るために、服を盗み、パンサーズのテントを壊して彼らの旗を切り刻んだ。少年たちは服は洗濯室で失くなっただけだと考え、テントの再建を手伝った。パイソンズが旗を切り刻んだりしていないと聖書に誓ったら、争いは回避され、少年たちは自分たちが操られているのではないかと考えはじめたほどだった。『蝿の王』であれば、ラルフとジャックが友情を維持し続けたうえ、作者ウィリアム・ゴールティングになぜ自分たちを争わせようとするのか問い質すようなものだ。

実験の失敗を悟ったシェリフは、それを中断した。そして科学に対して不正を働いて、それについては口を閉ざし、より巧みに演出するために状況を変更し、次の夏にロバーズ・ケイブで実験を再開した――そしてその実験は無垢な少年たちの残忍さで世界を震撼させた。前の夏に彼は、少年たちを2チームに分ける前に、まず全員を交流させた。これで簡単に壊せない友情が生まれてしまった。ロバーズ・ケイブで、シェリフはこれを許さなかった。最初から彼らは他のグループの存在さえ知らなかったため、敵意を育むのは容易だった。

この経験は、社会心理学者ゴードン・オールポートが１９５４年に最初に唱えた「接触仮説」を裏づけているように思える。これは異なるグループに属する個人間の対等な接触は、とりわけ彼らが共通の目的を追求している場合には、敵意を弱めるという説だ。カルト指導者たちが信奉者を外部の影響から隔離したがるのは、まさに自分による支配と集団への忠誠を外部の世界との接触で壊されたくないからだ。

これは非常に影響力を持った理論で、アファーマティブ・アクションや人種分離を減らすために学生たちを他の学校に送迎するといった決定の根拠になっている。２０１８年の審査では、接触仮説に関する27の優れた研究が存在し、そのうちの24の論文が偏見減少にプラスの効果があることを明らかにしている[49]。

だがこれらの研究はオールポートが必要と考えた条件にあわせるため、非常に特殊な状況だけを調べている。オールポートは、他者と単に同じ場所にいるだけでは効果がないと警告した（なんといっても、ツイッターで外集団と接触を持ったからといって、その連中への好意が増したりはしないでしょう？）。それどころか、かえって逆効果にもなりかねない。学校や仕事で多様性を増すことにこだわった結果、人々が自分のアイデンティティにこだわるようになってしまい、他の集団との間に溝を作ってしまいかねないからだ。それは部族的な引き金としてさえ機能し、みんなが自分の固有アイデンティティばかり強調することになりかねない。成功する接触理論はその逆で、横断的アイデンティティと目標を作り出して着目させることで、人々に細かいちがいを無視させる。

これは私自身も学校時代に体験したことだ。青組の私たちは、自分たちが赤組よりも優れていると考えて、すぐに心を一つにした。ただ毎日多少なりとも顔をあわせるから、赤組の子たちと知り合いになる時間はたっぷりあった。私は赤組の一人と、テニスという共通の興味があったので、共にそれを追求していた。後になって、別の赤組の少年とはアルファヴィルやデペッシュモードの曲を聴くという共通の趣味があり、また別の少年とは政治への興味を共有していることを知った。新しいつながりが新しい小さな集団とアイデンティティを作り、それは古い集団やアイデンティティを横断し、それらよりもより重要になった。古いグループを、このような下位の分類アイデンティティに分けなおすのは、集団間のバイアスを減らす有効な方法だ。私の今の親友パーは、かつては赤組所属のライバルだった。

そして実はこのほうが、自分のアイデンティティに固執して攻撃材料にするよりもずっと一般的だ。後者のほうがドラマチックだから、注意を集めるだけだ。

先ほどサッカーのフーリガンに注目したが、彼らはすべてのサッカーファンの中のごく一部でしかない。もっと一般的な体験として、サッカーは人々のあいだに新しいつながりを作って、それらがすぐにお互いを内集団に変えてしまう。男の友人たちと外国に行くと、彼らはいつも電車やバーでサッカー好きであるだけで見知らぬ人々と仲良くなる。どういう訳か私のテニス好きは、それほど多くの友達を作ってくれない（私――外集団――の存在が、サッカーファンたちのつながりをなおさら強くしているような気もする）。ある研究で、まずマンチェスターユナイテッドのファンに、サッカー愛を思い起こさせた。その後、つまずいて痛みを訴えている見知らぬ人を助けると言ったのは、彼らのうちたった22％だった。だが70％の被験者は、つまずいた人がライバルチームであるリバプールのユニフォームを着ていても助けると言った。これは同じユナイテッドファンなら助けると答えた人の割合（80％）とほとんど同じだ。[50]

歴史的に私たちは、古い区分にまたがる集団に属しているのだと気がつくことで、共感を覚える人の輪を広げてきた。重要な特質を共有する外集団のメンバーが存在すると気づけば、彼らはもはやそれほど異質ではなくなる。それは信教やイデオロギー、文学や音楽の好み、あるいは母親、教師、スタートレックマニアだという事実かもしれない。

１９９７年のある夏の夜、ニューヨークで白人警官が逮捕した黒人男性を叩きのめした。その後警察署でこの警官は容疑者がネックレスを着けていて、そのネックレスに十字架がぶら下がっているのに気づいた。それは彼に警察官対容疑者、白人対黒人ということについて忘れさせるに十分だった。今や彼にとってはどちらもキリスト教徒でしかなかった。警官は男に自分もまたキリストを信じていることを告げて、謝った。[51]

ホモ・サピエンスの歴史を通じて、何千もの次元で何百万回も繰り返されてきたこの種の共有特質の認識が、共感の輪を自分自身の家族から小集団、共同体、国、そして最終的に人類全体にまで拡げてきた。私たちは「オレたち」を広げるのだ。

ここ2世紀で、二つの事態がこのプロセスを加速させてきた。マスコミと市場だ。識字能力は遠い国々に住む人々の暮らしと苦労を、日常の一部に変えた。また、フィクションがとりわけ17世紀半ば以降、重要性を増したといわれてきた。子供、女性、民族的マイノリティの視点から語られる小説と演劇は、読者を共に笑わせ、泣かせて、別のジェンダー、階級、あるいは民族の人々も自分たちと同じ感覚、愛情、そして情熱を持った個人であると気づかせた。

市場と交易もまた、部族の障壁の解体に常に欠かせなかった。マルクスとエンゲルスが指摘しているように、自由市場のおかげで「一連の古びた時代がかった偏見と意見をともなう、凝り固まった凍りついた関係は一掃される」。

トマス・ペインは同じ影響をもっと肯定的な見方で指摘している。

私は商業の支持者だったが、それは私がその影響の支持者だからだ。それは平和的な制度で、個人のみならず国家をお互いに有益なものとして描き出すことによって人類を友好化する働きがあり（中略）これまで道徳原則に直接由来しない方法では決して成し得なかった普遍的文明を達成する偉大な方法である。[52]

それでも未だに部族本能は人間の中に残っており、それらはときおり大惨事をもたらし、戦争の惨禍を引き起こす。比較は必ずしも競合ではないと社会心理学者マリリン・ブルーワーは説くが、条件によっては内集団への愛があっというまに外集団に対する憎悪に変わる。

それは「外集団が自分たちよりも出来が悪くないと自分たちの立場や幸福感を向上させられない」とき、つまり結果がゼロサムと見なされる状況だ。[53]

残念なことに、人間の石器時代的意識――そして石器時代的指導者――はまさに、この世界はゼロサムだとみんなに思い込ませようとしている。

第6章

ゼロサム

「オレたちが貧しいのは誰かが搾取しているから」というゼロサム思考は、人類の本能。だが直感に反して、経済は「プラスサム」なのだ。

永遠かつ全能の存在のくせに、神さまはいささか気まぐれだ。

ヘブライ語聖書、すなわち旧約聖書のなかで初めてお目にかかった彼は、だれが見ても情にもろいリベラルなんかではない。彼は自分の選ばれし民（たみ）に、よそ者とうまく付き合う方法など実はありはしないと説いた。「汝は奴ら――ヒッタイト人、アモリ人、カナン人、ペリシテ人、ヒビ人、エブス人――を、奴らの神を崇拝する嫌悪すべき方法を汝らに説かないよう、汝の主なる神が命じるままに滅ぼすだろう」。遠く離れた都市なら、男たちだけ殺し、女や子供は誘拐したりといった、少しばかり残虐さを手加減した方法で扱ってもいい。

だがヨナ書まで読み進めていくと、そこで預言者ヨナは神によるアッシリア首都ニネベの破壊を切望しているのに、神は心変わりしてヨナにこう問う。「我は、右手も左手もわからぬ人々が12万人余りも住む、あの大都市ニネベを許すべきではないか」（4章6節）。これは修辞的な疑問だ。手の喩（たと）えは、アッシリア人は混乱しているから赦（ゆる）せるという神なりの方便だ。彼らは単に真実を知らないだけだというわけだ。

かなりの数の信者を含む多くの宗教学者たちもまた、神の気まぐれにも思える心変わりに首をかしげてきた。彼は平和の神なのか、あるいは戦いの神なのか？

これに答えるには、聖書の筆者たちが直面していた状況の変化を手がかりにしなければならない。

科学ジャーナリストのロバート・ライトは興味深い著作『神の進化』（未邦訳）で、神の描写は聖書筆者の集団が、他の集団や国とゼロサムの関係にあったかどうかを反映していると主張する。近隣と敵対しているときは、神は外集団に対して怒りに満ちているが、平和なとき――兵士の代わりに物が境界を往来するとき――は神の描写は宗教的な寛容あふれるものになる。[1]

ゼロサム・ゲームは、片方の利益がもう一方の損失となるゲームだ。サッカーは典型的なゼロサム・ゲーム――すべてのゴールは一方のチームには得点で、もう一方のチームにとって失点――で、勝つには相手を負かさなければならない。しかしそれぞれのチーム内でゲームはゼロサムではない。チームメイトが得点すれば、自分にも利益があるので、互いに助けあってもっと協力することで利益が得られる。

ユダヤ教徒たちが混み合ったご近所に新国家を築こうと闘っていたときには、他者に対してゼロサム論理をとった。バビロニア人に敗れて流民になるのは、これ以上はないほどゼロサムだ。これは復讐と殲滅（せんめつ）ばかりの怒れる神を目の当たりにする時代となる。だがユダヤ教徒はキュロス大王によって解放され、その後のペルシャ帝国支配下の平和（パックス・ペルシカ）のおかげで平和的協力関係と近隣との交易が可能になった。以前は荒々しいライバルだったニネベも今度は交易パートナーになった。

ヨナ書など、聖書で通常バビロン捕囚後とされる時代には、突然近隣の神たちに対してずっと寛容な神が出てくる。

ロバート・ライトは、同じ変遷が新約聖書にもあると考えている。私たちから見ると、キリストは常に普遍的な愛というコスモポリタンなメッセージを伝えていたように思える。だが最初に書かれたマルコ福音書を読むと、そんな印象は受けない。マルコ書が書かれたのはキリストの死後40年だ。かなり遅れて書かれたものとはいえ、キリストに実際に会った人々もかなり健在だっただろうから、マタイ、ルカ、なかでもヨハネ福音書——磔刑の60年か70年後に記された——ほど勝手な作り話にはなっていない。マルコ福音書には、愛や兄弟愛のメッセージはあまりない。キリストは神を愛せと説くが、神があなたを愛しているとは書かない。そこには「罪なき者、石を投げよ」も「人もし汝の右の頬(ほお)を打たば、左をもむけよ」もなければ、山上の垂訓(すいくん)もない。実際、カナン人の女に娘から悪霊を払うのを助けてくれと頼まれたとき、最初キリストは自分は「イスラエルの迷える羊」のために遣(つか)わされたと主張して彼女の願いを退け、彼の最も慈悲に欠ける寓喩(ぐうゆ)を使って、子供のパンをとって「犬にやる」のは良いことではないと言った。

ライトは、キリスト教のメッセージが、差し迫った世界の終末信仰を断念し、パウロがローマ帝国のあちこちで信徒を増やし続けるうちに、次第に万人救済論へと変化していったと示唆する。キリスト後の1世紀は、転居と都市化の世紀だった。帝国各地の人々や文化が、急速に拡大する都市へと移行し、宗教組織は根無し草の移民たちが集う重要な場となった。それが機能するには部族的なメッセージにかわり、異人種間の兄弟愛を打ち出す必要があった。オープンな境界を求めるなら、「ユダヤでもギリシャでもない」ほうが、異人を犬に例えるよりも心情として建設的だ。後の福音書にはそれが浸透している。

同じ動きはイスラム教にもはっきり見られる。一方で、コーランには、「おまえにはおまえの宗教、私には私の宗教」や「宗教に強制はあってはならない」といった宗教的寛容さを示す表現がたくさんある。異教徒が愚かなことをまくし立てても、「彼らに強制してはならない」、むしろ「彼らの言うことに忍耐強く耐える」必要があるとアラーは命じる。他方で、コーランには異教徒への攻撃をよしとする言葉や命令がたくさんある。「準備して、持てる力すべてで奴らに逆らえ」とか「奴らを見つけ次第殺せ」(ここで奴らとは、すべての異教徒ではなく多神教者を指す)などだ。

繰り返しになるが、これは当時の政治状況を反映している。まず、ムハンマド――職業は商人――は非ゼロ・ゲーム戦略を追求し、他の都市や信者に彼への合流を説得しようと努めた。それは平和と交易の言葉であり、選ばれしキリスト教徒、ユダヤ教徒への賛美に満ちていた。コーランによれば、キリスト教やユダヤ教は「共通の預言の中にあり、すべての人々を超えている」という。だがこの戦略は失敗し、結局は権力闘争と他民族征服のための戦争となった。かつてムハンマドは信奉者に、エルサレムの方を向いて祈るよう告げた。いまや彼はメディナのユダヤ民族を攻撃して追放し、ユダヤ教徒とキリスト教徒は友人ではなく、「彼らは自分たちの中でしか友人ではない」と言った。

戦争の言葉が始まったのはこのときだ。文脈を無視すれば、そのような節は宗教間に永遠に戦いがあるような印象を与えるが、ここにおいてさえムハンマドが彼らを最も非難しているのは、彼らの宗教ではなく、彼らが起こしたと称する戦争、迫害行為だ。「持てる力すべてで」と言った約30語後に、ムハンマドは「もしも彼らが平和に傾けば、汝もまた平和に傾け」と付け加えている。よく知られた「剣の詩」のなかでも、多神教者は見つけ次第殺せと命じたすぐ後で、ムハンマドはもしも多神教者が保護を求めれば、「安全な場所にたどりつけるようにしてやれ」と命じている。彼は、殺すべきは戦争を起こす多神教者に限られ、「まったくおまえを裏切ったり、刃向かう者を助けたりしていない」者は除くと明示している。イスラム帝国が確立されたとき、まずキリスト教徒とユダヤ教徒に、そしてそのすぐ後に仏教徒と多神教者にも同様に信教の自由が認められた。

ライトに言わせると、これが、「イスラムは平和の宗教か？」という問いに対する答えだ。答えはイエスだ。そしてノーでもある。黄金律（「自分にしてほしいと思うことを他人に対して行え」）の様々なバージョンはすべての宗教にあるが、不寛容と（しばしば永久の）罰則もすべての宗教にある。ゼロサム論理の時代や場所では、神は攻撃と戦いを推奨し、人々は神の名において殺す。非ゼロ関係性の時代や場所では、神は寛容と非信者との交易の推奨者となる。

神ですらおびやかされていると感じたとたんに、世界と人類についてのメッセージを一変させるなら、下々の人間たちが受ける影響はすさまじく大きいはずだ。

ゼロサムは人を群れたがりにする

ロバーズ・ケイブ実験に関するムザファー・シェリフの解釈は、少年たちはゼロサム・ゲームをやっていたので、争いや部族主義が解き放たれたというものだ。両集団が、同一の希少資源をめぐって争っていると思いこんだとき、いつもは行儀の良いサマーキャンプの少年たちのあいだに争いを引き起こした。

他の集団とゼロサムの関係にあると考えている人々は、ウラジーミルのような選択をしがちだ。彼は自分の望みを神が2倍にして隣人に与えると聞いて、自分の片目を奪うよう求めた。そういう立場の人々は、自由貿易とマイノリティ集団への平等の権利に反対しがちで、国際関係における平等な義務規則と互恵を追求するかわりに、たとえ自分たちが犠牲を払うことになっても、他国が富まないようにしたがる。

皮肉なことに、彼らは非ゼロサム・ゲームを、双方が損をするようなものにしてしまうことも多い。ある研究では、民族的アイデンティティについての話を尋ねてから、集団間の競争状態をどう思うか尋ねたら、白人学部生の大多数は、白人が大部分の学生組織が得られる利得を数百万ドル犠牲にしても、マイノリティの組織の利得が白人より少なくなるようにしたがったという。[2]

これは、人間は個人としては攻撃的な利己的存在だが、投票箱の前では啓蒙された社会的存在になるという通念を疑問視させるものだ。人間はむしろ、市場と市民社会での個人的関係では、たいてい他人とのウィンウィンな成果を探し求めている。それが自分とコミュニティにとって最も有益だからだ。でも他の集団と競合する集団の一員として自分をとらえると、他人に損をさせるためなら自分の目と富を犠牲にする。

神学者兼社会学者ラインホルド・ニーバーは、著書『道徳的人間と非道徳的社会』(邦訳白水社刊)のなかで、似たような話を指摘した。個人は「自分自身以外の利益を考慮できる」が、集団は「衝動を導いて抑える理性がなく、自己超越の可能性も小さいし、他者の要求を理解する能力も低い」ので、集団的利己主義はあまり抑制されない。この集団特性のため人々は権力への意思と国家強化による満足感を求めさせ、それが戦争へとつながりかねない。ニーバーは、ヨーロッパが「完全な大惨事に陥る」のを回避してくれることだけを願っていた。[3]彼がそれを書いたのは1932年だ。

ゼロサム思考はサマーキャンプを台無しにするだけでなく、ときには文明を滅ぼす。『経済成長とモラル』（邦訳東洋経済新報社刊）でハーバード大学の経済学者ベンジャミン・フリードマンは、アメリカとヨーロッパの経済急成長期が、寛容さと平等な権利への障壁がなくなった時期だと示している。経済が成長し、雇用が増大して賃金が上昇すると、すでに地位を確立した多数派グループは、外集団（女性、民族、宗教的マイノリティ、外国人）の躍進でも、自分たちが損をすることはないと感じる。だが経済停滞期になると、彼らは外集団の進出が自分たちの犠牲の上に成り立っていると感じ、差別増大、移民への敵意、マイノリティのスケープゴート化が生じる。ときにはそれが集団間の衝突、暴力、オープンな制度の機能停止をもたらし、それが繁栄を損なって、それが集団間の衝突を増大させるという悪循環に陥る。[4]何といってもゼロサム・ゲームに勝つ最も確実な方法は、相手が死ぬことだからだ。

1870年代に始まった「長期不況」のあいだ、ヨーロッパとアメリカの一連の危機とパニックが民族関係をゆがめた。アメリカではポピュリスト運動が起こった。それは田舎の農家のライフスタイルを工業資本主義から守る運動だったが、仕事を奪って賃金を下げるかもしれない移民から古いライフスタイルを保護するものでもあった。反中国移民の煽動は激しく、1882年の排華移民法を成立させた。これは民族、国家集団全体を排除した初めての法だった。1890年代になると、アメリカ南部ではアフリカ系アメリカ人に対する分離主義的な黒人差別法が採択されはじめた。

ヨーロッパでは同じ経済的苦境が、さらに反動的なナショナリズムを生み出した。1879年に新たに統一されたドイツを皮切りに、ヨーロッパは自由貿易を中止しはじめた。ドイツでは近代初の反ユダヤ主義に火がついた。反ユダヤ政党と運動組織が結成され、「ユダヤのデパート」が個人経営の職人たちをつぶし、労働者を搾取していると称するゼロサム世界観を喧伝した。反ユダヤ的反資本主義は労働運動に根を張り、ドイツ保守党は反ユダヤ的な基本方針をたくさん採用した。この考えはすぐさまイタリア、フランス、ハプスブルク帝国、さらにイギリスにまで広がり、イギリスではリベラル派の一部が、それを偽善的にユダヤ人首相ベンジャミン・ディズレーリに対する攻撃に利用した。

次の深刻な移民排斥の噴出は、1920~1921年の恐慌後に起きた。1921年、アメリカで白人優位主義の集団クー・クラックス・クランが再結成され、国中で黒人、ユダヤ人、カトリック教徒への憎悪の支持者を集めた。1920年代半ばの最盛期、クランはおそらく200万人以上の会員を擁していた。1920年代の一連の法で、アメリカは初の全面的な移民統制を実施した。同じ頃、ヨーロッパは反ユダヤ、ファシスト集団の急増に見舞われ、1920年末の復興で多少は下火になったものの、1930年代の大恐慌が新たな追い風となって、世界規模の破滅的結果をもたらした。

だから2008年の金融危機とそれに続く大不況でも、ゼロサム思考と新たな移民排斥の発作的状況が起こる可能性は高かった。選ばれたスケープゴートは、その場所で身近にだれがいたかによって、それぞれちがった。アメリカではメキシコ移民に対する姿勢が硬化した。イギリスではマイノリティであるイスラム教徒が増大する敵意と憎悪の的になり、反ユダヤ主義の高まりも見られた。

経済はゼロサムではない

たとえ不況の時代であろうと、経済をゼロサムと考えるのは正しくない。単にそんな気がするだけなのだ。マクロレベルでは、不況というのはむしろマイナスサムだ。昨日よりも価値生産が少ないからだ。そしてまっ先にやり玉に上がるマイノリティや移民は、たいてい突然の雇用不足と所得不足の被害をまっ先に受ける。

そして現代経済は概して破壊的な非ゼロサムだ。

これまで見てきたように、これは数％ではなく、ここ２００年で３０００％にもなる。知識と技術の発達は、大半の場所で大半の人の生活を劇的に快適なものにした。すべての人が同等にその利益を共有していないのは明らかだが、ある人の利益は必ずしも別の人の犠牲の上に成り立っているわけではない。市場が比較的自由なときは、どんな取引も、購入も、雇用も、両者がそれを回避するよりもそれを行うほうが利益になると考えない限りは起こらない。ビジネスのパートナーを裏切ったり、破滅させたりしたという評判が立てば、その人は毛嫌いされる。

ゼロサム思考で人気あるものの一つが、カール・マルクスによる自由市場資本主義の解釈だ。19世紀半ばに大英博物館図書室で執筆中、彼は金持ちはもっと金持ちになるが、それには労働者からさらに搾取するしかなく、それ故に中流階級がプロレタリアになり、プロレタリアはすぐに飢えてしまうと予言した。

予言の歴史のなかでも、これは最もタイミングが悪いものの一つだった（例外があるなら、それは「19世紀のノストラダムス」ことアメージング・クリズウェルで、彼はロンドンが隕石によって破壊される日と、ペンシルバニアが食人族の大量発生に苦しめられる日を正確に予言するというまちがいを犯した）。マルクスが死んだ1883年、イギリス——最も工業化された国——の平均的な国民は、マルクスの生まれた1818年の2倍以上豊かだった。イギリスは物質的生活水準の倍増をわずか半世紀で達成した。それまでの人類なら、それに2000年以上かかった。1900年、イギリスの極貧率は4分の3減って、約10％になった。

西洋労働者の所得は100年前の数倍になったが、資本家が労働者の「余剰労働力」を絞りとるのをやめたこと、あるいは「労働と資本」間の大規模闘争によって起こったわけではない。国民所得における労働所得率はここ100年間で増えていない——彼らの前例のない所得増大は、パイが大きくなったことによるものだ。

こうした理論への反証に直面した社会主義者たちの一部は、理論を調整したり、放棄したりしたが、他の者はおそらくマルクスが1857年8月のエンゲルスへの手紙のなかで密かに認めていた方法論的な策略に従って、あたかもそれが理論を裏づけているふりをした。「私は笑い者になるかもしれない。しかしそんな場合でも、ちょっとした弁証法を使えばいつでもそれを逃れることができる。私はもちろん、どっちに転んでも自分の意見が正しくなるような表現をしてきた」

マルクス主義者は、社会が豊かになったのはすべて、資本主義経済のあらゆる階級が、どこか別の場所——すなわち南と東の発展途上国——をますます過酷に搾取したからなのだと主張する。レーニンは、西洋の資本家は労働者に「賄賂（わいろ）を渡し」て彼らにブルジョアのライフスタイルを与え、その原資は帝国主義と他国民の搾取で調達したから成功したのだと断言した。[6]

植民地主義が貧しい国々をひどい目にあわせたのはまちがいないが、レーニンによる正当化の問題点は、すべての大陸が同時に成長を加速したことだ。発展途上国は西洋における自由市場出現後のほうがずっと豊かになり、それはここ数十年でこれらの国々が経済を開放し、自国民に所有、取引、起業の自由を与えると、さらに加速した。

事実、ヨーロッパとアメリカの一人あたりＧＤＰは１００年前の約７倍だが、南米で６倍、アジアで８倍、アフリカでは４倍だ。そしてすべての国でそれ以来劇的な人口増加が起きて、総人口は50億を超えた。富がゼロサム・ゲームならば、私たちはそれらすべてを一体だれから奪ったのか？

当時もしも世界のすべての富を均等分配していたら、その結果みんな現在のタンザニアよりも貧しかっただろう。今私たちが享受している富は、投資とイノベーションのおかげで生産を増やした結果であって、古いものを新たに分配した結果ではない。

一人あたりの年間成長率が１％前後なら、一人あたりのＧＤＰが２倍になるには、70年以上かかる。それを２％に上げれば、時間を半分に短縮できる。言い換えれば、私たちが今持っているすべての富が２倍になるには、ほぼ35年かかるということだ。このような莫大な富の増加を考えれば、今年の政府予算における再分配の変化がどれも、取るに足らないものでしかないのがすぐわかる。もっと重要なのはこれらの変化が、たとえば労働市場でもっと需要の高い教育を受けたり起業したり、新しい考えに基づいてリスクをとったりする意欲にどう影響するかということだ。ジョージ・メイソン大学の経済学者タイラー・コーエンは、もしも１８７０年から１９９０年までのアメリカの毎年の成長率が１％低かったら、１９９０年のアメリカの物質的水準は１９９０年のメキシコと同じだったと指摘している。[7]

ただし、すべての再分配が消費ではない。たとえば大衆教育への公共支出はより多くの人に、社会参加と知識や技能発達に必要な能力を与える。インフラ計画は移動性と通商をうながしてきた。これらの未来への大規模投資が、総富の拡大に貢献してきた。

サム（総和）はプラスであって、ゼロではない。それでも私たちはゼロサム関係にあると思ってしまう。実際はちがう場合でもそう思ってしまうのだ。

フォーク経済学

経済学者ポール・ルービンは、経済学の訓練を受けていない人々の世界観、「フォーク経済学」という現象を検証してきた。それは富の生産より分配についての経済で、価格と利益を生産とイノベーションへの誘因ではなく、富を分配する手段と考えるのが通例だ。「フォーク経済の世界は、ゼロサム世界」であり、最優先の経済問題は、パイから自分や自分の集団の取り分をどうやって増やすかで、パイの拡大ではない。[8] 人間の経済的本能は、経済とはスポーツ試合のようなものだと告げる。勝つか負けるか――何であろうとだれかが勝って、だれかが負ける――で、経済的目標は勝つ側になることだ。

ジョージ・メイソン大学の経済学者ブライアン・カプランは挑発的な本『選挙の経済学』(邦訳日経BP刊)で、民衆の大半の思い込みと、経済学者の出した結論がかけ離れている分野に注目している。なかでも貿易と移民が最悪だ。経済学者は、これらが双方に莫大な恩恵をもたらすと実証しているのに、人々はそれをゼロサム・ゲームと考える場合がほとんどだ。カプランはこれが一般的な反外国人バイアスと関係していると考える。これらの神話は他国が自分たちと文化的に遠いほど強まるからだ。たとえばアメリカ人はメキシコとの交易を、カナダとの交易よりもよりゼロサム性が高いと感じる。[9]

ゼロサムは無数の経済的な過ちを生み出す誤解だ。ナショナリスト右翼とポピュリスト左翼が経済に対して抱くほぼあらゆる種類の不安は、何らかの形でそれに基づいている。金持ちがもっと金持ちになるなら、それは彼らがオレたちから奪っているからだ。移民が増えれば、先住者に残されるリソースは減る。ロボットが賢くなれば、人間に残される仕事はなくなる。中国やメキシコといった貿易相手が儲かるのは、オレたちに損をさせているからのはずだ。

なぜ人は、自発的な関係とオープン経済が非ゼロサムだと理解できないのか? ここでもまた、人間の困った推論本能がなぜ実際は道理にかなっているのか理解するには過去に目を向けなければならない。

もしも異星人文明からの宇宙船が、人類がファーストコンタクトをとるに値するくらい発展しているか確認するために1万年ごとに訪問する気なら、きわめて我慢強くなければならなかっただろう。たとえ覗きにくるのを1万年に1回にしても、母星への報告書に記す目新しい話はあまり多くないはずだ。船長の（スタートレックと心理学者ジョシュア・グリーンに触発された）[10]30万年前から始まる記録は、次ページの表のような感じだ。

このリストで目を惹くものが二つ。最初の29回の訪問と30回目の訪問だ。異星人たちは、数回来ただけで人類を見放しても仕方なかっただろう。彼らが人類の観察を始めてから最初の29万年間は、印象的なことはあまり起きていない。異星からの訪問者が故郷の上司たちを感心させるようなことを見出し、ホモ・サピエンスがいずれワープ技術を持つかもと思うのは30回目の訪問時だけだ。最も興味深いのは、その30回目の訪問時に見せた驚くような飛躍的進歩、発見、イノベーションのほぼすべてが、1万年かけて起きたのではなく、その最後の２００年間に起きていることだ。

「注目を集めるほど十分急速で、多くの世代を通じて続くほど安定した進歩は、人類の歴史を通じて一度しか達成されていない」とイギリスの物理学者デヴィッド・ドイッチュは書いている。[11]ここ30万年を24時間に縮めてみると、ほぼすべてのことが起きた最後の２００年間は最後の１分間にあたる。これまでで最良の1分だ。これは刮目すべき1分で、人類の長寿、安全、健康、富、技術はここで生じている。だが人間の脳、本能、考え方は、この60秒間に生まれたわけではない。それらはその前の８万６４００秒の間に生じた。そしてもちろん先史時代は直近の30万年よりもずーっと長い。

オープン性は、かつての古い部族的な考え方では理解不能な生活を可能にした。人類が存在してきたおよそ99・９％のあいだ、個々の人間は進歩、イノベーション、よそ者との互恵を経験しなかった。ほとんどの場合、ほとんどの個人が経験したのはゼロサム・ゲームだった。だれか

訪問時期	人口	社会	通信	移動手段	技術
30万年前	500万人以下	狩猟採集小集団	口語	徒歩、持久走	原始的な道具
29万年前	500万人以下	狩猟採集小集団	口語	徒歩、持久走	原始的な道具
28万年前	500万人以下	狩猟採集小集団	口語	徒歩、持久走	原始的な道具
27万年前	500万人以下	狩猟採集小集団	口語	徒歩、持久走	原始的な道具
26万年前	500万人以下	狩猟採集小集団	口語	徒歩、持久走	原始的な道具
25万年前	500万人以下	狩猟採集小集団	口語	徒歩、持久走	原始的な道具
24万年前	500万人以下	狩猟採集小集団	口語	徒歩、持久走	原始的な道具
23万年前	500万人以下	狩猟採集小集団	口語	徒歩、持久走	原始的な道具
22万年前	500万人以下	狩猟採集小集団	口語	徒歩、持久走	原始的な道具
21万年前	500万人以下	狩猟採集小集団	口語	徒歩、持久走	原始的な道具
20万年前	500万人以下	狩猟採集小集団	口語	徒歩、持久走	原始的な道具
19万年前	500万人以下	狩猟採集小集団	口語	徒歩、持久走	原始的な道具
18万年前	500万人以下	狩猟採集小集団	口語	徒歩、持久走	原始的な道具
17万年前	500万人以下	狩猟採集小集団	口語	徒歩、持久走	原始的な道具
16万年前	500万人以下	狩猟採集小集団	口語	徒歩、持久走	原始的な道具
15万年前	500万人以下	狩猟採集小集団	口語	徒歩、持久走	原始的な道具
14万年前	500万人以下	狩猟採集小集団	口語	徒歩、持久走	原始的な道具
13万年前	500万人以下	狩猟採集小集団	口語	徒歩、持久走	原始的な道具
12万年前	500万人以下	狩猟採集小集団	口語	徒歩、持久走	原始的な道具
11万年前	500万人以下	狩猟採集小集団	口語	徒歩、持久走	原始的な道具
10万年前	500万人以下	狩猟採集小集団	口語	徒歩、持久走	原始的な道具
9万年前	500万人以下	狩猟採集小集団	口語	徒歩、持久走	原始的な道具
8万年前	500万人以下	狩猟採集小集団	口語	徒歩、持久走	原始的な道具
7万年前	500万人以下	狩猟採集小集団	口語	徒歩、持久走	原始的な道具
6万年前	500万人以下	狩猟採集小集団	口語	徒歩、持久走	原始的な道具
5万年前	500万人以下	狩猟採集小集団	口語	徒歩、持久走	原始的な道具
4万年前	500万人以下	狩猟採集小集団	口語	徒歩、持久走	原始的な道具
3万年前	500万人以下	狩猟採集小集団	口語	徒歩、持久走	原始的な道具
2万年前	500万人以下	狩猟採集小集団	口語	徒歩、持久走	原始的な道具
1万年前	500万人以下	狩猟採集小集団、ただし農業、小都市も。(この惑星は要注意！)	口語	徒歩、持久走、原始的なボートが以前より増加	原始的な道具
現在	70億人以上	世界的に産業化を遂げた経済、世界貿易、大規模な民主的統治	ほぼ普遍的な読み書き能力、ポータブルな個人デバイスに接続されたグローバル通信網	自動車、鉄道、外航船、潜水艦、飛行機、地球外旅行(月に上陸)	電力、原子力、パソコン、人工知能、バイオ技術など

が得をすれば、別の人が損をする。あなたが多く取れば、こちらの取り分は減る。そんな状況で意識が発達したなら、これに適応するのも無理はない。

等価マッチング

これまで見てきたように、人間は昔からずっと交易と分業をやってきたが、それは交易が常に今と同じだったということではない。人類の歴史のほとんどを通じて、日々の糧——食べ物——はすぐに腐ってしまったため、その日その日で消費しなければならなかった。大きな富を蓄え、蓄積できる人はいなかった。狩猟、採集の報酬は個々で享受するのではなく、共有するべきものだった。

狩猟採集民が複雑な経済へと移行を始めると、この平等主義的な考えが個人の努力と報酬によるシステムと衝突した。心理学教授ウィリアム・フォン・ヒッペルは遠く離れたオーストラリアの原住民コミュニティの物語を語っている。そこでは環境モニタリングと清掃チームの管理担当者が、彼らの働きぶりに感銘を受けて昇給しようとした。だが驚いたことに、原住民たちはその提案に無関心で、拒否する者さえいた。理由を尋ねると、1週間の仕事を終えて帰宅したら、親戚たちが得た金を要求し、みんなで分けるよう求めるからだという。賃金が上がっても手取りは増えないことも多いし、他人に取られる自分の金が増えかねないので、労働者は苛立ちさえした。[12]

私たちの祖先が関わっていた取引は、たいてい「等価マッチング」の形をとった。今週の狩猟で幸運だった者も、来週は立場が逆転しかねないと知っているため、ツキがなかった者を助けることで貢献分をマッチングさせるやり方だ。物々交換されるのは非常に同等か、おおむね同等のものだった。このリスク共同管理は、個人から見れば他の暴飲暴食か飢えかというサイクルよりずっとましだが、次の機会に先週の借りを返さないだれかに裏切られるリスクはつきものだ。このための他者のふるまいを監視し、サボりを処罰する優れた能力が発達した。人間には、交易の際にインチキを見破る脳内回路が備わっているようだ。論理問題を、抽象的問題としてではなくインチキを見破る方法として提示すると、人間はずっと正答率が高まる。これはアマゾンの狩猟栽培民であろうと、ロンドン郊外の製紙会社の事務員であろうと変わらない[13]。

採食民だった祖先は、道具と武器を使用し、服や宝飾品を身につけていたが、それらはどこへでも持ち運べなければならなかったため、簡単に得られ、すぐに取り替えられる物に限定されていた。採食民は、製作時間の長い重くて精巧な装飾のある加工品を使うことはめったになかった。それは、将来の利益のために投資する資本と余剰がほとんどない世界だった。今日、スマホの電源を入れると推奨アップデートが出てきて、ときどきいらいらする。でも先史時代の技術アップデートには1000年かかることもあった。考古学文献を見ると、石器時代の一部の技術は、数千年出回っていたのに「新しい」と見なされている。

ホモ・サピエンスが存在してきたほぼすべての時代を通じて、人類の大半は生涯のあいだに経済成長や長期投資、技術的イノベーションを体験することはなかった。ではなぜそれがゼロサムではないという直感的理解が発達したのだろう?

先史時代なら、小集団の中のだれかが他の人よりもずっと多く持っていたら、おそらくそれは彼がより長い教育を受けたせいでも、より良い製品を思いついたせいでもなく、彼が過去の恩恵への返報を拒否したせいだ。もしも近隣の部族がこちらより多く持っているなら、それは彼らの優れた研究や巧みなサプライチェーンのおかげではなく、彼らが最良の土地を横取りしたからだ。農業到来により搾取は悪化し、族長たちは取れるだけ取った。それ以来エリートたちは最良の土地をめぐって争ってきた。なぜなら不動産業者が指摘するように、土地はもうこれ以上作ったりできない唯一のものだからだ。

平均的人間にとっては厳しい事態だが、前例のない経済成長が起きたここ200年までそれが変わることはなかった。だれかがこちらより多く持っていれば、それはそいつが奪ったためで、こっちには怒る理由があった。

都市研究者ジェイン・ジェイコブズは、近代市場経済がこの状況を驚くほど変えたことについて次のように説明している。

> 職人と商人の生業は、農奴、農夫、奴隷を犠牲にする戦争、略奪、ゆすり、迫害、処刑、検閲、囚人の身請け、土地の独占に比べれば、とても慎ましいものだ。こうした活動は、交易などという賎業に身を沈めるくらいなら死んだほうがましと思っていた人々にとっては、どれも栄誉ある活動なのだった。[14]

要するに、進化は職人や商人よりも、戦争や略奪に取り組むほうに人間を順応させてきたのだ。人間のゼロサム経済信仰は、暗闇への恐れに似ている。この不合理に思える恐れはヒトを危険から守るという非常に有用な目的を果たした。捕食動物は暗闇に乗じて狩るのが好きで、人間はかつて捕食される側だったから、真夜中に起きて散歩する者はしばしば大きなネコ科動物の腹の中に収まることになった。暗闇に不安を感じて、身を潜めた者が生き残り、子孫にその不安を伝達した。ありがたい話だ。

だがそれ以降、人間は被捕食者から食物連鎖の頂点へと驚くべき昇進を遂げた。人は火の使い方を覚え、電灯を導入し、必要なときに助けを呼べる携帯電話をみんなが持つようになった。確かにいまだに暗闇は存在するし、つまずいて階段から落ちるはめにもなるが、ハイエナやライオンに目をつけられるよりずっとマシだ。それなのに人はいまだに、本当に命の危険をもたらす自動車事故やタバコの害や核戦争ではなく、ベッドの下の怪物や差し迫った仕事上の危機におびえて、眠れず闇の中に横たわるのだ。

人間は世界を変えたのに、脳はそれに気づかなかった。経済を変えたのに、富とイノベーションに対する態度を改めなかったのと同じだ。そしていまや、関税と規制が生活水準にもたらす大きなリスクを無視し、資本家、移民、取引相手を座して恐れている。

狩猟採集民だった先祖たちは、かなり離れた相手でも他の集団と交易したが、それは直接的で個人的なやり方で行われたから、両者にとっての恩恵はすぐにはっきりわかった。それが自分の福祉に何をもたらすかきちんとわかっていたし、それが取引で渡す物に見合った見返りだと思っていた。今でも人は、即決交換——何かを売り買いし、相手と握手して礼を述べる——の恩恵は、非常によく本能的に理解できる。取引のどちらも、与えたものよりも自分に価値あるものを持ってその場を離れるからだ。大規模で複雑な経済でも同じ理屈が当てはまるが、感情的にはちがう。ほとんどの取引が会ったこともない多くの関係者の層を経ることで、個人的な出会いからかけ離れており、書面、お金、信用取引といった比較的最近のイノベーションによって可能になっているからだ。

本書の執筆により、おそらく地元のコーヒーショップで何杯ものカプチーノが買えるだろう。でもそれは、コーヒーと引き換えにコーヒーショップに本書を1冊差し上げることで実現されるのではなく、本の購入者であるあなたや、コーヒー豆生産者、トラック運転手、船荷主、金融市場、コーヒーが注がれている紙コップのパルプを作るチェーンソーの材料となる鉄を掘り出すときに鉄鉱作業員がかぶるヘルメットの生産者をも含む、巨大な因果連鎖のおかげだ。[15]

現代のグローバル市場のすばらしさは、これまで聞いたことさえない人々の利益のためにみんな一生懸命働いていることだ。「現代の競争は万人の万人に対する戦いといわれるが、同時にそれは万人のための万人による戦いでもある」と社会学者ゲオルク・ジンメルが１９０８年に書いている。[16]

だが一方で、この複雑さのせいで、非常に単純な形の交換であっても、すべてのつながりはだれにも完全に把握できない。

スティーヴン・ピンカーは、経済をめぐる多くの衝突が、この「一方は直感的かつ普遍的で、もう一方は希薄で専門的」な、従来の個人的交換と近代市場における交換の対立から派生したと考える。[17] 突然他人の富が目に入るようになったが、彼らがそれを得るために何をしたかは目に入らない。彼らがそもそも何をしているかさえわからない（正直なところ、自分の同僚たちの貢献さえわかっているだろうか？）。取引が公正なものか、だれかがズルをしていないかをほぼ自動的に教えてくれる監視装置は、匿名でつながる世界ではなかなかうまく機能しない。結果として政治家やイデオローグは私たちに、他の集団が実は公正な分担を支払っていないとか、何も有益なことをしていないとか、簡単に思わせることができてしまう。

イノベーションの誤解

またかつては、やり方を変えようとする創造的な個人も疑ったほうがよかった。イノベーションには常にリスクがともない、その大半が失敗に終わるからだ。ギリギリで生活している者は、リスクはおかせない。部族の土地でギリギリ食っていける収穫しかないとき、だれかが種の別の使い方を思いついて、それまでなじみのないやり方で輪作したいと思いついたとする。それが成功して、みんなもっと食えるようになる可能性があっても、その失敗が飢えをもたらすなら、そんな冒険をする必要があるだろうか？

たとえイノベーションが成功しても、多くの人はその成功を、それを生み出したリスクが高い創造的行動に結びつけられない。考古学者がアシュール型と呼ぶ、精巧な「手斧」を初めて手に入れたとしよう。手に入ったことは嬉しいだろうが、それによってそれを作り出した革新的個人（この場合、50万年前の一人、あるいは数人の創造的なホモ・エレクトス）の価値を理解することはない。たいていは自分の手斧を得て喜ぶ隣人を見倣う価値が強化されるだけだ。

かつては文化、技術的イノベーションの起源が常にあいまいだったということは、古代バビロニア人がそれをどう見ていたかによってはっきりわかる。彼らは、イノベーションがそれ以前のあらゆることに比べて、ワープ並みのスピードで起きていると考えた。ベロッソス（アレクサントロス大王と同時代の祭司）が記したある神話によると、これらの文明の成果のすべてはオアンネスと呼ばれる魚のような生き物から人間に授けられたものだという。「この獣の時代以降、それ以上のものが見いだされることはなかった」とベロッソスは結んでいる[18]。バビロニア人にはレオナルド・ダ・ヴィンチやニュートン、エジソンの記憶はないが、もっと興味深いのはその急激な変化の時期にあっても、彼らはその時代の文化、技術的イノベーションに気づかず、それ以上の何かが見つかるとはまったく思わなかったということだ。

物には消費者の好みとの関係における価値以上の、真の不変の価値があるという考えを、経済学者は「物理的誤謬」と呼んでいる。これもまた私たちの市場交換を理解しようとする等価マッチング脳がもたらした結果の一つだ。先月お隣りとトナカイを分け合っていたら、今日はトナカイをごちそうになれるだろうと期待する。そうでないと、だまされたことになる。だが複雑な市場経済では、需要と供給は先月からおそらく変わっており、価格もそれに合わせて変わる。今週トナカイが不足していれば、価格は上がる。これは希少な資源の浪費を止め、節約して代わりにウサギを食べるか、もっと繁殖させる動因を生むという意味で大切なことだ。だが先月買ったものを今月も同じ値段で買えないと、人間の等価マッチング脳はだまされたように感じる。

経済学者トーマス・ソーウェルが説いているように、人間は物理的な物質をまったく作り出さないので、人間が作った物の経済的便益は原子ではなくその形、場所、入手可能性次第だ。だから、そういった有益な変形を差配する人が「その人の手が実際に物理的な物に触れるかどうかにかかわらず」物の価値に貢献していることになる[19]。

ソーウェルによれば、物理的誤謬は時間の側面も無視させてしまう。生産過程は常に短い肉体労働の過程だけだと思ってしまい、その前（貸し手がベンチャーに資金を提供し、経営者が労働と機械を集めて組織する）と後（仲介業者が消費者のいるところに製品を確実に届ける）に起こることは生産的と思ってもらえないのだ。この生産過程観は恣意的だとソーウェルは言うが、それは狩猟採集民的気質から見ればまさに当然予想されるものだ。狩猟採集民にとっては、生産、消費過程が二つの手順で終わる。1、狩猟・採集し、2、食べることだ。複雑な経済では、それに加えてだれが追加の生産拠点に資金提供し、だれが優れたスキンローションを地球の反対側で絶望的な痒み（かゆ）に苦しむ人に確実に届けてくれるのか考えなければならない。つまり貸し手や仲介業者は何かを奪うのではなく、プラスサムの過程に貢献しているということだ。でも彼らが物理的な物を作ったように見えないため、多くの人が彼らを社会の寄生者と考え、これらの集団がユダヤ人や華僑といったマイノリティに結びつけられたとき、その敵意がスケープゴート化と暴力へと発展することもあった。

これは資本家を搾取者と見なす古典的な批判を連想させるかもしれない。それはマルクス主義が物理的誤謬の一種だからだ。もしも唯一の真の価値が、労働者が物理的な物を生産するために費やした時間によってのみ作り出されるなら、資本家は単に儲けのために剰余価値を盗んだことになる。革新的なビジネスモデルや効率的組織から、長期投資（製品が売れるまで給料を待とうとする労働者は少ない）やリスク負担（製品が売れないことがわかっても、給料の支払い停止に同意する労働者はもっと少ない）まで、資本家の仕事はすべて無視されている。

現代のオープンな経済では、よそ者との関係が逆転した。この経済は法、財産権、自発的交換の原則に基づいているので、人は他人にとって価値のある何かを作ることでしか繁栄できない。

かつては王侯貴族、強盗が他人のお金がほしいと思ったら、あっさりそれを奪った。もしも現代のビジネスマンがお金がほしいと思ったら、相手がそれを手にするためにお金を払ってもよいと思うほど価値を認める物かサービスを提供する必要がある。かつては他の部族の技能と資源が増えたら危険だった。彼らがこちらを征服しやすくなり、ゼロサム・ゲームの勝者となるからだ。今日では、海の向こうの部族が光電子センサーを発明するか、太陽エネルギーを利用する術を得れば、それは私たちが優れた電子デバイスと無限のエネルギーにアクセスできるということだ。

多くの評論家が、インドの大量のエンジニアや中国の巨大バイオ産業のせいで直面する激烈な競争の話で怖がらせようとする。だがみんながそうした産業部門から得る最も重要な恩恵は、自分の国のエンジニアの職でも、バイオ企業の利益でもなく、それらが貢献する知識と技術力の全般的向上だ。新しい抗生物質、アルツハイマー病の治療薬や、グラフェンで太陽電池から電気を効率的に集める方法の開発は困難で費用もかかるが、ひとたびだれかがそれを思いつけば、命を救い、安価でクリーンなエネルギー開発のために各地でそれを利用するのは容易だ。

長いあいだ、主にごく少数の西洋の機関と企業がそういった問題の解決に莫大な投資を行い、世界の残りの人々がそれらの発見の恩恵を受けてきた。将来的にそういった発見がもっと他の場所から出てきて、西洋もたまにはそういった発見にタダ乗りできるようになればいいのだ。

グローバル化とは、もっと多くの国々のたくさんの人々が、世界全体に恩恵をもたらす新しい知識と技術を開発するということだ。このとき問題となるのは、取引の片側、または両側が持つゼロサム根性だけだ。それはそうした洞察とイノベーションに心と国境を閉ざしてしまうのだ。

交易神話

貿易以上にゼロサム神話が広く行き渡っている領域はない。私は２００1年に『グローバル資本主義擁護論』（未邦訳）という本を出版したが、あの本は反グローバリストへの反論だった。彼らは自由貿易と多国籍企業が西洋の人々を裕福にするが、貧しい国々をもっと貧しくすると主張するのだ。私はそれはちがうと説いた。オープンな市場では両方が自分の利益になると考えない限り取引は行われず、貧しい国はグローバル化から多大な恩恵を受ける。この議論は決着がついたと言ってもかまわないと思うが、それは私の本のおかげではなく、だれもがインド、中国、ベトナム、バングラデシュといった貧困国、中間所得国の驚くべき成長を目にできるからだ。

ここ30年間で、人類史で空前の数の人々が極貧から抜け出てきた。それでも人々はゼロサム神話を放棄したがらず、いまやグローバル化に反対する人々から出てくる批判は、それが貧者を裕福に、富裕者を貧しくするから、というものだ！　いまや彼らは、私たちのほうが損をしたと考えているのだ。経済学者ドナルド・ボードルーは自分のフェイスブックに「生まれ変わったら、次の人生では貿易神話になりたい。決して死なないから」と書いている。[20]

すでに明示したように、創造的破壊もまた敗者を生む――「破壊」という言葉が示しているとおりだ。だがオープンな西洋諸国にとって、国際貿易の恩恵は費用をおおむね20倍上回る。これほどゼロサム・ゲームからかけ離れたものはない。それでも（雇用への影響によって概算される）貿易の影響を尋ねたら、アメリカと貿易相手国の両方に恩恵があると答えたのはアメリカ人のわずか11%だ。回答者の半数が、貿易相手国には得だが、アメリカには有害だと考えていた。そしてゼロサム気質が露骨になった。貿易相手国のためになると考える人ほど、貿易はアメリカに有害だと考えていた。[21]

貿易をゼロサム・ゲームだと思いこんで育った人は、貿易をウィンウィン現象として理解するシナリオを頭では理解しても、貿易を道徳的に容認できなくなってしまう。両国を利する貿易政策と相手国に害を与える政策のどちらかを選べと言われると、彼らは後者を選ぶ。その研究者たちが結論づけているように「貿易は全体の利益のための相互協力と思われていない。むしろ競争相手に対して優位な立場を得ることだと思われている」。貿易機会を見出したとき、彼らは比較優位を考えず、ウラジーミルの選択を考えるのだ。

欧米での最近の保護貿易思想への回帰は、グローバル化支持者は自由貿易の敗者のことを忘れており、国際競争による破滅を恐れる者たちが今まさに反撃しているせいだと一般に解釈されている。だがペンシルバニア大学の政治学者エドワード・マンスフィールドとダイアナ・マッツは産業と個人の技能水準に関する情報を収集して、個人としての自由貿易の影響の有無は、自由貿易への態度とまったく関係ないことを発見した。唯一考えられる例外が、教育水準が高いと貿易賛成派になることで、これはたいてい経済的利己主義の一つの表現と解釈されてきた。[22]

だが、彼らは別の事実も発見している。白人、黒人、ヒスパニックに、自分たちの集団が他の2集団と比べてどれだけ優れていると思うか尋ねた後で、貿易について尋ねると、自民族中心主義を強く示す人ほど、自由貿易に否定的だ。

表面上、これはまったく道理にかなっていない。「黒人が、白人やヒスパニックと自分たちを比べてどう感じるか（あるいはその逆）が、貿易自由化と何の関係があるというのか？」。だが別の意味で、これはまったく道理にかなっている。オレたち対ヤツらという枠組で考えるほど、集団が互恵的な関係を持てるとは考えなくなるのだ。

マンスフィールドとマッツは、この発見が教育の影響について新しい見方をもたらすと考えた。というのも、世界観の影響を除いてみると、教育は貿易観に直接の影響を与えていないことがわかったからだ。だから教育水準が高いと自由貿易から利益を得られるとか、そのグローバルな恩恵を認識できるほど賢くなるというわけではない。教育は自民族中心主義と外集団への不安を弱めるのだ。

ある世論調査によるとアメリカ人の大多数が、アメリカ人たった一人の雇用を守るためなら、外国で1000の雇用を奪っても平気だと言うことがわかっている。もちろん問題は、貿易相手国も同じ自民族中心主義的感情を共有しており、自国の雇用を一つ守るためならアメリカの1000の雇用を喜んで犠牲にすることだ。結局、この種の「アメリカ・ファースト」的な政策では、二つの雇用を守るために合計2000の雇用を失うことになる。[23]

この相互確証関税による破壊を避ける一つの方法が、決定を下す集団の規模拡大だ。全米鉄鋼労働組合はトランプの鉄鋼関税を最初に提示された際には支持したが、関税の全貌がわかると、考えを変えた。それはカナダ企業にも矛先を向けていたが、カナダの労働者は同じ組合のメンバーだったからだ。もっと規模が大きい例として、貿易政策がヨーロッパの個々の国からEUに委任されるときも、同じ論理が働いている。これは国家主権をプールするという話だ。私たちスウェーデン人はドイツに（そして実際は私たち自身にも）経済的損害を与える能力を放棄する見返りに、彼らが私たちに損害を与える能力を放棄させる。実際には、それは国家政府を抑えて、国民とビジネスマンがもっと安全に協力できるようにする一つの方法だ。

貿易、軍縮、航空管制から環境まで各種の協力を扱う国際協定や条約の多さは、グローバル主義のエリートたちへの服従とナショナリストたちに見なされている。だがそれはたいてい、国家政府間の相互抑制を確実にする手段だ。おかげで互恵を追求し、歴史上あまりに多い、地政学的で報復的な競合に行き着いてしまうリスクを減らせる。

シュンペーター的利益

経済そのものがゼロサムでなくても、昨今のほとんどの国における格差拡大により、それがゼロサムになりつつあるという認識が高まりつつある。富める者が他人を犠牲にして富み、その富を使って特権と政治的保護を得るという例は確かに存在する。だが格差そのものは単なる量的比較でしかなく、人々の関係性については何も語らない。二人がどちらも豊かになった場合でも、その速度がちがえば格差は拡大する。ダイナミックな経済の中での格差増大は、普通はこれだ。

1970年代末の中国はとても平等だったが、おしなべて貧しかった。10人のうち9人の中国人が極貧の生活を送っていた。それ以降の経済開放とそれに続く成長で、極貧者の割合は中国人10人のうち一人にまで減った。もちろんこの進歩は、すべての場所で同じペースで起きたわけではない（最大の成長をみせたのは都市部と沿岸部だった）。これにより格差は急拡大して、ジニ係数（0から1で表される国の不平等評価基準。数値が1に近づくにつれ格差は大きくなる）は

0・3前後から0・5近くに上がった。平等を最も重要な価値基準と見る人は、これをひどい後退と考えるだろう。貧困を最重要問題と見る人は、それを史上空前の大進歩と見るだろう。[24]

盗んで金持ちになる者もいれば、独占的立場を悪用して金持ちになる者もいるが、自由市場で金持ちになる最も一般的な方法は、顧客が切望する物やサービスを提供することだ。

ノーベル賞経済学者ウィリアム・ノードハウスは、戦後期アメリカにおける「シュンペーター的利益」と名付けたものを考察してきた。これらはイノベーターと起業家が創造的破壊――手動計算機に置き換わったコンピュータや、手作業に置き換わったバーコードといった新しい商品、技術、手法を経済に導入すること――によって生み出した、普通の投資収益率を上回る利益だ。

ノードハウスの結論では、このごうつくばりな起業家たちは、先行者優位や特許権保護にもかかわらず、自分のイノベーションの社会的価値のうち、2・2%しか手にしていない。その2・2%が、『フォーブス』誌の長者番付で目にし、社会主義者やポピュリストによる非難を耳にする大金持ちたちとなる。だがそれは社会、具体的には消費者、つまり私たちみんなが手にした98%に比べれば微々たるものだ。他の企業はシュンペーター企業を真似るか、その周辺でイノベーションを起こし、やがて別の企業がもっと優れた商品やサービスを考案するのだ。[25]

創造的破壊は単にゼロサムでないだけではない。それは莫大な富を生み、なによりも嬉しいことに、取り組みやリスクに加担していない私たち全員が、店に行くだけでその分け前の大半を得られるのだ。安いトランジスタや耐久性の高いアスファルトなんて、あまり魅力的に思えなくても、以前よりも安く、早く、優れた何かを得られたら常に、健康、休暇、インディペンデント系の劇場、ラムシュタインのコンサートでの花火といった、本当に大事な別の何かに使う資源を増やせる。

なぜ起業家は、利得のたった2・2%しか与えてくれない成功のわずかな可能性のために、巨額の借金を抱え、友人や家族を顧みず長時間働くのか疑問に思うかもしれない。単に仕事好きか、他人よりもずっと大きな勝ち目があると誤解している慢性の楽観主義者なのかもしれない。あるいは2・2%と、次のジェフ・ベゾスやビル・ゲイツになるわずかなチャンスだけで、それをやるだけの十分な魅力があるのかもしれない。大金持ちの起業家たちは、産業革命期にジェームズ・ワットの富が希望を抱くイノベーターたちに与えたのと同じ影響を、多数の実験者たちに与えている。

ある起業家は私に、市場は地雷原だと述べた。行き着く先には、社会にとって大きな価値を持つ新しい知識、製品、サービス、技術、そしてビジネスモデルがある。だが眼前の道には、危険、全般的な不確実性、技術的失敗、提携の問題、消費者需要の変化、予測不能なビジネスサイクル、金利、税、規制の変動、そして単なる不運が撒き散らされている。そこをどうやって安全に横切ればよいかはわからない。だから重要なのは、できるだけ多くの人を送り込んで、社会進歩の道を見つけてもらうことだ。その大半は地雷を踏んでしまうが、そこを通り抜ける者もわずかながらいる。

常に公正なわけではないし、通り抜けるのが「正しい」人とは限らないが、それはどうでもいい。重要なことは、それで向こう側にたどり着けるということだ。

ジェフ・ベゾス・テスト

金銭的な不平等にばかり注目することで、もっと大事なことがおろそかになりがちだ。そのお金で買える物のことだ。アマゾン創業者のジェフ・ベゾスは私たちよりも1000万倍金持ちかもしれないが、本当に私たちの1000万倍もよい暮らしをしているのか？

お金のことはしばし忘れて、「よい暮らし」を作り上げているすべてのものについて考えてみよう。

確かにジェフ・ベゾスはプライベートジェットで旅ができるので、セキュリティチェックの列にならぶ必要はないが、ここ半世紀で起きた大きなちがいは、人口の大半が世界旅行できるようになったことだ。そしてフライト中にベゾスが手にする携帯電話やコンピュータは、私たちが手にするものより飛び抜けてよいものでもない。そしてそのデバイスを使っても、インターネットのおかげで世界の知識やエンターテインメントに1000万倍優れたアクセスが可能なわけでもない。

旅の途上でジェフ・ベゾスが食べる食事は、おそらく一般人と大差ないだろう。今ではほとんどの人がエキゾチックな食事も買えるからだ。かつては贅沢品とされた、肉や新鮮なフルーツでさえ食べられる。伝統的に貧困は慢性的な栄養失調を意味し、発育阻害は珍しくなかった。だから2世紀前には平均的なイギリスの労働者は、典型的な上流階級の男性に比べ身長が13センチメートル低かった。[26] 今では両者の差はないも同然だ。

もちろんジェフ・ベゾスは最高級ブランドの服にお金を浪費できるが、他の時代との大きなちがいは、今では低、中所得世帯でさえそれほど品質の悪くない快適な服を買うことができるということだ。産業革命前はほとんどの人がちくちくする汚れたウールの服を着ていた。かつて革靴は高価だったため、ときには遺言状でわざわざ言及されるほどだった。1800年代以前のほとんどの人が持っている服は、私が以前会ったインドの露天商の持っている服と同程度だった。彼は大きくなるまで、ズボン1本とシャツ1枚を二人の兄弟と共有していた。だれか一人がお上品な家や場所に食事に行くとき、他の兄弟は家に残った。今や大半の人は、服を洗ってくれる召使いさえいる——洗濯機と呼ばれるものだ。

ジェフ・ベゾスなら数棟の豪邸を簡単に所有できるが、一般人が断熱材、電気、屋内トイレのない家で我慢する必要もない。かつて家の品質は悪く、強盗は本当に家を壊して入ってきた。典型的な住居は、ホコリと害虫だらけで、歴史家によれば、健康の観点から唯一よいことは、簡単に焼け落ちることだった。

私たちの子供は、ベゾスの子供たちとほぼ同様に読み書きと、退職するまでの生きる術を習得する機会を持つ。富める者と貧しい者のあいだには重大な健康上の差があるかもしれないが、ベゾスはあれだけのお金があっても、寿命は一般人よりそんなに長くない。19世紀末以降、寿命の社会格差のおおむね8分の7が消えたと、ノーベル賞受賞経済学者のロバート・フォーゲルは言う。[27]

これを100年、あるいは1000年前の実際的な生活水準の差と比べてみよう。王様や大金持ちは馬、召使いが火をつける何千本ものろうそく、個人教師、排便時に彼らを助ける宮内官

（そう、そういう人たちの生活も確かに多くの面で改善されてきた）を持っていたが、その頃のほとんどの人はどこに行くにも徒歩で、聖書以外からはろくな教育も受けられず、明かりはないも同然、汚水の処理方法はドアから捨てる――あるいは礼儀正しく「水に気をつけて（ガーディルー）！」と叫んで通りすぎる人に警告して、窓から捨てる――以外になかった。

実際、みんな金銭的格差にばかりこだわるが、快適な生活を生み出す有形財は以前よりもずっと平等に分配されている。皮肉なことにその理由の一つは、ジェフ・ベゾス、ビル・ゲイツ、ウォルマート創業者サム・ウォルトンといった起業家たちが、あらゆる物、サービス、食料、技術、医療機器や薬を安くし、以前よりもずっと多くの人がアクセスできるようにするビジネスモデルで、大金持ちになるのを許されたからだ。

ヨーゼフ・シュンペーターは次のように記している。

> エリザベス女王は絹のストッキングを持っていた。資本主義の成果は通常、女王が持つ絹のストッキングを増やすことではなく、それらを工場で働く少女たちに提供し、しかもその代償となる労働量をますます減らすことにある。[28]

古い富の基準は、こういう変化を過小評価してしまう。それはそういう基準が鉄鋼生産量を測るために作られており、現代経済の中で選択肢、多品種、イノベーション、品質改善で生じる価値の評価がヘタだからだ。

たとえばインフレの尺度は通常、贅沢な新技術をだれでも買えるものにする値下げを計算に入れていない。財やサービスは、だれでも買えるようになって初めて消費者物価指数に加えられるからだ。パソコンは、コモドール社のアミーガ５００が10年前にＩＢＭ５１００に支払った金額のわずか５％で買えるようになった１９８７年になって、やっとアメリカの消費者物価指数を測るための商品に加えられた。携帯電話がインフレを計測するのに使う代表的商品に含まれるようになったのは、１９８４年製（重さ７９０グラム）の90％引きまで値が下がった１９９０年代末のことだ。これらの製品がまだとても高価なときにそれを買ってくれた大金持ちたちのおかげで、それ以外の人々が買える価格まで値下がりした。２００５年、ヒトゲノムのシークエンシングには１０００万ドル以上かかった。今やそれが１０００ドル以下でできる。最初の実験室製人工肉のパティは33万ドルしたが、すぐに５ドルに下がった。だがこれらの値下げが購買力評価に取り入れられることはない。なぜならそれらの費用が無視できる程度になって、初めて指数に加えられるからだ。

タダで得ているものを評価する術もない。オスカー・ワイルド曰く、冷笑家とはすべてのものの値段を知っているのに、何の価値も知らない（無の価値を知る）人物だ。ＧＤＰも同様だ。払った額は評価するが、タダ、あるいはほぼタダのものの価値の見積もりはからっきしダメだ。かつて有料だった物理的な物――地図、カメラ、百科辞典――を無料のデジタル版にしたら、ＧＤＰと従来の生産性尺度は下がる。20年前の私たちは年間８００億枚の写真を撮っていたが、それにはフィルムを買って現像する必要があり、１枚につき50セントかかった。だからそれはＧＤＰに計上された。今日私たちがスマートフォンで撮っている２兆枚の写真のコストはほぼゼロなため、何の価値ももたらしていないように見えてしまう。

革新的なハイテク経済における真の消費者余剰を理解する単純な方法は、もしも生活のなかで何かがなくなったとき、それを取り戻すためにいくら支払うか尋ねることだ。そしてどうやら、だれであれ100万ドルと引き換えでもインターネットを手放させるのはきわめてむずかしい――でもインターネットがGDPに計上されるのは、ブロードバンドの接続料金だけだ。2015年のある世論調査によると、3分の1の人はインターネットを手放すくらいなら、セックスをあきらめると答えており、ここから見てインターネットの貢献が「ゼロ」というのは過小評価らしい。[29]そういった消費者余剰のある研究では、検索エンジンにアクセスできることの価値をほぼ年額1万8000ドル、Eメールは8000ドル以上、デジタル地図は3600ドルと評価している。もしもこれら三つのデジタル・サービスだけでも富の評価に含めると、一人あたりGDPはほぼ1・5倍に増える[30]!

全体としての消費者余剰をもっと正確につかむには、ほとんど対価を払っていないあらゆる小さなイノベーションに対して、同じことをする必要がある。麻酔はどうだろう? もしも世界に痛みを減らす方法がなければ、それを得るためにいくら払うだろう? もしも手術室に入る前のだれかにそう尋ねたら、その価格はその人の全資産総額に近くなるはずだ。それなのに、それはGDP統計にはまず表れない。

ゼロサム化

ただし、すべての富が無邪気に創造的に作り上げられるわけではない。英『エコノミスト』誌の身内資本主義目録によると、世界の億万長者の4分の1が、独占市場から富を得るか、政府の助けや認可に依存している。これには採鉱と商品取引、防衛、銀行業、ハイテク、通信、インフラ、不動産、建設が含まれる。[31]

もちろんだからといって、彼らの金儲けが消費者の利益のためという英雄的起業精神に動かされていないとは限らない。もしも企業が最良の企業であるが故に最大の成功をおさめ、その企業がトップを維持するには不断のイノベーションが必要なくらい市場がオープンであれば、それはすばらしいことだ。それらの立場はスケールメリットとネットワーク効果に依存しているかもしれないが、そのおかげで彼らが競争市場に置かれたときよりも良質で安価な商品とサービスを生み出せるなら、不正ではない。だがこうした企業はしばしば専門知識と資力を使って競争相手を弾圧し、規制プロセスを攻略する。規制と税は彼らに有利なものになって、経済全体に不利益をもたらす。

いくつか有名な例を挙げよう。巨大金融企業は政府によるセーフティネットがあると知りつつ、緩衝資本をスズメの涙ほどまで減らすことを許されてきた。好景気なら得するのは企業で、不景気なら損をするのは納税者というわけだ。この「大きすぎてつぶせない」システムのおかげで、現在アメリカのトップ18の銀行には暗黙のうちに、1日1億ドルの補助金が支払われている計算となる。[32]これが過大な銀行システムを作り上げ、リスクを増やし、他の部門でイノベーションを実現したかもしれない多くの聡明な大卒者がこの業界に入り、規制逃れに等しい新奇な金融商品の考案に没頭している。

EUは総予算の41%を農業従事者への補助金に使い、主要エネルギー生産者は政府からの援助と補助金に頼り、居住者は多数の下層民排除と物件価格の上昇を目論んで、新規建設を規制によって阻む。アメリカで最も裕福な郡トップ10のうち6郡がワシントンDCにあるが、これは利権目当ての政治家へのロビー活動が成長産業だと示唆している。「売買が法律で規制されるとき、まっ先に売買されるのは議員たちだ」とジャーナリストのP・J・オロークが述べている通り。

これらは、同業者たちが加担してしまうとアダム・スミスが考えた「大衆に対する裏切り」の例だ。彼らが単に娯楽と気晴らしのために集まっているだけでも、それが起こるという。これを非ゼロの自発的交換ではなく、ゼロサム的スリ行為なのだとスミスは説く。これは、しばしば誤解されているスミスの自由市場と自由貿易支持論だ。企業は常に善良であるということではない――善良なら特権や独占を委ねられる。企業はイノベーションと低価格を強いる激しい競争に常にさらされていないと、ひどい行動に走るということなのだ。

だれかから巻き上げてそれを他のだれかに施す公的制度を作れば、必ず人々をゼロサム・ゲームに追い込むことになる。一例がヨーロッパ――統一通貨で分断された大陸だ。ユーロはヨーロッパ諸国の結束をもたらすはずだったが、それが公債の連帯責任制を（最初は暗黙のうちに）作り出して以来、どの国も他国に食い物にされていると感じてしまう状況ができてしまった。北ヨーロッパの人々は、浪費する南のユーロ加盟国救済のため（実際には、これらの国々に金を貸したドイツの銀行を救済するため）の負担に怒っている。南ヨーロッパの人々は、ブリュッセルとベルリンが自分たちの財政を支配し、使途に口出ししてくると憤慨する。これは果てしない綱引きをもたらし、それがどちら側でもナショナリストたちに簡単につけこまれてしまう。

スウェーデンの反移民政党、スウェーデン民主党が２０１０年の選挙で作った広告では、白人の老女が老齢年金をもらおうとよろよろと国の財布に近づくが、ベビーカーに子供を乗せ児童手当を要求するブルカ姿の女性に押し返される。学校教育や医療といった公共サービスはこうした対立は生み出さないようだが、各種住民の間の移転（気前のよい現金給付や住宅）は対立を生む。研究者によると、その国に来るだけで扶助が受けられるスカンジナビア諸国のような福祉国家では、反移民政党への支持が強力で安定している。福祉プログラムが職業や過去の納付金に強く結びついている国では、国民は限られた資源を移民と取り合っていると思わないので、そうした福祉愛国主義は出てこない。[33] 短期間に難民が流入し、公的資本が不足してくると、こうした効果は当然強まる。

ただし地位はゼロサム

残念なことに、人間関係の特質のなかで、ゼロサム的性質を持つ重要なものが一つある。全員、少なくとも大半の人の富は同時に増えることができるが、全員の地位についてはそうはいかない。それは集団や社会におけるその人の序列と結びついているからだ。それは努力や技術で生じる拡大縮小する便益のプールではなく、人々が共有する文化的信条に基づいた評価のヒエラルキーだ。

動物界や校庭での経験から、支配力、すなわち他人を脅す能力で得られる地位のことはみんな知っている。これは他人を集団の中で——あるいは前章で見たようにビジネスや政治の中で——服従させる方法としてもありがちだが、ホモ・サピエンスは暴力的な親分を排除する傾向がある。

もっと一般的なのが栄誉、すなわち印象的、賞賛に値する、有用、あるいはただ単にいっしょにいて楽しいことで得た地位だ。そういった人々とは近づきたい。優秀な人がそばにいると何かと助かるからだ。

もちろん栄誉は脅しや力ずくよりも互恵にずっと貢献する。だが『人が自分をだます理由』（邦訳原書房刊）でケヴィン・シムラーとロビン・ハンソンが指摘したように、栄誉の総量には限りがある。[34] 全員が（明示的にだろうと暗黙のうちにだろうと）最強の人や最も賢い人にはなれない。自分よりもサッカーがうまい人や対立解決に秀でた人がやってきたら、私の相対的な地位は下がる。コメディアンのウィル・ロジャースが言ったように、「みんなが英雄にはなれない。英雄がやって来たとき、だれかが道端に座って拍手しなければならないから」。

これは、だれが集団のために最も大きな犠牲を払うかという、不条理に思える競争で見られる。ニューギニアのある大物は、他の部族長にもっとたくさんの食べ物と贈り物を与えた後に勝利を宣言した。「俺の勝ちだ。たくさん与えておまえを負かした」[35]。シムラーとハンソンはこれを、アラビアヤブチメドリと呼ばれる小さな茶色の鳥の行動と対比させている。そこでは最高位の鳥たちが、群れのための食料を採ってきたり捕食動物と戦ったりするとき、公正な分担よりも多く貢献しようと激しく争う。高位の鳥たちは他の鳥をとまり木から追い払って、監視の義務を代わりに果たすことも多い。このすべてが彼らの地位を守ることになり、ともなう各種恩恵も得られるのだ。

人間——そしてアラビアヤブチメドリ——は、友人や仲間に貢献する人の友人や仲間になりたがるので、そういう善良な人になると進化的に有利だ。現代社会ではもうそんなことは起きないと言う人は、豪華な夕食後に裕福な中年男たちが、ここはワタシに払わせてと争っているところを見てほしい。
　多くの場面では、地位を問題にするのはひどく流行遅れで不穏とさえ思われている。一つにはそれが平等主義的価値観を逆なでするからで、また多くの場合には、他の集団が「ステータスシンボル」として使うもの――高価な腕時計や流行りの靴を見せびらかし、いち早く最新インフルエンサーの動向を知っていること――を、どうしようもなくバカげていると思うからだ。だがそれはおそらく、そういった表面的な誇示に無頓着なこと自体が、ある種の地位をもたらすからだ。高価なハンドバッグを持ち歩いたり、ベンチプレスで何キロ上げられるか自慢したりしない人でも、トスカナ地方のぶどう園で味わったウサギのラビオリの料理法や、あの陰惨ながら意外なほどおもしろいスロベニアの小説を読んでいる話は、率先して語りたがる。消費する物の選択で自己顕示する人もいれば、ショッピングなんてどうでもいいと語ることで行う人もいる。ＳＮＳでの人気を誇りに思う人もいれば、ＳＮＳなんかやらないのを誇る人もいる。
　地位のヒエラルキーは、既知のあらゆる社会に存在し、それには性別、年齢、親族のみならず、個人の形質にも基づいたものもあると、文化人類学者ドナルド・ブラウンは言う。たとえば、伝統的な狩猟採集グループでは成功をおさめたハンターは、女性へのアクセスが増え、その子孫の待遇もよくなる。[36]
　地位が高いと、敬意を払う人も増え、待遇もよくなる。好むと好まざるとにかかわらず、私たちは常に人を評価している。パートナーや仲間になりそうな人を探しているからだ。最良の最も誠実な人を魅了するために、人は自分の最良の形質と能力を誇示し、好みの人との相性も示す。人は常に自分の持つ技能、すばらしい趣味や知識を他人に知ってほしいと思っている――もちろん控え目で卑下するような方法でそれをやりたい（このアプローチのほうが、なぜか内輪の中で高い地位を得やすいからだ）。

　地位の評価方法は人によってちがうから、当然ながら地位は実はゼロサムではない。これを理解させるために、経済学者デヴィッド・フリードマンは学生時代を思い出せと言う。ある意味ですべての人が自分自身の地位の頂点にいた。演劇に夢中になっていたごくわずかな学生は、自分たちこそ大学で一番重要な学生であり、他の学生は自分たちの観客でしかないと確信していた。スポーツに夢中な学生も同じように考えていた。他の学生も、自分は政治に夢中になっているから優秀であり、他の学生は自分のキャリアを支援する将来の支持者と見なしていた。成績最優秀の学生だというだけで、自分が大学で最も重要な人物だと考える者もいた[37]。幸い自然は、みんな自分が得意なことを都合良く重視するよう采配している。私はあなたより優れているし、同時にあなたは私よりも優れているのだ。なぜなら価値基準がちがうからだ。

　だからと言って、地位なんかおとぎ話ということではない。自分の集団を見つけられない人もいれば、その集団の最底辺になってしまう人もいる。それでもこれは、様々なグループと価値観が共存する多元的社会が必要であり、人は自分が歓迎され、評価されていると感じるところへと移れるべきだと示している。ヒエラルキーの断片化とオープンな社会への共通信念は、実はその最大の恩恵の一つだ。おかげでだれもが自分が情熱を抱ける仕事を探せる——そしてそれが見つからなくても、信頼できる親、良い友人、重宝する隣人、独創的な料理人であること、ゴス・クラブを作ったこと、がんばるゴールキーパー、地元のダーコン・ウォーゲーム・クラブのゲームマスターであること、今年のグースベリー・マーマレード作り新人賞などで、たいてい他人の尊敬を得られる。

心理学教授ウィリアム・フォン・ヒッペルは人類進歩の物語のなかで、ほとんどの生物は生きる上で他より秀でる方法を一つしか持たないと述べている。それが雌のフンコロガシなら、自分の体重の何倍も重い糞の球を作り上げなければならない。それが雄のフンコロガシに好印象を与えて交尾し、新しいフンコロガシを育て、自分がこの世に存在しなくなっても、そのフンコロガシに家業を引き継がせる唯一の方法だ。それが不得意なら、それでおしまいだ。だが人間なら、思いつく限りの戦略があり得る。[38]王様や貴族以外の人生が、フンコロガシの経験と大差なかった伝統的な社会では、そうはいかなかった。だが現代のオープンな社会では、人は自分の所属集団と、上るべき個別の階段を自分で見つけられる。

社会がオープンになれば、地位と人間的な開花へと向かう道筋が増え、どの集団でももっと多くの人がそれを達成する機会を得る。これを脅威と感じる人もいる。それには自分の役割をうまく見つけられない人だけでなく、それをすでに見つけたけれど、その立場が将来的に同じ地位を保証してくれないかもと懸念している人も含まれる。新集団や、それまで不利だった集団が社会のなかで昇格して、雇用と高賃金を手に入れやすくなると、それまで優勢だったグループが慌てることもある。彼らは絶対的な意味で負ける必要はないし、生活は物質的に向上するかもしれないが、他の集団での改善がずっと早ければ、やはり負けたような気になりかねない。

これはしばしば、不満と「古き良き時代」妄想の源になってきた。その時代には、人生がもっと気楽で、みんな和気藹々（あいあい）とやっていけた——あるいは少なくとも、自分たちの集団がすべてを牛耳り、他の集団は身の程をわきまえていた、というのがその妄想だ。

第7章

将来への不安

「昔はよかった。それに引きかえ今は……」。古代から人類はそうボヤいてきた。この「過去の美化」は、事実に反するだけでなく、技術の進歩と社会改善を妨げる。

イギリスのウエスト・ミッドランド州にあるハグレイ・パークを訪れ、そこからさらに東に800メートル歩いて18世紀のリトルトン一族の大きな屋敷まで足を延ばし、木々の間を抜けると、エキゾチックで印象的な光景を目にすることになる。

目の前にゴシック建築の城の廃墟のようなものが現れる。四隅に塔があるが、姿を残しているのは一つだけで、銃眼と階段がついた交差砲塔を備えている。他の塔は1、2階分しか残っておらず、それらを結ぶ壁は崩れている。残された二つの窓だけが、見る者に高いゴシックアーチがあったことをうかがわせる。その下には上部が尖った入り口があり、その上に三つの盾のレリーフがある。

来訪者は呆然(ぼうぜん)と立ち尽くし、物思いにふける。これは歴史、記憶、懐古の場だ。この場所が語りかけてくるいにしえの歴史に思いを馳せ、かつてどんな荘厳な建物がここに建っていたのだろうと考える。

答えは、そこには何もなかった、なのだ。

いまの形のままの廃墟が18世紀半ばに建てられた。かつてそこに壮大な城が存在したが、自然といくつかの英雄的、あるいは野蛮な行為によって朽ち果てた姿にされたという印象を与え、驚異の場所だと思わせることを目的に築かれた。

それは選択的で、人工的な歴史だ——オープン性と進歩の反対者がでっちあげるノスタルジア政治学と同じだ。多くの国で人々が古き良き時代への憧れを感じるとき、すぐに彼らはその感情につけこむ。50年前と比べて国の暮らしは良くなったか悪くなったかと尋ねると、イギリス人の31%、アメリカ人の41%（相対多数）、そしてフランス人の46%が悪くなったと答えている。[1]

ノスタルジアは新しいものではない。ハグレイ・パークの偽の城は、建設当時珍しいものではなかった。廃墟の捏造(ねつぞう)——「廃墟フォリー」——は18世紀のヨーロッパ貴族社会で大流行した。彼らは荒廃した城や崩壊した修道院を、本当の過去や想像上の過去を偲(しの)んで建てた。1836年、ケント州のスコット城に住んでいたエドワード・ハッシーは新しい屋敷からの眺めをすばらしい景色にするために、古い屋敷を壊して廃墟にした。18世紀末になると、別の貴族が巨大な6階建ての塔をフランス北中部のル・デゼール・ド・レッツに建て、壮大な聖堂の残存した円柱に見えるようにしつらえた。彼はその右横に廃墟と化したゴシック様式の聖堂を建てた。

廃墟ブームは、啓蒙主義とその理性と進歩の理想化に対する、もっと広範な反動の一部だ。その反動はロマン主義と呼ばれるようになった。それは自然、国家、歴史を賛美し、子供時代と故国に対するノスタルジックな願望を、病理から運動に変えてしまった。ときにそれは近代性の否定ではなく、工業化、都市化が生活様式を急速に変えるなかで、その変化を受け容れ生きやすくするような継続性を生み出す方法だった。「この伝統への強烈な認識は、絶えず続く変化とイノベーションを特徴とする世界での習慣と慣行への願望を反映した、近代的現象である」と建築評論家ヴィトルド・リブチンスキーは書く。[2]

「ノスタルジア」という言葉はスイス人医師ヨハネス・ホーファーが1688年に作った。それは彼が作った異国の地で暮らす学生、召使い、兵士の、故郷に帰りたいという悲しい、強迫的な願望を指す言葉だった。『ノスタルジアの未来』（未邦訳）で比較文学学者スヴェトラーナ・ボイムは、18世紀末に様々な国から出てきた知識人たちが、自分たちの言語には甘くせつないホームシックを指す、他の言語にはない独自の語彙があると主張しはじめたと指摘している。ドイツ語の「ハイムヴェー」、フランス語の「マラディー・ド・ペイ」、ロシア語の「トスカ」、ポーランド語の「テスクノタ」だ。そしてこれ以外の新興国も、自分たちには独自の国家アイデンティティがあるから、自分たちだけが悲しくも美しい郷愁の真の意味を知っていると主張した。ボイムは「これらの翻訳できない言葉が実は同義語であり、そしてそれらすべてが翻訳不可能性への願望、独自性への熱望を共有しているという事実に感銘を受けた」と言っている。[3]

これは、政府と知識人が、とりわけナポレオン戦争による占領に抵抗し、その後の再建のために、国家アイデンティティを築きはじめた時期と一致する。彼らが民衆の伝統的感傷の表現として称揚する民謡は、それまでの歌詞があまりに品のない愛国心に欠けるものだったため、新しいものに書き替えられた。国家当局はしばしば教育制度を通じて方言の統一を強いることで、国語を作り出した。言語の境界が厳正化され、多くの口述の伝統が滅びた。ドイツ国家による神聖ローマ帝国でドイツ語をしゃべっていたのはわずか4分の1だった。ナポレオンに対抗してドイツ共通のアイデンティティを作り上げようと、詩人と作家の奨励に尽力したプロイセンでさえ、ドイツ語は六つの主要言語のうちの一つにすぎなかった。1815年のウィーン会議で、プロイセンは「スラブ王国」として登録され、ヘーゲルはブランデンブルクとメクレンブルクのことを「ドイツ化されたスラブ」と語った。[4]『ネイションという神話：ヨーロッパ諸国家の中世的起源』（邦訳白水社刊）で歴史学者パトリック・J・ギアリは、何世紀も経た国境と長い言語的伝統を持つフランスでさえ、1900年にフランス語を母語として話す者は、半分をわずかに超える程度だったと述べている。それ以外の人々はちがったロマンス系言語や方言をしゃべり、中にはケルト語やドイツ語をしゃべる地域もあった。[5]

貴族たちが偽の廃墟を建てたのと同様に、王や詩人たちは作り物の民族性と国家を作り上げようとしていた。母国への愛からそうする者もいたが、イデオロギー的集産主義を固める絆としての可能性を見る者もいた。だがそういった廃墟と民族性が作り物であろうと、それに対する人々の気持ちは本物だった。よそ者と通じるための絆を築くには、カンディンスキーやクレー好きを共有しているだけでよかったことを思い出してほしい。だから共通の歴史や運命が人々をすぐにまとめあげるのも、不思議ではない。民族ナショナリズムの歴史はアメリカの外交官ダン・フライドが指摘しているように、安物の酒――最初それは飲む者を酔わせ、次に盲目にし、そして殺してしまう――のようなものだが、市民的なナショナリズムの形は、自由への戦いと移民とマイノリティ・グループの包含をも呼び起こす。

ノスタルジアは自然だし、心理状態として役に立つ、と心理学者たちは言う。長く続いている何かに自分のアイデンティティをつなぎとめれば、確実と思っていたものすべてが消え去るように思えたときの助けになる。すべては常に変化するが、恒常性と予知性の感覚も必要だ。変化があまりに急速だと、人は自己統制の感覚を失ってしまう。大人への成長、高齢での引退、移住、移民、あるいは急速な技術変化など、ことのほか急激な変化を経験したときに、過去への憧憬がことさら生まれやすいのはこのためだ。

つらい思いをしている人は、過去の良き時代を思い出して、いつか喜びが戻ってくると思うことで救われる。認知症患者にとって、ノスタルジアは個人的連続性の感覚を打ち立てる助けとなる。それと折り合いをつける最良の方法はヒルでも阿片（あるいは1733年のポーランド継承戦争の際、あるロシア人将校がノスタルジーにふける兵士たちを脅すために利用した処刑）でもない。それは一杯のワイン、十代の頃好きだったお気に入りの曲や家族のアルバムだ。

宗教学者アラン・ジェイ・レヴィノビッツが説くように、3種類のノスタルジアを区別するべきだ。個人的、歴史的、集団的の三つだ。[6]「個人的ノスタルジア」は本人の記憶から生み出され、その人自身のアイデンティティと歴史感覚に貢献する。個人的ノスタルジアが、その人にとっての過去の人生についてのものであるとすれば、「歴史的ノスタルジア」は過去がどんなものだったかという一般化で、魅惑的なシンプルな世界――古き良き世界――への憧憬の形をしばしばとる。「集合的ノスタルジア」は集団的な文化アイデンティティへの感情的撞着だ。自分の集団はかつてこんなものだったとか、こんなことに耐えてきたという話だ。個人的ノスタルジア同様、この感情は困難な時期を生き抜くのを助ける強さの源になる。国民や国家が共に何かを耐え忍んできたという認識（あるいは幻想）は助けと動機づけになる。

だがそれは、失われたかつての偉大さを取り戻せると約束する政治的力によって、簡単に悪用される。それはまちがったものだ。なぜなら過去になんか戻れないし、戻れても探しているものは見つからないからだ。そんなものなどそもそも存在しなかったし、どのみち未来の問題に対する答えなど出てこないからだ。

古き良き時代とはいつのこと?

ポッドキャスト番組「ペシミスト・アーカイブ」のあるすばらしいエピソードで、ホストのジェイソン・ファイファーは、歴史の中のノスタルジアを探求している。[7] アメリカを再び偉大にしたいなら、まずアメリカが偉大だったのはいつかを考えねばならないと彼は考えた。

最も一般的な答えは1950年代のようだ。答えはまちがいなく否だった。そこで彼は学者たちに、1950年代が古き良き時代だったと思うか尋ねてみた。答えはまちがいなく否だった。50年代当時の人々はアメリカ都市部における人種、階級、暴動、そしていつでも起こりかねない核戦争という真の脅威に気をもんでいた。急速に変化する家族生活、そしてとりわけ新しい若者文化と、無分別で消費優先の大学生たちを懸念していた。アメリカの社会学者たちは無軌道な個人主義が家族を引き裂いていると警告した。ちなみに、今日の私たちが安定していたと追憶するこの時期、職の浮き沈みは今よりもずっと急激だった。当時の人の多くは1920年代こそ古き良き時代だったと指摘する。

しかし1920年代、人々は急速な技術変化が人々の基本的な正気をおびやかすと心配していた──ラジオと録音された音楽が、あまりに速すぎるスピードと多すぎる選択肢を提供していた。また自動車も同じで、若者たちの品行を損なうと考えた。当時の『ニューヨークタイムズ』紙の巻頭では、科学者たちが「アメリカの生活は速すぎる」と結論づけている。[8] 著名な児童心理学者ジョン・ワトソンは、離婚率の上昇から見てアメリカの家族は間もなく消滅すると警告した。家族生活の変貌ぶりを見て、当時の人々は父が父であり、母は本当の母で、子供は年長者を敬っていたと言って、18世紀末の平穏な生活様式を理想化していた。

だがその世紀の変わり目には、鉄道、電報、そして急激な都市化が、伝統的なコミュニティと生活様式を破壊していた。そしてだれもが急速に広がる病気、神経衰弱症を心配していた。不自然な生活のペースが人々から活力を絞りとって神経衰弱にし、その症状が不安、頭痛、不眠、背中の痛み、便秘、性的不能、慢性的な下痢として現れているという。

ヴィクトリア朝時代の中流階級は、こうした時代の変化への対応として、古いものをそれ自体として尊重した最初の世代となった。彼らはアンティークを大切にしはじめ、壁に祖先の肖像画を飾った。歴史家ジョン・ギリスは、彼らの都市化への恐れと家庭の外での労働が、失われた伝統的な家族生活――もっと単純で、問題が少なく、場所と伝統に根ざした時代――という考えを生み出すことになったことを示している。[9] 彼らは、産業革命前の生活のほうが良かったと感じていた。アメリカでは、多くの人が南北戦争前の静かでより幸せな生活を恋しく思っていた。

確かに、産業革命前の家族生活はちがっていた。生まれた子供のうち半数程度が15歳になる前に死に、生き残ったうちの27%はそれまでに父親を失っていた。死別する夫婦の割合は、今日の離婚の割合とそれほど変わらない。ほとんどの家族が、子供を使用人か見習いに出した。[10] フランス革命後、政治家兼哲学者エドマンド・バークは「騎士道の時代は終わった。詭弁家、倹約家、計算高い連中の時代が続いている。そしてヨーロッパの栄光は永遠に消滅した」と考えた。[11] アメリカでは多くの人が、建国の祖たちが築いた共和制が何やら道を踏み外してしまったと懸念した。

ジェイソン・ファイファーと、彼がインタビューした学者たちは、古き良き時代の探求を続け、さらに過去へとさかのぼり続けて、最終的に５０００年前の古代メソポタミアに行き着いた。文明と文字を発明してから、２世紀もしないうちに、今の生活がいかに苦しく、昔はもっと楽だったはずだという話が出てくる。どうやら最初の社会は、最初のノスタルジック社会でもあったようだ。

アメリカの古代オリエント学者サミュエル・ノア・クレーマーは、指導者が民衆を虐待し、商人がだまし、そして何よりも家族の生活が様変わりしてしまったという不満を楔形文字で記したシュメール人の例を見つけている。ある粘土板には「母親に罵声を浴びせる息子、兄に従わない弟、父親に口ごたえする兄」に関する悩みが記されていた。[12] ほぼ４０００年前の粘土板には、エンメルカルの物語とアラッタの土地、そして平和と安全の黄金の時代がかつてはあったが、それ以降人類はこの恵まれた状態から落ちぶれてしまったという考えが書かれているとのこと。

かつて、ヘビもサソリもいなかった
ハイエナもライオンもいなかった
野犬もオオカミもいなかった
不安も怖れもなかった
人間にはライバルはいなかった
世界全体、すべての人々が一つになって

一つの言葉でエンリルを讃えた。[13]

要するに、人生が加速し、支配者が腐敗し、若者が反抗的だという現代の問題が何やら歴史的に独得の困難だと思っている人は、考えを改めなさいということだ。あらゆる世代は、人間の運命との闘いや人間関係の困難を、物事がもっと調和の取れていた時代以来、世界が悪化した証拠だと解釈してきたのだ。

この歴史的ノスタルジアについてのある重要な解釈は、これらの問題を切り抜けたのはわかっているので、今にして思えばたいした問題に思えない、というものだ。切り抜けられたからこそ、今ここにいるわけだ。

だが、いま現在直面している問題を解決できるかどうかは、決して定かではない。それはこれまでのすべての世代が直面した問題であり、だからこそみんな常に、もっと単純だった時代を懐かしむのだ。ラジオが若者を堕落させなかったのは知ってはいるが、スマートフォンがそうなるかどうかはわからない。天然痘とポリオを克服したことは知っているが、エボラ出血熱やコロナウイルスについてはわからない。冷戦で地球が爆破されなかったことは知っているが、今後もそれはないと断言できるものか？　そしてこれはまた私たちに、祖先がその当時想像しうる限り最悪の苦境を解決しようとしたときに感じた、恐ろしい苦悩を忘れさせてしまうのだ。

もう一つの理由は、人がしばしば個人的ノスタルジアと歴史的ノスタルジアを混同することだ。古き良き時代とは一体いつのことなのか？　それは偶然にも、人類の歴史のなかであなたが生きていた、そして――もっと重要なこととして――若かった、ごく短い期間のことなのか？　もちろん、あなたがどうか断言はできないが、この質問をしたとき最もよく聞く答えがそれだ。

そして調査がこれを裏づけている。イギリスの研究によって、30代の人々は1990年代が今よりも良い時代だったと考えていることがわかった。50代のイギリス人は1980年代を選び、60歳以上の人は1960年代の生活が最良だったと考えていた。アメリカの調査では、1930年代、40年代に生まれた人々は1950年代こそアメリカ最良の10年と考えていたが、1960年代、70年代生まれの人は1980年代を選んでいた[14]（おもしろいことに、1980年代のノスタルジックな名テレビ番組は、1950年代を華々しく描いた『全米人気No.1! 青春ロック! ハッピーデイズ』だった。そしてその30年代後に影響力を持ったノスタルジックなテレビドラマ『ストレンジャー・シングス』は、1980年代のファッションと音楽を愛情を込めて振り返るものだった）。

おそらく今現在私たちが、西洋社会でノスタルジアの大波のただ中にいるのはこのせいだ。第2次世界大戦後に生まれたベビーブーマー世代は引退しつつあるが、その怪しいほど大きな割合を占める人々が、古き良き時代とは自分たちが若かった頃だと考えているのだ。なぜなら若かった頃には、ほとんどの人にとって世の中は刺激に満ちているからだ。どこの角を曲がっても、何か新しいものが待ち受けており、みんな悪だくみをし、夢見ていたが、大した不安はなかった。親がいて勘定を持ってくれたし、面倒もみてくれたからだ。そのうちみんな歳をとって、世界の怖さを知ることになる。責任も増え、自分自身の子供もできると、突然社会のあらゆるリスクや問題が迫ってくる。やがて夢のいくつかは潰えて、体力もある程度衰えると、かつては新しくて刺激的に思えたことが、今どきの若者には新しく刺激的に思えても、自分たちにはなじみがなく落ち着かないものに変わる。

記憶について抽象的に考えるとき、最近起きたことの記憶のほうが鮮明だと考えがちだ。でも実はちがう。研究者によると、人は青年期と成人初期の記憶を、人生の他のどの時期よりも多くコード化し、自分の人生を振り返る際に、最も頻繁に思い返すのがこの時期だという。この「思い出増大期」があるのは、この時期に人はアイデンティティを確立し、多くの初体験（初恋、初めての仕事、初めてのデペッシュモードのコンサート）をするからだ。それは急変の時期であり、その後に安定が訪れるため、自分の人生を想起する際にこの時期が突出するのだ。

それらの記憶は強固だが、あてにならないことで悪名高い。夏休みが終わって学校に戻ってきた子供たちは、楽しかったことと嫌だったことを挙げるよう最初に訊かれるが、そのリストの長さはほぼ同じだ。２ヶ月後に再度尋ねてみると、楽しかったことのリストは長くなり、嫌だったことのリストは短くなっている。その年の終わりになると、楽しかったことが嫌だったことを記憶から完全に排除している。彼らが思い出すのはもはや休暇ではなく、理想化された「休暇」のイメージだ。現在がどんな状態であろうが、それと張り合うのはむずかしい。[15]

ノスタルジアは人間に欠かすことのできない心理学的特徴だが、物事を司る哲学にはなりえない。昔のほうがずっと良く、かつての世界を再建すべきだと主張する政治家、ポピュリスト（そして親たち）には要注意だ。確かに良かったこともあり、詳しく調べて何を学べるか見極めたほうがいいが、直感に従ってしまうと「思い出増大期」にみすみすだまされることになる。

かつて作家のダグラス・アダムズは、様々な時代の技術的イノベーションに人がどう対応するかを３ヶ条にした。私はそれが、行動、文化、近隣の変化へのほとんどの人の反応をまとめたもりになっていると思う。

1、生まれたときに世界にあったものはすべて正常かつ普通で、世界の仕組みの自然な一部にすぎない。
2、15歳から35歳までのあいだに発明されたものは、何であれ新しく刺激的、革新的で、たぶんそれを仕事にできる。
3、35歳以後に発明されものは何であれ、自然の摂理に反している。[16]

科学技術恐怖症

政治化されたノスタルジアの問題は、いずれ次世代がノスタルジーを感じるすばらしいものを作り上げる進歩が、予測不能で思いも寄らない実験とイノベーションにかかっていることだ。ダニエル・アイゼンバーグはビジネスの成功についての著書に『無価値で不可能でバカげている』(未邦訳)という書名をつけているが、それは新しい偉大なビジネスモデルのすべてが、最初は賢人たちから無価値か不可能かバカげているかのいずれか、あるいはその三つすべてと見なされるからだ。これはほとんどの新技術についても言える。

イギリスの経済学者で発明科学者ウィリアム・ペティは1679年に次のように述べている。

新しい発明を最初に提案すると、当初みんなが反対し、哀れな発明家は手当たり次第の揚げ足取りにさらされる。（中略）この生き地獄を乗り切る者は100人に一人もいない。（中略）その上、たいていこれがあまりに長く続くため、哀れな発明者は死んでしまうか、自身の設計を追求するために負った借金で首が回らなくなってしまう。[17]

最初、天然痘ワクチンは不可能といわれた――王立協会は1798年にその発明者エドワード・ジェンナーに「この学術組織に、実証されている知識とあまりに矛盾して信じがたいものを提出することで、自身の名声を危険にさらしてはならない」と告げた。ワクチンの素が感染したウシから採ったものだったが故に、それはバカげた代物だと思われた。聖職者たちは「野原の獣から病気を人間に移す邪悪な行為」に反対した。ワクチンで人間がウシ化すると怖れる者さえおり、ある女性などはワクチンを接種された娘がウシのような咳をしはじめ、毛深くなってきたと言った。[18] それでも、ワクチンは無数の人々の命を救うことになった。

同様にすばらしい麻酔の発見も抵抗を受けた。とりわけ、母になるには苦しみがともなわなければならないと聖書に記されていることを理由に、出産する女性たちから反対を受けた。

蒸気機関、鉄道、そして――「暗黒の国を守る」ため――ガス燈にもロマン主義的な反論が上がった。電気は強力すぎて人間の手に負えないとされ、『ニューヨークタイムズ』紙は、電球は見た者の目をつぶしかねないと危惧した。

イギリス初の鉄道は、世間のほぼすべての人から非難された。人々はスピードが人体に及ぼす影響を怖れ、マスコミはあらゆる事故を喧伝した。月刊誌『ハウスホールド・ナラティブ』には

「事故と大惨事」という特設欄があった。土地所有者は鉄道が景観とキツネ狩りをダメにすると苦情を訴え、農場主はそれが雌鶏の産卵能力を損ない、ウシの食欲を削ぐのではないかと心配した。ヴィクトリア時代の知識人たちは、鉄道を「汚染物質」と記述している。詩人ワーズワースは、よそ者の流入がイングランド湖水地域に道徳の危機をもたらすと主張し、評論家ラスキンは「愚か者は常に時間と空間を短縮しようとし、賢者はその両方に長さを求める」と異議を唱えた。[19]

最も無害な発明でさえ、最初は凶悪なものと見なされた。「ペシミスト・アーカイブ」――なぜ私たちは新しいものに抵抗するのかに関する非常に貴重な資料――は、20世紀初めに自転車が目新しかった頃、この乗り物が常に直面するあらゆる不安と共に迎えられたことを記録している。それは人の健康、道徳、職を破壊するとされた。自転車は単に事故だけでなく、「ダンディ・ホース」（足蹴り自転車の愛称）の所有者がその力に酔ってしまうが故に危険とされた。残虐なサイクリストが人を轢き、置き去りにして見殺しにしたという噂が広まった。加えてサイクリストは肉体的に奇形になるリスクがあった。サイクリスト世代は一日中前傾姿勢をとっているので背中が曲がってしまい、女性が自転車のサドルに座ると生殖能力が損なわれると言う者もいた。自転車が与えてくれる自由を称賛する女性たちは、「自転車面」になってしまうと警告された。二輪に乗ってバランスをとるために顎を噛みしめ、視線を集中させていると、顔立ちがひどいしかめ面になってしまう危険があるのだそうだ。みんながサイクリングを始めると、本を読んだり、ビールを飲んで煙草を吸ったりしなくなってしまう。だれも歩かなくなることで、靴屋は失業する。アメリカのある帽子製造者は、サイクリストの帽子着用を義務化する法の制定を国会に求めた。そうしないと帽子産業は終わってしまうと主張して。[20]

創造的破壊に対する怖れの例で私のお気に入りは、平和を撹乱（かくらん）する恥ずべきものとされた、傘（かさ）だ。傘は中国からヨーロッパに遅れて入ってきて、最初その大半は女性が陽の光から自分を守るために持ち歩いた。１７５０年代初め、イギリスの羊毛商人ジョーナス・ハンウェイがそれを雨の多いロンドンの街に持ち込んだ。しかし、ハンウェイが雨で濡れるのを防ぐために傘を使ったところ、公衆の笑い者にされた。それは愚かで女々しく見え、人格の弱さの証拠と見なされた。最も怒りをあらわにしたのは馬車の御者たちで、傘が自分たちの職を奪うのを怖れた。彼らはハンウェイを罵倒し、ごみを投げつけ、彼を轢き殺そうとさえした。二輪馬車と輿（こし）は客を濡らさないよう天蓋を備えていたので、雨の日は稼ぎどきだった。傘なんかが普及したら、だれも交通サービスを利用しなくなるというわけだ。[21]

先行する世代の愚かさを示したいのではない。むしろこれは、あらゆる人の愚かさを示すものだ――これらは新しくなじみがないものに対する普遍的な反応だ。記憶に新しいところでは、インターネット、ビデオゲーム、遺伝子組み換え作物、幹細胞研究といったイノベーションについて、同様の不安を幅広い人々が感じている。それも間もなく、「ペシミスト・アーカイブ」に加えられることになるだろう。

これらすべての恐れが事実無根というわけではない。新技術は伝統文化と習慣を乱し、新しい職を生み出す一方で、古い職を廃止に追いやるといった問題を実際に起こす。だがそれらを最も有効に利用し、リスクを減らす唯一の方法は試行錯誤であって、デタラメな憶測ではない。機能させ適応させることによってのみ、それらの価値は実証され、人々も慣れる。１９６９年には、アメリカ人の大半が体外受精は「神の意思に反する」と言っていた。連邦政府は資金調達の一時停止を命じ、禁止法が議会で検討された。だが10年も経たないうちに、6割の人がそれを認め、半分以上の人が不妊症なら自分もその利用を検討すると言っている。[22]

新技術の導入時に国民投票を実施すれば、ほとんどのイノベーション――ワクチン、自転車から遺伝子組み換え作物や電動スクーターまで――はほぼまちがいなく禁止される。技術政策の専門家アダム・ティエラーが『許可なきイノベーション』（未邦訳）で論じているように、想定される最悪のシナリオへの不安から公共政策を導き出してはならない。そんなことをすれば、あらゆるイノベーションが止まり、最良のシナリオを起こりにくくしてしまうからだ。すでに理想郷に生きているならそれでもかまわないが、いまだに解決すべき問題を抱えているなら良くない。

新しいイノベーションは完璧ではないが、叡智はリスク、誤り、失敗、新たな適応とイノベーションを含んだ経験からのみ生まれる。やりながら学ぶというのは、単に学習の本質であるだけでなく、人間を人間たらしめる本質でもある。

残念ながら、このオープンな未来という考えには二つの強力な敵がいる。保守派――そして進歩派だ。

未来とその敵

ほとんどの動物は、事前のプログラムで何を食べるべきか知っている。人間はちがう。学習しなければならない。雑食動物である人間は好奇心が強くなければいけないが、食べる物によっては死ぬこともあるので、少し心配性である必要もある。これが雑食動物のジレンマだ――食料になりそうなものを探して回る必要があるが、同時に毒ではないことが判明するまで警戒する必要もある。人間は新しいもの好きでもあり、新しいもの嫌いでもある。新しいものに惹かれもするが、怖れもする[23]。

通常これは、二つの陣営に反映されていると考える。一つは人類の足を引っ張り、もう一つは背中を押す。一方にイノベーションが伝統、古い産業、社会的一体性をおびやかすことを理由に、スピードを落とせと思っている保守派がいて、もう一方には将来に今より良い何かを見出して、そこに向かって急ぐよう求め、スピードを上げろと思う進歩的理想主義者とテクノクラートがいる、というわけだ。

だが世界はこれよりも複雑だ。問題は進歩の好き嫌いではなく、オープンな進歩――結果がどうなるかわからなくても、人々に進んで経験と創造の自由を与える――を好むかどうかだ。これはひとりでに生じる変化であって、押しつけられた変化ではない。

多くの様々な学術分野に広がる研究のなかで、経済学者フリードリッヒ・ハイエクは進歩がこの自然発生的な秩序からのみ生まれると説いている。

自由の価値は、それが予見も予測もできない動きに与える機会に依存しているため、個別の自由の制限で何を失ったかは、ほとんどわからない。そういった制限、一般規則の施行ではないあらゆる強制は、何らかの予測可能な特定の結果の達成を目論んでいるが、それが何を阻止したかは通常わからない。(中略)よって、それぞれの問題を個別のメリットと思われるものだけに従って決定するとき、私たちは常に中央集権的な方針決定の利点を過大評価することになる。[24]

評論家ヴァージニア・ポストレルによる1998年のハイエク主義的著作『未来とその敵』(未邦訳)は、今でも文化と技術をめぐる新しい紛争と、今現在も進行中の奇妙な政治再編をめぐる最良の手引だ。彼女は現状維持の保守主義者と進歩主義的テクノクラートの両方に共通する要素があると主張する。計画者ではなく、無数の経験と試行錯誤で導き出されたオープンエンドな変化に対する敵意だ。

新技術の拒否だろうと、それがすべての人に同じように適用されるべきだという要望だろうと、この敵意はコントロール不能なものをコントロールしようとする本能の典型だ。両者にとって目標は均衡状態で、片方の集団はそれを過去に、もう一方は未来に見出しているだけだ。それは作家兼批評家G・K・チェスタトンの、進歩主義者と保守主義者に対する冷笑的な説明に少し似ている。「進歩的な人は破滅へと急ぎ、懐古的な人は破滅を崇拝する」[25]

本当の分断は、未来はオープンと考える動的主義者と、保守主義型か進歩主義型かを問わず、ある特定の最終形を念頭に置く、静的主義者との間のものだとポストレルは言う。彼女はこう問う。

静的状態――統制され、制御された世界――を求めているのか? それとも動的なダイナミズム――創造、発見、競争しつづける世界――を受け入れるのか? 安定と制御、それとも進化と学習のどちらを重視するのか? (中略) 進歩には設計図が必要と考えるのか、それとも分散的で漸進的プロセスと見るのか？　ミスをどうしようもない失敗と見るのか、それとも修正可能な実験の副産物と見るのか？　予測可能性を望むのか、驚きを楽しむのか？[26]

これらのグループのいずれも、従来の政治的分断は反映していない。動的主義者は古典的リベラル、自由市場保守主義者、中道派、リバタリアン環境重視派、あるいはグローバリズム翼賛左翼のいずれでもあり得るのと同様に、その敵対する勢力もまたあらゆる政治的立場から出てくる。

ダイナミズムを怖れる保守主義者は左派、右派両陣営で強い勢力を持つ。ブリンク・リンゼイの表現では、彼らは共に１９５０年代に恋い焦がれている――左派はその時代で働きたがり、右派は働いた後でその時代に帰宅したがる。そしてトランプによる共和党奪取後の今、右派もまたその時代に働きたいらしい。それは歴史的に、新しい家族形態、新たな移民、宗教分離への抵抗のみならず、新技術にも抵抗してきた反動的右派だ。だが保守的左派の中にも、たまたま気に入らないというだけで、遺伝子組み換え作物、原子力、シェアリング経済の各種プラットフォームなど新技術への反対が見られる。

ダイナミズムを否定するテクノクラートもまた左派、右派両陣営に見られる――進化を公正で労働利益を損なわないものにするために、未来を統制したがる者と、文化、社会的団結を守るためにそうする者だ。民主党左派は、グリーン・ニューディール政策（その創始者の一人が認めているように、当初それは「気候に関することではまったくなく」、「どうやって経済全体を変えていくか」という話だった）のように、適切な職を創出するために経済を計画しようとする。[27]ナショナリズム的保守派は、製造業といった従来型産業で安定した雇用を創出するために、経済を計画し、海外との競争を制限しようとする。ローマ人が荒れ地を作って、それを平和と呼んだように、静的主義者は計画して、それを進歩と呼ぶ。

両者の境界線はまったくもって不鮮明なことが多い。ときには未来への大計画が完全に後ろ向きで、もっと安定した良き過去という思いこみを再現しようとし、静的主義の左派と右派の両方から支持されることもある。２０１６年大統領選の民主党予備選に出馬したバーニー・サンダースは選挙後の２０１７年、経済リストラを減らすために、貿易障壁の導入についてトランプと「協力できたら嬉しい」と述べた。フォックス・ニュースの司会者でナショナリストのタッカー・カールソンは、民主党上院議員エリザベス・ウォーレンの経済介入主義的な計画を「彼女の主張は絶好調時のトランプみたいだ」と言って称賛した。[28]彼らの共通の敵は、何が解決策か知らないが、トップにいる少数の人々ではなく、何百万人もが探し求めれば、それが見つかるチャンスは増えると考える「市場原理主義者」や「熱狂的リバタリアン」なのだ。産業革命だけでなく、コンピュータ革命でさえこの好例だ。

なぜパソコンはソ連で発明されなかったのか？

なぜパソコンは共産主義者が発明しなかったのか？　少なくともなぜパソコンは共産主義諸国で広く生産され使用されなかったのか？

１９８８年以降のソビエト連邦でのコンピュータ発展について調べた、アメリカのある研究はこう結論している。「多くの面で、ソ連はまだふりだし地点にいる」[29]。コンピューティングの世界で何が起きているか知らなかったせいではない。巨大な産業スパイ網のおかげで、新技術についてのあらゆる情報はソ連の指導者たちにしっかり伝わったし、彼らはしょっちゅう西側のコンピュータを手に入れ、それらを分解解析してクローンを作った。共産主義指導者たちは、パソコンの進展を知っていた。だが、それが何のためにあるのか理解できなかったのだ。そしてあなただって、その頃には理解不能だったはずだ。ミサイル発射や工場管理に計算能力が必要なのは彼らもわかったが、なぜみんなが家にパソコンを持ちたがるのかは理解できなかった。

どうやらそれは、図書館の索引カードとレシピを分類する新しい方法らしい。実際、アメリカの消費者市場で初期に販売されたものの一つは、１９６９年のハネウェル社製キッチンコンピュータで、重さは45キログラムを超えていた。ユーザーはコンピュータでレシピをプログラムして夕食の計画を立て、料理中はモノクロスクリーン上に点滅するテキストで示されたレシピを読む。お代は締めて1万ドル（現在の７万ドル相当）で、内蔵式のまな板と、レバーの引き方を学ぶ２週間のプログラム・コースつきだ。[30]

読者のみなさんはともかく、もしも私がソビエト政治局でこのニュースを聞いたなら、私もこう言ったことだろう。「否(ニェット)。退廃した資本主義者たちのお望みとあれば、技術濫用に資源を無駄遣いさせておけばよい。だが我々は資源をもっと重要なことに充(あ)てるのだ。たとえば少しでも多くのコムギと鉄のために」

そしてこれがまさに彼らの決定だった。

広範な汎用目的のための適切なコンピュータ・ハードウェアを大量生産する試みは、ほとんどなされなかった。産業部門や軍事部門は、そんなものへの大規模なニーズを見抜けなかった。その費用は、使える限られた購買力に大きな負担をかけただろうし、短期的な利益からみても不釣り合いな費用となる。[31]

ソビエト製コンピュータの主要製造元は無線技術省だったが、コンピュータが個人用になることなど決してないというのが彼らの正式な見解だった。

世界中のほとんどの人や委員会が同じ決定をしていただろう。だからこそ、許認可不要のイノベーションによるオープンな経済が必要なのだ。それがあれば、何かを信じている各種の小集団は、非常に多様な分散した資金源を使って、それを消費者市場で試してみて、それが本当に価値のない、不可能でバカげたものなのか、あるいは次の大ブームに大化けするかを見極められる。これがあるおかげで、1976年にスティーブ・ジョブズとスティーブ・ウォズニアックはジョブズのベッドルームとガレージでアップルIを組み立てて、最初の数台を小さなコンピュータ販売店に売って、エンジェル投資家の力を借りて起業できた。

ソビエトにもガレージの変人はいた。1979年、モスクワ電子工学協会の3人の従業員が西側の技術を使い、Micro-80と名付けた自前のホーム・コンピュータを作った。だがソ連には支援してくれる民間企業はなく、販売して使い方を教える民間販売店も消費者階級もなく、彼らに賭けるベンチャー投資家もいなかった。担当の役人たちにコンピュータ開発の認可を求める必要もあった。それは却下された。

その役人たちが、他に比べて愚かだったわけではない。「コンピュータを家に置きたがる理由などだれにもない」とコンピュータ企業ＤＥＣ社の創始者が１９７７年に述べたが、これはソビエト無線技術省と同じ見解だ。これは当時としては妥当な想定だった。アタリ社はアップルのコンピュータを提示されても、断っている。ウォズニアックはヒューレット・パッカード社に扱うつもりはないかと5度もちかけたが、5度とも断られている。そして１９８５年、そのウォズニアック自身が、自分たちは大風呂敷を広げすぎ、「ホーム・コンピュータは、今となっては流行遅れのビデオゲームと同じ道をたどるかもしれない」と考えた。アップル社長のジョン・スカリーもこれに同意している。「もちろん人々は家庭でコンピュータを使っているが、それは教育と中小企業経営のためだ。それらが家庭そのもので使われているわけではない」[32]

あのジョブズも自分の会社を追われ、落ち目になったアップル社を救うために１９９７年にやっと復帰した。彼はなんとかアップル社を世界で最も価値の高い企業にしおおせたが、その基盤の一つになったのが２００７年の革命的スマートフォンの成功で、その成功に対してイノベーションの導師（グル）（これは皮肉ではない）クレイトン・クリステンセンがすぐに「アップルはｉＰｈｏｎｅで成功をおさめない」そして「歴史を見ればそれは明白だ」という確信に満ちた予言をしている[33]。

単純な事実として、だれも未来は予測できないのだ。

皮肉なことに、ソ連はまだふりだし地点にいると断定した１９８８年の論文の中で、著者たちは自国アメリカについてこう言及した。「パソコンが早い時期に第5段階の技術（日常生活の一部）へ移行するという予測は、楽観的だ」。彼らの予測の根拠は――彼らが批判した共産主義者たち同様に――単に彼らがなぜそんなものが必要か理解できなかったということだ。

電話とテレビの有用性は明確だが、早急にパソコンを必要としている、あるいはそれがないことで大きな損害を被るのは、アメリカ全人口のごく一部だ。[34]

ちがいは、アメリカ経済のようなオープンアクセス型システムでは、コロンブスがパトロンを探し続けられたのと同様に、コンピュータマニアたちも顧客を探し続けられたことだ。そして彼らは、どんな計画も考慮できない顧客を見つけられる。ステータスシンボルとして使う金持ちもいれば、いじりたいだけのホビイストやハッカーもいたし、発明者が思ってもみなかったような使い方を突然見つけたゲーマーや企業もいる。

ＩＢＭはビジネス処理業務に大きな消費者需要があるとは予想しなかったが、その需要が顕在化したら、ＩＢＭはビジネスモデルを変えた。

ウィンドウズが売れなかったので、マイクロソフト社はそれを１９８０年代末にＩＢＭと開発したＯＳに置き換えようとして、ウィンドウズのサポートチームをほぼゼロ人にした。ウィンドウズ３・０が発売後６ヶ月で２００万本売れたとき、一番驚いたのが当のマイクロソフト社だったが、同社はそれで会社全体の方針をすぐに変えた。ウィンドウズのグラフィクス開発主任のマーティン・エラーは、外から見ればそれは、業界の船長たちがタンカーを巧みに操って海峡を抜けているように見えたかもしれないが、中にいた者から見ると急流のラフティングにずっと似ていたと書いている。「なんてこった！　真正面にでかい岩だ！　みんな左に寄れ！　ちがうちがう、逆の左だ！」[35]

インターネット誕生

パソコンとあらゆるデジタルデバイスをずっとおもしろいものにしたインターネットの開発もまた、複雑でオープンなプロセスがもたらした結果だ。

インターネットは核攻撃を受けても残る通信システムの保持を保証するためにアメリカ国防総省が開発し、ヨーロッパ合同原子核研究機関（ＣＥＲＮ）がワールド・ワイド・ウェブを作ったという都市伝説がある。インターネットは圧倒的な資源によって研究者や起業家に自分たちの構想を押しつけようとする、中央当局の驚くべき先見の明の例として時々引き合いに出される。実際には、インターネット発明者として実に様々な人の名前が挙がるのを耳にしたかもしれないが、それは多くの人々が似たようなアイデアに、アメリカ国防高等研究計画局（ＡＲＰＡ）だけでなく、大学、ガレージ、民間企業などで同時に取り組んでいたからだ。科学ライターのスティーヴン・ジョンソンは次のように書いている。「デジタル時代を規定することになった多くの基盤技術同様に、インターネットは自分の知的労働を世界全体と自由に共有する科学者、プログラマー、マニアたち（そして少なからぬ起業家たち）の分散したグループによって創造された――そして形作られ続けている」[36]

確かに１９６９年に、ＡＲＰＡがＡＲＰＡＮＥＴを作った。それは彼らが資金供給しているプロジェクトのコンピュータ・ネットワークだった。だがこの説には二つの欠点があると、プロジェクトを主導したロバート・テイラーは言う。ＡＲＰＡＮＥＴは軍事プロジェクトではなかった。

それは、同時に多くのコンピュータを歩き回ることなく使おうとして作られたネットワークだった。そしてそれはインターネットではなかった。インターネットというのは、複数のデータネットワークをリンクさせたものだったから[37]。

1960年代初頭、ボルト・ベラネク・アンド・ニューマン（BBN）のJ・C・R・リックライダーが「ギャラクティック・コンピュータ・ネットワーク」を提案し、インターネットのインフラとなるものの多くの特徴を説いた。リックライダーがARPAで働きはじめたとき、彼はネットワーク技術にみんなで取り組もうと同僚たちを説得した。情報を転送する「パッケージ・シェアリング」手法は英米の学者たちに拝借され、ランド研究所でも提案された。もっと多くのネットワークが開発され、それらの間でもっと効率的なコミュニケーションが必要になった。同じくBBN出身のARPAのロバート・カーンは、スタンフォード大学のヴィント・サーフと共にTCP／IPプロトコルを作り、それがネットワークをオープンアーキテクチャにリンクさせた。

先駆者たちは当初、主にメインフレーム・コンピュータのCPUタイムを共有したかったので、他のアプリケーションをブロックする決定を下すこともできた。だが彼らは自分たち自身の想像力の限界を十分に理解していたので、プラットフォームをオープンで未決定にして、他の人が後で好きな使い方ができるようにした。たとえばEメール、ワールド・ワイド・ウェブなどのアプリケーションだ。

同じ頃、イギリスのコンピュータ・コンサルタント、ティム・バーナーズ＝リーがすべての同僚たちとそのプロジェクトをどうやって追跡するか研究していて、ハイパーリンクでまとめたシステムのアイデアを思いついた。彼はそれを最終的にすべての情報をインターネットで収集できるデジタル・プラットフォームのアイデアに発展させた。これはIBMが1960年代に開発したSGMLという既存プラットフォームを基にしていた。当時働いていたCERNからこの研究の継続を正式に認められた後、彼はわずか1年で最初のウェブサーバ、ウェブ・ブラウザ、そしてウェブサイトを発表した。だが「それは上司たちが、ほとんど何も知らないおまけプロジェクトだった」[38]。

ティム・バーナーズ＝リー自身は次のように述べている。

ワールド・ワイド・ウェブの発明は、知識を制約のないクモの巣状に配置することに威力があるという認識が、自分の中でふくれあがった結果だ。その自覚は、まさにそうした形のプロセスから生まれた。ウェブはオープンな課題への答えとして、影響、アイデア、多数の側面からの実現の渦から生まれた[39]。

そして、制約のないあらゆる側面からの考えの渦こそが、このクモの巣を命で満たした。政治ブロガー兼法学教授のグレン・レイノルズはかつて、デジタル経済がトップダウンで秩序立った形で、厳格に統制された手順を重視する人物のやり方で作られたらどうなるか想像してみろと言った[40]。

時は1993年、国連事務総長があなたにある任務を与えたとする。たとえば、今から20年でこのワールド・ワイド・ウェブを、だれもが興味を持ち、どこからでもアクセス可能な情報で満たさなければならないと。これから20年でカタロニア人の詩、ケルン近辺のナイトクラブに関する情報、カエルの病気に関する事実、ウガンダの難民へのインタビュー動画、都市伝説ガイド、古い電動工具のマニュアル、貿易統計のデータベース、太平洋諸島の歴史的気温データ、そして可愛いネコの写真、その他人々が興味を抱きそうなあらゆるウェブサイトを確実に作れ。さあスタートだ！

これをどうやって作る？　だれがこのプロジェクトを指揮する？　優先事項を査定する委員はだれにする？　現在紙で保存されているあらゆる情報のうち、何をデジタル化するかどうやって決める？　適した書物と新聞のスキャンのために、何人の人を雇わなければならない？　だれが金を払う？　そんな費用をどうやって捻出する？　何が重要なことかを本当にわかるにはどうすれば？

今日では、インターネットがビジネス、科学、文化に欠かせなくなったのは明らかだ。だが少し前に一流経済学者と話をしていれば、オンライン・コミュニケーションはそれほど重要ではないと言われたかもしれない。ごく最近の１９９８年、著名な経済学者ポール・クルーグマンは、インターネットの急成長はすぐに止まるだろうと主張した。より多くの人がつながろうがどうでもいい。なぜなら「ほとんどの人に互いに伝えあうことなどないからだ！　２００５年頃には、インターネットが経済に与えた影響がファックス以下なのが明らかになるだろう」と彼は言った（「なぜほとんどの経済学者の予測は外れるのか？」という、うってつけのタイトルの記事で）[41]。かわりにもっと高速なファックスの開発に資源を投じたほうが良かったのでは？

私なら、先駆者の多くでさえその将来性を理解していないのだから、商業的な利用者を引き込もうなんて、やるだけ無駄だとさっさと結論していたかもしれない。1994年4月、マイクロソフトの取締役員の一人が、インターネットを議題に上げたが、それに対するビル・ゲイツの反応が描写されている。「彼の考えでは、インターネットはタダだ。そこで金は稼げない。それが興味深いビジネスになるわけがない」[42]

自分だったら新しいオンライン世界の構築にどう着手していたか、見当もつかない。わかっているわずかなこととして、もしも私がそんな委員会のメンバーなら1997年にこれ以上の新しい検索エンジン（グーグル）など重視しなかっただろう。もうすでにたくさんあったからだ。同様に、ハーバード大学の学生が互いの魅力度をランキングできるサイト（フェイスマッシュ。その後すぐにフェイスブックになった）なんか認めなかっただろう。近所の素敵なレンタルビデオ店を救うために、ネットフリックスを阻止しようとしただろう。いまのような繁栄するオンライン世界を築くのは不可能だっただろう。たとえ委員会にトップレベルの頭脳を集め、本を検索して重要な部分をスキャンさせるために1万人の図書館員を雇える資金を得たとしても、2113年にすら稼働できなかっただろうし、まして2013年なんてあり得ない。

だがそんな委員会はなかった。計画もヒエラルキーも構造も協調もなかった。ただ、みんなに開かれたプラットフォームがあって、みんながいただけだ。これが機能したのはこのためだ。だれもが自身の知識と興味に基づいて、他人がそれをおもしろくないとかどうでもいいとか、あるいは不快とさえ思おうが、それに関係なく自由に書いて創造する自由を持っていた。カエルに興味のある者がカエルの病気について書き、カタロニアの詩が好きな者がそれを発表する。唯一のフィルターは絶え間ないフィードバックだけだった。ネットフリックスは競争を許された――とはいえ私はいまだに地元のビデオ屋が無くなったことを寂しく思っているが。

他人に評価されることをした者がもっと注目を集め、それでもっと続けたくなる。自分のアイデアをビジネスモデル化し、報酬を要求し、もっと大きな投資をする者もいた。おかげでもっと巧みになり、もっと投資する。この段階ならアイデアは、中央だけでなくあらゆる場所の人から集まる。

人々のアイデアの展開は、しばしば当人たちをすら驚かせる。起業家、マニア、変人たちは、まったく新しい意外な解決策と技術を開発する。そして彼らは他人が開発したレイヤースタックを利用し、その一番上に自分自身のレイヤーを加えた。ユーチューブは3人のペイパルの元従業員によって6ヶ月で構築されたが、それは彼らがウェブだけでなく、アドビ社のフラッシュ・ビデオ・プラットフォーム、クリップを組み込むためのJavaScript言語といったレイヤーをもとに構築できたからだ。最初の案は動画デートサイトを作ることだったが、十分なデート動画が投稿されなかったため、何でもアップロードできるようにした。これが意外な人気を博した。

こうしたフィードバック・ループが、何が可能かというみんなの認識を一変させた。ビル・ゲイツの天才は予言能力ではなくその柔軟性にある。ウェブをブラウズして、何が起きているか目にした瞬間、彼は考えを変えて、会社全体を自分のビジョンを元に作り替えた。ウィンドウズ95発売をわずか3ヶ月後に控えた1995年5月、彼は疲れ切った幹部スタッフたちに、以前の却下方針を180度転換した新しいメモを出した。インターネットに「最高水準の重要度」を与え、「すべての製品計画をインターネット機能満載にする」よう求めたのだ。[43]

物事はこうして起こる。実験、フィードバック、学習、適応、大きな岩を避ける、新たな実験、さらなる学習、新たな適応、そしていきなり、何か特別なことが起こるのだ。

政府はこのプロセスを支援できるが、その方法は指示や特定の解決策に補助金を出したりすることではなく、もっと広範な科学研究とその普及を支援することだ。知識は多いほうが常に好ましく、予想外の洞察を得る機会を増やす。だが人々にその知識の使い方を指図しようとしたら、発見プロセスは終わってしまう。進歩は本質的に予想外の意外なもので、命令はできない。それは変な場所、思ってもみない人々、そして異様な組み合わせから生まれる。もしもハッカーとヒッピー、スタンフォード大学とカリフォルニア大学バークレー校、起業家とベンチャーキャピタルをごちゃ混ぜにしていなければ、シリコンバレーは生まれなかった。新聞とオンライン小売業者は、オンラインの安全なクレジット支払い方法と動画のストリーミングを、ポルノサイトから学んだ。先進ロボット工学企業は同時局所化とマッピングというむずかしい問題を、ゲーム産業（それは一時の流行に終わらなかった）に学ぶことで解決した。子供たちが新しい携帯電話をずっと買い続けただけで、本格産業は製品を安価なセンサーだらけにできて、製品価格が下がった。

今日、グーグル、アップル、テンセントといった巨大企業が繁栄しているのは、彼らが自分自身の創造性や能力だけに依存していないからだ。彼らはむしろ部外者のためのプラットフォームを作り、アプリストア、グーグル・プレイ、そしてウィーチャットはその他の無数のイノベーターのエコシステムとなり、彼らが提供するものは聞いたこともなければ会ったこともない人々のおかげで刻々と進化している。サードパーティ出品者の売上はアマゾンの売上の半分を占め、アリババに至ってはそのデータを外部と共有して、それが彼らのビジネス改善とアリババ経由の売上増を助けている。打ち負かせないなら、自分のプラットフォームに取り込んでしまえということだ。

コンピュータ創造の今

ヴァージニア・ポストレルが明らかにした二つのアンチ動的主義勢力――ノスタルジックな保守主義者と性急なテクノクラート――は、どちらもデジタル世界の創造でも登場した。どこを見ても、もちろん現状維持を擁護する者が存在する。コンピュータが人間性をおびやかし、創造性と想像力が介入する余地を残さないと怖れる者がいる。

1960年代初頭、あるニューヨークの鉄道員は、コンピュータが「プログラムされた月並みな能力を生活のあらゆる面に浸透させる」と怖れた[44]。

1976年、アメリカ連邦当局は、コンピュータがパイロットと航空管制官の口頭コミュニケーションを減らすことで、航空輸送に危険をもたらすと警告した（墜落して死亡するリスクは、その後95％減少した）。

1990年代初め、『仕事のない未来』とか『労働の終わり』とかいうタイトルの本が、コンピュータが私たちの仕事を奪い、すぐに大量失業が起こると予測した（それ以降アメリカ経済は3500万の新たな雇用を創出し、コロナパンデミック以前の雇用率はほとんど変わらなかった）。

1995年にはアメリカ保守派の旗艦誌『ウィークリー・スタンダード』は「インターネット

を打ち壊せ」という特集記事を組み、表紙にはコンピュータのスクリーンを粉砕する大きなハンマーを載せた。

予測された問題のうち実際に生じたものもあったが、人はだれもが予想しなかった方法でそれに適応した。そうした適応は、予言に基づいた委員会ではなく、無数の人々が学んだことを基になされたからだ。たとえば、大量のリストラが生じたのは、コンピュータが仕事を奪ったからではなく、コンピュータがコンピュータを使わない労働者から仕事を奪ったからだ。1980年以来、コンピュータ利用が平均以上の職は、他の職に比べて毎年1%以上増加率が高い[45]。だから新技術を遅らせた国や機関は人々に害を与えたが、人間と機械が互いに補うようなスキルとビジネスモデルの開発をうながす国や機関は、その恩恵を受けている。

オートメーションは常に創造的ではなく破壊的と思われている。消えそうな仕事について考えるほうが、新しく創造されるかもしれない仕事を考えるより容易だからだ。マッキンゼーの調査によると、ここ25年間のアメリカでの新規雇用の3分の1が、25年前には無かったも同然の職業だという。2011年のある調査では、インターネットはフランスでそれまでの15年間に50万の雇用をつぶしたが、消えた雇用一つに対して2・4の新しい雇用が作り出されたことがわかっている[46]。

これは人間の伝統主義的でノスタルジックな衝動による。技術は悪で、知っている仕事のほうがいいというわけだ。コンピュータに救いを見出す者もいたが、他のみんなにも同じ見方を強いようとした。テクノクラートは常に発展を約束するが、それは自分たちがなんでも牛耳れる発展だけで、変な意外性は避け、みんなの基準を定める。彼らは秩序をもたらし、勝者を選び、単一の価値観を押し付けようとする。

後に下院議長にまで上りつめた、ドナルド・トランプの強力な支持者である共和党のニュート・ギングリッチは1984年に、コンピュータ革命をとんでもない無秩序なものだと懸念していた。政府は「技術」を「首尾一貫した図式」にまとめ上げる必要があるとギングリッチは考えていた。彼はフランス政府のインタラクティブな家庭用端末「ミニテル」を称賛した。彼はそれが「20世紀末にはフランスを世界有数の情報処理社会にするかもしれない」と考えた。下院議長に就いた1995年、ギングリッチは貧しいアメリカ人にノートパソコンを給付する計画を提案し、「私たちは情報時代第3の波である21世紀に入ろうとしており、それはあなたたちも例外ではなく、私たちはみなさんを共に連れて行きたい」というメッセージを添えた。[47]

1988年の『ハーバード・ビジネス・レビュー』誌によると、アメリカ国防総省、CIA、国家安全保障局、全米科学財団、アメリカ国防科学評議委員会、ホワイトハウス科学審議会、そして大半の主要な半導体、電子資本機器製造者たちが、アメリカの起業家たちは世界のコンピュータ市場で急速に存在感を失っているという点で意見が一致しているとのこと。アメリカには包括的な計画がなく、断片化、不安定、そして「極端な起業家精神」に苦しんでいるからだ。この慢性的な起業家中心の市場では、必要な大規模投資を維持して、日本やドイツの「安定した戦略的に協力する連合体に組み込まれ、しばしば保護主義的な政府に支援されている巨大産業複合体」には太刀打ちできない。グローバル市場の中で、アメリカの起業家の「重要性は小さく、減少傾向」であると執筆者のチャールズ・ファーガソンは結論し、「問題を認識していないのは、見えざる手によって動かされている経済学者たちだけだ」と述べている。[48]

これがテクノクラート的衝動だ。未来がどんなものか自分たちはわかっていて、そこにみんなを導いてあげるから、意外性なんかお断りだというわけだ。

このような考えはたいてい破綻する。なぜなら「意外性」という要素こそオープンな社会の強みだからだ。経済学者ジョージ・ギルダーもファーガソンとのやりとりの中でそう述べている。いまでもハイテクの故郷はアメリカであり、フランスではない。それは慢性的な起業家精神のおかげであって、それが足を引っ張っているわけではないのだ。

中国のパラドックス

時々、市場経済が裕福になったのは、人々に働いてイノベーションを起こすインセンティブを与えたからだと思えてしまう。だがそれはちがう。どんな社会にもインセンティブはある。だが差を生んだのは、知識、需要と供給――そしてもちろんそれらに対する各種の反応方法へのオープン性――に応じて常に変化する市場が生み出すインセンティブなのだ。18世紀イギリス以前の他の国も、強力なインセンティブをもたらす特許制度を持っていたが、報酬を設定したのが専門家だったため、単に少数の人々が他のみんなのかわりに選択するだけの方法になってしまい、みんなが身のまわりの情報と個人的野望に沿って自分で選択できる権利は与えられなかった。

北朝鮮の独裁者金正日は、自分の映画が韓国よりもかなりひどいのは、「映画産業の連中が、最低限の仕事しかしなくても国が養ってくれると知っているからだ」と考えた。そこで、成功作を作らなかったスタッフを処刑したが（これほど強いインセンティブもない）、彼のチュチェ映画産業が軌道に乗ることはなかった――インセンティブの欠如ではなく、多様性、実験、競争への寛容さの欠如が原因だった（やけになった金正日は、映画産業促進のために韓国の一流映画監督と俳優を拉致した）[49]。

共産主義の経済計画者たちは、労働者が「こちらは働くふりをして、国は払うふりをする」という原則に従って行動していると気がついて、一生懸命働いた者にボーナスを与え、その名を公表する制度を作った。多くの場合、これは低品質でだれもほしがらないものを作るために、みんながもっと時間を使うようになっただけだった。だがこの制度がどんなにうまくいったとしても、それはすでにみんなが求めているとわかっているものに報いるだけだ。鉄や長靴の増産は起きても、労働者が自分自身の独自の知識に沿って即興で何かをやったり、意外な試みをしたりする余地を与えることはない。指導者たちですら自分が求めていると気がついていないような、そして人々が自分でも可能だと思っていないような、ちょっとした改善やイノベーションを工夫することもない。ソビエト晩期の指導者レオニード・ブレジネフがグチったように、ソ連の産業はイノベーションや新製品を「まるで悪魔が香料を避けるように」嫌っていた[50]。

これが将来の中国経済が抱える中核的問題だ。中国の並外れた台頭は、全権を握る共産党の賢明で先見の明がある計画者たちが仕組んだというのが通俗的な見方だ。これは張維迎や龔如心などの経済学者が実証しているように、おとぎ話でしかない。そして党がこんなお手盛りの神話を信じているなら、中国の将来にとって有害だ[51]。

毛沢東主義の計画経済の廃止につながる変化は、計画者たちの頭の中ではなく、飢えた村民たちの独創力から生まれた。安徽省小崗村の農民たちが１９７８年12月、密かに自分たちの土地を私営化しはじめた。それは生産量を激増させたので、他の者たちも真似るようになった。私営農場は「ニワトリの疫病のように」拡がり、ある農民は「ある村にそれができると、国全体が感染する」と言っている。[52] すぐに他の村人たちも計画外の小さな会社の運営に着手して価格制度を発達させ、その一方で若い失業者たちは小店舗や中小企業を始める権利を要求しはじめた。

これらの変化は統治者たちが始めたものではなかった。彼らが果たした重要な貢献は、こうした活動の成功を目の当たりにしてその発展を認知し、先駆者たちを罰しなかったことだ。

鄧小平政権下の共産党はこの変化にお墨付きを与えた。このとき鄧が、「中国の窓を開ければ、ハエが入ってくるかもしれないが、空気がなくて腐るよりましだ」と言ったのは有名だ。彼の「改革開放」政策のもと、経済特区が作られ、起業家たちは民間事業、外国投資、国際貿易を試せるようになった。

毛沢東主義モデルの失敗を目にした中国の指導者と実業家たちは、異様な速度でよその新しいアイデアと手法を取り入れはじめた。台湾、香港、アメリカといったかつての敵さえお手本にした。１９９０年代になると中国は、積極的に外国人を採用してその技能を活用しはじめた。外部から中国は、オープンな精神を持ったクローズド社会と称されはじめた。

これらの政策は、中国の経済発展と空前の貧困減少に貢献した。１９７８年以降、中国都市部では２５０万近くの雇用が民間企業によって創出された。１９９５年、これらの企業は総輸出額のわずか３分の１でしかなかったが、今では90％弱を占める。[53]

ひとたび大きな経済力を確保すると、大量の国営企業もそれに便乗して拡大した。だが中国経済が成功し、これらの国営企業が大きいからといって、国営企業が中国を成功に導いたわけではない。その逆だ。国はその特権的な立場を利用して、本来ならもっと生産性の高い企業が利用しているはずの資本、土地、技術、才能にアクセスしてきた。そして看板倒れの計画や怠惰、汚職に莫大な富が使われるのを阻止するために、繰り返し叱責されねばならなかった。

金融危機以来、中国の生産性の伸びは大きく落ち込んでいる。成長率は着実に下降し、負債が積み上がっている。これは全権を与えてくれれば豊かにしてやるという暗黙の合意を国民と交わしている党にとって、とりわけ脅威だ。深刻な経済危機は、この社会契約を反故にしてしまう。

農民を工場に連れてくればだれでも生産性を上げられるが（ソ連でさえそれはできた）、それらの工場に絶えず新しい試みとイノベーションを確実に行わせるのはずっとむずかしい。これは、国際競争にさらされないサービス部門では特に大きな問題だ。だから中国がさらなる開放を進めないなら、中国モデルの将来には疑問が生じてしまう。だが習近平率いる中国は後退して、もっと国家統制と毛沢東主義ばりの個人崇拝へと向かっている。もはや中国人は鄧小平のように「事実に真実を求める」べきではなく、被雇用者や学生が習近平に特化したスマートフォンアプリで、憲法に記された「習近平思想」を学ぶべきだとされる。まさにこうして統治者たちは、聞きたいことにだけ耳を傾けるようになり、いつものようにそれで現実と、さらに国に対する判断力を失う。

中国は産業政策を通じて、高速鉄道網、原子力といった海外の技術を国産化し、それらを大規模に展開した。彼らはまた（悲しいことに自国民の監視に使うための）顔認識と、大量のデータとそれを分類する安価な労働力に依存した他のソフトウェア開発では、世界トップだ。だがまさに中国の産業政策は、市場需要と金融制約を無視しているが故に、助成金に依存した低収益産業を助長している。それはたとえば造船などで極端な生産過剰を生み、市場占有率よりも名声を追求するが故に、国内マーケット向けの革新的な解決策の開発よりも世界最高峰のハイエンドの模倣のほうにあまりに多くの力を注いできた。半導体はその一例だ。

　中国の開発モデルはその中心にパラドックスを抱えている。中国の指導者たちは自分の求めるものがわかっていれば、自国の産業とイノベーターに大きな自由を与えるし、その自由度は、常にチマチマした規制を次々に積み上げている西洋諸国よりも高い。

　だが問題は中国指導層が、他のあらゆる独裁主義者同様に、意外性を嫌うことだ。彼らは国民の考え方を統制しようとし、それが成功してしまうと、新規性の絶え間ない創発に欠かせない、正統派と相容れない創造性を弱めようとする。

　このパラドックスは、２０１８年４月の『エコノミスト』誌の二つの記事で、まったく意図せずして幾分滑稽（こっけい）なかたちで表れた。片方の記事では、米中の両方で投資しているある事業家が中国政府を、「イノベーターの試行にずっとオープン」だと称賛している。対するアメリカのイノベーターは、稼働のためにはペースを落として自国の役人たちと交渉しなければならないと言う。[54]これを読むと中国は起業家のパラダイスのようだ――中国当局がテック企業バイトダンスの旗艦アプリを、下品だからと突然禁止したことを伝えるもう一つの記事を読むまでは。創業者は公式な謝罪さえ強いられた。彼は、「テクノロジーは社会主義の基本的価値観に導かれねばならない」のを理解していなかったことに対する「罪悪感と自責の念」でいっぱいだと述べた。[55]

　これが中国のパラドックスだ。当局は自分たちが気に入ったものすべてにオープンだが、無価値で不可能でバカげていると思ったらクローズドだ――だが模倣するイノベーションが尽きたら、新しいイノベーションはそうした部分でしか見つからないのだ。

官僚主義的無気力

通常、ダイナミズムを妨げるのはイデオロギーではなく、「ウチはそういうやり方はしない」という感覚から派生した硬直性だ。巨大化した現役企業からイノベーションがめったに生まれない理由の一つは、みんな自分たちのビジネスモデルを機能させることにばかり専念してしまうことだ。自分の市場をつぶすなんてバカげてるものね。ＩＢＭはもっと高速なパソコンを開発しなかったことで市場を失ったが、それは低速なパソコンの販売を妨げたくなかったからだ。ソニーはｉＰｏｄやｉＰｈｏｎｅを開発できたはずなのに、ウォークマンの販売数を減らしたくなかった。コダックがデジタルカメラの開発を渋ったのは、それがフィルムの売上をおびやかすからだ。だから、失うものが何もない貪欲な新興企業に頼ることになってしまう。

　政府も同じように機能する。現行のシステムの最適化にばかり専念するので、外部からやってくる意外性が活躍しづらくなる。古いやり方に合わず、それをおびやかすかもしれない意外性だ。「官僚制は常に衒学(げんがく)支配になりがちだ」とジョン・スチュアート・ミルも言っている。[56]

　新しいビジネスが滑りこんでくるのは、規制の網に問題があるときに限られる場合が多い。よく知られているが検証されていない物語によれば、フレッド・スミスというイェール大学の学生がハブアンドスポーク方式に基づいた新しい配送システムを提案した経済論文は、「現実性のあるアイデアでなければならない」という理由でＣの評価しかもらえなかったという。スミスがこの方式を現実に試してみたいと思ったとき、専売企業であるアメリカ合衆国郵便公社はそれを却下した。だが超お急ぎ便は専売の例外だったため、スミスが創業したフェデックスはすべての手紙と荷物に「超お急ぎ便」というスタンプを押して、配送システムに革命を起こした。

現在であれば、イノベーションが規制と衝突する大きな例はウーバーだ。

このスムーズな輸送サービスは必要なときに車をつかまえられるようにし、他のタクシーサービスに適応を強いただけでなく、無数の他の分野でも類似サービス（ウーバー〇〇と考えればよい）のアイデアをもたらした。だがそれは規制構造に真正面からぶつかった。アメリカの都市の幾つかは、二つの自動車サービスしか認めていない。路上でつかまえる認可タクシーと、事前に予約しておくハイヤーだ。アプリによる車の予約は、現実にはうまくいくのに、理論的にはうまくいかないとされた。ウーバーは様々な都市で規制の集中砲火に直面した。完全に禁止されたこともあれば、既成の配車サービスに近づけるために最低料金の引き上げを余儀なくされたところもあった。そしてフランスやバルセロナといった場所では、当局は乗客を車に乗せるまでに15分待つのを義務づけた。もしも車が2分離れたところにいても、乗客はじっと座って13分間待たないと出発できない。

安全性と透明性に対する正当な懸念もあるが、これに関する規則は新しい技術とビジネスモデルに門戸を開くに十分な一般性が希薄で、内在する規制の保守性を示している。ウーバーがゼロからスタートして、最新技術に基づいた可能なかぎり最良の解決策を打ち立てたとき、それは昨日までの解決策と技術に合わせていた規則に違反してしまう。それでもウーバーがここまで来られたのは、それが規則を進んで破り、規則との長期戦に突入できるだけの資金と人気があったからだ。ほとんどの場所では勝利している。大半のイノベーターと起業家たちなら、もっと早く諦めるしかなかっただろう。

法学者リチャード・エプステインは著書『複雑な世界のための単純なルール』(未邦訳)で、社会が複雑になってきたからルールも複雑にしたいというこれまで衝動を槍玉にあげている。そうなると、現場に縁が無く、実際の相互作用がわかっていない立法府と当局に、ますます決定事項が移ってくる。結果的に、彼らは意外性の余地を減らす。複雑な社会では、逆にもっと多くの決定事項を当事者自身に分散して委ねなければならないのだ。私たちに必要なのは、細かい規制下では死産になる意外なイノベーションと社会関係に対して、できる限りオープンな機会を残す、少数のわかりやすいルールなのだ[57]。

オープン性に内在する欠陥は、それがどんなすばらしいことをもたらすか、事前にわからないことだ。統制に内在する長所は、それが私たちに何でも約束できて、後からそれが失敗した言い訳を見つけられることだ。

アメリカの政治科学者アーロン・ウィルダブスキーは市場、民主主義、そして科学——計画ではなく、多くの人による絶え間ない調査、批評、協力が突き動かしている三つの領域——を概観して、このすばらしい弱点について熟考している。

　これら三つのすべての領域で、証拠は事前にはわからず、回顧的にしか得られない。過去の業績を振り返って、自由な科学、政治、市場の信奉者は、平均すると結果は他よりも良い結果だと主張するが、今後どうなるかは言えない(中略)。

自発性の長所、セレンディピティを追求する能力は、その短所でもある――それがズバリ何を実現するか、どう実現するかは、事前に明示できない。[58]

不確実性への対処

未来についての不確実性は、何か不安だ。ある方向に向かって歩くなら、どこに行き着くのか知りたいし、次の食べ物はどこで手に入るか知る必要があるし、捕食動物や敵がそこに隠れているかわかっていなければならない。世界と未来の心象地図を作ることで、進路を決めるのが容易になる。地図の一部をなくしたときに不安になるのは、それが何かを探さなければならないという警告だからだ。

もしも私が今ここで本書の主題から脱線して、しばらくまったく別のことを書いたらあなたが不安を覚えるのはこのためだ。あなたは一生懸命、関連性や文脈を解き明かそうとして、(願わくば)それがわかるとご褒美をもらったような気持ちになる。

これがみんなの感じる、ときとして誇張されがちな「情報欲求」の一つの説明だ。トランプや何か新しい病気のことがわからないとき、人は今後何が起こるか手がかりを得ようと、ニュースサイトをリロードし続ける。

心理学者は、人は悪い知らせに――たとえ癌(がん)という診断結果であっても――安堵に近い反応を示しがちだと気がついていた。不安なまま診断を持つほうがずっと嫌だからだ。最悪の結果を憶測するより、はっきり知らされるほうを好むが、これはうなずける（少なくとも癌に関しては。トランプについてはどうでしょうねえ）。それに適応を開始できるからだ。行動と態度を変え、靴ひもを締め直す。しかしまだわからないことを、受け容れることはできない。

ある研究では、志願者のある集団に高負荷のショックを20回与え、別の集団には3回の高負荷のショックと17回の低負荷のショックを与えた。直感に反して、低負荷集団のほうが怖かったと自己評価したし、彼らの心拍数のほうがずっと速く、ずっと多く汗をかいていた。予測できない様々な強度のショックに備えるほうが心理的にむずかしいため、彼らの苦しみのほうが大きかったのだ。[59]

世界がある程度予測不能だというのは非常に不安で、自分が事態を制御できていないと感じている多くの人が、心理学者が「補償的コントロール」と呼ぶものの一種で満足するのはこのためだ。その一つで、はるか昔から人類に安らぎを与えてきたのが、善意の干渉的な神さまというものだ。これで物事には理由がある、いずれはうまくいくと確信できるようになる。もう一つは強い人や政府が救ってくれると信じることだ。

だが心理学者ロブ・ブラザートンは陰謀理論についての著書で、補償的コントロールを成功させるもう一つの方法は、こちらを陥れようと企む強力な敵がいると信じることだと説いている。これは奇妙だ——えらくまずい話ではないか？

だが多くの人にとって、癌かどうかわからないほうが、癌だと知るよりも不快なのを思い出してほしい。不確実は、悪いことが確実に起きるよりも悪い。何かが偶然起きるなら、理解や予測はできない。だが怪しい集団が事態を牛耳って支配しているなら——たとえそれを破滅的で邪悪な方法で行っていても――少なくとも何がなぜ起きているかはわかる。抵抗すら開始できるかもしれない。[60]

グローバル化は新しい輸送手段、通信技術、そして生活改善のためにそれらを利用したがる人々とビジネスのおかげなのだが、それを否定する人がいるのは、示唆的だ。彼らはかわりに、それは私腹を肥やすか国民国家破壊をもくろむ、金持ちコスモポリタンたちの小さな陰謀団が仕組んだことだと言う。すべてはたった一人のユダヤ人億万長者ジョージ・ソロスの仕業だと主張する者さえいる。

これは意味不明もいいところで、補償的コントロールの一例としか考えられない。この補償的コントロールを信じてしまえば、自由意志を持った無数の人々の複雑な相互作用が次に起こることを決定する、オープンな世界の動態を理解しようと努める必要はない。世界は突然わかりやすいものになるし、相手が一人の男なら、何と言ってもそいつを止めることは可能だ。

人はみんな確実性を求めているが、ミクロな世界では道理にかなっていることも、マクロな経済、技術、文化の世界では通用しない。なぜかといえば、無数の人々の相互作用の結果を確実にわかるためには、その人たちが個々の状況を受け入れて独自の思惑で適応するのをやめさせるしかないからだ。世界を止めて、自分が適応する時間を稼ぐ唯一の方法は、他のすべての人に世界への適応をやめさせることだ。なぜなら変化は、無数の小さな適応が組み合わさった総計にすぎないからだ。

私たちは、ときに不安に感じても動き続けなければならない。それは単に私たちが一般により良い生活を求めているからだけでなく、思いつくあらゆる解決策にも、意図せぬ結果があって、次にそれを解決する必要があるからだ。人はバクテリア感染によって死ぬので、抗生物質を発明する。だが幾つかのバクテリアは耐性を発達させるので、研究を続けなければならない。長生きする人が増えるので、人工股関節置換術と心臓バイパス手術を開発する。合成肥料で飢餓を、そして大幅な生産拡大によって貧困を減らすが、これは大気圏内の二酸化炭素急増と地球温暖化をもたらすので、次にそれに対処する技術を創造する必要がある。

進歩は、何か最終目標へと向かう進歩では決してないし、その目標を達成したら、あとは幸せに暮らしました、という話でもない。そんなものが進歩と思っているなら、常に落胆し、残されたあらゆる問題を病んだ社会と見なすだろう。

進歩とは常に二進一退だ。なぜならそこには常に反発があり、私たちは反発に対して反発しなければならないからだ。進歩はユートピアよりは、ビデオゲームに似ている。あるレベルで生存と幸福への差し迫った脅威に直面し、それをクリアしたら次のレベルに移って、新しい問題に直面し、これも解決しなければならない。ユートピアに到達することはないが、常にレベルアップする。

スティーヴン・ピンカーはこれを次のように説明している。

進歩とは、あらゆることが絶えずあらゆる場所のあらゆる人にとって良い方向に向かうことではない。それは進歩ではない。そんなものは奇跡だ。進歩は奇跡ではない。それは問題解決の結果だ。問題は不可避で、解決策が新たな問題を生み、次はそれを解決しなければならない。[61]

だがその裏面として、もっと多くの人がもっと多くの場所でもっと多くの教育と強力な技術へのアクセスを得れば、世界はますます予測できなくなる。アイデア、イノベーション、競争がもっと多くの場所から突然もたらされるかもしれない。それまで自分の利益を守り、今の政治に抗議するために結集し、デジタルによる動員などできなかった人々も、それが容易になる。オンラインの世界では、既存の管理者から何年もかけて審査されるプロセスを経ることなく、新しい考えと有名人が毎日生まれている。

ポピュリストによる反乱として知られているもののほとんどが、実際にはこの複雑性の認識の拒否だ。彼らはもっと単純な時代に憧れてみせたり、陰謀論で世界を理解しようとしたりするのだ。問題解決には多くの利害関係者のあいだで面倒なトレードオフが必要だから、話はややこしいし、時間をかけて妥協点を見つけ出さねばならないという考えは否定される。ほとんどの人の生活を改善する単純な解決策があるのに、それを利己的な支配者たちが妨害しているというのが彼らの基本的な考え方だ。だから適切な人物が指揮をとれば、問題解決と事態の好転は簡単だというわけだ。

この抑制と均衡性と様々な利害関係者の代表をともなう、遅くて扱いにくい政策決定への不満が、歴史的にリベラル民主主義をおびやかしてきた——とりわけ即時の行動が必要とされているように見える危機時には。

全体主義の勃興についての名著『隷従への道：全体主義と自由』（邦訳日経ＢＰほか刊）の中でフリードリッヒ・ハイエクは、この種の時期について書いている。

行動のための行動を最終目標にした、民主主義的手順のゆっくりとした煩わしい一連の過程に対する不満がその全般的な特徴だ。最も受けがよいのは、強くて「物事を成し遂げる」のに十分な固い意思を持つように見える男や政党だ。[62]

これは右派だけの願望などではない。『ニューヨークタイムズ』紙のコラムニストであるトーマス・L・フリードマンは、地球温暖化の脅威に関する考察でこの発想を明言して、一党制国家である中国は「政治的にむずかしいが、非常に重要な政策をあっさり強制でき」、私たちの時間がかかる煩雑な民主主義はそれよりも「劣っている」と述べた。[63]スウェーデン緑の党から欧州議会議員になったパー・ホルムグレーンは、首相になったら何をするか訊ねられたとき、こう答えた。「まず即座に選挙を廃止します」。なぜなら環境上の脅威は第3次世界大戦のようなもので「政党同士で争っている暇はないからです」[64]。

だがまさに問題が大惨事を起こしかねない地球温暖化ほど深刻なものであるときこそ、できる限り多くのアイデアと多くの知識が必要なのだし、トップから特定の考えを押しつけたい気持ちを抑えなければならない。アメリカの社会批評家H・L・メンケンが警告しているように、「人間のあらゆる問題には、常におなじみの解決策がある――巧みで、もっともらしく、まちがった解決策だ」[65]。

地球温暖化

ポストレルが挙げた二つのグループ、反動主義者とテクノクラートは、地球温暖化への対処方法をズバリ知っているつもりでいる。彼らの解決策は過去であれ未来であれ、均衡状態に達することだ。極度に保守派の集団にとって、産業革命全体はまちがいだった。それが放出した化石燃料が、地球の温暖化をもたらしたからだ。事態を巻き戻すか、少なくともゼロ成長社会へと移行しなければならないと彼らは考えている。

この主張は、これらの問題が確かにむずかしいながら、人類がレベルアップを続けてきた結果だという事実を無視している。解決された問題もまた、生死に関わる問題、すなわち極貧と低開発だった。世界最悪の環境問題の一つは近代的なエネルギー源不足で、このため貧困国の人々は調理と暖房に固形燃料を使うしかない。これは急速に減ってはいるが、いまだに呼吸器系疾患を引き起こし、毎年２００万人以上の人々を殺している。富と技術は、環境悪化との関係の有無によらず、自然がぶつけてくるあらゆる問題に取り組むための必要条件だ。気候関連の災害で死ぬリスクは１９５０年代から90％以上減ったが、それは自然災害が減ったからではなく、富、技術、建設、医療の向上によるものだ。

反動的姿勢は私に、アイルランドの旅人にまつわる古いジョークを思い起こさせる。旅人が地元の人にダブリンへの道順を訊ねると、こう言われる。「ここから出発するのがそもそもまちがいだ」。でも私たちは現にここにいて、80億の人々が、生存と福祉を現代テクノロジーに頼っている。増大する人口が、古い汚れた技術でずっと大きな経済を作りあげたら大惨事だ。インドの首相インディラ・ガンディがよく言っていたように、公害の最悪の原因は貧困だ。人々に目先の健康や自分の子供の教育よりも長期的環境を優先させることは、だれにもできないからだ。可能なかぎりたくさんの環境指標——上水から生物多様性まで——を元に、世界各国を順位づけした環境パフォーマンス指数は、国のGDPと環境の間に強い相関があることを実証している。研究者たちは「所得は環境的成功の大きな決定要因である」とまとめている。もう一つの重要な決定要因は、政治的開放性だ。ランキングの上位31ヶ国は民主主義国だ。[66]

加えて、ゼロ成長でも気候目標達成には足りない。国連気候委員会IPCCによると、今世紀の地球気温上昇を産業革命前から2℃未満に抑えるには、二酸化炭素の排出を2030年までに半減、2050年には完全に終わらせねばならない。だから現在の技術を維持するなら、まず生産と輸送——そして所得——を半分に減らし、やがて完全にやめるしかない。これに賛成する者はほとんどいないので、反動的な分析でさえテクノクラート的結論に至らざるを得ない。

テクノクラート的解決策は単に問題を解決するだけだ。最高の解決策を思いついて、それを全面的に実装するわけだ。すばらしい。だがこのおとぎ話は前に見た。環境保全技術で最善策を選ぶのがむずかしいのは、他のあらゆる技術と同様だ。特定のプロジェクトに公的資金を投じるのは、無数の参加者から提供された知識、評価、試行錯誤の原則を、政治家と官僚の小集団からの入れ知恵に置き換えてしまうことだ。

1960年代、多くの政府が原子力こそ未来だと確信し、時期尚早で費用のかかる技術を非常に短い期間で市場に出した。もっと注意深いアプローチをとっていたら、建設と維持管理が当たり前の業務になり、費用と安全上の危険を減らせただろう。もっと優れた原子炉開発も実現していたかもしれない。「政治家が答えを知っているつもりになって、勝者もわかっており、その勝者を選ぶのだと思い込んだときに私たちが冒しているリスクはこれだ」とオックスフォード大学のエネルギー政策教授ディーター・ヘルムは言っている。[67]

２００６年、ジョージ・W・ブッシュ大統領はトウモロコシ原料のエタノールが二酸化炭素排出削減への正しい道だと確信していた。「時期到来だ。そして政府はこれを援助できる」。何十億ドルもの補助金と、それをガソリンに混ぜるよう義務づけることで。多くの農場主が大豆からトウモロコシに切り換え、穀物価格の高騰を招いた。だがエタノールは燃費がガソリンよりも悪く、生産に大量のエネルギーが必要だと判明した。そして腐食性を持っていたため、まったく独自のパイプラインが必要だった。そのようなパイプラインがない場合はトラックで運ぶ必要があった。「これらすべてをまとめると、実際はエタノールを使用することで、エネルギーは節約されるどころか消費が増える」とエネルギー問題専門の経済学者リン・キースリングは言う。政府の強い後押しさえなければ、エタノールにはもっと大きな将来性があったかもしれないと彼女は主張する。

政府の介入が無ければ、実験は続いていたが、もっと小規模でずっと多くの試行錯誤があったはずだ。こうした物理的特性もある程度わかり、そのエネルギー費と、実は親水性で腐食性があることもわかっていただろう。[68]

最近、ヨーロッパ各国の政府は太陽光と風力発電の推進を決めた。しかしここでもまた、彼らは大々的なスケールアップを望んで、初期型のソーラーパネルと風力タービンの普及に巨額を投じた。原子力と天然ガスを含むあらゆるエネルギー源のなかで、これは温室化ガスを減らす最も費用のかかる方法だった。そのうちのごくわずかでも、もっと優れたエネルギー変換と、根本的に新しい方法によるアプリケーションと素材の利用に関する研究に使っていれば、再生可能エネルギーの未来はまったくちがっていたかもしれない。だがそれだと、ヨーロッパの政治家たちは雇用とカメラに写る機会、つまりどうやって問題解決しているかを自慢する多くの機会を作れなかっただろう。

だからこそテクノクラートの解決策は、しばしば物足りない結果に終わる。未来の予測がむずかしいだけでなく、プロセスが政治的理由によって曲げられるからだ——そして特別な利害関係がプロセスに影響を及ぼすためだ。

２００７年から２０１３年までのあいだ、トウモロコシ・エタノール業者たち、なかでもアーチャー・ダニエルズ・ミッドランド社は1億５８００万ドルをロビー活動に投じ、その見返りにアメリカ政府はトウモロコシ・エタノールに対する免税だけで３００億ドル近くを費やした。ミッドランドにとっては、かなり良い投資収益率だ。

イデオロギー的理由もプロセスをゆがめた。たとえば、政治的左派はたいてい風力好きだが、右派は原子力に声援を送り、どちらも自分の虎の子を財政的に支援したがる。「これは私たちには好都合だが、政府が納税者の金を使う方法として良策とは思えない」と、２００９年のきわめて好条件な政府融資について、カリフォルニアのソーラー企業ソリンドラへの投資者の一人は言っている。また政府は企業が優先事項を、顧客の幸せから、政治家の幸せに変えると喜ぶ。同社取締役の一人は、ソリンドラの創業者がやってこれた理由は、彼とオバマ政権の緊密な関係しかないと主張した。最初の融資を受けて1週間経たないうちに、ソリンドラは4億ドルもの追加融資を求めた。

自分の金でリスクをとらない者は、投資利益を確実にするための努力をしない。ある行政管理予算局の職員は、エネルギー省のソリンドラへの融資過程には「提出資料の審査もほとんどなく、プログラム管理や、自分たちがまとめた取引をモニタリングする、チームメンバーたちの資金源の利益背反に内在する紛争のとりまとめもなかったと不満を漏らしている。オバマ大統領の首席経済顧問だったローレンス・サマーズは「政府は実にダメなベンチャーキャピタリストだ」とこれを総括した。２０１１年、ソリンドラは破産申請した。[69]

すべてが知識の問題

地球温暖化などあらゆる問題に対する動的主義者の返答は、「叡智は自分自身の無知に気づくことから始まる」というソクラテス的洞察から出発する。私は解決策を知らないし、あなたも知らない、そして政治家ももちろん知らないという考えだ。

むしろ必要とされているのは、みんなが自分のやっている地球温暖化の悪化について真剣に考え、それに取り組むための最良のアイデアを提供するようインセンティブを与えるシステムだ。最良の方法は、すべての炭素燃料に対する卸売時の炭素税で、それが下流の消費者全員に転嫁される。この方法では、私たち全員が自分たちのもたらす被害の代価を支払うことになり、炭素源の使用が少ない物とサービスに消費を向けるインセンティブが生じる。

このシステムのすばらしさは、それが水晶玉の必要性から私たちを解放してくれることだ。何が温室化ガス削減の最良の方法なのかを予測する必要がなくなるし、科学者、イノベーター、企業、消費者を勘ぐる必要もなくなる。人々に脱炭素の方法を説くのではなく、二酸化炭素排出を最小化する最も効率的で安価な方法の発見を、無数のイノベーター、消費者、実業家に委ねるのだ。特定の企業に恩恵をもたらす補助金や規制による支援は廃止する。それは政治家と官僚を、技術評価という不可能な仕事から解放し、個人的な知り合いだったり、個人的に期待していたり、イデオロギー的理由から好きだったり、自分の評価を高めたり、その地域で雇用を創出したり、あるいは選挙資金を出してくれたりする企業に恩を売る機会を奪う。企業は排出量を削減した分だけ利益を得る。

むずかしいのは、暮らしを困窮させる税に人々を賛成させ、それを世界規模で実装する方法だ。完全な国際協調は必要ないが、炭素を集中的に使う製品があっさりよそに移動しないよう、この税を導入する国は多ければ多いほど良い。世界排出量のほぼ4分の3を排出量上位10ヶ国が占めているので、それらの国々の合意だけでもかなり有効だ。環境保護運動は裕福な西洋諸国で最も急速に高まっているが、それはこうした政策の支持増大を示している。貧困国は国の平均所得がある既定の基準値を超えたところで、段階的な税の導入を可能にしてこれに加われるようにするのが望ましい。

国民の物質的幸福に関して言えば、炭素税の導入で、彼らの総所得から奪われるお金の総額が増える必要はない。本来それは収入源ではなく、一つのインセンティブだ。この歳入を所得税削減に使うこともできるので、人々はこれで物資的に損害を被ることはないし、もしもそれが産業競争性を損なうのが心配なら、資本税、法人税を削減してもよい。また人々に炭素税を支援させる別の方法も提案されている。すべての歳入を、国民ひとりひとりの銀行口座に毎年同額一括払いで還元するのはどうだろう？　これだと炭素税には平等主義的側面が生じ、最貧の人々は炭素税としての追加支払い分よりも大きな金額が還付されることになる。

27人のノーベル賞経済学者たちは、炭素税支持の声明で「煩雑な規制を価格メッセージに置き換えれば、経済成長をうながし、規制の確実性に依存している企業にクリーンエネルギーへの長期投資という選択肢を追求する機会を与える」と述べている[70]。エネルギー専門のディーター・ヘルムは、これが排出量を最も効果的に減らす方法と考えている。「市場では、現実が現実だ。コストを払うだけだ。ロビー活動を受けることもない。補助金を受けることもない。自分がまちがっていると知ったら、支払うだけだ」[71]

新しい解決策は、需要と供給の両方で政治家や官僚には決して予見できなかったような方法で生まれる。消費者は省エネし、石炭から天然ガスに、ガスから太陽発電に切り替え、可能な限りクリーンな製造プロセスを要求する。市場は常に優れた解決策を模索し、イノベーターと起業家は、エネルギー源、燃料、素材、保管、流通のソリューションについての新奇なアイデアを実行に移すための、予測可能な強いインセンティブを持つようになる。

個人的には、太陽が地球に1時間で注ぐエネルギーで、世界全体が1年間に必要とするエネルギーを十分満たせることを考えると、太陽光が長期的に未来のエネルギーにならなければ驚く。

だが第4世代の原子力のほうがずっと安価かもしれず、多くの科学者とイノベーターが、無制限の安価でクリーンな電力を与えてくれる核融合で飛躍的ブレークスルーが実現されると信じている。自動車はクリーンエネルギーか藻類から作ったエタノールで走るかもしれない。ガソリンやジェット燃料を安価に作れるような、DNA組み換えのデザイナー藻類でブレークスルーが生じるかもしれない。

あるいは地球温暖化解決の最良の対策は、二酸化炭素を空気中から吸い出すことかもしれない。もちろん木でもこれは可能だが、莫大な森を育てるだけの辛抱強さ、あるいは場所がないなら、既知の工業プロセスから応用した技術でそれを実現できる。カーボン・エンジニアリングという会社のネガティブエミッション・プラントは4000万本の植林に相当し、二酸化炭素1トン当たり100ドル未満で回収できるという。

何がいちばんうまくいくかまるでわからないので、世界のどこかの実験室やガレージから生まれた驚きに対してオープンでなければならない。量子物理学者デヴィッド・ドイッチュは『無限の始まり』（邦訳インターシフト刊）でこう記している。「何かが物理法則によって可能であれば、その技術的実現を妨げられるのは、無知だけだ」[72]。言い換えれば、すべてが知識の問題であり、より多くの知識を得る方法がオープン性と試行錯誤だ。

そして確かに、新しい解決策が必要だ。どの世代も独自の生死に関わる脅威に直面してきたが、現在はそういった異なる脅威が合流している。西洋にとってほぼコペルニクス的転回に匹敵するような地政学的シフトが起きているまさにその瞬間に、地球温暖化がもたらした最初の結果を経験している。

西洋はもはや宇宙の中心ではない。西洋は無秩序と敵に囲まれ、多数の移民とテロリスト集団が西洋文化と社会そのものをおびやかしているようだ。

そして突然まったく新しいコロナウイルスのパンデミックが圧倒的な規模で害を与え、人を殺している。これらすべてが、金融危機により経済の持続可能性と、指導者たちの理性に疑念が湧いてきた直後に起きた。

これが私たちの危機感を高め、それがゼロサム思考と群れたがりを増進させた。そしてこれはフィードバック・ループを生む恐れがある。外集団を攻撃し、貿易戦争を開始したら、相手も同じやり方でそれに応えるので、私たちは恐れていた敵そのものを本当に作り出してしまう。そして定着した貿易関係を破棄したら、それは経済に損害を与え、経済をますますゼロサム・ゲーム的に思わせてしまう。

無秩序と敵に取り囲まれたら、自衛するか、逃げなければならない——あるいはバリケードに人を配置して応戦しなければならない。

第8章

戦うか、逃げるか

自集団の危機を感じると、私たちは強いリーダーを求める。メディア報道とSNSが、右派左派を問わず、この「部族主義」を強化する。

「保守派とはなんだかご存じかな?」とフィラデルフィア市長フランク・リッツォはかつて、揶揄するように尋ねた。「前の晩に追いはぎにあったリベラル派だよ」

リッツォはブルーカラー出身の民主党で警察長官であり、別に寛容な小さな政府の保守主義が念頭にあったわけではない。むしろ自分の人種的な色合いを帯びた、大きな政府の保守主義を想定していた(「白人に投票しろ」と彼は1978年に、自分の選挙区の有権者たちに述べた)。

彼の主張は、法治とかマイノリティの権利とか、口先で話している分には結構だしカッコいいけれど、でもとても危険な世界の厳しい現実に出くわしたら、そんなきれいごとは言っていられないぞ、ということだ。それが起きたら、先手必勝の強い政府がほしくなるだろう、というわけだ。

言いたいことはわかる。攻撃を受けたら自衛しなくてはならず、それが不十分なら集団や政府に防衛にかけつけてほしい。そのときに人権や権力分立が政府の行動を抑えるなら、それは利敵行為に思える。強い即座の行動がほしいのだ。アメリカ最高裁判事サーグッド・マーシャルが1989年に、対ドラッグ戦争がプライバシー侵害を正当化しているのを懸念して言った通り。「歴史を見れば、自由に対する深遠な脅威は、緊急時にやってくることが多い。そうなると、憲法上の人権は容認しがたいほど広いように思えるのだ」[1]。彼の念頭にあったのは、第2次世界大戦中の日系人収容キャンプや、マッカーシーの赤狩り時代のことだ。

そんな世界大戦などの極端な話や、それどころか追いはぎすら持ち出す必要さえない。未知のものに対する恐怖はあまりに強力だから、オープン性に対する不安を引き出すには、不安レベルをちょっと上げるだけですむ。

『サイコロジカル・サイエンス』誌に掲載された実験によれば、リベラルというのは手を洗っていない保守派なのだとすら言える。この実験では、被験者に各種集団に対する態度を尋ねたが、まずインフルエンザの季節だということが指摘された。そして手をよく洗えば、感染を避けられるとも指摘された。そしてあるランダムに選ばれた集団は、質問前に手の消毒機を使えるようになり、もう一つの集団はそれが与えられなかった。その後、手を消毒していない集団の人々は、消毒した集団に比べ、外集団に対する否定的態度を表明する率が高くなった[2]。

恐怖は人に強力な作用を及ぼす。

これはテレビCMでの実験でも明らかだ。一部の人に古典ホラー映画『シャイニング』を見せて、ことさらおっかない瞬間にCMを入れる。一部のCMには、その製品にどれだけ人気があるかという情報が入り、一部にはなかった。だがおびえた視聴者は、普及して人気があると言われた製品のほうを、他とはちがうユニークな製品として提示されたもの、たとえば「限定版」などよりも高く評価しがちだった。「年に100万人が訪れる」という美術館のほうが、同じ美術館について、他とはひと味ちがう体験として提示された場合よりも好まれた。

ロマンス映画の間に同じCMを見せられた人々は、正反対の選好を示した。ちがったユニークな商品を好み、年に100万人がやることより、みんなとちがったことをやりたいと考えた。

同じ個人でも、その心の状態に応じて、従属的にもなるし個人主義的にもなる。研究者たちの結論にあるように「ヒョウがいるときの野生動物同様、おびやかされた人は大きな集団に帰属したがる」[3]。

他の研究は、恐怖や嫌悪の感情は、移民、ジェンダーの役割、ゲイの権利、婚前交渉、ポルノといった問題について人の態度を保守化させることを示している。たとえば、単に汚くて乱雑な部屋で道徳的なジレンマに直面するだけで、きれいな部屋で直面した場合よりも厳しい意見を抱くようになる[4]。リベラル志向の学生でも、自分の死について考えるように言われると、同性愛者を平等に扱うことにあまり同意しなくなる[5]。アメリカの学生は、アメリカの衰退についての記事を読んだ直後には、強い女性を教授職に推薦するのをためらうようになる（直前にアメリカの台頭記事を読むと、それを読まない集団よりも彼女の雇用に前向きになる）[6]。

だがこれは単に社会的保守性の問題ではない。嫌悪感を引き起こすと、人々は経済でも介入主義的な態度を推すようになる――たとえば企業が労働者を収奪しているとか、政府による再分配が必要だとか言う率が上がる[7]。

多くの英米人は、社会的に保守主義で自由市場支持の保守的な人格と、課税して支出して共存共栄したがる進歩的な人格があると信じている。だがこれは、人々が英米で提供されている二つの伝統的な政治パッケージのどちらかに肩入れしようとする結果らしい。世界的にみれば、自由市場支持のリベラルや、大きな政府支持の保守派が見つかる可能性は高い。50ヶ国の7万人を調査したところ、統制と従属を支持する人々は平均で見て、文化的には保守的だが経済的には左派寄りだ。[8]

1794年にアメリカ建国の祖ジェームズ・マディソンは「あらゆる危機や問題を、政府の力を強める口実にするという古い手口」について警告しているが、その後も私たちは何度もその手にはまってしまっている。現代の古典『危機とリヴァイアサン』（未邦訳）で、アメリカの経済史研究者ロバート・ヒッグスは、政府は通常は不景気や戦争といった危機時に権力を増して拡大することを記録している。危機が終わっても、政府はそうした新しい権限を手放すことはめったになく、拡大のペースは高まったままになる。[9]

心細さ、無秩序、嫌悪の感情がもたらす主要な効果は、人を文化的にも経済的にも個人主義から後退させ、政府が集合的な規範を強制すべきだと言いがちにすることだ。がっちりと守りの円陣を組もうとする。これは歴史的に、生存率をすさまじく高めてきた。ハイエナたちが包囲をせばめてきたら、集団で防衛しなくてはならない。意見の相違だの不服従だのの余地はない。一人でも生き残るためには、みんなでハイエナに石を投げねばならない。敵部族の攻撃を受けたら、兄弟やご近所との古い反目は棚上げにして、いっしょに反撃しなければならない。こちらの集団に忠誠心がないヤツは追い出さねばならない。そしてダムが決壊したり村が火事になったりしたら、異論者やエキセントリックな連中はまったく役立たずだ。共通の脅威と戦わねばならず、優先順位ややり方について批判的な質問なんかいらない。

脅威に対して強い対応をする能力はとんでもなく重要だ。身体を守るのに免疫系が必要なのと同じ話だ。だが免疫系がまちがった信号に反応してしまい、ホコリや花粉に攻撃的に対応したり、自分の身体の一部まで異物とまちがえ、自分を攻撃したりするように、集合的な脅威の感覚も過敏だ。なんといってもそれが発達したのは、肉食獣や近所の群れからの命にかかわる攻撃にしょっちゅう直面していた状況だ。そういう状況なら、過敏に反応するほうが、過小に反応するよりずっとマシだ。

日常生活では、集団対集団ではなく、個人対個人で人とやりとりをする場合、通常はこれでうまくいく。しばしばマスコミに描かれるのとはちがい、災害時に人々は普通、かなり落ち着いた対応を見せる。災害研究の先駆者エンリコ・クアランテリは、行ける災害地域にすべて出かけて行動を記録するという簡単な手法を使った。「全体として研究の証拠から見ると、一般に思い込まれているのとはちがい、災害の被害者はパニックにならないし、受動的でもないし、反社会行動にはまったりもせず、行動面でトラウマを受けたりもしない」[10]。通常、人々はできる限り被災者を助け、手持ちのものを分かち合い、落ち着いて建物から避難する。そして階級や人種の古い垣根は、共通の災害と闘う中で忘れられる。

だがそれは、人が個人として自発的に行動するやり方であって、社会が直面する恐怖への統合された政治的アプローチを決めるときの、集合的な行動ではない。この場合、研究は次のようにまとめられる。

研究文献によると、不安は内集団的な団結、集団規範への硬直した従属、部外者の拒絶につながり、人々は強い専制的な指導者を、人々の仕事や個人の安全に対する脅威と見なされる危険な外部の人間から守ってくれる存在として求めるようになる。[11]

静かな革命

危険な世界についての恐怖を少し洗い流せるなら、手の消毒機やワクチンどころか、無敵にしてくれる完全な保護が得られるならどうなるだろうか?

ある研究では学生たちに、いきなりスーパーヒーローのような能力がもらえたと想像してもらい、それから社会変化への態度について尋ねてみることでこれを検証した。空を飛ぶ力を得た人は、別に態度は変わらなかった。だが自分が身体的な危害に対して無敵になったと言われた人々の態度は変わった。スーパーマン気分になった保守派はいきなり、リベラル派と同じくらい社会変化にオープンになったのだ。[12]

ある意味でこれは、安楽なグローバル化エリートの戯画化のように思える。創造的破壊に対して自分は無敵なつもりで、もっと不幸な人々に対しては技術変化や文化変化を歓迎しろと説教するわけだ。ご立派な地域に住んで、何かあっても銀行に預金がたっぷりあるから、追いはぎにあう恐れもないので、リベラル派を気取っていられるのだというありがちなイメージとなる。

だが別の観点から見れば、西洋の世界はまさに過去1世紀にわたってこの変化を実現してきた。高確率で貧困や暴力に陥ったり早死にしたりする状態から、相対的に豊かで安全な状態に移行したのだ。期待寿命が80年ほどというのは、無敵というのとはもちろんちがうが、平均30年から35年しか生きられなかった以前の世代に比べれば、確かに無敵にずっと近づいている。そして最近では、予想外の脅威でいきなり死んだりすることもめったにない。ほとんどの場合は高齢になって、病床で癌や心臓病で死ぬ。そういう死因がなく、突然の事故や暴力でしか死なないなら、アメリカ——銃と自動車だらけの国——の期待寿命は78年から平均８９３８年に延びる[13]！

また人はもっと解放的でリバタリアン的な価値観を身につけた。これは心理学者エイブラハム・マズローの必要性の階層が示唆する通りだし、また政治学者ロナルド・イングルハートの世界価値観調査が記録した通りだ。食べ物、温かさ、身体的な安全を手に入れたら、自尊心と自己実現の必要性のほうが、思考に占める割合が高まる。産業革命、現代の技術、大衆教育と都市化で、ほとんどの人は身体的、物質的な生存は当然と思えるようになった。これは史上初のことだ。この安全の感覚があるから、もっと多くの危険に直面して、許容されるまちがいの余地が小さく、したがって社会規範が厳しい社会に比べると、あいまいさはもっと許容できるようになっている。これは第２次世界大戦後の急速な経済成長と、列強間の平和でさらに強化された。

世代間で、価値観の大幅な変化が見られた。従属性と安全を強調する価値観から、個人主義と、新しいアイデアへのオープン性を重視する価値観への転換だ。あらゆる世代で、個人の自律性と権利平等の協調が強まった。ベビーブーム世代は戦中世代より強く、ジェネレーションXはベビーブーム世代より強い。ミレニアル世代はジェネレーションXよりさらに強い。単に若いからというだけではない。あらゆる世代が、前世代に比べ、同じ年齢のときにもっとリベラルなのだ。この傾向は研究対象のあらゆる国で同じだ。単に、一部の国ではこのプロセスの開始時点が遅いだけだ。

人々の価値観は、暮らす世界との一致度が高まってきた。経済技術が進歩して、非ゼロサムが増えた、もっと平和な世界だ。

だが残念ながら、人は無敵ではない。たまに国全体が簒奪され、ときには社会全体が手を洗うのを忘れたように思える。飲みかけのプラスチックコップをテーブルにのせ、ゴミ箱に汚いピザの箱や使用済みティッシュを入れて研究者たちが作り上げた汚い部屋で質問に答えるだけで、人々が高圧的になってしまうのであれば、世界全体がちょっとだらしない感じになったとき、みんなの価値観はどう変わってしまうのだろうか?

9・11 vs 11・9

私が育った時代を決定づける事件は、1989年11月9日のベルリンの壁崩壊だった。東ドイツと西ドイツの人々が嬉々として、憎悪されていた壁を打ち倒し、たたき壊すのを見て、古い友人や見知らぬ人を抱きしめるのを古いビデオで見ると、いまだに毎回涙が出てくる。それは当時のあらゆる希望をまとめたものだった。みんな同じ人間で、同じ愛と自由を希求し、それを隔てる壁はいずれ倒される、ということだ。

現代という時代を決定づける別の映像でも涙が出てくるが、理由は正反対だ。その映像は2001年9月11日のニューヨーク世界貿易センタービル倒壊だ。11・9は自由と愛の象徴だったのに、9・11のテロ攻撃は戦争と憎悪を示した。11・9は人類の統合を表明したのに、9・11は一部の人はとにかく世界を破壊したいだけで、そいつらを遠ざけておくにはもっと高い壁が必要だという印象をもたらした。ヨーロッパでは、２００４年のマドリード列車爆弾テロや２００５年のロンドン爆弾テロなどが世間の心理に似たような影響を与えた。

アメリカのあらゆる世代の大半は、９・11こそが自分の生涯でアメリカに最大の影響を与えたできごとだと考えている。これは第２次世界大戦、冷戦、公民権革命、月面着陸を体験した世代ですら同じだ。[14] これはベルリンの壁崩壊と同じように、みんなの世界観に影響するが、その影響は正反対だ。不確実性と恐怖は、世界と外集団についての疑念を高めてしまう。不確実性があると、問題の各種側面に対するオープン性が生まれてもよさそうなものだが、脅威と組み合わさると、人の思考はかえって硬直し、政治的な反対派に対する寛容度が下がる。おびえる以前に思っていたことはすべて、いったんおびえてしまうと確信に変わってしまうのだ。[15]

９・11以後の調査で、アメリカ人が自己実現の価値——自分の達成したこと、喜び、叡智——に見出す重要性は下がり、生存と安全保障の価値が重視されるようになったことがわかる。[16] 生存がおびやかされていると思ったら、みんなマズローの必要性階層をすべり落ちて、個人の自由よりも集合的な安全を優先するようになった。おかげで外集団に対して敵対心が高まった。だが一方で、この集団主義には、温かいほんわかした面もある。多くの人は、災害にあったり戦争が始まったりしたときほど、見知らぬ人やご近所との一体感を感じたことはなかった。外部からの脅威の前では、日常の差など忘れて肩を並べるようになるのだ。

この赤裸々な例の一つは、ポールという若者がつまらない日常の場面で目撃した事例だ。ポールはニューヨークで企業の従業員を対象にベーグルを届けていた。これは信用払いのシステムに基づいた仕組みになっている。彼は研究アナリストでもあったから、ベーグルを取ったのに支払いをしない人を注意深く観察していた。そういうことは悲しいかな、よくあることなのだ。9・11直後、ただ食い率は15%も下がり、そのままそれが続いた。[17]

2010年初頭、アラブの春で中東の腐敗した独裁者に対する勇敢な蜂起は、テロ、内戦、新たな圧政という悪夢のような組み合わせで終わった。これは私たちの、政治的解放に対する希望的な見方にとって大打撃だった。1989年のベルリンの壁崩壊の教訓は、弾圧されている人々はまるで「オレたち」とまったく同じだ、というものだった。だから壁さえ引き倒せば、みんなすぐに安定した民主社会構築の作業にかかるだろう、というわけだ。アラブの春以降に多くの人が受けた印象では、中東で引き倒された壁は、イスラム主義者、過激派、軍閥を抑えていたもののようだ。そして一部の観察者は秩序再建のために専制支配復活を歓迎したほどだ。

かつて自由は、あらゆるところで見られるべき普遍的価値と思われていたが、いまやなにやらおっかないものに思えてきた。特に、苦しんでいた人々がこちらの岸辺に押し寄せるようになるとなおさらだ。

2015年には、シリアなどから100万人以上の難民がヨーロッパにやってきた。この難民危機は公的サービスにすさまじい負担をかけた。特にドイツ、オーストリア、スウェーデンのような受け容れ国ではそれが顕著だった。

もっとひどいことに、高速道路や鉄道に沿って逃げ場所を探しつつ行進する大量の移民は、混乱と無秩序の感覚を作り出し、それがこうした国以外にも恐怖を引き起こした。すでに指摘されたように、人は移民に適応はするが、急速な民族的変化は好まれないことが多いし、これはあまりに急速ではあった。多くの自国生まれの人々にとって、大量の移民は悲しいかな、蛮族の騎馬隊が城市の門を急襲するという古いイメージをよみがえらせてしまった。

ブルガリアの政治学者イワン・クラステフはこの難民危機を「ヨーロッパの9・11」と呼んでいる。2001年のアメリカでのテロ攻撃と同じような、アイデンティティと安全保障をめぐる疑問をヨーロッパにつきつけたというのだ。

おもしろいことに、反発が最も熾烈だったのは中欧と東欧の旧共産主義国だった。だが実は彼らは、ほとんど難民を受け容れていないのだ。クラステフはこの説明として、こうした国が政治の脆弱性について持っている記憶のせいだとしている。一見すると安定したものが、突然崩壊することがあるのだ。難民危機で彼らは、まさにそれを目撃していると思ったのだった。

ドイツ首相アンゲラ・メルケルによる国境開放の決断は、その次に起こることに対する計画が一切無かったので、なおさらその炎はあおられた。これは他の国が難民であふれてしまうのを避けるための一時的な決定であり、他の国も負担を共有するように強いる即興の計画により対応されるはずだったが、それが失敗した。事態はグチャグチャになり、それまで広く受け容れられていたEU諸国間の市民の自由な移動が、恐ろしく思えるようになってしまった。

専制主義的な傾向

2005年の著書『専制主義の力学』（未邦訳）で政治心理学者カレン・ステナーは、不寛容は「過去のものではなく、むしろ未来のものなのだ」と警告した。それは何度も何度も私たちを襲うことになるものだと彼女は考え、どこからともなく現れるように見える、強烈でときに暴力的な不寛容の噴出例について具体的に理解したいと考えた[18]。

研究の結果ステナーは、専制主義というのが安定した個人的性向ではないと結論した。これは第2次世界大戦後に一部の学者が「専制主義的人格」の存在を論じたのとは正反対だ。彼女によればこれはむしろ傾向なのだ。自由や多様性よりも単一性と同一性を好む、低位の一般的な傾向だという（ステナーによれば西洋民主主義国の人々で3分の1がこれを抱いている）。この傾向は、平時には何か特定の形であらわれたりはしない。だがこうした傾向を持つ人々が、社会統合に対する脅威を感じると、爆発的な反応を示す。多様性や異論に不寛容となり、法治や言論の自由を踏みにじっても、政府統制による統合の回復を望むようになる。

この群れたがりたちにとって、あらゆる脅威が同じ爆発的な影響を与えるわけではない。これを検証するため、被験者は各種の脅威についての架空の話を読まされた。たとえば人生は残酷で不公平だという洞察とか、死後の世界なんかないという証拠とかいった形而上学的な脅威から、人々がますます分離して分裂しつつあるとか、政治指導者が人々を失望させているといった規範的な脅威まで様々だ。形而上学的な脅威のほうが大きな影響を持つと思うかもしれない。そしてその通りかもしれないが、これは政治的な効力は持たない。だが規範的な脅威は、つまらないものであっても（人口が多様になっているとか指導者がダメだとか）、強い専制主義的な衝動を引き起こす。

社会心理学者ジョナサン・ハイトがこの結果をまとめている。

まるで一部の人はおでこにボタンをつけていて、そのボタンを押すといきなり内集団防衛に専心してしまい、外国人や従わない者たちを蹴り出して、集団内の異論者をつぶしたくなるかのようだ。そういうときにこの人々は、強者と武力の使用に惹かれるのだ。[19]

これで、不寛容の波がどこからともなく現れる様子が説明できる。旧友たちや家族は、いつもは中道主義的な人物が、まったく別の攻撃的な政治的側面を見せるのでショックを受ける。群れたがりたちの態度は、対照条件や規範的でない脅威に直面したときには、他の人と変わらない。だが社会が崩壊しつつあると感じたら、いきなり従属性と盲従を強制しろと言いだす。

これが起きると、その力学が自分勝手に動きはじめる。社会への従属より個人の自律性を重視する集団は規範的な脅威にも動じず、多くは危機時にますますリバタリアン的になる。集団ごとに反応があまりにちがうため、これは社会の極端化という印象を強化し、規範的な脅威の感覚がさらに強まってしまうのだ。

この種の専制主義は保守主義とはちがう。群れたがり傾向を持つ人々は、あらゆる集団がいっしょに変化する限り、変化を気にしない。彼らを動かすのは、伝統や制度自体への敬意ではなく、社会的な一体性なのだ。彼らが嫌うのは変化ではなく、複雑性だ。単一性と同一性が強化されると思えば、畏敬される伝統ですら破り、重要な制度ですら破壊することも厭わない。

そしてこの傾向は、政治的な右派左派問わず見られる。その多くは、どの政策が実施されるかさえ大して気にしない。それが高圧的にトップダウンで行われ、万人に適用されればいいのだ。たとえばポピュリスト政党が、かつては同性愛者の権利や女性の権利を声高に罵(ののし)っていたのに、移民が問題視されてくると、移民の大きな問題はこの社会のみんなほどゲイや女性の権利を支持していないことだ、などと言い出すのはよくあることだ。

専制主義的な反射反応の背後にある、あまり注目されない要因としては、政治指導者たちが私たちの信頼に値しないのでは、という認識がある。彼らは無能で、自分自身や金持ちの友人たちのことしか気にしていないのでは、というわけだ。多くの人々はこうした指摘に対し、もっと政府の権限を制限して小さな政府を目指せと言うが、矛盾したことに、群れたがり集団は、問題を解決できる豪腕指導者にますます権限を与えろという反応を示す。ひょっとすると、彼らは指導者に対する期待値が高く、それだけ失望も深かったということかもしれない。

ステナーがこれを書いているとき、英米では指導者への信頼は、アフガン戦争と、特にイラン戦争により大きく損なわれた(イラン戦争は短期決戦で、サダム・フセインの大量破壊兵器備蓄を明らかにして、中東に安定した民主主義を作り出すはずだった)。イギリスの議員による派手な経費や、家族を公費で養うフランスの政治家といったケチな汚職が、この不信に油を注いだ。もちろん、目新しい話ではない。ベトナム戦争とウォーターゲート事件も、公職者に対する信頼を損ねた。だが透明性の増大そのものが、指導者のふるまいや誠意をなおさら疑問視させるようになっている可能性はある。どんなものでも、あまりに近寄ってしまうと魅力は失われてしまう。

緊急ニュース

群れたがりが増えるためには、社会が大混乱に陥る必要さえない。本章冒頭の実験が示すように、人に何かの問題を思い出させるだけで、彼らは身構えてしまう。世の中の変なところすべてについて、その人たちに集中的に知らせてまわれば、政治的な「戦うか逃げるか」的な反応にみんなを簡単に挑発できる。1990年代初頭と比べると、アメリカの暴力犯罪は半減しているが、ある1年を除きほとんどのアメリカ人は世論調査員に対し、犯罪が毎年増えていると思うと答えている（例外の1年は2001年で、みんなテロのほうを心配した）。平均で66％の人は、1990～2018年で毎年犯罪が増えたと思っている。[20]

メディアの役割は、前回チャンネルをあわせたとき以来起こった、最もショッキングなことを教えてくれることだ。ジャーナリストを責めてはいけない。これは人間というのは問題を探そうとする生き物だから仕方ないのだ。だからこそ、悪いニュースのほうがよいニュースより強い。人は損をしたり、友人に捨てられたり、批判されたりするほうが、儲かったり、友人を得たり、ほめられたりするより記憶に残る。あらゆるところで悪は善より強いが、唯一ノスタルジックな記憶の中だけが例外で、このため現在はなおさらひどく思える。

自分をおびやかしかねないリスクのことしか知らなかった時代なら、この傾向は進化のなかで人々を生き残りやすくしてくれるものではある。だがこの遺伝的なデフォルト設定は、世界的な24時間のテレビニュースを想定していなかった。ジャーナリストはおかげで、世界全土から、おつかない話を好きなだけ選べるようになった。そして戦争での死傷者や殺人は過去30年で半減しているのに、世界のどこかにはいつも必ず戦争があり連続殺人犯がいるので、それがどこでもトップニュースになり、そうしたものが頻度を増しているような印象を与える。問題はフェイクニュースではない、文脈や思索をともなわない本当のニュースが問題なのだ。

皮肉なことに、ドラマ性に対するみんなの渇望は、地球上で続いている最悪の悲劇には目を閉ざすように動く。たとえば慢性的な栄養失調や屋内空気汚染による死者などだ。こうしたものは突然でも爆発的でもない。いつも背景にあるだけだ。

そしてソーシャルメディアがやってきて、これがさらに1秒おきに新しい脅威を伝えてくれる。だれかが言ったように（だれだっけ、ソーシャルメディアで読んだんだけど）、人間の悲惨は目新しくないが、カメラ付きスマートフォンは目新しい。いきなり、世界で惨事があったら手近に市民ジャーナリストがいるようになり、それを他の人々に伝え、いまや聞いたこともない人々がやらかした、最もおっかない悪質なことをみんなが共有するようになった。これは惨事の規模を誇張してしまうから、毎朝目を覚ますごとに、世界が崩壊しかけていると思ってしまう。

みんなのソーシャルメディア消費方法も、この感覚に拍車をかける。昔々みんなは夕方のニュースをテレビで見たり、朝に新聞を開いたりして、1日分の犯罪と戦争の情報に備えた。悪い知らせがくるぞ、というのがあらかじめわかっていた。いまやそれがあらゆるものと入り混じっている。というのもオンラインニュースの個人消費方法がまだ確立していないからだ。

ソーシャルメディアのフィードを見ると、だれかのコンサート写真を見て、その次にテロ攻撃がくる。ネコのお笑い写真、ギャグ動画、それからあんたらみたいに投票する連中は頭がおかしいとわめく若者、だれかがビーチにやってきました、だれかが町角で刺殺されましたというニュース。大惨事がくるときにも、心の準備ができていない。悪いことがいたるところから常時やってきて、決して終わらないのだという感覚ができてしまう。だからオープンな社会を揺るがせたいロシアのような専制国が、フェイクなサイトやボットを作り、犯罪、テロ、陰謀、人種的な緊張に関する話をでっちあげ、恐怖と対立を煽るのは当然だ。

ステナーとハイトは、おでこにあるボタンという例えを使った。壁をつくり、異論者を黙らせたくなるボタンだ。そのボタンが押されるのは？　人々が、社会や自分の集団がおびやかされていると感じたときだ。

ステナーは、道徳秩序への脅威や国内多様性の暴走に注目するが、もっと劇的なのは世界が崩壊しつつあり、ご近所の外のすべてが炎上しているという感覚だ。そのボタンを何度も押すものを発明したければ、人々がひどいニュース、体験した最大の悲劇、読んだ最悪の犯罪、他の政治的立場から出てきた最も憎悪に満ちた表現（聞いたこともない都市にいる、どうでもいいヤツが口走ったものでも関係ない）を、即座に友人たちと共有できるような通信技術を発明するだろう。つまりは、ソーシャルメディアを発明すればいい。

ソーシャルメディアは、生産側と消費側の両方における、メディアの空前の民主化を象徴している。そしてそれは、私たちの生活を無数のやり方で改善した。ますます多くの人とつながり、興味あることについて学び、そしてあらゆる技芸において創造性の爆発を可能にして、人々はいまや何がよい趣味なのかについて門番にあれこれ指図されずに、お互いから学べる。

全体としての世界的なトレンドを見れば、私たちの福祉は驚くほど改善したというのが真相だ。だが人の心理は昔ながらだ。これに自分がコントロールされるのを許せば、最新ニュースをひたすらむさぼるばかりとなり、文脈も統計もリスク分析も考えず、メディアによる配信が世界の状態について、誤解まみれの印象を形成することになる。この意味で、メディアは本書の第II部で見てきた他のものすべての加速装置のような働きをする。部族性を強化し、現在が独特でちがっていておっかないと思わせ、世界をゼロサム・ゲームとして見る傾向を強める。怖がらせ、戦うか逃げるかという本能を呼び起こす。スケープゴート相手に、それが外国だろうとウォール街だろうと移民だろうと戦おうとし、逃げて壁や関税の背後に隠れようとする。

ひどい皮肉ながら、私たちは世界がゴミためなのだと誤解しつつある。その誤解こそが進歩をつぶし、生活をまさにそのゴミために変えてしまいかねない、どうしようもない解決策を求めさせてしまう。それは災厄の自己成就的な予言なのだ。

つまらん経済のせいなのか?

多くの人は、自国主義の台頭は経済的に取り残された連中の反発だと思っている。これは都合が良い。だれしも自分は社会経済問題の解決策を知っていると思っている(そして自国主義者も大喜びだ。自分たちは忘れられた人々のために戦っているつもりだ)。

だがこれには驚くほどまともな裏づけがないのだ。

2016年のトランプ勝利が起きたのは、経済が急速に回復し、失業率が下がっているときだった。2010年以来、製造業雇用は少し増えていた。ジョージア州やメリーランド州などは2012年のつらい時期に民主党を見捨てたが、2016年の回復期には戻ってきた。トランプは2012年のラストベルト地帯では勝ったが、そこでの投票者は投票理由について、2012年でも2016年でも経済のせいにはしていない。

またブレグジットについても、社会経済的な要因は簡単には見つからない。国が直面する最重要問題が格差だと答えたのは、ブレグジット支持者のたった5％だ（残留支持派ではこれが20％）。イングランドとウェールズの、子なし世帯の4分の1以上は、国民投票での投票が分かれている。つまり、それは家計の経済状態よりは価値観と関係しているようだ。それどころか、死刑支持――ブレグジットでだれも提起しなかった問題――のほうが、所得、年齢、教育、支持政党、居住地よりもブレグジット投票の予測因子として強いのだ。[21]

経済と投票との間の、強くて信頼できる唯一の相関は、現在の経済条件についての評価だ。2016年11月の選挙直前、共和党支持者は平均で、経済について-23という否定的な評価をしていたから、トランプに投票したのも当然、ですよね？　だがこれは絶望的な指標だ。というのも、多くの人は経済についての評価を、現在の政府についての評価に基づいて下すからだ。2016年11月以降、共和党支持者の経済評価は、たった2ヶ月で、-23から+18に上がった。そしてこれはトランプの政策では説明がつかない。彼が就任したのは2017年1月だからだ。一方、民主党支持者の経済評価は30から16に下がった。[22]

カレン・ステナーは、ポピュリスト反乱の社会経済的な要因を確定するのがむずかしい理由は、そんな要因がまったくないからだと述べる。権威主義的な傾向を持つ人が、財政上の苦労といった個人的な問題に苦しむと、意外にも、もっと寛容で包含的な価値観を表明するようになる。ステナーの説明は、個人的な脅威があると、集合的な脅威についての懸念から注意がそれるのだ、というものだ（実際、長期失業していると、専制主義のポピュリスト政党に投票する率は下がる）。[23]

だが経済条件は確かに影響はする。そうでないと、なぜ自国主義の反乱が不景気の後で起こりやすいのか説明できない。だがその伝達経路は、もう少しややこしい。人々は、ある投票を経済条件のせいだとは思わず、エリートの腐敗ぶりに新たな光があたったせいだとか、移民と関連した問題のせいだと思うかもしれない。彼らがそうした問題を、いきなり以前よりずっと重要だと考えるようになったのは、ひいては不景気と関連しているかもしれないのだ。

ステナーの結果を見ると、個人的な問題があってもポピュリストへの投票にはつながらないが、「自分のような人々」の経済社会問題がそれを促進しないとは断言できない。個人的な脅威の感覚は部族的な信念を引き起こさないが、自分の集団に対する脅威ならそれを引き起こす。経済的な下降期はまさにそういう脅威に思える。特に自分の集団が苦しんでいるのに、他の集団が繁栄しているような感じがすればなおさらだ。ポピュリストへの投票が、労働者階級や地方部からきているという話は大騒ぎされるが、それは別に、何やら生得的な専制主義によるものではなく、彼らのほうが急速な社会経済変化に弱いという事実のせいかもしれない。[24] 中産階級やエリート層からの専制主義政策への支持については、多くの歴史的な事例がある。彼らも、特定の政策や社会変化が自分の社会的地位をおびやかすと感じれば、そうなるのだ。

オープン性への反抗

自国主義的な懐古趣味の反動が台頭する共通の条件が、先行き不透明と不確実性だ。何か困難があれば、それは自分たちが何やら正しい道からはずれ、自分自身を見失い、あるいはだれかに惑わされたせいだとされる。だから、伝統的な信念に回帰し、かつては強さを与えてくれたのに、利己性や頽廃や外国の影響で薄れてしまったものを取り戻さねばならない。若者たちも弱くなりあまりに消費志向になってしまった、とされる。

今日では、こうした反動的ノスタルジーは、欧米の白人優位主義者や、アルカイダやイスラム国などの宗教過激派で見られる。彼らはみな、過去の文化が偉大だったのは単に革新的で探究好きだったからで、あらゆる文化からのアイデアや人々に開かれていたからなのだ、という事実を見ようとはしない。その連中に振り返るべき偉大な過去が存在するのは、まさにその反動的なご先祖たちが、そいつらの主張していることをやらずにすませたからなのだ。

だがこの反動はなにやら原始的なものに訴えかけている。秩序↓無秩序↓秩序という、多くの伝承やおとぎ話に見られる発想と似ている、というのが伝承研究者マックス・リュティの主張だ。[25]昔々、幸福な状態があり、そこへ悪いことが起こり、だが秩序は回復しました、というわけだ。これは、困難に対処して、問題を解決し、人生を先に進めようという人間の持つ傾向の反映だ。だが政治的な領域では、その「悪いこと」というのは他人であり、おとぎ話の英雄は、そいつらを本来の居場所に蹴散らす豪腕の者だ。そしていったんその豪腕の者が地位につくと「次から次へと戦争を引き起こし、世間が将軍を必要とするように仕立てるのだ」とプラトンは『国家』（邦訳岩波書店刊）で予言している。[26]

安禄山の変（７５５〜７６３年）は、史上最も血みどろの戦争の一つだった。始めたのは野心的で不満を抱いた将軍で、それが唐に大打撃を与えた。フロンティアが崩壊し、中国は西へのシルクロード支配を失った。反グローバル化の儒学者たちや官僚は、国をオープンにしたので中国が道を誤ったのだと論じた。エリート層は仏教徒になり、外国製品に惚れ込み、ペルシャの服を着てポロに興じている——ポロはステップ地帯の遊牧民の遊びだ。いまこそ外国人を粛清し、「純粋な」伝統的価値に戻らねば、という。政府はやがて外国使節を禁止し、外国人が漢服を着るのを禁じた。外国商人や入植者何千人もが、楊州では760年、広州では878年に虐殺された。異国の宗教は迫害された。

同様に、比較的オープンだった13世紀のモンゴル帝国は、不寛容と孤立により破壊された。後継者をめぐる血なまぐさい争いのあげく、帝国は四つの汗国に分裂し、これがときに戦って独自のアイデンティティを発達させるにつれて、強力な地元集団と同盟を結び、他をつぶすことで正統性を求めた。1330年代にペストが広がりはじめると、汗国のつながりは断ち切れ、貿易が崩壊し、彼らもスケープゴート探しに乗り出した。

ロシアのモンゴル族たちはイスラムに改宗し、キリスト教徒とペルシャのモンゴル族を攻撃した。イスラム教徒を弾圧していると思ったからだ。だがペルシャのモンゴル族もイスラムに改宗し、他の宗教を攻撃しはじめた。これは自分たちがもともと信じていたシャーマニズムと仏教も含まれた。中国では、フビライ汗の後継者がかわりにあらゆる宗教を上回るものとして仏教を推した。ペストと反乱の影響に直面し、支配階層の一部は自分たちが「あまりに中国化」したのが問題なのであり、「純粋な」モンゴルのルーツに戻らねばと考えた。そこで孤立して進化を弾圧するようになり、おかげでさらに反モンゴル反乱が生じて、やがてその支配は崩壊した。

同様にアラブ世界では、キリスト教徒が北から、モンゴルが東から押し寄せてきたとき、ドグマ的な宗教勢力が優勢となった。1258年のバグダッド破壊で、保守派は自分たちの考える伝統的なイスラムを復興させた。第3章で見たように寒冷化した気候の影響を、現代の頽廃や集合的な罪と混同したため、多くの大帝国は1500年代から1600年代半ばまでの一連の反乱や国家崩壊への対応として、伝統的な信念と過去の栄光を再び押しつけようとした。この混沌期の歴史を描いた本でジャック・ゴールドストーンはこう書いた。「1650年以降、オスマン帝国と中国帝国は以前に比べ、正統教義を重視した保守的な場所になった。新しいものを嫌い、過去の習俗への従属に報いた」[27]

社会批評家H・L・メンケンがかつて述べたように、デマゴーグの戦略は「果てしない脅しの羅列（そのほとんどはでっちあげ）で人々を怖がらせること（したがって安全なほうに導いてもらいたくすること）」なのだ。[28]

アドルフ・ヒトラーが偉大なドイツを回復させると約束して権力を握れたのは、ヴェルサイユ条約と経済危機でドイツが惨状に陥ったからだった。1928年5月に彼の国家社会主義党は、得票率2・6％にとどまった。そのわずか4年後、大恐慌と政治的な街頭戦の最中には、それが37・3％になった。ヒトラーが独裁制を敷く権限を得たのは、1933年2月27日の国会議事堂火災の後で、共産主義クーデターが起こりそうだというパニックを煽ったおかげだ。火事の翌日、「議事堂火災令」でドイツのほとんどの市民権が停止され、1ヶ月もしないうちにヒトラーは政令で支配権を得た。

もっと最近ではウラジーミル・プーチンが、1990年代の混沌から逃れる唯一の方法は、自分に完全な支配権をよこして、何やら帝国東方正教会時代のロシアとスターリン主義の、神話的なブレンドを回復させることなのだとロシア人たちを説得した。モスクワで、怪しいほどタイミングよくアパート爆破事件がいくつか起きたこともそれを後押しした。おそらくはロシア連邦保安庁（FSB。旧KGB）が関与しているのだろう。それが恐怖を引き起こし、第2次チェチェン戦争への国民的支持が生まれた。その支持率はたった3ヶ月で2％から45％に上がった。チェチェンが破られると（2012年に彼はこの地域で99・8％の得票率となった）、新しい敵が必要だったから、罪深い西側がロシアを破壊したがっているというお話をでっち上げたのだ。[29]

現代の多くのデマゴーグたちは、このおなじみの秩序→無秩序→秩序というお手本をそのまま拝借している。ベネズエラ大統領のチャベスやマドゥーロは、小ずるいエリートや外国人どもが、かつては誇り高かったボリビア共和国を台無しにしたのであり、それを回復するためには独立司法と自由なマスコミを解体せねばならないと言う。トルコのレジェップ・タイイップ・エルドアン大統領によるネオオスマン主義が、西洋化にかわって政治的イスラムに基づく統一社会を作り、地域覇権を作り出そうとしているのもそれだ。インドのヒンドゥーナショナリストたちが、イスラム教徒に対する敵意をかきたてることで、広大な多文化国家の集団間のデリケートなバランスを揺るがす活動も同じだ。ハンガリーのヴィクトル・オルバン首相が、1920年のトリアノン協定以前の大ハンガリー帝国を希求し、議会近くに黒大理石製の100メートルにわたる記念碑を構築して、平和協定で失われた1万2000ヶ所以上の名前を刻ませたのもそれだ。

だが、こうした復古の約束の残響は、「手綱を取り戻す」というブレグジットキャンペーンの約束や、「アメリカを再び偉大にする」といった野心にも聞かれる。ドナルド・トランプが2014年2月に、大統領候補に出馬するに先立ち、アメリカの現状についてフォックス・ニュースで語ったとおり：

どうすれば解決できるかわかるか？　経済が崩壊し、国が完全にむちゃくちゃになって、すべてがひどいことになればいいんだ。そうなったら暴動が起きて、アメリカが偉大だった頃に戻ろうということになる。[30]

陰謀論のメカニズム

脅威の感覚は絶えず、「オレたち」と「ヤツら」をもっとはっきり区別するように仕向ける。これはすぐに専制主義者たちに利用されてしまう。

ある調査でキリスト教徒の学生に、二人の人物を想像してほしいと依頼した。二人はほとんどの点で同じだが、片方はキリスト教徒でもう片方はユダヤ教徒だという。通常の状況では、学生たちはこの二人を似たような存在だとした。だがその学生たちが自分の死を考えるように言われると、いきなりキリスト教徒のほうが魅力的で、ユダヤ教徒のほうが魅力が低いと評価するようになった。[31]

人間の、反発による暴力と、自分が感じる苦痛は過大に評価して他人に及ぼす苦痛は過小評価する傾向と組み合わせると、これはしばしば手に負えなくなる。

すでに見た通り、人々は状況が厳しいと陰謀論を信じがちになる。横暴な支配を正当化する、昔ながらの実証済みの手段は、何か邪悪で強大な集団がこっそり活動して、みんなに不幸をもたらそうとしているのだという話を持ち出すことだ。これは「スケープゴート」と呼ばれる。古代の儀式では、集合的な罪を担ってそれを運び去るためにヤギが使われたからだ。ヤギは別に何の関係もないから、その担い手はヤギでなくてもいい。ときにはウシ、ときには犯罪者や奴隷だった。

似たような形で、現代のスケープゴートはどんな集団でもいい。というのも、それは実はその相手の話ではなく、私たち自身の問題だからだ。ユダヤ教徒、イスラム教徒、EUの役人ども、最も豊かな1%、富農、ブサヨ、グローバリスト、階級の敵、捏造マスコミ、あるいは毛沢東の文化大革命で持ち出された黒九類（地主、富農、反革命分子、破壊分子、右派、造反分子、スパイ、資本主義志向者、さらには「腐った第九類」――知識人）のどれでもいい。

必要条件は、ちがいだ――本当のちがいでも、単なる思いこみでもいい。というのもそれは、内集団のアイデンティティを構築して保護するためのもので、怒りと苛立ちを外集団に向ける道具だから。相手に何か見慣れない点があって、怪しげに見えればいちばんいい。

１３００年代半ばには、ユダヤ教徒は他のヨーロッパ人ほど黒死病で大量に死ななかった。これはユダヤ教徒がゲットーで隔離されており、死者をすばやく別の墓地に埋葬したせいかもしれないし、洗面所に行ったり食事をしたりするときに、手を洗ったからかもしれない。だが昔からの反ユダヤ主義と組み合わさると、これは多くの人にとって、ユダヤ教徒がキリスト教徒を殺すために井戸に毒を入れたのだ、という何よりの証拠に思えた。バルセロナからバルト沿海まで、教会の指導者たちはユダヤ人虐殺のポグロムを先導し、何千人もが殺された。

歴史学者ヒュー・トレヴァー＝ローパーは書く。「内向きで不寛容になった時代には、キリスト教社会は他のあらゆる社会と同様にスケープゴートを探す。ユダヤ教徒や魔女でいいのだが、それに近いものなら何でもいい」[32]。1500年代と1600年代の宗教戦争で、普遍的なスケープゴートは魔女だった。正統教義が勝利したところでは、教会は古い信仰を維持して習俗が異なる人々のことを懸念した。それを迫害し、悪魔とのややこしい国際陰謀についての話をでっちあげた(そして自白するまで拷問した)。ドミニコ会が始めたことを、ルターやカルヴァンはさらに過激にして、何も悪いことをしていない魔女ですら火あぶりにすべきだと主張した。ポグロム、魔女狩り、赤狩り、文化大革命が進むと、一部は個人的な動機から、その動きが独自の論理を持ちはじめる。人々はマイノリティから盗もうとして攻撃に便乗し、恨みのあるご近所について、ブルジョワ的傾向を持っていると密告し、面倒な義理の親戚がたまたま魔女だったりすることも多かった。

トレヴァー=ローパーは、こうした魔女狩りは恐怖に駆られた社会が、その主観的な不安に目に見える客観的な人格を与えようとしたものだと考えている。自分の心にひそむ悪魔よりも、血と身体を持つ存在を拷問して殺すほうが簡単だ。とらえどころのない説明のつかない混乱を体験するよりは、世界的な陰謀が悪事を作り出していると信じたほうが、矛盾しているようだが気分がよくなるのと同じだ。繁栄時には、魔女などという話自体が無視できるものとなり、宗教戦争が終わればその狂乱も収まった。

再び起こるだろうか?

こんなバックラッシュの再演は避けられないのだろうか? そしてそれは自業自得だったりす

るのだろうか？　オープン性が強力な専制主義的反動を挑発することで自滅するのが原因なのだろうか？

政治心理学者カレン・ステナーはどうもそう考えているようだ。彼女は言う。「自由は自由をつぶす恐怖を育む。そして民主主義は己自身をつぶす。全体的な教訓は明らかだ。民主主義となると、少ないほうが実はよい。少なくとも少ないほうがもっと安全なのだ」[33]。ジョナサン・ハイトと共著の論説を見ると、二人はこの悲観論を一層はっきり打ち出している。「西洋のリベラル民主主義は、いまや多くの人の容認能力を超えてしまった——みんなそれを抱えて生きたり、その中で生きたりできなくなっているのだ」[34]

だがこれが成り立つのは、非リベラル民主主義下よりもリベラル民主主義下でのほうで、集団的なものが権威主義的になる場合だけだ。そういう可能性は確かにある。というのも複数主義的な社会は、みんなを抑えつける静的な専制主義よりも、反発すべき規範的な脅威をたくさん提供しかねないからだ。その一方で、民主主義下の人々はもっと高い日常的な差の水準に適応できるし、社会が崩壊していると彼らに思わせるためには、非民主主義下に比べてもっと大きな脅威が必要だと考えるべき理由もある。

この実証的な問題については、リーズ大学の比較政治学者クリス・ダンが研究している。それによると、民主体制では専制主義体制に比べて独裁者が少ないだけでなく、民主主義の独裁者は寛容性が高いのだという[35]。理由の一つは、従属主義者は規範に従いやすいので、社会ごとの集団規範にあわせて態度を変えるからかもしれない。だから複数主義の長い伝統を持つ活発な民主主義は、専制主義への逆行リスクを大きく抱えていたりはしない。これに対して、若い不安定な民主主義でまだオープン途上にあるところは、そういうリスクがあるかもしれない。複数主義が急速に高まるのに、社会規範はまだ個人主義と民主主義を支持するほどにはなっていないかもしれないからだ。トルコやハンガリーのような場所での最近の出来事が頭に浮かぶ。

これは、最近ではジャーナリストのファリード・ザカリアが行ったような、リベラル民主主義は専制主義があっさり普通選挙を与えるようなものだったりすることはほとんどなく、それに先だって法治、三権分立、独立社会と自由なメディアを持つ活発な市民社会がなくてはならないのだ、というありがちな議論とも整合する。人々が自由な社会になじみがなければ、その結果は多数派民主主義にしかならず、50%+一人がその他のみんなを弾圧するだけになってしまうという。[36] だから、リベラル民主主義の生存能力をめぐる強い悲観論には根拠がなさそうだ。だがステナーの分析はそれでも、個別の専制主義噴出を評価するにあたり、強い説明力を持つかもしれない。

残念ながら、彼女の本が刊行されてから、いくつかの危機が続いたので、彼女の理論が厳しく検証されることになった。その危機とは大規模テロ、中東の混乱、移民危機、西洋諸国が経済力を、東や南の急成長国に対して相対的に失う事態にともなう、地政学的な不確実性の増大だ。

そしてさらに２００８年の金融危機と、それにともなう世界不況だ。これは専制主義と自国主義的な反応を予測するチェックリストのかなりの項目を満たすことになった。すでに見た通り、大きな経済停滞は、ゼロサム思考や陰謀論、スケープゴート糾弾の増大をもたらすというのは、経済史の法則とすら言える。事業や職が壮絶に破壊され、失業しなくても長期にわたり所得が停滞した。丸ごと1世代が、親の同年代の頃よりも低い所得しか得られなくなり、各世代はそれ以前の世代よりも豊かになるという中核的な想定が崩れてしまった。

ますます多くの人々が世界をゼロサム・ゲームと見なすようになった。単に他国との貿易関係にとどまらず、国内の経済政治状況についてもそういう見方をするようになっている。2011年の調査では、アメリカの白人は自国で人種平等のため多くの手が講じられたが、これがいまや新しい「不平等」をもたらして、自分たちがその犠牲になっていると述べた。どの10年を見ても、反黒人バイアスが薄れたと白人が感じたら、その分だけ反白人バイアスがあると思う人は増える。まさにその論文の題名で、心理学者二人はこう警告している。「白人は人種差別をゼロサム・ゲームと考え、自分が負けつつあると考える」[37]。世界がゼロサム・ゲームで、人々がそこで負けていると思ったら、バリケードの警備を強化して反撃する。

歴史的に見て、経済脅威は従属性や厳しいルール、強いリーダーへの需要を作り出す。たとえば、アメリカのキリスト教宗派の中で、従属を強いて破門で脅す宗派は経済苦境で信徒を増やすが、もっとリベラルな宗派は経済拡張期に信徒が増える。経済の先行き不透明な時期には、マンガのヒーローはタフになるし、テレビの登場人物は従属を強制し、人々は犯罪の厳罰化を求め、強く強力な政治指導者を求める[38]。

2008年のリーマンショックは、人々の財布に打撃を与えただけではない。指導者や制度に対する信頼も損なってしまった。その危機のおかげで、政府や政治家、さらには銀行家ですら、それ以前の10年に絶賛していた金融市場で何が起きていたか、まったく理解していなかったことが暴露されてしまった。そして、彼らの困惑しきった反応や、その原因と反応に関するきわめて露骨な罵り合いは、彼らの立派な側面を見せてくれたとはとても言いがたいものだった。

さらに危機への政府の対応はもっと問題だった。銀行システムの崩壊をさけるため、政策担当者は最も脆弱な金融機関を救済する以外の道を思いつかなかった。だから、1930年代以来最悪の危機をつくるほどのリスクを取り、まちがいを犯したあげくに、銀行や投機家たちは税金で救われることになった――一方、この危機にまったく責任のない何百万人もの人々は、仕事や家を失った。

世界中の中央銀行はすぐに通貨の蛇口を開けて、金利を記録的に引き下げ、ときにはマイナス金利にすらした。これは中央銀行が人々の事業精神（アニマルスピリット）解放のためにいつもやることだが、今回はこの政策が、通常よりも過激で長期にわたった。実体経済の急回復は生じなかったものの、株式市場は高騰し、おかげですでに資産を持っていた金持ちが圧倒的に恩恵を受けた。住宅価格は再びはねあがり、危機前の水準すら超えたが、もともと家計経済で苦労していた人々にとっては、活発な大都市圏での生活がなおさら苦しいものになってしまった。

こうしたすべての結果として、全般的な経済の病状に加え、金持ちとコネ持ちばかりがいい目を見て、エリートは下々の連中のことなど気に掛けないという感覚が生じた。こうした指導者への敬意崩壊のため、多くの有権者は制度への支持をひっこめて、「やることをやる」強い指導者を求めた。

そこへパンデミックが世界中の経済を停止させた。

だから、国が崩壊しつつあり世界は危険だとデマゴーグが告げ、陰謀論を売り歩いて、スケープゴートを掲げてみせるにあたり、いまが絶好の時期なのがわかるだろう。そして今日のカオスと腐敗以前の、古き良き日々をよみがえらせようと説くわけだ。

恐れている怪物は私たち自身

1960年代の古いテレビシリーズ『トワイライト・ゾーン』のあるエピソードは、アメリカのどこかにある、のんきな小さな町の土曜の午後遅くに始まる。人々はお互いに挨拶し、子供たちは遊び、アイスクリーム屋台の鐘の音が聞こえる。「メイプル街最後の平穏で懐かしい瞬間です——でもそこに怪物たちがやってきたのです」

メイプル街の人々は、空からの奇妙な音を耳にし、ある男の子が、空飛ぶ円盤かもしれないと言う。奇妙なことが起こりはじめる。停電が起きて、車が動かなくなる。あちこちの家で電気がついたり消えたりする。町の人々は次第に怯え、自分たちの中に異星人がいて、みんなに危害を加えようとしているのでは、という疑念を口にしはじめる。ちょっとでもみんなとちがうことをすれば、夜更かしするとか無線が趣味だとかいうだけで、いきなり悪だくみの印と見なされる。一人は、こんなスケープゴート探しは「お互いの殺し合い」に発展しかねないと警告するが、かえってその人が怪しまれる始末。

この緊密なコミュニティのご近所たちは、やがてお互いに牙(きば)をむき、怪しいと思った家庭を攻撃して街頭戦を繰り広げる。そしてメイプル街は完全な混沌に陥る。

すると場面が切り替わって、近くの丘の上になる。実は、この町は本当に異星人の宇宙船の訪問を受けていたのだ、ということが明かされる。その異星人の指導者は部下たちに、征服がいかに簡単かこれでわかっただろう、と述べる。兵器なんかいらない。いくつか機械を止めて、人間を数時間暗闇におけばすむ。人間どもは、すぐそこに化け物がうろついているのだと確信しきって、それが見つからないと自分でそれを作り出し、お互いを破壊しはじめるのだから。

そして番組の最後に、こんなナレーションが入る。「単なる考え、態度、偏見など、人の心にしかない兵器があるのです。偏見は人を殺し、疑惑は破壊し、何も考えずにおびえてスケープゴートを探すと、それ自体が被害をもたらします――子供たちや、これから生まれる子供たちに。そして悲しいかな、こうしたことは、この『トワイライト・ゾーン』の中に限った話ではないのです」[39]

よい知らせは、異星人がこっそり人々を操って、パラノイアとパニックを引き起こしているわけではないということだ。悪い知らせとして、それは異星人なしでも起こる。

だからといって別に、オープン性がお先まっ暗ということではない。ただ、それが絶えず攻撃にさらされるということだ。

小説家マリオ・バルガス・リョサが警告した通り、この部族に決定的な勝利を収めるのは不可能だ。だが決定的に負ける可能性はある。[40]

第9章

オープンかクローズドか？

ハンチントン『文明の衝突』に反して、今起きているのは「文明内の衝突」だ。「ゼロサム思考」「部族主義」という人間の本能には抗えないのか？　いや、打つ手はある。

共産主義崩壊の頃、後に本に引き伸ばされる論説2本がおしゃべり階級の興味を惹いた。一つは政治学者フランシス・フクヤマによる1989年の「歴史の終わり？」で、リベラル資本民主主義は統治の究極形態であり、歴史は実質的に終わったと論じていた。もう1本の論説は、多くの点でこれに対する反論であり、フクヤマの恩師の国際政治学者サミュエル・ハンチントンによる「文明の衝突」だった。

ハンチントンは、冷戦後に新しい歴史のフェーズが始まっており、それが協力と紛争のパターンを決めるのだと考えた。イデオロギーと商業利害は、同盟や連携の形成にあまり意味を持たなくなり、似たような伝統を持つ国が接近する。緊張があらわれ、戦争がちがう文明の境界線で展開される。たとえば西洋、東方正教会、中国、イスラム、ヒンドゥー、日本、南米、アフリカという具合だ。

それ以来ずっと――特に9・11以後――世間的な判定では、ハンチントンの正しさがすぐに明らかとなり、フクヤマの理論はベルリンの壁崩壊頃の過大な希望の極端な例でしかなかった、ということになっている。歴史は終わらず、ロシアや中国は民主化せず、新しい暴力的な紛争も起き、しかもハンチントンが言った通りイスラムの「血みどろの国境」でそれが起きていることが多い、というわけだ。

この世間的な判定はまちがっている。この二人の紳士が本当に書いたことをよく見れば、まちがいが示されたのはハンチントンで、フクヤマの洞察のほうが深かったことがわかる。

もちろん、フクヤマは文字通りの意味で歴史が終わると述べていたのではないし、あらゆる政治紛争が終わるとか、今後何も起きないとか言っていたのではない。フクヤマの主張は、20世紀のイデオロギー闘争や政治紛争の中で、自由市場資本主義ほど豊かさをうまく創り出せる仕組みはなく、市民に認知と尊厳を与える政治システムとして、リベラル民主主義以上のものはないことが示されたのだ、ということだ。

だからといって、これらの仕組みは打ち破られないとか、後戻りがないとかいうことではない。だがリベラル民主資本主義ほど内的矛盾のない仕組みを作り出すのは不可能だ、ということではある。

すでにはっきりしていると思うが、これは私の信念でもある。自由市場民主主義にだって、問題や困難はいくらでもあるが、専制主義的な仕組みとはちがい、改善の可能性がある。実験、フィードバック・ループ、自己矯正の仕組みがたくさんあるからだ。自由市場とオープンな市民社会は、人々のニーズ、利害、要求に応じて絶えず変わっている。オープンな社会は閉じた社会より安定している。不満は苦情や議論、新しい集団や政治組織に振り向けられ、したがって仕組みをひっくり返すのではなく、平和的に変えられるからだ。この仕組みは滅亡の恐れに直面しているようには見えない。

確かに、ベルリンの壁崩壊の頃には過剰な希望が漂ってはいた。だがフクヤマが１９８９年にこの論説を書いてから、選挙制民主主義を持つ国の割合は、実は41%から64%に増えている。[1]世界のほとんどの政府が民主主義やある程度の法治と比較的オープンな社会を尊重しているという事実は、今日ではえらくつまらない話に思えるが、これは驚異的な事態の転換だ。それもはるか古代との比較で言っているのではない。１９７４年との比較ですら驚くべき変化だ。この当時、西ドイツ首相ヴィリー・ブラントは「西欧の民主主義はあと2、30年しかもたない。その後はそれを取り巻く専制主義の海の中に、エンジンも舵取りもなく滑り落ちるだけだ」と述べたのだ。[2]

だが前に進んでリベラル資本主義を、もっと機敏でオープンな仕組みと取り替えられないからといって、後退できないというわけではない。フクヤマはこの世界が「いまだに権威主義や神権政治、不寛容な国家主義に満ち」ているのを認識しており、私たちは「世界を戦争と不公正と革命に満ち満ちた歴史に逆戻り」させうると述べる。[3]

フクヤマは勝ちほこるどころか、自由と富だけでは足りないのではと恐れていた。人々はもっと重要なもののために戦っていたからだ。それが認知と尊敬だ。彼は、新しい急進左派が登場するかもしれないと考えた。リベラル派のふりをして、やたらに新しい権利をばらまくので、伝統的な個人主義右派が無意味になってしまうというのだ。

だがフクヤマがもっと恐れたのは反動右派からの攻撃だ。「気骨のない」最後の男たちが暮らす、平等主義的、消費者主義的な世界では失われた、ヒロイズムや階級を渇望する人々からの攻撃だ。だから絶え間なく「血みどろで無意味な名誉をめぐる戦いにまっ先に参加する連中に戻ろ」誘惑が生じる。ただし「今回は現代の武器でそれを行う」。地位を求める人々や権力に飢えた人々が長期的に歴史の終わりの快適な生活に満足するかを論じたとき、彼は偶然にも「ドナルド・トランプのような土地開発業者」にも触れている。[4]

私はフクヤマの分析すべてに賛成ではないし、ヘーゲルとニーチェを引き合いに出しすぎているとは思う。だがリベラル資本主義の歴史的な位置づけと、それに不安になる(したがってそれをつぶしかねない)文化的、心理的な要因についてはフクヤマは慧眼だった。

一方、歴史は一般に思われているほどサミュエル・ハンチントンの予測に好意的ではなかった。冷戦後に世界的な混乱は起きなかった。むしろ、空前の平和な時代だった。[5] シリア内戦はあったが、2018年の戦死者率は1980年代の4分の1だ。

そして、アフガニスタンとイラクの戦争を除けば(これは混乱とテロを防ごうというアメリカの活動を示す)、ここ数十年の大規模戦争は、ハンチントンの挙げる文明の間ではなく、それぞれの文明内で戦われている。スリランカ、コンゴ、シエラレオネ、シリア、ダルフール、南スーダン、イエメン、ウガンダの神の抵抗軍蜂起。ソマリアは、ほとんどの国民が同じ民族集団に属し、同じ宗教を持ち、同じ言語をしゃべる、アフリカで数少ない国の一つだが、他の国よりもずっと分断と戦争に苦しめられている。

ロシアはジョージアとウクライナを侵略したが、正教会の伝統は共通だ(むしろそれだからこそ侵略した、と言う人もいるかもしれないが)。サウジアラビア、イラン、トルコの今の関係を見て、他の世界に対する共通イスラム戦線ができあがりかけていると言う人はいない。お互いに競争する中で、自分の文明からはるかに遠い支援を集めている。サウジアラビアは、アメリカと、イスラエルとさえ密接に協力する。イランは正教会のロシアと協力し、スンナ派イスラムなのにイスラム原理主義組織ハマスを支援している。文明の争いというよりは、伝統的なパワーポリティクスにしか見えない。血に飢えたイスラム国は、主に他のイスラム教徒、特にシーア派を殺しているし、シリア、リビア、イエメンのような国の国内分裂はあまりに強すぎて、国そのものが崩壊しつつある。こうした内紛で、他のイスラム教の国々はちがう側を支援している。

ちがった文明の国の間にも、危険な反目はある。たとえばインドとパキスタンなどだ(ただしパキスタンは、北西部のイスラム派テロリストとの戦争のほうが壮絶だ)。だが最も危険な緊張関係の多くは、歴史的にこれ以上ないというほど近い国同士で起きている。北朝鮮と韓国、中国と台湾などだ。

これでも納得できず、ハンチントンの未来のビジョンがいまの世界とあまり似ていないと思うなら、文明の間での未来の戦争シナリオを作り出そうとする、彼の異様な試みをぜひともご覧いただきたい。時は2010年、中国と台湾が東アジアの米軍施設を攻撃してヤンキーどもを中華圏の裏庭から追い出し、日本と、どうやら連合イスラム主義のイラン＝イラク＝サウジ＝エジプト＝トルコ連合らしきものの支援も得る。ブルガリアとギリシャのギリシャ正教会連合は、これに対してトルコを侵略し、ロシアはそのイスラム諸国の統制を南に拡大して、その見返りにNATO加盟を打診される。あらゆる参加者にとって壮絶な戦争の後で(すべてが終わる前に、アルジェリアがマルセイユを核兵器で攻撃)、インドが世界をヒンドゥー路線に沿って再構築する道が開ける。アメリカの世論はアメリカの弱体を、アングロサクソンエリートたちの西洋志向のせいだとして、ヒスパニックの指導者たちがアメリカを制圧し、その背景として大繁栄する南米諸国向けのマーシャルプランの約束が提起される。[6]

もちろん、未来予測などやるだけ愚かかもしれないが、ある意味でハンチントンは正しかった。大きな世界的紛争が巻き起こりつつある。だがそれは文明の衝突ではなく、それぞれの文明の中での衝突だ——文化をオープンにしておきたい人々と、閉ざしたい人々との衝突となる。

一方に、世界は非ゼロサム・ゲームであり、社会と市場をオープンにして国境を超えて協力できれば、みんな繁栄できると思っている人がいる。これに対して、世界はゼロサムで、繁栄の唯一の道は市場や社会を部外者から守り、他の人々の負けを実現することだと考える人もいる。

そうした考えの人はあらゆる社会にいる。私が足を運んだ世界のどんな場所でも、社会を自由にしたいリベラル派やコスモポリタンに会った。それは自分の国をどうでもいいと思っているからではなく、あまりに愛しているので、他の人々のアイデアや創造性の恩恵を受けてほしいと思っているからだ。彼らは必ずしも、根無し草の「どこでもやっていけるエリート」ではない。多くはしっかりとその場所や家族、伝統に根差している。だが文化狂信主義者たちとはちがい、他の人もまた自分に意味をもたらす場所、家族、伝統を持っていて、よい社会とまともな政府はどちらかに肩入れしたりせず、万人に平等な自由を与えるのだ、というのを彼らは理解しているのだ。

現代のオープン社会には大量の問題や頭痛の種や不正があるのは、彼らも知っている。だが、それに対処する最悪の方法は、トップから万能解決策を押しつけて、発見の仕組みを閉ざしてしまうことなのだというのも理解している。もっとよい解決策を見つける唯一の方法は、何百万人もが探し続けられるようにすることだ。

彼らの敵は、他の国や文明ではなく、独裁者、原理主義者、保護主義者など、彼らの人生を統制して未来を奪おうとしている連中だ。そしてそうした集団は、攻撃的な自国主義アジテーションが十八番なのに、やはり国境を超えて手を握る。白人優位主義者はロシアの泥棒政治家たちが大好きで、その泥棒政治家たちはポピュリストの右派や左派をお金とフェイクニュース、投票システムへの攻撃で支援する。中国共産党は、小者の独裁者たちに監視技術とたっぷりした資金を提供する。批判や反対論を組織しようとするあらゆる試みに対する彼らの強硬な手法で証明されているように、彼らの本当の敵は西洋ではなく、自国民なのだ。西側のドナルド・トランプのようなポピュリスト指導者たちは、オープン社会との提携をつぶそうと手を尽くし、そのためオープン社会——そしてアメリカ——は分断されて弱くなる。それでも、彼らは他の大陸の独裁者をひたすら絶賛する。

彼らは他の国や集団に対する恐怖をかきたて、人々の反射的な専制主義を引き起こそうとする。なぜなら、私たちが集団への帰属にこだわり、行政権力の抑制と均衡を解体すれば、自分の人生に対する権力を自発的に彼らに手渡すことになるからだ。自分の自由を放棄し、代わりに毎日、2分間の憎悪を与えてもらうことになる（これはジョージ・オーウェルの『一九八四年』に出てくる毎日の公式行事で、忠実な国民たちが不安と苛立ちをすべて、お手軽な公共の敵に向かって吐き出すものだ）。

私たちの文明への主要な脅威はこれだ――外部の連中や競合ではなく、内部からこの文明を絞め殺す人々だ。

どうやったらこの悪循環を破れるのか？

ある悪循環がすでに始まっている。それは恐怖と部族主義の増大で始まり、そこからのフィードバックでさらにゼロサム思考と将来についての不安が拡大し、このためさらに群れたがりが生じる。どうやってそれを破ろうか？

まず、深呼吸しよう。舞い上がってしまえば、問題を解決するよりその一部になりかねない。敵を怒鳴って罵倒したいなら、人々が自分の正しさを最も確信するのは攻撃されているときだということを思い出そう。

世界観や意思決定をゆがめるバイアスに、自分はあまり影響されていないと思うかもしれない。そんなことはない。判断をめぐる各種バイアスについて聞かされると、他人にそれを見出すのは容易になるが、自分のバイアスはわからない。自分が平均的な人間よりもバイアスが強いと思っている大人は、661人に一人しかいない。人はみんな進化で得た配線を持っているし、その配線の一部は、自分にはバイアスがないと思い込ませようとしている。そしてバイアスの盲点が多いと、それだけ助言を無視して、自分の思いこみを検証したり検定したりしない可能性も高まる。[7]

自分のバイアスを克服するには、まずそれがあることを認識し、それを理解しなくてはならない。

私としてはそんなつもりはないのだが、一部の読者は本書の後半を読んで、もう絶望だと思ったかもしれない。進化によって部族主義になるよう配線されているなら、選択の余地はなく、本書なんか読んでも無駄ではないか？　私の本に描かれた行動傾向は、変えたくても変えられない。人は何をしようとも、常にゼロサム思考と集団戦争に陥ってしまう、ということになる。

だがデフォルト設定がそうなっているからといって、それを変えられないことにはならない。あらかじめ配線されているというのは、それが不変というのとはちがう。医師が膝の正しい場所を叩くと、足がはねあがる。この反応は不変の配線になっている。私が書いてきた心理的な配線は、そういうものとはちがう。人をある種の方向に押しやる傾向はあるが、それを押し返す手段を講じるように決断もできる。心理的な傾向は消せないが、それを意識的に克服することはできる。

現代世界で必ずしも有益とはいえないデフォルト設定は他にもある。ちょうど進化が見知らぬ人を恐れるよう仕向けたのと同様に、人はエネルギー豊富な食べ物を渇望する。そして見知らぬ人への恐怖が、見知らぬ人だらけの世界では問題になるのと同様に、食べ物がどこにでもある世界で絶えず小腹を空かせているというのは、健康によくない。だからといって、何でも食べるよう不変の配線があるわけではない。栄養と健康について学び、いつ、どこで、どれだけ食べるかという原則を採用できるし、そして運動だってできる。

感情に支配されてしまうと「オレたちvsヤツら」がときに勝利するが、そうする必要はない。物事を考え抜き、自分の偏見を疑問視して、もっと調べようと判断できる。群れたがり傾向にすがりつきたくなったら、なぜそうした誘惑がデフォルトなのかという理由を思い出し、それが現代生活にはあてはまらないのだと理解できる。部族主義について学び、それを理解して、自分の偏見を疑問視できる。そのためには、内省的な自己が、デマゴーグやチアリーダーたちの怒鳴り声にかき消されてはいけない。友人のスチュアート・ハヤシが述べたように「デフォルトは運命ではない」。

　歴史を学べば、古き良き日々など実在しないとわかるし、オープン性が人類の進歩をもたらしたこともわかる。経済学を学び、生産と公益がゼロサムでないことを知ろう。そして自分のデフォルトの心理について学び、それが事実に目を閉ざすよう仕向けるのだと学ぼう。知識を活用して、プラスの総和（サム）をもたらす結果を可能にする制度作りに適用しよう。そしてかつての文明が、それを怠ったせいで滅びたことも学べる。

　また、自分が世界について学ぶ方法を考えるのも重要だ。過去10年で、私たちは人類がずっと苦しんできた情報が少なすぎる世界（そのため手に入るものはなんでも鵜呑みにした）から情報が多すぎる世界へと移行した。これは壮絶な変化で、飢餓の世界から食べ物が余る世界に移行したのにも匹敵する。食料過剰で人は自分の食料消費に気を遣うようになった。同じ理由で、同じやり方で、いまや人はメディア消費に気を遣わねばならない。

　人が最も劇的でショッキングな情報を探すのは、かつてはそれが生存に最も重要な情報だったからだ。そしていまや世界のすべてが指先にある状態で、そうしたニュースがいたるところにあるように見え、おかげで世界が崩壊していると思ってしまう。またソーシャルメディアのフィードにはいつも仇敵たちが出てくる。最近、5分前にはその存在すら知らなかった人に腹を立てることがずいぶん増えたと思いませんか？　あの聞いたこともないフランスの作家が、なにやらひどく性差別的なことを言ったとか、あの匿名の大学生が、こちらのような考えを抱いているヤツはみんな頭がおかしいと言ったとか。

部族主義は、敵に直面すると何よりも刺激される。そしていきなり私たちは、敵がみんなそんな連中なんだと決めつけてしまう。だが考えてみよう。バカはいつだっていた（こちらの側にも）。単にこれまで視野に入ってこなかっただけなのだ。

ジャーナリストやハイテク企業、政治家は、人の怒りをエサに生きているのだと理解しよう。別に彼らが邪悪だからではなく、感情的な反応は人を没頭させ、時間とエネルギーを消費させるからだ。その手に乗ってはいけない。連中に脳をハックさせないように。

部族主義は、ホモ・サピエンスの一面でしかないことをぜひとも思い出そう。人は部族主義者だが、交易者でもある。人は自らを閉ざす傾向があるが、自分を開く傾向もある。安全を渇望するが、洞窟から出て未知を探究し、新しい食べ物を見つけることで安全を高めてきた存在でもある。見知らぬ人を恐れたが、新しい暮らしの伴侶となり、取引して学べる見知らぬ人と会ったおかげで繁栄もできた。

群れたがり傾向の説明で、私はその傾向がとても柔軟だということも示したし、また集団の差が自然に与えられることもないと示した。人は常に自分の敬意の範囲を広げ、視点を変えることで外集団を内集団に変え、個人に注目したり、横断的なアイデンティティに注目したりすることで、敵を味方に変える。ロバーズ・ケイブで紛争を研究しようとした心理学者たちは、意図的に少年たちを引き離し、うっかり仲良くなるのを防がねばならなかったのを思い出そう。自分とちがったり、同じ見方をしなかったりする相手から完全に断絶して、その研究者の仕事を自ら引き受ける必要なんかない。

人は差別が得意だが、古い合図がもはや無意味だと認識するのも得意で、状況変化に適応し、ちがった習俗は不道徳な行動とはちがうというのを認識するのもうまい。偏見や集団形成が柔軟だと知り、それについて語るだけで、人は自動的な偏見を克服しやすくなる。病気に対する嫌悪と恐れ（排外主義と関連している）を抑えることさえ可能だ。これは看護師たちを見ればわかる。みんな患者の湿疹や咳にしょっちゅう出くわして、最初は嫌悪するがすぐにその反応を克服するのだ。

心細さと不安が部族主義を引き起こすという研究があるのと同様に、個人主義と寛容性を活性化する方法を示す研究もある。すでに見た通り、自分が特に弱い存在だと考える人は、保護を求めて原始的な群集行動に頼るが、特別な力を持つと想像した人は、もっと個人主義的で寛容になる。自尊心が高いと独立の判断を下しやすく、集団に屈しなくなる。ホラー映画を見ると人は従属したくなるが、ロマンス映画を見ると群集から突出したくなる。

だからといって、みんなもっとロマコメを見ろということではない（が、最後の手段として私はそれすら辞さない）。だがこれは、人がどうやって群集を抑えるかについて物語っている。人は部族主義と寛容性の両方の配線を持つ。そして知的環境は、この複雑な人格のちがう部分を強化する。集団こそすべてで個人など取るに足らないと告げる文化は、お望み通り取るに足らない個人しか得られない。

自尊心があると、部族主義の克服に役立つという有望な証拠がある。人が古い考えにしがみつく理由の一つは、それがアイデンティティの一部であり、それを何としてでも守らねばならないからだ。ある研究で、研究者は片方の集団に別の自己価値の源を提供した。たとえば、個人的に価値があると思う性向について書いてもらったり、重要な技能についてプラスのフィードバックを与えたりする。何らかの肯定を受けた被験者は、自分自身の見方と相容れない事実や見方についても、もっとオープンになった。[8]

人の群れたがり傾向を克服するには、自分が有能で、集団がどう考えようが、独自の判断で行動してよいのだと自分に言い聞かせるべきかもしれない。この影響については異論もあるが、研究の方向性としては重要だ。群れたがりにするために押すべきボタンはわかっている。いまや人をもっと自立させるボタンを探さねばならない。

本書の「はじめに」で私は、これはオープンな制度についての本で、すてきなあったかいほんわかした個人の性向としてのオープン性についての本ではないと述べた。だがこの二つは関連している。そしてオープンな世界を救うには、個人が親切であったかでほんわかした存在となり、経験し、学習し、成長を続けるオープン性という心理的な性向を持つことが重要になる場面もあるだろう。この文明が今後も続くためには、自分の心をオープン性そのものに開く必要がある。

何ができるだろうか?

またこの分析から引き出すべき政治的な結論もある。

生存するためのオープン性がほしいなら、その支援は広く行き渡る必要がある。人口の相当部分が、自分たちはグローバル化と技術イノベーションの恩恵を受ける存在ではなく、その単なる副産物の余り者でしかないと感じたら、それを常に破壊してやりたいと思ってしまう。

グローバルな取引で最も恩恵を受けるのが、中低所得世帯だというのは徹底して強調すべきだ。関税は逆進税で、貧困者に最も打撃を与え、大企業を競争や消費者から守る。だが自由貿易の便益は費用より20倍も大きいのに、費用は大打撃を受ける小集団に集中してしまう。私たち自由貿易支持者は、平均的な改善で慢心しすぎていたが、他のみんなの利益が、自分の損失の20倍だからといって、損失を喜ぶ人物はいない。自分が失業したら、失業率は5%ではなく100%なのだ。

政府はこの転換の処置として、影響を受けた人々を労働力から排除するだけのことがあまりに多かった。アメリカ連邦政府が失職に対応するために使った1ドルのうち、99セントはその人物を労働力から取りのぞくのに使われ、新しい仕事を見つけるのに使われるのは1セントだけだ。失職した人は失業手当をもらい、早期退職手当や障害手当をもらう。これは短期の打撃は和らげるが、長期的な排除と恨みを生み出す。再就職したり、再訓練を受けたり、仕事がある場所に引っ越したりする人は減る。代わりに、産業が見捨てた地域に彼らはとどまることになる。

労働移動性が低下している理由の一つは、地理的移動性が下がっていることだ。これは西洋世界すべてで見られるトレンドだが、アメリカで最もはっきり出ている。というのもかつてのアメリカは、人々が機会を求めて引っ越す国だったからだ。1950年代には、人口の20%が毎年引っ越した。それ以来、その率は年々下がっている。2010年代末には、国勢調査局が1947年にデータを取りはじめてから初めて、10%を割り込んだ。[9]

スウェーデンの労組がかつて「翼からくる安全性」と呼んでいたものを人々に提供するには、教育、労働市場、社会政策でもっと想像力が必要となる。その場に腰を据える安全性ではなく、新しい機会がある場所に引っ越せることに安全性があるのだ。失業手当をたっぷり与えるかわりに、以前よりも低い賃金の仕事に就いたら、その分を補償してくれる賃金保険を提供することもできる。この場所にとどまることについて支払いをするよりも、仕事のある場所に引っ越す費用を出すこともできる。

これはもちろん、取り残されるコミュニティの人口をさらに減らすという明らかな欠点はある。だが地域を守ることに注目するより、もっと人を救うほうに注目すべきかもしれない。

福祉制度で最も破壊的な部分は、再び働きはじめたら失業手当のほとんどが失われるということだ。OECD諸国の失業者のうち40％近くは、就職すると限界税率が80％を超える[10]。

技術による失業への対応としてしばしば挙げられる案だが、失業手当のかわりに、ユニバーサルベーシックインカム（UBI）を導入すれば、この福祉の罠からは逃れやすくなる。UBIは賃金がどれだけ増えても支払われるから、就職を控える理由にはならない。また不景気やリストラによる失業や所得喪失の恐怖も、UBIで一定額がもらえるならかなり和らぐはずだ。だがUBIの水準が高すぎれば、納税した中産階級にその税金をUBIで返す手間暇がかさむので、ずいぶん無駄が増える。低い水準にすると、安全な感覚をあまり作り出してくれないかもしれない。

もっといい代替案は、福祉制度を「負の所得税」で置きかえることだ。所得がある保証された最低水準以下だと、政府はその不足分を補って支給してくれる。そして所得がそれを超えたら、所得税を払うことになる。UBIと同じように、これは行政のオーバーヘッド(間接コスト)を減らすし、政府が貧困者を見張ったりする必要もない——だがUBIとちがい、お金を中産階級や金持ちに渡すこともないから、ずっと安上がりだ。

今後、新技術は古い産業にとってますます破壊的になるという主張には一理あるが、同じ技術は、以前にも増して移行を助けるツールを与えてくれる。新しいオンラインの教育プラットフォームがあれば、労働力の技能を絶えず向上させるための条件はますます改善する。民間部門では、いまや従業員に対して、自分の仕事が自動化される可能性があると告げ、どんな研修を受ければ役にたつかを教えてくれる、アクセンチュアの「ジョブ・バディ」のようなカスタムソフトが見られはじめている。これにより従業員は絶えず、変わり続ける労働市場にあわせて技能向上し、将来に備えられる。政府は、福祉バディよりはジョブ・バディのようになるべきだ。人生の最初期での教育に全精力を注ぐかわりに(それは多くの点ですぐに陳腐化しかねない)、絶え間ない再訓練がすぐに可能になるようにすべきだ。

活発な経済はまた、変化の障害を取りのぞくことが前提だ。たとえば、人々が職のある場所に引っ越すのを邪魔するような、手の届かない住宅費などだ。数十年にわたり、政府は住宅の賃貸より持ち家を支持してきた。これはしばしば、イデオロギー的な理由もあった。多くは、家を持つ人のほうが責任ある市民となり、社会安定化を支える力になるという印象を抱いていた。政府は住宅ローンやその頭金の補助をはじめ、たっぷりした税控除などの税制を通じて、賃貸より持ち家を支持するようになった。住宅ローン市場の規模が拡大し、金利が下がると、金持ちは都心部の住宅価格を競り上げられるようになった。まともに機能する市場なら、これは住宅建設を増やす。だが住宅市場は壊れている。厳しい土地利用規制と建築規制のため、人々の暮らしたいところに家を建てるのがますますむずかしくなっている。そして建築許可が出ても、地元住民が異議申し立てできる。そうした住民の主要な動機は単に、自分の家の窓からの眺めを保護して住宅の価値を維持することだ。富裕国の住宅建設のスピードは、1960年代の半分だ。そして賃料統制——賃借人のためとされる——は賃貸人がその契約にしがみつくように仕向け、おかげで移動性はやはり下がるし、賃貸アパート建設のインセンティブも減る。

ある研究によると、アメリカのある州の持ち家率が倍増すると、長期的には失業率も倍増する。[11]あまりに多くの人々が、まったく機会のない土地に取り残され、ダイナミックで機会も増える都市地域を遠くから見守るしかない。当然これは遺恨を育むし、取り残された気分にもなる。都会の知識人がこちらの状況について、何やら美文調に書き立て、そこにいるおまえは「地域に基盤を持つ人間」であって、ある場所とコミュニティにしっかり根差しているのであり、根無し草の「浮動人間」より自然なアイデンティティを持っているのだ、とご託を並べたところで、何も改善しない。多くの人は誇り高い「地域に基盤を持つ人間」ではなく、単に身動きが取れないだけなのだ。[12]

2000年代初頭の日本は、計画システムを大幅に弱め、東京ですら建物を増やして住宅の値段を引き下げられることを示した。おもしろいことに、日本は工業国の中で、ポピュリスト運動がない数少ない国の一つだ。

移動の別の障害として、職業免許制がある。州の免許法でカバーされるアメリカの労働者シェアは、1950年代の5%未満からいまや25%超にまで増えている[13]。少なくとも一つの州で規制されている職業は1100以上ある。看護師、検眼医から、メークアップアーティストや花屋まで実に多い。表向きの意図は、能力を保証して仕事の品質を維持することだが、むしろインサイダーが、他の人々を自分の市場から閉め出すための手段と化している。2012年の調査によると、美容師とトラック運転手は51の州（ワシントンDCを含む）で免許が必要だし、床屋とネイリストは50の州、保育士は49の州で免許がいる。バーテンダーとして働くには、13の州で免許がいる。平均で、ある仕事の免許を獲得するには209ドルの支払いと、9ヶ月近い教育と訓練と試験合格が必要だ[14]。おかげで新しい産業部門への参入はずっとむずかしくなり、社会移動性と雇用が阻害される。多くの州は、刑事犯罪で有罪になった人々が免許を取れないようにしているので、そうした人々が更正するのもむずかしい。

状況は他の西側諸国でも似たようなものだが、アメリカでは多くの免許が各州限定なので、事態はさらにひどい。免許制の学校教師か薬剤師で失業した場合、別の州で同じ仕事に就くには、課題学習や見習いのプロセスを一からやりなおさねばならないかもしれない。州固有の免許を持つ職業の個人が州を超えて移住する率は、他の労働者に比べて36%も低い[15]。免許要件を廃止したり、それを自発的な資格認定にしたり――あるいは少なくとも州を超えても有効にしたり――すればみんな大いに助かる。

多くの批判者は、西側の政治家たちは都会のクリエイティブでコスモポリタンな階級のことしか考えていないと主張する。小さな都市や地方部で、失業と犯罪に直面している人々は放置されているという。これは拠り所のなさを作り出し、反撃してやろうという気分をもたらす。最近のポピュリスト反動の後で、政治家が反対側に肩入れして、根無し草の都会グローバリストどもを糾弾するようになってしまいかねない。これは若者と老人、都会と地方、ホワイトカラーとブルーカラーの分断を強化するだけだ。解決策は反対側に肩入れすることではなく、こうした分断を超える希望や野心に訴えることだ。

多くの研究者や政治家は、包含的な市民ナショナリズムの必要性を強調し、みんなが共通の狙いを持つと感じられるような、共通のシンボルや儀式を強調すべきだと論じる。せいぜいやってみてほしい。ときには行動よりも言葉が雄弁なこともあるが、通常は逆だ。帰属感は、旗ふりや変な帰属プロジェクトで生み出されるものではなく、基本的なことをきちんとやって生まれる。インフラが崩壊せず、学校がまともで、近所に警察署があることなどだ。身体的な不安感があれば人々はおびえるし、犯罪なんて右派政治家しか気にしないと思ってリベラル派が犯罪を無視するなら、有権者もそう思って、その右派政治家のほうを支持する。

オープンな社会は、ちがった制度を試して、それを経験や不満に基づいて少しずつ適応させる。私たちの民主主義は決して完成しない。現在の代議制民主主義が、あまり人々をきちんと代表していないと感じるのであれば、それをいじり続けるべきだ。昔々、政府があらゆることに口だししなかった頃には、はるか遠くの首都でフルタイムで働く専業政治家などおらず、教師、農夫、労働者、ビジネスマンやジャーナリストが片手間で政治家をやり、議会会期の数ヶ月だけ首都にでかけていた。彼らは地元コミュニティと職場にしっかり根差しており、絶えず有権者たちと顔をあわせたから、権力中枢における人々の声と見なされた。いまの政治家は、地元の人々の中で権力中枢を代弁する存在になってしまっている。デジタル技術は、以前のような本来の政治家を復活させる機会を与えてくれるかもしれない。

国民投票は感情と部族主義をかきたてるので、熟議民主主義のプラットフォームを検討する価値がある。ある決定の長所について、一般市民が集まり議論する場所だ。似たような人々の議論は、しばしば見解を過激化させる傾向があるが、ちがう見方を持つ人々との整理された議論は、新しい議論に人々の心を開くことがわかっている。まさにこれを実現するための市民組織が創設され、分断に橋渡しをして両極化を減らそうとしている。

こうした組織には公式の地位を与えることもできる。たとえば2016年に、アイルランドは市民会議を作り出した。これは有権者を代表としてランダムに選ばれたアイルランド市民99人で構成される。専門家が見守り手助けするなかで、話しにくい複雑な問題を議論する役目を与えられ、選挙で選ばれた代議士たちに提言を行うことになっている。これはふつうの日常政治とはちがう別の力学を作り出す。その市民は身内を奨励したり、寄付を集めたり、選挙に勝ったりするために集まったのではない。議論のわかれる問題を、政敵を攻撃するための手段として使っても何も得るものはない。単にその問題を解決したいだけだ。この議会は、議論の水準を引き上げて、中絶や同性結婚などについての国民投票に先だって緊張をほぐしたと評価されている。こうした熟議組織が、ブレグジット問題やアメリカ移民政策について何ができたか、ぜひ見てみたいものだ。

手放してはいけない

政治の面で私たちにできる最も簡単なことは、私たちをお互いに刃向かわせ、外集団やマイノリティへの恐怖をかきたてようとする専制主義者たちを拒絶することだ。そいつらが自尊心、減税、国家支援を約束してもだまされてはいけない。

こう言うと簡単そうだが、もしそれで対立候補が政権につき、ダメな政策を実施したら？　だがダメな政策よりひどいものがあるとすれば、それは各種の政策的な立場の長所と短所、費用と便益をめぐる（おおむね）理性的でオープンな議論をすっ飛ばし、それを部族間の怒鳴り合いや、ヘタをすると内戦で置きかえようとする試みだ。

確立した民主主義ですら、ポピュリスト的な反乱と専制主義の乗っ取りにあいかねないという洞察は、法治や政府権力に対する憲法上の抑制という議論に新たな活力をもたらすはずだ。そしてルールはちゃんと成文化し、制御のメカニズムもつけよう。紳士協定や確立された慣行は、部族政治の時代には確実に維持できるかわからない。リベラル民主主義は、51％の得票があれば残り49％に何でも押しつけていいということではない。マイノリティ――最小のマイノリティである個人すら――にも剝奪できない権利があって、権力は常に脅威だから、常に人々と、強い憲法と、独立司法により統制されねばならないというのがその基本だ。多くの民主主義では、強力な行政府が議会からの支援を受けて、すぐにみんなが当然と思っている自由を奪ってしまい、統制を逃れてしまいかねない。

ほとんどの人はこれに同意する――自分の支持政党が野党のときは。だが自分たちが政権を握ったとたん、みんなすぐに政府権限拡大を訴える。

願わくば、この政治的な混乱の時代を見て、偽善が高くつくことをみんなが学んでほしいものだ。ある権限をドナルド・トランプだのニコラス・マドゥーロだのヴィクトル・オルバンだのに手渡すのが不安なら、それはだれにも与えてはいけない権限かもしれない。というのも、いまやそういう連中がトップに上り詰めることが現実に起こりうるとわかったからだ。指導者たちは、たとえば裁判官を任命し、恩赦を出し、大統領令に署名するだけで法を作ったり、他のだれの同意もなしに核兵器を発射したりする力を持つべきなのだろうか?

唯一の真の人民があって、それ以外の人はすべて一般意志の障害なのだと語るポピュリストは、いまの政治体制の欠点を指摘するのはうまい。だが問題が何であれ、そうした人々が解決策であることは決してない。法治や三権分立の軽視のため、そうした問題はかえって悪化する。ポピュリストたちが自分の懸念をどれだけ共有しているように見えても、あなたやそれ以外の有権者に責任を負うことはない。自分が自分の親分のままだし、その立場を自分の利益のためにしか使わない。

1990年から2018年にかけて政権についた、ポピュリスト指導者やポピュリスト政党46件のデータベースを見ると、その半分は憲法を書き換えたり改正したりしている。平均すると、彼らが政権についている間に報道の自由は7%下がり、市民の自由は8%下がり、政治的な権利は13%下がった。[16] 汚職に反対してみせるのが、政権を握るための彼らの常套手段だが、そうした国々は彼らが政権を握っている間に、国際NGOトランスペアレンシー・インターナショナルによる汚職認識指数が平均で5位低下する。しばしば彼らは、自らその道を率先して進む。ポピュリスト指導者の10人中4人が、いずれ汚職で有罪となる。そしてこれは過小評価だ。というのも多くのポピュリストは自国の独立司法を骨抜きにして、自分が絶対に起訴されないようにするからだ。一部は彼らが独立制度を台無しにするため、彼らは非ポピュリストより2倍も長く権力の座に留まる。

結局のところ、この独裁者による制圧を止めたいなら、それは私たち次第だ。現在ではオープン性信者側の過剰な自己批判ほど危険なものはない。絶え間なく自分の信念を検討して調整するのは必要だが、ポピュリズム台頭後には、異様なほど大量の知識人や政治家が列をなして、グローバル化がいきすぎたと謝罪してみせている。どうやら彼らは、多くの人々が自分たちの発想に抵抗するという事実と、そうした発想に何かまちがいがあることを混同しているようなのだ。

これは危険だらけだ。すでに見た通り、オープン性へのバックラッシュは歴史を通じて一貫して生じているが、いろいろな理由から、彼らが勝つとは限らない。ときには、脅威が去って成長が戻ると敵対心も立ち消えになる。他の問題が前面に出てきたり、ポピュリストの指導者が自滅したり、もっとリベラルな運動や政治家が、オープン社会への新たな支持を引き起こしたりする。だが、反動が勝つのは常に、日和見（ひよりみ）主義者がそちらに肩入れして、オープン性の支持者たちが口を閉ざすときだ。だからそれだけは決してやってはいけない。

人々は追随したがるし、特に混迷期にはそれが強まる。だからこそ、世間的な反応への反対を続けるのはむずかしい。でもだからこそ、それは重要なのだ。人々はしばしば、仲間はずれにされないように自分の選好をごまかし、空気を読んであわせる――別にそれが正しいからではなく、それがまわりの空気だからだ。

だが心理学の実験によれば、ときにはこの追従主義的な呪文を破り、もっともらしいコンセンサスを拒絶する勇気を人々に与えるには、たった一人が口を開くだけでいいこともある。だからこそ、知識人や草の根運動、勇敢な政治家や独立ジャーナリストには、オープンな社会を擁護してほしい。

だが何よりも、民間の市民が友人や仲間たちにその重要性を説明するのが重要なのだ。そして陰謀論の旗をふったり、外部集団を攻撃して部族を攻撃しようとしたりする人がいたら、声をあげなければ。たった一つの異論が人々の心を開くこともあるのを思い出そう。

文明の興亡を研究した伝説的なイギリスの歴史学者アーノルド・トインビーは、社会を安易に生命にたとえることに反対し続けた。生命は自然が決めた寿命を持つが、社会には「寿命」などない。だから高齢や自然要因で死んだりしない。社会が死ぬときは、自殺か他殺だ、とトインビーは結論した――そしてほとんどの場合が自殺だ。

これまでの歴史上の開花をすべて台無しにしたのは、オープン性の終焉だった。だが今回の開花は、まだ救えるかもしれないのだ。

謝辞

ホモ・サピエンスは革新し模倣する。そしてあらゆるアイデアは古い洞察や直感、経験の新しい組み合わせなので、この感謝の一覧は本当なら果てしなく続くべきだ——ミレトス島のタレス、アナクシマンドロス、アナクシメネスから、その2・5千年紀後に物事を新しい観点から見るよう毎日助けてくれるアリシア、アレクサンデル、ニルス＝エリックまでずっと。だが編集者マイク・ハープレイは、本書をこれ以上引き延ばすのに反対するだろうし、本を改善したければ彼の言うことを聞いたほうがいいというのを私は学習している(ちなみに、私が「マンモス」と「ミイラ」を混同していたのに気がついてくれてありがとう。恥をかくところでした)。また校閲者シャーロット・アトエオにも、いかにも滑らかな英語にしてくれたのを感謝する。トム・G・パーマーには、オープン性がおびやかされたらどんなことになりかねないか気がつかせてくれただけでなく、それをめぐる戦いに常にまっさきにはせ参じてくれたことに感謝する。いつもながら、マタイアス・ベングトソンは私のアイデアを整理させてくれたし、ありがたい意見もくれた。

果てしない調査、入力、支援、助言をくれたスチュアート・ハヤシには特に感謝する。本書は、君が注ぎこんだ手間暇なしには、このようにはならなかった。そのお礼として私が思いつく唯一の方法は、文明を救うことしかない。できるだけがんばりますんで。

いつもの連中、フレドリック・セガーフェルトとマタイアス・スヴェンソンは本書の初期草稿を読み、必要に応じて支援をくれて、必要に応じて叱ってくれた。本当に感謝しております。また極度の時間制約の中で重要な事柄を明確にしてくれた、アレックス・ノウラステにもありがとう。

またもや、辛抱強いと同時に激励してくれるエージェントのアンドリュー・ゴードンは、私が言いたいことを説明して本書を印刷所に送るのを助けてくれた。

その間ずっとサンサがついていてくれた。彼女は我が家のコーニッシュレックス種のネコで、調査をしているときにそばにいてくれたし、執筆中は膝で眠ってくれた。このネコは、アルバート・ジェイ・ノックがかつて指摘した通り、自然界最強の個人主義生命で、隷属の敵だから、サンサは何がここで問題かわかっているのだ。

フリーダはそこまで物理的にはそばにいなかったが、その支援は同じくらい多大だ。愛情、霊感、辛抱強さをありがとう。どこでもきみといっしょだ。

訳者解説

本書はJohan Norberg, *OPEN: The Story of Human Progress* (Atlantic Books, 2020) の全訳となる。翻訳にあたっては出版社から送られたＰＤＦをもとにした。山形が前半、森本が後半を訳したあとで、山形が全体を通して見直し、統一作業を行っている。

1　本書のまとめ

本書の主張は単純明快。社会でも何でもオープンがいいよ、閉鎖的なのはよくないよ、ということだ。オープンにしておけば、新しいモノに出会う。新しい体験と、新しいアイデアが出てきて、既存のものについても新しい組み合わせ、新しい見方が出てくる。それが発展につながるよ、という話だ。

でも、そのよいはずのオープンがなぜ続かないのか？　本書はこれまでの歴史でオープン性を妨害し、せっかくの発展を停滞と退行に追い込んだ様々な要因を検討する。そしてそれをもとに、いまのぼくたちが、せっかく続いてきたオープン性とその果実を、今後もつぶさないで維持し続けるためにはどうするべきかを考察する。

2　著者について

著者ヨハン・ノルベリは、１９７３年生まれのスウェーデンの作家・歴史家だ。２０００年頃から、各種の反グローバリズム運動に対する批判を開始し、それをまとめて『グローバル資本主義擁護論（*In Defense of Global Capitalism*）』（未邦訳、２００１）として発表した。もちろんグローバリズムを擁護し、自由貿易推進をうたうものだ。その次に発表された『進歩：人類の未来が明るい10の理由』は拙訳で邦訳（晶文社刊）もある。そしてその次に発表されたものが本書だ。

基本的な立場は、かれが古典的なリベラリズムと呼ぶものだ。経済的な自由主義の立場にたち、非常に明解な主張を展開している。スウェーデンのリベラル系シンクタンクであるティンブロに所属し、その後２００７年からはアメリカの保守派シンクタンクとして知られるケイトー研究所でシニアフェローを務めている。２０２０年の本書は、かれの現時点での最新作となる。

3　本書の概要１：オープン性のすばらしさ

著者は自由主義リベラリズムの立場に立つ。最近では「リベラリズム」というのはあまりに様々な意味を持つようになってしまっているが、著者の場合は政府介入をなるべく避ける、自由放任型のリベラリズムと言うべきか。だから本書で支持される「オープン性」というのは、取引、貿易、研究、言論、開発など各種の分野において規制を避け、なんでも自由な発展と取り組みを推奨する、ということになる。そうすればイノベーションが開花し、文化と産業が花開いて社会も経済も栄えるのだ、と。

本書はそれを、歴史をさかのぼることで示す。そのときのポイントになるのが、18世紀頃からのイギリス産業革命、それに先立つ17世紀ヨーロッパ啓蒙主義のとらえかただ。

歴史、経済学、社会学、その他あらゆる分野で、イギリス産業革命以来の200年ほどは人類史上で類を見ない異様な時期だ。人類の生産力は異様に高まり、人口増と食料生産のイタチごっこによるそれまでのマルサスの罠をいきなり突破し、人口は激増しても栄養状態は大幅改善、医療も改善（というかまともな医療そのものが誕生）して、寿命も健康状態も以前とは比べものにならない。生活は豊かになり、みんな幸福になり、そこらのパンピーまでが教育を受けて多少なりとも文化的な生活ができるようになり、その恩恵がなんだかんだで世界中に広がるようになった。自由、平等なんていう絵空事のお題目ですら、曲がりなりにも実践されるようになってしまい、女性や少数派までがその果実を（完全にといえるかどうかは議論が残るが）大きく享受できている。いや公害が、いや人口増が、いや温暖化が、いや植民地主義が、いや奴隷制の悲劇が、いや差別が、いや戦争が、という声はある。だがそれらはどれも、すべては完璧ではないというだけの話。全体としての改善傾向は否定しようがない。そう言っても、否定したがる人たちはいるけれど、そんな連中の言うことはたいがい、変なおとぎ話を真に受けた妄想でしかない。

この状況を見れば、やっぱり産業革命には何か特別なものがあった、と考えたくなるのが人情だ。なぜヨーロッパでだけ産業革命が起きたのか？　さらになぜそれに到るさまざまな技術、学問、思想がヨーロッパに集まったのか？　なぜヨーロッパでなければならなかったのか？　それがこれまでの多くの分野における問題設定ではあった。

そしてこっちの方向での分析が様々なおもしろい発想（ついでに一部のろくでもない人種差別的な考え方）をもたらしたのは事実ではある。プロテスタンティズムの倫理が、とかスコラ学派が、ギリシャ思想の伝統が、森林資源と石炭資源のバランスが、軍事的なバランスが、等々。その一方で、どれも決定的ではなかった。確かにそれも効いてはいるが、探すと他でも見つかる。それがヨーロッパでなければいけない決定的な理由はちっとも出てこない、というものがほとんどだ。

そして本書は（そして本書に限らず最近の思想の大きな流れは）、まさにその通りなのだ、という。産業革命、科学革命、啓蒙主義がヨーロッパでなければいけなかった理由はない。実はそれまでも世界の様々な場所で、似たようなものは起きていた。急激に学問と文化が花開き、産業が栄え、新しいものが次々に生み出された時期が、イスラム文明にも、中国文明にも、インド文明にも、おそらくはぼくたちの知らない他の様々な文明にも大なり小なり存在していた。

それらに共通する大きなポイントこそ、本書の最大の主題であるオープン性だ。新しい思想、新しい人々、新しい文物、新しい取引にオープンな社会は、おおむね発展を遂げた。というより、人間はそもそもがオープンな取引を通じて発展してきた存在なのだ。氷河期の石器時代にもすでに、広い地域にまたがる交易があった。いまの発展は、その延長でしかないのだ。

でも、そんなに良いならなぜみんなオープンにしないの？　それが本書後半の問題設定となる。

4　本書の概要2：オープン性をつぶすものとは？

オープン性も常にいいことばかりではない。変な病気、まったく異質な慣習、ときには外敵さえもたらすこともある。さらにオープン性がもたらす発展は、既得権益を脅かすことが多い。全体としては発展でも、一部の人には脅威となる。すると、それをつぶす力は強まる。そしてそれまでの発展が成功していると、その既得権も強まり、新たな変化を面倒に思う気分も強まってしまう。惰性、過去をありがたがる習性、見知らぬ人や存在への本能的な反発などが、クローズドな社会をもたらし、文明は停滞するにとどまらず、ときに破壊と退行にすら陥ってしまう。そしてこれまでのあらゆるオープンな文明発展は、必ずこの罠に陥って自爆してしまった。

だから本書は産業革命について、むしろ逆の考え方をすべきなのだ、と述べる。問題はなぜ、ヨーロッパで産業革命／科学革命／啓蒙思想が生まれたか、ではない。むしろ、なぜそれが（まだ）続いているのか、ということなのだ、と。他のオープンな文明や文化は、これまですべてつぶされてきた。それがなぜヨーロッパに限っては続いたのか？　それは、ヨーロッパが狭いところに小国が乱立し、どこかでクローズドな気運が盛り上がったら人材も知識も産業も他の国や地域にあっさり引っ越してしまい、さらに知識人たちは独自のネットワークで結ばれて盛んに交流し続けたことで、発展が途切れることがなかったからだ、というのが本書の主張となる。どの権力も中国の皇帝のようにすべてを司（つかさど）る強大な力は持てなかった。ヨーロッパが栄えたのは、ヨーロッパが偉かったからではない。むしろヨーロッパの権力者がみんな弱小で無能だったからだ、というわけだ。

が、それがいつまで続くかはわからない。様々な分野でクローズドな気運が盛り上がり、規制と許認可、右でも左でも言論の統制や思想の検閲が行われ、排外主義、移民排斥、新規事業の参入ハードル、公共の余計な介入が到るところで見られる。ヨーロッパさえも、EUができてしまい、なんでも規制が横並びになって、かつてのような競争環境が維持できているかどうかも怪しい。そして一方で、中国のような（あるいはかつてのジャパン・アズ・ナンバーワン論のような）統制型の政府主導の研究開発や産業発展がよいという声も出てくるし、独裁者待望論も出てくるし、コロナ禍でグローバリズム否定の声もあがるし、オープン性をつぶす力がますます強まっているようにさえ見える。さて、今回のオープン性の大成功は今後も続くだろうか？

5　本書の位置づけ：実証的リベラリズムの流れ

本書はある意味で、著者の前著『進歩』の続きではある。『進歩』では、変な悲観論者による、世の中悪くなっている、文明なんて幻想だ、グローバリズム反対等々の主張に対し、そんなことはないのだ、というのを述べた本だ。世の中は確実によくなっている。人々は豊かになり、社会は自由と可能性が高まっている。だから、怪しげな悲観論にだまされて、この豊かさをつぶそうとしてはいけない、というのが『進歩』だ。本書はそれを受けて、なぜそもそも進歩が起きているのか、そしてそれなのになぜ、その進歩と改善を見ようとせずに、したり顔で悲観論と懐古趣味をふりかざす連中が登場するのか、というのを述べた、『進歩』の原因分析の本といえるだろう。

そして、主張されている内容は『進歩』と同じく、スティーヴン・ピンカー、ビョルン・ロンボルグ、マット・リドレーなどに代表される、人類の叡智と理性と啓蒙主義を信じる立場だ。その他、『ファクトフルネス』（邦訳日経BP刊）のロスリング夫妻やエネルギー問題のヴァーツラフ・スミル、温暖化や環境問題のマイケル・シェレンバーガーなどもここに入れてもいいだろう。いずれも、長期的なトレンドのデータを重視して、それをもとに進歩、技術、社会発展と自由の可能性をうちだす、実証的リベラリズムとでも言うべき一派だと訳者は考えている。

「一派」とはいっても、この中でも様々な立場はある。政府規制の役割をかなり期待する左派リベラリズム的な立場の人もいる。一方で本書のノルベリのような、最近では悪者視されがちな新自由主義的リベラリズムを主張する人もいる。それでも、そうしたイデオロギー的なポジションの差にもかかわらず、彼らの見通しは共通しているし、その処方箋も似ている。恣意的な規制はやめよう。人間の問題解決能力を信じよう。新しいものを試し、イデオロギーにとらわれずに実証的によいものは採用しよう、と彼らは主張する。一方で環境や気候変動問題などで顕著なように、何かイデオロギー的に解決策を決め打ちする方針は、硬直して破綻（はたん）する可能性があまりに高い。「コンセンサス」だのお手盛りの「正義」だのをふりかざすのではない、自由な可能性の探究を許し、そのためには異端の邪説（とされるもの）も容認すべきではないか？

個人的には、かつては少数派だったこの一派も、ジワジワと支持を高めてきているようには思う。その一方では、確かにメディアや社会の一部ではキャンセルカルチャーが猛威をふるい、規制は強まり、「コンセンサス」に反することを言うやつは黙らせていい、という風潮も高まりつつある。風が吹くたび気分も変わる、そんな年頃ではある。だが最終的にはどこかで、事実に反する教条主義は破綻せざるを得ないと思いたいところだ。

6　雑感：えせオープンがもたらすクローズドの危険

さて、本書を読んでそれがまちがっていると全否定する人はあまりいないはずだ。たぶんほとんどの人が、ふんふん、その通りだねと言うだろう。あたりまえじゃないかとせせら笑う人だっているはずだ。そして、いやあみんなが自分のようにオープン性に理解がある寛容性の権化であればよいのになあ、と思うだろう。

ある意味で、それがこわいところでもある。だれも、自分が頑固で保守的で新しいモノすべてを否定する進歩の敵だとは思っていない。だれも自分がクローズドだとは思っていない。多くの人は、自分は心が広くオープンなのだと思っている。新しいものを受け容れるのはまったくやぶさかではないと考えている。ただ……

明らかにまちがっていることを平気で言うあいつらは、フェイクニュースの悪者どもだから、それは取り締まるべきだ。あれは人々のお気持ちに配慮しない無遠慮な発言だからヘイトスピーチとしてつぶすべきだ。あんな成功するかもわからない技術が出回ると人々が混乱するから、規制すべきだ。こんな邪説を流すやつがいるが、それは人々が正しい理解をする邪魔なだけだから黙らせよう。このマンガは青少年に有害だから発禁にしよう。もちろんこれは、自由を否定するものなんかではない。どうせまちがっているから無価値か、有害なものを除去するだけ。それ以外はすべて自由にしてもらってぜーんぜん構わないんですよ、ね、ワタシってオープンでしょ？「あー、あの人ね」と具体的な顔を思い浮かべた人もいるはずだ。そしてその印象はおそらく決してまちがってはいない。だが、それで安心してはいけない。実はほとんどの人は何かしらこれに類することを、どこかの場面で口走っているのだ。しかもその自覚がある人は意外に少ない。そしてもちろん、そういう人々こそ、つまりは自分自身こそがオープン性の最大の敵で、クローズドの急先鋒だったりするのだ。

本書で自由主義とオープン性の圧倒的な支持者としてしばしばひきあいに出されている、フリードリッヒ・ハイエクという人がいる。この人は社会主義による統制経済と社会を大いに懸念し、自由市場と自由主義の一大論客となる。だが、社会主義と政府統制を恐れるあまり、社会党、労働党系の政権すべてを懸念するようになり、そしてそういう左翼がかった政権や政策を選挙で支持してしまいかねないバカな愚衆による民主主義と議会政治すら疑問視するようになる。晩年の1980年代に発表した大著『法と立法と自由』（邦訳春秋社）では、バカな議員どもが気まぐれな法律を決める議会なんか許せんので、法律の重要な部分は歳寄り賢者の仲良しクラブが密室で決めるべきだ、などというトンデモな主張を真顔でしている。そしてさらに反共をこじらせて、チリの独裁者として悪名高いピノチェト政権を支援するばかりか、そのブレーンにまでなり、究極の不自由さの手先と化してしまう。

ハイエクは、ある一つの市場や経済の自由にこだわるあまり、結局それ以外のオープン性を否定してしまったわけだ（そしてもちろんピノチェト政権下では縁故主義が横行して、ハイエクの好きな自由市場もまともには維持されなかった）。なんだか、それと似たような自縄自縛の状況に自らを（そして周囲を）追い込んでしまう人は結構いる。ぼくは本書に描かれたクローズドの様々な要因分析とともに、この点を忘れてはいけないと思っている。

自由はすばらしい――自分のやりたいことである限りは。でも実際には、社会での自由というのは、自分が嫌いなものでも容認するということなのだ。言論の自由というのは、自分の嫌いな発言、聞きたくない発言でも認めるということだ。表現の自由というのは、あんな低俗なエロまんが、と思ったものでも認めるということだ。自分たちの嫌いなもの、なじみのないものをどこまで許容できるかが、文化や社会としてのオープン性を決める。

するとおそらく大事なのは、ぼくたち一人一人が「あんなもの！」「そんなのダメ！」「規制しろ！」と言いたくなる気持ちを少し抑えることなのだろう。「あれはよくない」と言うのはかまわないけれど、「禁止しろ」「排除しろ」と言ってはいけないのだ。同時に、人にそういうことを言われたときに、安易に空気に流されず、無視したり抵抗したり、すっとぼけたりして、やりたいこと、やるべきことをとにかくやることだ。

本書で分析されている、人間の身内びいきや仲間びいき、部外者不信、官僚制のことなかれ主義や懐古趣味といった特性は、どうにかしようと思っても、なかなかむずかしい。でも、そこから出てきた気持ちの表し方は、多少は変えられる。その積み重ねで少しずつ自分の許容範囲を人々が拡大すれば、それが社会のオープン性拡大だ。本書をきっかけに、少しでも多くの人がそれを認識して、実践してくれれば――そこまでいかなくても、そういうことができるのだ、ということを認識してくれれば、本書の元は十分にとれたと言えるのではないだろうか。

7　その他

本書はきわめて平明であり、あまり悩む必要のない楽しい翻訳ではあった。大きな翻訳ミスはないと思うが、もちろん意外な見落としや細かいまちがい、誤変換などはまだ残っている可能性はある。お気づきの点があれば、訳者までメールでご一報いただければ幸いだ。判明した誤りなどは随時サポートページ https://cruel.org/books/NorbergOpen/ で公開する。

２０２２年３月　ウクライナ侵攻の最中に

東京にて　山形浩生（hiyori13@alum.mit.edu）

Essays, 21 March 2017, https://aeon.co/essays/was-francis-fukuyama-the-first-man-to-see-trump-coming（2020年3月9日アクセス）も参照.

5. Pinker, 2011. 邦訳2015.
6. S. Huntington, *The Clash of Civilizations and the Remaking of World Order*. New York, Simon & Schuster, 2007, ch. 12. 邦訳 S・ハンチントン『文明の衝突』鈴木主税訳、集英社、1998.
7. I. Scopelliti, C. Morewedge, E. McCormick, H. L. Min, S. Lebrecht and K. Kassam, 'Bias blind spot: Structure, measurement, and consequences', *Management Science, 61*(10), 2015.
8. G. Cohen, J. Aronson and C. Steele, 'When beliefs yield to evidence: Reducing biased evaluation by affirming the self ', *Personality and Social Psychology Bulletin, 26*(9), 2000. ただしB. Nyhan and J. Reifler, 'The roles of information deficits and identity threat in the prevalence of misperceptions', *Journal of Elections, Public Opinion and Parties, 29*(2), 2019. ではそうした効果は観察されなかった.
9. 'CPS historical migration/ geopgraphic mobility tables', United States Census Bureau, November 2019, https:// www.census.gov/data/ tables/time-series/demo/geographic-mobility/historic. html（2020年3月9日アクセス）.
10. 'The welfare state needs updating', *The Economist*, 12 July 2018.
11. D. Blancheflower and A. Oswald, 'Does high home-ownership impair the labor market?' NBER Working Paper 19079, 2013.
12. D. Goodhart, *The Road to Somewhere: The New Tribes Shaping British Politics*. London, Penguin Books, 2017.
13. 'Occupational licensing: A framework for policymakers', The White House, July 2015.
14. D. Carpenter II, L. Knepper, A. Erickson and J. Ross, 'License to work: A national study of burdens from occupational licensing', Institute for Justice, 2012.
15. J. Johnson and M. Kleiner, 'Is occupational licensing a barrier to interstate migration?', Federal Reserve Bank of Minneapolis, Staff report 561, December 2017.
16. J. Kyle and Y. Mounk, 'The populist harm to democracy: An empirical assessment', Tony Blair Institute for Global Change, 26 December 2018, http://institute.global/insight/renewing-centre/populist-harm-democracy（2020年3月9日アクセス）.

24. S. M. Lipset, 'Democracy and working-class authoritarianism' *American Sociological Review, 24*(4), 1959 参照.
25. M. Lüthi, *The Fairytale: As Art Form and Portrait of Man*. Bloomington, Indiana University Press, 1984, p. 55.
26. Plato, *Republic*, in J. Cooper (ed.), *Complete Works*. Indianapolis, Hackett Publishing, 1997, p. 1177. 邦訳プラトン『国家（上・下）』藤沢令夫訳、岩波文庫、1979.
27. Goldstone, 2016, p. 452.
28. H. L. Mencken, *In Defense of Women*. Mineola, Dover Publications, 2004, p. 29.
29. Snyder, 2018, p. 50f.
30. 'Fox & Friends' [video], Fox News, 10 February 2014.
31. J. Greenberg, T. Pyszczynski, S. Solomon et al., 'Evidence for terror management theory II,' *Journal of Personality and Social Psychology, 58*(2), 1990.
32. Trevor-Roper, 1967, p. 74.
33. Stenner, 2005, p. 335.
34. J. Haidt and K. Stenner, 'Authoritarianism is not a momentary madness', in C. R. Sunstein (ed.), *Can It Happen Here?* New York, HarperCollins, 2018, p. 209.
35. K. Dunn, 'Authoritarianism and intolerance under autocratic and democratic regimes', *Journal of Social and Political Psychology, 2*(1), 2014.
36. F. Zakaria, *The Future of Freedom: Illiberal Democracy at Home and Abroad*. New York, W. W. Norton & Company, 2004.
37. M. Norton and S. Sommers, 'Whites see racism as a zero-sum game that they are now losing', *Perspectives on Psychological Science, 6*(3), 2011.
38. S. Sales, 'Threat as a factor in authoritarianism: An analysis of archival data', *Journal of Personality and Social Psychology, 28*(1), 1973. D. K. Simonton, *Greatness: Who Makes History and Why*. New York, The Guilford Press, 1994.
39. 'The monsters are due on Maple Street', *The Twilight Zone*, season 1, ep. 22, first aired 4 March 1960 on CBS.
40. M. Vargas Llosa, *Lockrop*. Stockholm, Timbro, 2019.

第9章 オープンかクローズドか?

「文明はいまだに、その誕生のショックから完全に回復していない
――魔術の力に従属する部族または『閉ざされた社会』から、『開かれた社会』という
人間の批判力を解放する社会への移行がその誕生なのだ。
この移行のショックこそは、文明を転覆させて部族主義に戻ろうとしてきたし、
いまだにそれを続けている、各種の反動的な動きの台頭を可能にしているものなのだ」
――カール・ポパー、1945年

1. 'Freedom in the world: Electoral democracies 1989–2016', Freedom House, https://freedomhouse. org/sites/default/files/ Electoral%20Democracy%20 Numbers%2C%20 FIW%20 1989-2016.pdf（2020年3月9日アクセス).
2. G. Ward, *The Politics of Discipleship*. Grand Rapids, Baker Academic, 2009, p. 49.
3. F. Fukuyama, *The End of History and the Last Man*. London, Penguin Books, 2012, pp. 288 and 312. 邦訳 F・フクヤマ『歴史の終わり：歴史の「終点」に立つ最後の人間（上・下)』渡辺昇一他訳、三笠書房、2020, 下p. 180と下p. 217.
4. Fukuyama, 2012, p. 328. 邦訳2020, 下p. 239. また P. Sagar, 'The last hollow laugh', Aeon

2011.

3. D. Kenrick and V. Griskevicius, *The Rational Animal: How Evolution Made Us Smarter Than We Think*. New York, Basic Books, 2013, p. 28f.
4. S. Schnall, J. Haidt, G. Clore and A. Jordan, 'Disgust as embodied moral judgment', *Journal of Personality and Social Psychology*, *34*(8), 2008.
5. P. Nail, I. McGregor, A. Drinkwater, G. Steele and A. Thompson, 'Threat causes Liberals to think like Conservatives', *Journal of Experimental Psychology*, *45*(4), 2009.
6. L. Rudman, C. Moss-Racusin, J. Phelan and S. Nauts, 'Status incongruity and backlash effects: Defending the gender hierarchy motivates prejudice against female leaders', *Journal of Experimental Social Psychology*, *48*(1), 2012.
7. D. Petrescu and B. Parkinson, 'Incidental disgust increases adherence to left-wing economic attitudes', *Social Justice Research*, *27*(4), 2014.
8. A. Malka, Y. Lelkes and C. Soto, 'Are cultural and economic Conservatism positively correlated? A large-scale cross-national test', *British Journal of Political Science*, *49*(3), 2019.
9. J. Madison, *Letters and Other Writings of James Madison*. Philadelphia, J. B. Lippincott & Co, 1867, vol. 2, p. 7. R. Higgs, *Crisis and Leviathan: Critical Episodes in the Growth of American Government*. New York, Oxford University Press, 1987.
10. E. Quarantelli, 'Human and group behavior in the emergency period of disasters: Now and in the future', Preliminary Paper 36, Disaster Research Center, University of Delaware, 1993.
11. P. Norris and R. Inglehart, *Cultural Backlash: Trump, Brexit and Authoritarian Populism*. Cambridge, Cambridge University Press, 2019, p. 145.
12. J. Napier, J. Huang, A. Vonasch and J. Bargh, 'Superheroes for change: Physical safety promotes socially (but not economically) progressive attitudes among conservatives', *European Journal of Social Psychology*, *48*(2), 2018.
13. 'We suck at driving', Polstats, http://polstats.com/#!/life（2020年3月9日アクセス）.
14. C. Deane, M. Duggan and R. Morin, 'Americans name the 10 most significant historic events of their lifetimes', Pew Research Center, 15 December 2016.
15. I. Haas and W. Cunningham, 'The uncertainty paradox: Perceived threat moderates the impact of uncertainty on political tolerance', *Political Psychology*, *35*(2), 2014.
16. E. Murphy, J. Gordon and A. Mullen, 'A preliminary study exploring the value changes taking place in the United States since the September 11, 2001 terrorist attack on the World Trade Center in New York', *Journal of Business Ethics*, *50*(1), 2004. E. Murphy, W. Teeple and M. Woodhull, '9/11 impact on teenage values', *Journal of Business Ethics*, *69*(4), 2006.
17. S. D. Levitt and S. J. Dubner, *Freakonomics*. London, Allen Lane, 2005, p. 48. 邦訳 S・レヴィット& S・ダブナー『ヤバい経済学：悪ガキ教授が世界の裏側を探検する［増補改訂版］』望月衛訳、東洋経済新報社、2007、p. 56.
18. Stenner, 2005, p. 137.
19. J. Haidt, 'When and why nationalism beats globalism', *The American Interest*, *12*(1), 2016.
20. 'Crime', Gallup, https://news. gallup.com/poll/1603/crime.aspx（2020年3月9日アクセス）.
21. Kaufmann, 2018. E. Kaufmann, 'Levels or changes?: Ethnic context, immigration and the UK Independence Party vote 2016', *Electoral Studies*, *48*, 2017. D. Mutz, 'Status threat, not economic hardship, explains the 2016 presidential vote', *Proceedings of the National Academy of Sciences*, *115*(19), 2018. Norris and Inglehart, 2019.
22. J. Jones, 'Democrats' confidence in economy steadily eroding', Gallup, 31 May 2017, https://news.gallup.com/poll/211583/democrats-confidence-economy-steadily-eroding-post-obama.aspx（2020年3月9日アクセス）.
23. Stenner, 2005, p. 58. Norris and Inglehart, 2019, p. 280.

52. J. X. Zhou, *How the Farmers Changed China: Power of the People*. Boulder, Westview Press, 1996.
53. N. R. Lardy, *Markets over Mao: The Rise of Private Business in China*. Washington, DC, Institute for International Economics, 2014.
54. 'Some American startups are borrowing ideas from China', *The Economist*, 19 April 2018.
55. 'China wages war on apps offering news and jokes', *The Economist*, 19 April 2018.
56. J. S. Mill, *On Representative Government*. London, Longmans, Green & Co, 1872, p. 46.
57. R. Epstein, *Simple Rules for a Complex World*. Cambridge, Harvard University Press, 1995.
58. A. Wildavsky, 'Progress and public policy', in G. Almond, M. Chodorw and R. H. Pearce (eds.), *Progress and Its Discontents*. California, University of California Press, 1985, p. 366.
59. D. Gilbert, *Stumbling on Happiness*. New York, Vintage Books, 2007, ch. 1. 邦訳D・ギルバート『明日の幸せを科学する』熊谷淳子訳、ハヤカワ・ノンフィクション文庫、2013.
60. R. Brotherton, *Suspicious Minds: Why We Believe Conspiracy Theories*. London, Bloomsbury Sigma, 2015, p. 110. 邦訳R・ブラザートン『賢い人ほど騙される：心と脳に仕掛けられた「落とし穴」のすべて』中村千波訳、ダイヤモンド社、2020、p. 138.
61. S. Pinker, 'Enlightenment wars: Some reflections on "Enlightenment Now," one year later', Quilette, 14 January 2009, https://quillette.com/2019/01/14/enlightenment-wars-somereflections-on-enlightenmentnow-one-year-later/（2020年3月9日アクセス）.
62. D. A. Hayek, *The Road to Serfdom*. Chicago, The University of Chicago Press, 1994, p. 150. 邦訳ハイエク『隷従への道』村井章子訳、日経BPクラシックス、2016.
63. T. Friedman, 'Our one-party democracy', *New York Times*, 8 September 2009.
64. K. Svensson, 'Det viktigaste for klimatet ar att avskaffa demokratin', *Neo*, 10 December 2009.
65. H. L. Mencken, *Prejudices, Second Seri es*. Timeless Wisdom Collection, 2015, p. 216
66. '2018 Environmental Performance Index: Air quality top public health threat', Yale News, 23 January 2018, https://news.yale.edu/2018/01/23/2018-environmental-performanceindex-air-quality-top-publichealth-threat（2020年3月9日アクセス）.
67. インタビュー, 28 April 2014.
68. インタビュー, 27 March 2014.
69. この記述は下記に基づく。 J. Norberg, *Power to the People*. Hermosa Beach, Sumner Books, 2015.
70. 'Economists' statement on carbon dividends', organized by the Climate Leadership Council, https://www.econstatement.org（2020年3月9日アクセス）.
71. インタビュー, 28 April 2014.
72. Deutsch, 2012, p. 213. 邦訳 2013、pp. 293-4.

第8章 戦うか、逃げるか

「恐怖の中で生きるとは、なかなかの体験だろう、どうだね？　奴隷というのはそういうものだ」

——ロイ・バティ、『ブレードランナー』1982年より

1. Skinner v. Railway Labor Executives' Association', no. 87-1555, Argued 2 November 1988, https://www.law.cornell.edu/supremecourt/text/489/602（2020年3月9日アクセス）.
2. J. Huang, A. Sedlovskaya, J. Ackerman and J. Bargh, 'Immunizing against prejudice: Effects of disease protection on attitudes toward out-groups', *Psychological Science*, *22*(12),

and Progress. New York, Touchstone, 1999, p. xiv.

27. D. Montgomery, 'AOC's Chief of Change', *Washington Post*, 10 July 2019.
28. Matthew Choi, 'Fox News host says Warren "sounds like Donald Trump at his best"', Politico.com, 5 June 2019, https://www.politico.com/story/2019/06/05/tuckercarlson-elizabeth-warrendonald-trump-1355871（2020年3月9日アクセス）.
29. R. A. Stapleton and S. E. Goodman, 'The Soviet Union and the personal computer "revolution"', Report to National Council for Soviet and East European Research, June 1988.
30. 広告が謳うように、「彼女の料理の腕も、ハネウェルの計算能力並みだったらなあ」。
31. S. Goodman, 'Soviet computing and technology transfer: An overview', *World Politics*, *31*(4), July 1979, p. 544.
32. 'Apple wizard says computer "fad" dying', *The Pantagraph*, 20 January 1985. D. Sanger, 'Computers for the home', *The Day*, 5 May 1985.
33. J. McGregor, 'Clayton Christensen's innovation brain', *Bloomberg*, 18 June 2007.
34. Stapleton and Goodman, 1988.
35. J. Edstrom and M. Eller, *Barbarians Led by Bill Gates*. New York, Henry Holt & Company, 1998, p. xii. 邦訳 マーリン・エラー他『ビル・ゲイツの罪と罰：私がマイクロソフトを辞めた理由』三浦明美訳、アスキー、1999、p.5.
36. S. Johnson, 'The internet? We built that', *New York Times*, 21 September 2012.
37. Eメールでのやりとりは下記。http://www.nethistory.info/Archives/origins.html（2020年3月9日アクセス）
38. Johnson, 2011, p. 221. 邦訳 2013、p. 210.
39. 同上, p. 89. 邦訳 p. 102.
40. B. Reynolds, *An Army of Davids*. Nashville, Thomas Nelson Inc., 2006, p. 123f.
41. P. Krugman, 'Why most economists' predictions are wrong', *The Red Herring*, June 1998. 邦訳 P・クルーグマン「なぜ経済学者の予想はほぼまちがっているのか」山形浩生訳、https://cruel.org/krugman/krugmanwrongeconomists.html（2021年10月31日アクセス）.
42. Edstrom and Eller, 1998, p. 10. 邦訳1999.
43. 同上, p. 200. 邦訳1999.
44. 'Some believe computers can have evil effects', *Daytona Beach Morning Journal*, 15 December 1962.
45. I. Bessen, 'The automation paradox', *The Atlantic*, January 2016.
46. 'Technology, jobs, and the future of work', McKinsey Global Institute, briefing note, February 2017.
47. Postrel, 1998, p. 19. T. Murphy, 'Your daily newt: A $40 billion entitlement for laptops', Mother Jones, 20 December 2011, https://www.motherjones.com/politics/2011/12/your-daily-newt-nutty-ideaim-just-tossing-out/（2020年3月9日アクセス）.
48. C. Ferguson, 'From the people who brought you Voodoo Economics', *Harvard Business Review*, *66* (3), 1988.
49. B. Martin, *Under the Loving Care of the Fatherly Leader*. New York, St Martin's Press, 2006, p. 333. 邦訳B・マーティン『北朝鮮「偉大な愛」の幻（上・下）』朝倉和子訳、青灯社、2007、上巻pp. 484-95.
50. T. Sowell, *Basic Economics: A Citizens Guide to the Economy*. New York, Basic Books, p. 74. 邦訳T・ソーウェル『入門経済学：グラフ・数式のない教科書』加藤寛訳、ダイヤモンド社、2003［ただし該当箇所なし。第4章に相当する。版の違いによるものか？］
51. W. Zhang, 'The logic of the market: An insider's view of Chinese economic reform', Washington, DC, The Cato Institute, 2015. R. Coase and N. Wang, *How China Became Capitalist*. Houndmills, Palgrave Macmillan, 2013.

セス).
2. W. Rybczynski, *Home: A Short History of an Idea*. New York, Penguin, 1987, p. 9.
3. S. Boym, *The Future of Nostalgia*. New York, Basic Books, 2002.
4. Popper, 1966, vol. 2, p. 50. 邦訳 1980、第2部 p. 53.
5. Geary, 2002, ch. 1.
6. A. J. Levinovitz, 'It never was golden', *Aeon Essays*, 17 August 2016, https://aeon.co/essays/nostalgia-exerts-astrong-allure-and-extracts-asteep-price (2020年3月9日アクセス).
7. 'The good ol' days', Pessimists Archive, https://pessimists.co/the-good-ol-days/ (2020年3月9日アクセス).
8. "American life is too fast', *New York Times*, 21 October 1923.
9. J. R. Gillis, *A World of Their Own Making: Myth, Ritual, and the Quest for Family Values*. Cambridge, Harvard University Press, 1997. また S. Coontz, *The Way We Never Were: American Families and the Nostalgia Trap*. New York, Basic Books, 2016も参照.
10. Gillis, 1997, pp. 9 and 18.
11. B. Goodrich, *Select British Eloquence*. New York, Harper & Brothers, 1853, p. 366.
12. S. N. Kramer, *History Begins at Sumer: Thirty-Nine Firsts in Recorded History*. Philadelphia, University of Pennsylvania Press, 1981, ch. 28.
13. Kramer, 1981, ch. 27.
14. 'When, exactly, were the "good old days"?', YouGov, 6 June 2019, https://yougov.co.uk/topics/lifestyle/articles-reports/2019/06/05/when-exactly-were-goodold-days (2020年3月9日アクセス). A. McGill, 'Just when was America great?', *The Atlantic*, 4 May 2016, https://www.theatlantic.com/politics/archive/2016/05/make-thesixties-great-again/481167/ (2020年3月9日アクセス).
15. Coontz, 2016, p. xiv.
16. D. Adams, *The Salmon of Doubt*. New York, Del Rey, 2005, p. 95.
17. J. Mokyr, *The Gifts of Athena: Historical Origins of the Knowledge Economy*. Princeton, Princeton University Press, 2005, p. 218. 邦訳 J・モキイア『知識経済の形成：産業革命から情報化社会まで』長尾伸一他訳、名古屋大学出版会、2019、p. 257.
18. 同上, p. 266. 邦訳 p. 314.
19. L. Denault and J. Landis, 'Motion and means: Mapping opposition to railways in Victorian Britain', Mount Holyoke College: History 256, December 1999, https://www.mtholyoke.edu/courses/rschwart/rail/workingcopiesmmla/railfinals/motionandmeans.html (2020年3月9日 アクセス). 下記も参照のこと C. Juma, Innovation and its Enemies. New York, Oxford University Press, 2016.
20. 'The bicycle', Pessimists Archive, https://pessimists.co/ bicycle-archive/ (2020年3月9日アクセス).
21. M. Waters, 'The public shaming of England's first umbrella user', Atlas Obscura, July 2016, http://www.atlasobscura.com/articles/the-public-shaming-ofenglands-first-umbrella-user (2020年3月9日アクセス).
22. Bailey, 2005, p. 242.
23. J. Haidt, *The Righteous Mind: Why Good People are Divided by Politics and Religion*. London, Penguin Books, 2013, p. 172. 邦訳 J・ハイト『社会はなぜ左と右にわかれるのか：対立を超えるための道徳心理学』高橋洋訳、紀伊國屋書店、2014、p. 238.
24. Hayek, 1982, pp. 56–7. 邦訳 p.77.
25. G. K. Chesterton, *The Collected Works of G. K. Chesterton*. San Francisco, Ignatius, 1990, vol. 33, p. 313. 邦訳『G・K・チェスタトン著作集』春秋社.
26. V. Postrel, *The Future and Its Enemies: The Growing Conflict Over Creativity, Enterprise*

group anxiety', *International Organization, 63*(3), 2009.
23. Mutz and Kim, 2017.
24. 両方の価値観を重んじつつ成長を受け入れることができるとしても、例えば、農村住民を犠牲にしながら都市居住者に恩恵を与える戸籍制度に対しては批判的でなければならない。
25. W. D. Nordhaus, 'Schumpeterian profits in the American economy: Theory and measurement', NBER Working Paper w10433, 2004, https://ssrn.com/abstract=532992（2020年3月9日アクセス）.
26. R. Fogel, *The Escape from Hunger and Premature Death, 1700–2100*. Cambridge, Cambridge University Press, 2004, p. 40.
27. Fogel, 2004, p. 40.
28. J. Schumpeter, *Capitalism, Socialism and Democracy*. New York, Harper Torchbooks, 1962, p. 67. 邦訳 J・シュンペーター『資本主義、社会主義、民主主義（I・II）』大野一訳、日経BPクラシックス、2016、I. p. 182［ただしなぜかストッキングを「美しい服」と訳している］.
29. C. Jarrett, 'Survey results: What would you give up for the internet?', Highspeedinternet.com, 30 November 2015, https://www.highspeedinternet.com/resources/new-hsi-surveyreveals-where-americansvalues-lie（2020年3月9日アクセス）.
30. E. Brynjolfsson, F. Eggers and A. Gannamaneni, 'Using massive online choice experiments to measure changes in well-being', NBER Working Paper 24514, 2018.
31. 'Have billionaires accumulated their wealth illegitimately?' *The Economist*, 7 November 2019.
32. L. Zingales, *A Capitalism for the People: Recapturing the Lost Genius of American Prosperity*. New York, Basic Books, 2014, p. 59. 邦訳ルイジ・ジンガレス『人びとのための資本主義：市場と自由を取り戻す』若田部昌澄監修、NTT出版、2013, p. 90.
33. J. Fernandez-Albertos and D. Manzano, 'Dualism and support for the welfare state', *Comparative European Politics, 14* (3), 2014.
34. K. Simler and R. Hanson, *The Elephant in the Brain: Hidden Motives in Everyday Life*. New York, Oxford University Press, 2018. 邦訳シムラー&ハンソン『人が自分をだます理由』大槻敦子訳、原書房、2019.
35. Wright, 2001, p. 37.
36. 熊に槍で最初の一撃を与えたイヌイットの猟師は、褒美として上半身の毛皮を授かる。熊の毛皮の長いたてがみは、女性のブーツのライニングに使われるため重宝される。M. Shermer, *The Mind of the Market*. New York, Time Books, 2008, p. 16f.
37. D. Friedman, 'The economics of status' [blog], 18 October 2006, http://daviddfriedman.blogspot.com/2006/10/economics-of-status.html（2020年3月9日アクセス）.
38. von Hippel, 2018. 邦訳2019.

第7章　将来への不安

「現代の世界全体が保守派と進歩派に割れた。進歩派がやるべきことはまちがいを犯し続けることだ。保守派がやるべきことはまちがいが正されるのを阻むことだ」

—G・K・チェスタトン

1. J. Poushter, 'Worldwide, people divided on whetherlife today is better than in the past', Pew Research Center, 5 December 2017, https://www.pewresearch.org/global/2017/12/05/worldwide-people-divided-on-whether-life-today-isbetter-than-in-the-past/（2020年3月9日 アク

自分だ——相手ではない。相手を叩きつぶし、もっとよいものが手に入るのがよい取引だ」
——ドナルド・トランプ、2007年

1. R. Wright, *The Evolution of God*. New York, Back Bay Books, 2010.
2. Sidanius et al., 2007.
3. R. Niebuhr, *Moral Man and Immoral Society, A Study in Ethics and Politics*. Louisville, Westminster John Knox Press, 2001, pp. xxv and 22. 邦訳 R・ニーバー『道徳的人間と非道徳的社会』大木英夫訳、白水社、1998、p.7とp.39.
4. B. M. Friedman, *The Moral Consequences of Growth*. New York, Alfred A. Knopf, 2005. 邦訳 B・フリードマン『経済成長とモラル』佐々木豊訳、東洋経済新報社、2011.
5. Letter from Marx to Engels, 15 August 1857, Marx-Engels Correspondence 1857, https://marxists.catbull.com/archive/marx/works/1857/letters/57_08_15.htm（2020年3月9日 アクセス）.
6. V. Lenin, *Imperialism: The Highest Stage of Capitalism*. London, Penguin Books, 2010. 邦訳 V・レーニン『帝国主義論』角田安正訳、光文社古典新訳文庫、2006ほか.
7. T. Cowen, *Stubborn Attachments*. San Francisco, Stripe, 2018, p. 40.
8. P. H. Rubin, 'Folk economics', *Southern Economic Journal, 70* (1), 2003.
9. B. Caplan, *The Myth of the Rational Voter: Why Democracies Choose Bad Policies*. Princeton, Princeton University Press, 2006, ch. 2. 邦訳 B・カプラン『選挙の経済学』奥井克美他監訳、日経BP、2009.
10. Greene, 2015, p. 12.
11. D. Deutsch, *The Beginning of Infinity: Explanations That Transform the World*. London, Penguin Books, 2012, p. vii. 邦訳 D・ドイッチュ『無限の始まり：ひとはなぜ限りない可能性をもつのか』熊谷玲訳、インターシフト、2013、p. 10.
12. 管理担当者はそのかわりに職場で質の良い食事を提供することで問題の解決を図ろうとした。 von Hippel, 2018.
13. A. P. Fiske, 'The four elementary forms of sociality: Framework for a unified theory of social relations', *Psychological Review, 99*(4), 1992. L. Cosmides and J. Tooby, 'Adaptations for reasoning about social exchange', in D. M. Buss (ed.), *The Handbook of Evolutionary Psychology, vol. 2: Integrations*. Hoboken, John Wiley & Sons, 2015.
14. J. Jacobs, *Systems of Survival*. New York, Vintage Books, 1994, p. 57. 邦訳 J・ジェイコブズ『市場の倫理 統治の倫理』香西泰訳、日本経済新聞社、1998、p.81.
15. コーヒー産業の複雑さの素晴らしい解説書として下記を参照のこと。 A. J. Jacobs, *Thanks a Thousand: A Gratitude Journey from Bean to Cup*. London, Simon & Schuster, 2018.
16. McCloskey, 2016, p. 60.
17. S. Pinker, *The Blank Slate: The Modern Denial of Human Nature*. London, Penguin Books, 2003, p. 234. 邦訳 S・ピンカー『人間の本性を考える：心は「空白の石版」か（上中下）』、山下篤子訳、NHK出版、2004、中 p.184.
18. M. Rice, *The Archaeology of the Arabian Gulf*. London, Routledge, 2002, p. 137f.
19. T. Sowell, *Knowledge and Decisions*. New York, Basic Books, 1996.
20. D. Boudreaux, Facebook post, 2019年8月2日。
21. D. Mutz and E. Kim, 'The impact of ingroup favoritism on trade preferences', *International Organization, 71*(4), 2017. 雇用数は貿易の効果を測る最適な方法ではない。なぜなら貿易の主要な便益は特化で、それがより多くの富とより良質な雇用を生むのであって、より多くの雇用を生むわけではない。しかし貿易に対する一般的態度の代用としてそれを受け入れることはできる。
22. E. Mansfield and D. Mutz, 'Support for free trade: Selfinterest, sociotropic politics, and out-

inaccuracy of national character stereotypes', *Journal of Research in Personality*, 47(6), 2013.
34. Berreby, 2008, p. 178.
35. Berreby, 2008, p. 163.
36. K. Popper, *In Search of a Better World: Lectures and Essays From Thirty Years*. London, Routledge, 2012, p. 189. 邦訳 K・ポパー『よりよき世界を求めて』小河原誠他訳、未來社、1984、p. 298.
37. Appiah, 2018, p. 198. また D. Herbjørnsrud, 'The real battle of Vienna', Aeon Essays, 24 July 2018, https://aeon.co/essays/the-battleof-vienna-was-not-a-fightbetween-cross-and-crescent（2020年3月9日アクセス）も参照.
38. 'Trump supporters need not apply', *The Economist*, 18 July 2019.
39. J. Martherus, A. Martinez, P. Piff and A. Theodoridis,'Party animals? Extreme partisan polarization and dehumanization', *Political Behavior*, 2019, https://www.researchgate.net/publication/334206437_Party_Animals_Extreme_Partisan_Polarization_and_Dehumanization（2020年3月9日アクセス）.
40. M. Gentzkov and J. Shapiro, 'Ideological segregation online and offline', *The Quarterly Journal of Economics*,126(4), 2011.
41. A. Strindberg, *En Blå Bok III*. Stockholm, Bonniers, p. 1031.
42. YouGov Survey, 24–26 August 2015, https://d25d2506sfb94s.cloudfront.net/cumulus_uploads/document/ldqd85v3ie/tabs_HP_Presidential_Policy_20150826.pdf（2020年3月9日アクセス）.
43. 'How Brexit made Britain a country of Remainers and Leavers', *The Economist*, 20 June 2019.
44. Martherus et al., 2019.
45. F. Elliott, 'Brexit: Remainers "more bothered" by differing views in family, poll shows', *The Times*, 19 January 2019.
46. K. Stenner, *The Authoritarian Dynamic*. Cambridge, Cambridge University Press, 2005.
47. C. Bodenner, 'If you want identity politics, identity politics is what you get', *The Atlantic*, 11 November 2016.
48. S. Pinker, *The Better Angels of Our Nature: The Decline of Violence in History and Its Causes*. London, Allen Lane, 2011. 邦訳 S・ピンカー『暴力の人類史（上・下）』幾島幸子他訳、青土社、2015.
49. E. Paluck, S. Green and D. Green, 'The contact hypothesis re-evaluated', *Behavioural Public Policy*, 3(2), 2018, https://papers.ssrn.com/sol3/papers.cfm?abstract_id=2973474（2020年3月9日アクセス）.
50. M. Levine , A. Prosser, D. Evans and S. Reicher'Identity and emergency intervention: How social group membership and inclusiveness of group boundaries shape helping behavior', *Personality and Social Psychology Bulletin*, *31*(4), 2005.
51. Berreby, 2008, p. 17f.
52. Paine, 1967, p. 218. Pinker, 2011も参照.
53. M. B. Brewer, 'Ingroup identification and intergroup conflict: When does ingroup love become outgroup hate?', in R. D. Ashmore, L. Jussim and D. Wilder (eds.), *Social Identity, Intergroup Conflict, and Conflict Reduction*. New York, Oxford University Press, 2001.

第6章　ゼロサム

「両方が儲けるのがよい取引だと、いろんな人が言うのを聞く。戯言だ。よい取引で、勝つのは

American Political Science Review, 111 (2), 2017.

16. Vasey et al., 'It was as big as my head, I swear!: Biased spider size estimation in spider phobia', *Journal of Anxiety Disorders, 26* (1), 2012. J. H. Riskind, R. Moore and L. Bowley, 'The looming of spiders: The fearful perceptual distortion of movement and menace', *Behaviour Research and Therapy, 33* (2), 1995.
17. Y. J. Xiao and J. J. Van Bavel, 'See your friends close and your enemies closer', *Personality and Social Psychology Bulletin, 38* (7), 2012.
18. J. K. Hamlin, N. Mahajan, Z. Liberman and K. Wynn, 'Not like me = bad: Infants prefer those who harm dissimilar others', *Psychological Science, 24* (4), 2013.
19. G. Hein, G. Silani, K. Preuschoff, C. D. Batson and T. Singer, 'Neural responses to ingroup and outgroup members' suffering predict individual differences in costly helping', *Neuron, 68* (1), 2010.
20. D. Berreby, *Us & Them: The Science of Identity*. Chicago, The University of Chicago Press, 2008, p. 25.
21. G. Cohen, 'Party over policy: The dominating impact of group influence on political beliefs', *Journal of Personality and Social Psychology, 85* (5), 2003. 現実社会の例としては、ドナルド・トランプが大統領になると、共和党の選挙人たちが自由貿易論者から保護貿易論者への変わり身がいかに早かったか見てほしい。
22. R. Wrangham, *The Goodness Paradox: How Evolution Made Us More and Less Violent*. London, Profile Books, 2019, p. 3. 邦訳 R・ランガム『善と悪のパラドックス：ヒトの進化と〈自己家畜化〉の歴史』依田卓巳訳、NTT出版、2020、p. 8.
23. R. Wrangham, 2019 邦訳2020. また C. Boehm, *Moral Origins, The Evolution of Virtue, Altruism, and Shame*. New York, Basic Books, 2012. 邦訳クリストファー・ボーム『モラルの起源：道徳、良心、利他行動はどのように進化したのか』斉藤隆央訳、白揚社、2014 も参照.
24. S. Shergill, P. Bays, C. Frith and D. Wolpert, 'Two eyes for an eye: The neuroscience of force escalation', *Science, 301*(5630), 2003.
25. J. Haidt, 'The new synthesis in moral psychology', *Science, 316* (5827), 2007.
26. W. von Hippel, 下記のインタビューで。*The Wright Show*, https://www.youtube.com/watch?v=bhChHOWI2Mw（2020年3月9日アクセス）.
27. M. Simons, 'Mother Superior's role in Rwanda horror is weighed', *New York Times*, 6 June 2001.
28. A. Sen, *Identity & Violence: The Illusion of Destiny*. London, Penguin Books, 2007, p. 4. 邦訳 A・セン『アイデンティティと暴力：運命は幻想である』大門毅監訳、勁草書房、2011、p. 19.
29. R. Kurzban, J. Tooby and L. Cosmides, 'Can race be erased? Coalitional computation and social categorisation', *Proceedings of the National Academy of Sciences, 98* (26), 2001.
30. Medieval Sourcebook: Twelfth Ecumenical Council: Lateran IV 1215, Fordham University, http://www.fordham.edu/halsall/basis/lateran4.asp（2020年3月9日アクセス）.
31. J. van Bavel and W. Cunningham, 'When "They" become part of "Us", "They" don't all look alike', *Personality and Social Psychology, Connections,* 25 February2013, https://spsptalks.wordpress.com/2013/02/25/socialidandpersonmemory/（2020年3月9日アクセス）.
32. E. O. Wilson, *On Human Nature: Twenty-Fifth Anniversary Edition*. Cambridge, Harvard University Press, 2004, p. 163. 邦訳 E・O・ウィルソン『人間の本性について』岸由二訳、思索社、1980、pp. 240-41.
33. A. Terracciano et al., 'National character does not reflect mean personality trait levels in 49 cultures', *Science, 310* (5745), 2005. R. McCrae and A. Terracciano, 'National character and personality', *Current Directions in Psychological Science, 15* (4), 2006. R. McCrae et al., 'The

2015.
67. T. Bisson, *Cultures of Power: Lordship, Status, and Process in Twelfth-Century Europe*. Philadelphia, University of Pennsylvania Press, 1995, p. 153.

第5章 「ヤツら」と「オレたち」

「個人が自分自身を隷属させる生存形態である『部族の呼びかけ』は、国家と国民、そして開放された社会においてさえ、自由な文化を絶えず否定しようと苦闘する個人と民衆から何度も聞かれる」
――マリオ・バルガス・リョサ

1. S. Zweig, *The World of Yesterday*. London, Cassel & Company Ltd, 4th edition,1947, ch. 1. 邦訳S・ツヴァイク『昨日の世界』原田義人訳、みすず書房、1999.
2. H. Spencer, *Herbert Spencer: Structure, Function and Evolution*, edited by S. Andreski. London, Nelson, 1972, p. 213.
3. H. Trevor-Roper, *The Crisis of the Seventeenth Century: Religion, The Reformation, and Social Change*. Indianapolis, Liberty Fund, 1967, p. 83f. 邦訳 トレヴァー＝ローパー『17世紀危機論争』今井宏訳、創文社、1975.
4. S. Connor, 'War, what is it good for? It made us less selfish', *Independent*, 5 June 2009.
5. J.-K. Choi and S. Bowles, 'The coevolution of parochial altruism and war', *Science*, *318* (5850), 2007. S. Bowles, 'Did warfare among ancestral hunter-gatherers affect the evolution of human social behaviors?' *Science*, *324*(5932), 2009.
6. J. Greene, *Moral Tribes: Emotion, Reason, and the Gap Between Us and Them*. London, Atlantic Books, 2015, p. 23. 邦訳 J・グリーン『モラル・トライブズ：共存の道徳哲学へ（上・下）』竹田円訳、岩波書店、2015、上巻p.30.
7. D. E. Brown, *Human Universals*. New York, McGraw-Hill, 1991. 邦訳 D・E・ブラウン『ヒューマン・ユニヴァーサルズ：文化相対主義から普遍性の認識へ』鈴木光太郎訳、新曜社、2002.
8. E. Simas, S. Clifford and J. Kirkland, 'How empathic concern fuels political polarization', *American Political Science Review*, *114* (1), 2019.
9. C. Magris, *Danube*. London, Harvill Press, 2011, p. 45f. 邦訳C・マグリス『ドナウ ある川の伝記』池内紀訳、NTT出版、2012、p. 56周辺.
10. H. Tajfel, 'Experiments in intergroup discrimination', *Scientific American*, *223* (5), 1970.
11. M. Billig and H. Tajfel, 'Social categorization and similarity in intergroup behaviour', *European Journal of Social Psychology*, *3* (1), 1973.
12. 「部族」と「部族主義」といった用語は、文字通り名詞としてではなく、形容詞的に考えなければならない。部族はわずか1万年ほど前に農業とともに出現した。人類が生存してきた大半の期間、私たちはバンド（小集団）の中で生きてきた。だがそうしたバンドは部族的だった。
13. J. Sidanius, H. Haley, L. Molina and F. Pratto, 'Vladimir's choice and the distribution of social resources', *Group Processes Intergroup Relations*, *10*(2), 2007.
14. C. Stangor, *Social Groups in Action and Interaction*. New York, Psychology Press, 2004, ch. 5. また M. Klintman, T. Lunderquist and A. Olsson, *Gruppens Grepp*. Stockholm, Natur & Kultur, 2018 も参照.
15. R. Chillot, 'Do I make you uncomfortable?', *Psychology Today*, 5 November 2013. L. Aaroe, M. B. Petersen and K. Arceneaux, 'The behavioral immune system shapes political intuitions',

41. Smith, 1981, p. 898. 邦訳2020、下巻p.000.
42. A. Cobban, *A History of Modern France*. Middlesex, Penguin Books, 1957, p. 15.
43. E. Ormrod, *The Rise of Commercial Empires: England and the Netherlands in the Age of Mercantilism, 1650–1770*. Cambridge, Cambridge University Press, 2003, p. 92f.
44. Voltaire, *Letters on England*. London, Penguin Books, 2005, p. 41.
45. 帝国と奴隷制がイギリスを豊かにしたという論破された見方の批判としてはF. Segerfeldt, *Den Svarte Mannens Börda*. Stockholm, Timbro, 2018 参照.
46. Mokyr, 2011, p. 389, p. 122.
47. D. Defoe, *A Plan of the English Commerce*. London, Charles Rivington, 1728, p. 300.
48. A. P. Usher, 'The industrialisation of modern Britain', *Technology and Culture*, 1(2), 1960.
49. J. Mokyr, 'The knowledge society: Theoretical and historical underpinnings', Presented to the Ad Hoc Expert Group on Knowledge Systems, United Nations, New York, 4–5 September 2005.
50. J. Boswell, *The Life of Samuel Johnson. London*, John Murray, 1831, vol. 5, p. 67.
51. R. C. Allen, 'The great divergence in European wages and prices from the Middle Ages to the First World War', *Explorations in Economic History*, 38(4), 2001.
52. D. McCloskey, *Bourgeois Virtues: Ethics for an Age of Commerce*. Chicago, The University of Chicago Press, 2006, p. 25.
53. S. Coontz, *Marriage: A History*. London, Penguin Books, 2006, p. 146.
54. Acemoglu and Robinson, 2012, p. 26. 邦訳 2016、上巻p. 68.
55. Jefferson, 1993, pp. 456, 558.
56. B. Bailyn, *The Ideological Origins of the American Revolution*. Cambridge, The Belknapp Press, 1967, p. 28.
57. A. Greenspan and A. Wooldridge, *Capitalism in America: A History*. New York, Penguin Press, 2018, p. 10.
58. Goldstone, 2009, p. 129. Greenspan and Wooldridge, 2018, p. 8. また H. Evans, *They Made America*. New York, Little, Brown and Company, 2004 も参照.
59. A. Lincoln, *Speeches and Writings 1859–1865: Speeches, Letters, and Miscellaneous Writings, Presidential Messages and Proclamations*. New York, Library of America, 1989, p. 3f.
60. M. Weber, *The Protestant Ethic and the Spirit of Capitalism*. Mineola, Dover Publications, 2003, p. 17. 邦訳 M・ウェーバー『プロテスタンティズムの倫理と資本主義の精神』中山元訳、日経BP、2010［ただし該当部分は実際の『プロ倫』には含まれておらず、英訳者が『宗教社会学』から持ってきた序文。邦訳 M・ヴェーバー『宗教社会学論選』大塚久雄他訳、みすず書房、1972、p. 10］.
61. M. Levy, *How the Dismal Science Got its Name*. Ann Arbor, The University of Michigan Press, 2002, p. 41.
62. Smith, *The Theory of Moral Sentiments, in The Glasgow Edition of the Works and Correspondence of Adam Smith*. Indianapolis, Liberty Fund, 1759/1979, p. 206f. 邦訳 A・スミス『道徳感情論』村井章子訳、日経BP、2014、p. 445.
63. Levy, 2002.
64. T. L. Haskell, 'Capitalism and the origins of the humanitarian sensibility', parts I and II, *The American Historical Review*, 90(2 and 3), 1985.
65. F. Engels, 'Outlines of a critique of political economy', Deutsch-Französische Jahrbücher, 1844, https://www.marxists.org/archive/marx/works/1844/df-jahrbucher/outlines.htm（2020年3月9日アクセス）.
66. P. Cone, *Pre-Industrial Societies: Anatomy of the Pre-Modern World*. London, Oneworld,

15. S. Ogilvie, *The European Guilds: An Economic Analysis. Princeton,* Princeton University Press, 2019, p. 462f.
16. Ogilvie, 2019, pp. 470ff.
17. Acton, 1993, p. 62.
18. Jones, 1987, p. 91f. 邦訳2000.
19. D. Hill, *The Century of Revolution: 1603–1714.* London, Routledge, 2002, p. 31f.
20. Popper, 1966, vol. 1, p. 176. 邦訳 1980、第1部 pp. 174-5.
21. A. Sharp (ed.), *The English Levellers.* Cambridge, Cambridge University Press, 1998, pp. 153, 173, 136ff.
22. H. N. Brailsford, *The Levellers and the English Revolution.* Manchester, C. Nicholls & Company Ltd, 1976, p. 624.
23. S. Pincus, *1688: The First Modern Revolution.* New Haven, Yale University Press, 2009, p. 51.
24. McCloskey, 2016, p. 291.
25. Pincus, 2009, p. 369f.
26. R. Aschcraft, *Revolutionary Politics & Locke's Two Treatises of Government.* Princeton, Princeton University Press, 1986, ch. 6. レヴェラーとホイッグ党とのつながりについては G. De Krey, *Following the Levellers, vol. 2: English Political and Religious Radicals from the Commonwealth to the Glorious Revolution, 1649–1688.* London, Palgrave Macmillan, 2018 も参照.
27. J. Locke, *Two Treatises of Government,* edited by P. Laslett. Cambridge, Cambridge University Press, 1690/1988, p. 297. 邦訳 J・ロック『完訳統治二論』加藤節訳、岩波文庫、2010、p. 343.
28. Acemoglu and Robinson, 2012, p. 102. 邦訳 2016、上 p. 181.
29. W. Röpke, *The Social Crisis of Our Time.* Chicago, The University of Chicago Press, 1950, p. 39.
30. Acemoglu and Robinson, 2012, pp. 305ff. 邦訳 2016、下 p. 112.
31. R. Dowden, *Africa: Altered States, Ordinary Miracles.* London, Granta Books, 2014, p. 367.
32. J. Mokyr, *The Enlightened Economy: Britain and the Industrial Revolution 1700– 1850.* London, Penguin Books, 2011, p. 111.
33. これだけでも、イギリスを台頭させるに十分だった、とアダム・スミスは1世紀後に考えた:「グレートブリテンの法律が、国民のすべてに対し、自分自身の労働の成果を享受できるように付与した保障は、それだけでどのような国でも申し分なく繁栄させるものであった」Smith, 1981, p. 540. 邦訳2020 下巻p.75.
34. Landes, 1999, p. 222. 抄訳 p. 169.
35. Mokyr, 2011, p. 410.
36. Goldstone, 2009, p. 129.
37 J. Mokyr, *The Gifts of Athena: Historical Origins of the Knowledge Economy.* Princeton, Princeton University Press, 2005, p. 268. 邦訳 J・モキイア『知識経済の形成：産業革命から情報化社会まで』長尾伸一他訳、名古屋大学出版会、2019、p. 316. 多くのラッダイト暴動は実は反機械ではなく、単に交渉戦術として何か高価なものを破壊しただけだった。飛び杼の発明者として有名なジョン・ケイが、暴徒の怒りを逃れるためフランスに逃げたというのはひどい話で、実際には彼自身の金銭問題のために逃げたのだった。
38. Pincus, 2009, p. 485.
39. G. H. Smith, *The System of Liberty: Themes in the History of Classical Liberalism.* Cambridge, Cambridge University Press, 2013, p. 193.
40. Mokyr, 2011, p. 397f.

58. G. Shih, E. Rauhala and L. H. Sun, 'Early missteps and state secrecy in China probably allowed the coronavirus to spread farther and faster', *Washington Post*, 1 February 2020.
59. Y. Inbar and J. Lammers, 'Political diversity in social and personality psychology', *Perspectives on Psychological Science*, 7(5), 2012.
60. J. M. Jones, 'More U.S. college students say campus climate deters speech', Gallup, 12 March 2018, https://news.gallup.com/poll/229085/college-students-say-campus-climate-deters-speech.aspx（2020年3月9日アクセス）.
61. Mill, 1868, p. 25. 邦訳 2011、p.94.
62. J. Boyer, *The University of Chicago: A History*. Chicago, The University of Chicago Press, 2015, pp. 263–8.
63. H. Spencer, *The Man Versus the State: With Six Essays on Government, Society and Freedom*. Indianapolis, Liberty Classics, 1982, p. 230. 邦訳H・スペンサー「政府の適正領域第七の手紙」『ハーバート・スペンサー コレクション』森村進編訳、ちくま学芸文庫、2017所収、p. 60.
64. T. Standage, *A History of the World in 6 Glasses*. New York, Walker & Company, 2006, ch. 8.

第4章 オープンな社会

「経済開発には『百万の反乱』が必要だ」
——ロバート・ルーカス、V・S・ナイポールの著書名を拝借して

1. D. McCloskey, *Bourgeois Equality: How Ideas, Not Capital or Institutions, Enriched the World*. Chicago, The University of Chicago Press, 2016, p. 7.
2. こういう話がお好きなら、こちらの拙著もどうぞ: Norberg, 2016. 邦訳ノルベリ2018.
3. たとえば J. Goldstone, 'Efflorescences and economic growth in world history: Rethinking the "rise of the West" and the Industrial Revolution', *Journal of World History*, 13(2), 2002 を参照.
4. S. Davies, *The Wealth Explosion: The Nature and Origins of Modernity*. Brighton, Edward Everett Root, 2019, p. 85.
5. M. Elvin, *The Pattern of the Chinese Past. California*, Stanford University Press, 1973, p. 167.
6. T. G. Palmer, *Realizing Freedom: Libertarian Theory, History, and Practice*. Washington, DC, The Cato Institute, 2009, p. 351.
7. B. McKnight and H. Kuklick, *Law and Order in Sung China*. Cambridge, Cambridge University Press, 1992, pp. 53ff.
8. Elvin, 1973, p. 198.
9. Palmer, 2009, p. 351.
10. Davies, 2019, p. 95.
11. Mill, 1868, p. 42. 邦訳 2011、p. 157.
12. Chua, 2007, p. 75f. 邦訳 2011, p. 118.
13. D. Acemoglu and J. A. Robinson, *Why Nations Fail: The Origins of Power, Prosperity, and Poverty*. New York, Crown Business, 2012, p. 223. D・アセモグル & J・ロビンソン『国家はなぜ衰退するのか：権力、繁栄、貧困の起源（上・下）』鬼澤忍訳、ハヤカワ・ノンフィクション文庫、2016、上巻pp. 359-60.
14. L. White, *Modern Capitalist Culture*. London, Routledge, 2016, p. 77.

渡辺邦夫他訳、光文社古典新訳文庫、2016、下巻p. 417.

34. Gottlieb, 2016, p. 430.
35. Landes, 1999, p. 202. 抄訳 p. 146.
36. H. J. Cook, *Matters of Exchange*. New Haven, Yale University Press, 2007, p. 41.
37. Chafuen, *Christians for Freedom: Late-Scholastic Economics*. San Francisco, Ignatius Press, 1986.
38. Goldstone, 2009, p. 117. J. Goldstone, *Revolution and Rebellion in the Early Modern Period*. New York, Routledge, 2016, pp. 452ff.
39. M. Koyama and M. Meng Xue, 'The literary inquisition: The persecution of intellectuals and human capital accumulation in China', George Mason University Working Paper in Economics 15-12, 14 February 2015.
40. Greenblatt, 2011, p. 239.
41. J. Mokyr, *A Culture of Growth: The Origins of the Modern Economy*. Princeton, Princeton University Press, 2017, p. 156.
42. H. F. Cohen, *How Modern Science Came Into the World: Four Civilizations, One 17th-Century Breakthrough*. Amsterdam, Amsterdam University Press, 2010, p. 439.
43. D. Hume, *Essays: Moral, Political and Literary*. Indianapolis, Liberty Fund, 1987, pp. 119ff. 邦訳 D・ヒューム『道徳・政治・文学論集 ／完訳版』田中敏弘訳、名古屋大学出版会、2011、pp. 104-5.
44. P. T. Hoffman, *Why Did Europe Conquer the World?* Princeton, Princeton University Press, 2015, p. 108.
45. E. L. Jones, *The European Miracle: Environments, Economies and Geopolitics in the History of Europe and Asia*. Cambridge, Cambridge University Press, 1987, p. 111. 邦訳 E・L・ジョーンズ『ヨーロッパの奇跡：環境・経済・地政の比較』安元稔他訳、名古屋大学出版会、2000、p. 128.
46. J. B. DeLong and A. Shleifer, 'Princes and merchants', in A. Shleifer and R. W. Vishny, *The Grabbing Hand: Government Pathologies and Their Cures*. Cambridge, Harvard University Press, 1998.
47. Mokyr, 2017, p. 167.
48. Ibid, p. 178.
49. Ibid, p. 189.
50. T. Ferris, *The Science of Liberty: Democracy, Reason, and the Laws of Nature*. New York, Harper Perennial 2010, p. 83.
51. P. Bayle, *Historical and Critical Dictionary*. London, J. J. and P. Knapton, 1735, p. 389.
52. Mokyr, 2017, p. 108.
53. Mokyr, 2017, p. 199.
54. D. S. Chawla, 'Hyperauthorship: Global projects spark surge in thousand-author papers', *Nature, 13*, 2019.
55. J. S. Mill, *On Liberty*. London, Savill and Edwards, 1868, p. 25. 邦訳 J・S・ミル『自由論』山岡洋一訳、日経BP、2011、p.95.
56. P. E. Tetlock, *Expert Political Judgement: How Good is It? How Can We Know?* Princeton, Princeton University Press, 2006. 念のため言っておけば、確証バイアスは自分の反対者たちだけが持っているものではない。とはいえ、私たち自身の確証バイアスはかれらの間違いのほうをたくさん記憶しがちなのだが。個人的にも、私はインフレ暴走とストックホルムの住宅バブルを繰り返し予想しすぎて、もう自分でも自分が信用できないほどだ（ここに書いておくのは、自分の確証バイアスで自分のそんな行動を忘れ去らないためだ）。
57. Ferris, 2010, p. 211.

357（第2巻39節）
10. J. Goldstone, *Why Europe? The Rise of the West in World History, 1500–1850*. New York, McGraw-Hill, 2009, p. 48.
11. St. Augustine of Hippo, *The City of God*, Altenmünster, Jazzybee Verlag, 2015, ch. 41. 邦訳アウグスティヌス『神の国（全5冊）』、服部英次郎訳、岩波文庫、1999.
12. だが彼らはペルシャ文化を毛嫌いし、すぐに帰りたがった。彼らに対する気持ちの表明としてペルシャ王はユスティニアヌスとの平和協定の中で、哲学者たちが帰国を許され、平和に生きられるようにすること、という条文を追加した。C. Nixey, *The Darkening Age: The Christian Destruction of the Classical World*. London, Macmillan, 2017, ch. 16.
13. S. Greenblatt, *The Swerve: How the World Became Modern*. New York, W. W. Norton & Company, 2011, ch. 4. 邦訳 S・グリーンブラット『一四一七年、その一冊がすべてを変えた』河野純治訳、柏書房、2012.
14. Nixey, 2017, p. 165f.
15. 古典『モンティパイソン』が生き残ったのは、それがもっと断片化したアメリカのテレビ市場に買われ、そこで保存されていたからにすぎない。J. Rossen, 'Wipe out: When the BBC kept erasing its own history', *Mental Floss*, 8 August 2017, https://www.mentalfloss.com/article/501607/wipe-out-when-bbc-kept-erasing-its-own-history（2020年3月9日アクセス）.
16. A. Gottlieb, *The Dream of Reason: A History of Philosophy from the Greeks to the Renaissance*. London, Penguin Books, 2016, p. 363. 邦訳A・ゴットリーブ『理性の夢』I、坂本知宏訳、晃洋書房、2019（該当部分はII巻で2021年10月現在未邦訳）.
17. P. Athanassiadi, *Mutations of Hellenism in Late Antiquity*. Oxford, Routledge, 2017, p. 28.
18. J. Marozzi, *Islamic Empires: The Cities that Shaped Civilization: From Mecca to Dubai*. New York, Pegasus Books, 2019, ch. 3.
19. D. Landes, *The Wealth and Poverty of Nations: Why Some are so Rich and Some so Poor*. New York, W. W. Norton & Company, 1999, p. 54. 抄訳 D・ランデス『「強国」論：富と覇権の世界史』竹中平蔵訳、三笠書房、1999［該当部分は省略されている］.
20. アリストテレスの文献が私たちに届くまでの奇妙な回り道については B. Laughlin, *The Aristotle Adventure*. Flagstaff, Albert Hale Publishing, 1995 参照.
21. E. Chaney, 'Religion and the rise and fall of Islamic science', Harvard University, May 2016, https://scholar.harvard.edu/files/chaney/files/paper.pdf（2020年3月9日アクセス）. また T. Kuran, *The Long Divergence: How Islamic Law Held Back the Middle East*. Princeton, Princeton University Press, 2011も参照.
22. *The Letters of St Augustine*. Altenmünster, Jazzybee Verlag, 2015, p. 228.
23. Chaney, 2016.
24. Lord Acton, *The History of Freedom*. Altenmünster, The Acton Institute, 1993, p. 60.
25. D. L. Lewis, *God's Crucible: Islam and the Making of Europe, 570–1215*. New York, Liveright Publishing, 2018, p. 369.
26. Goldstone, 2009, p. 171.
27. Brother Azarias, *Aristotle and the Church*. New York, Kegan, Paul & Trench, 1888, ch. 7.
28. R. B. Rubenstein, *Aristotle's Children: How Christians, Muslims, and Jews Rediscovered Ancient Wisdom and Illuminated the Middle Ages*. Orlando, Harvest, 2004, p. 184.
29. Laughlin, 1995.
30. A. Magnus, *Book of Minerals*. Oxford, Clarendon Press, 1967, book II; tractate II, ch. 1, p. 69.
31. Landes, 1999, p. 201. 抄訳 p. 145.
32. K. Devlin, *Logic and Information*. Cambridge, Cambridge University Press, 1995, p. 7.
33. Aristotle, *Nicomachean Ethics*, 1179a. 邦訳アリストテレス『ニコマコス倫理学（上・下）』

69. 'EEA migration in the UK: Final report', Migration Advisory Committee, September 2018.
70. L. Ku and B. Bruen, 'Poor immigrants use public benefits at a lower rate than poor native-born citizens', Economic Development Bulletin no. 17, The Cato Institute, 4 March 2013.
71. M. Landgrave and A. Nowrasteh, 'Criminal immigrants in 2017: Their numbers, demographics, and countries of origin', Immigration Research and Policy Brief no. 11, The Cato Institute, March 2017.
72. Duffy, 2019, ch. 4.
73. B. Bell, F. Fasani, and S. Machin, 'Crime and immigration: Evidence from large immigrant waves', *Review of Economics and Statistics, 21*(3), 2013. L. Nunziata, 'Immigration and crime: Evidence from victimization data', *Journal of Population Economics, 28*(3), 2015.
74. R. Putnam, '*E Pluribus Unum*: Diversity and community in the twenty-first century – The 2006 Johan Skytte Prize lecture', *Scandinavian Political Studies, 30*(2), 2007.
75. T. Van der Meer and J. Tolsma, 'Ethnic diversity and its effects on social cohesion', *The Annual Review of Sociology, 40*(1), 2014.
76. 'Political scientist: Does diversity really work?', Transcript of interview with Robert Putnam, 'Tell me more', National Public Radio, 15 August 2007, https://www.npr.org/templates/story/story.php?storyId=12802663（2020年3月9日アクセス).
77. R. D. Enos, 'Causal effect of intergroup contact on exclusionary attitudes', *Proceedings of the National Academy of Sciences, 111*(10), 2014.

第3章 オープンな精神

「どんな人物であれ、判断が本当に自信に満ちている人物の例では、それがどのように
実現したのだろうか？ その人が自分の意見や行動について、批判について精神を
オープンにしておいたからだ」
――ジョン・スチュアート・ミル、1859年

1. A. Freeborn, 'How a seaweed scientist helped win the war', Natural History Museum, 26 March 2014, https://www.nhm.ac.uk/natureplus/blogs/behind-the-scenes/2014/03/26/how-a-seaweed-scientist-helped-win-the-war.html（2020年3月9日アクセス).
2. K. R. Lakhani, L. B. Jeppesen, P. A. Lohse and J. A. Panatta, 'The value of openness in scientific problem solving', Harvard Business School Working Paper 07-050, 2007. またNielsen, 2012も参照.
3. K. Popper, *Conjectures and Refutations: The Growth of Scientific Knowledge*. London, Routledge, 2014, p. 66. 邦訳 K・ポパー『推測と反駁：科学的知識の発展』藤本隆志訳、法政大学出版局、1980、p. 85.
4. E. Schrödinger, *Nature and the Greeks and Science and Humanism*. Cambridge, Cambridge University Press, 1996, ch. 4. 邦訳 E・シュレーディンガー『自然とギリシャ人：原子論をめぐる古代と現代の対話』河辺六男訳、工作舎、1991.
5. Popper, 1966, vol. 1, p. 177. 邦訳 1980、第1部p. 175.
6. A. Gregory, *Eureka! The Birth of Science*. London, Icon Books, 2017, p. 11f.
7. Popper, 1966, vol. 1, p. 177. 邦訳 1980、第1部 p. 175.
8. Aristotle, *Nicomachean Ethics*, 1096a, 11–15. 邦訳アリストテレス『ニコマコス倫理学（上・下）』渡辺邦夫他訳、光文社古典新訳文庫、2015、上巻p.42.
9. Thucydides, *The Landmark Thucydides*. New York, Simon & Schuster, 2008, p. 113. 邦訳トゥキュディデス『戦史』久保正彰訳、中央公論社『世界の名著』村川堅太郎編、1970年、p.

47. K. Hentschel, *Physics and National Socialism: An Anthology of Primary Sources.* Basel, Springer Science & Business Media, 2011, p. 307.
48. B. Franklin, *The Political Thought of Banjamin Franklin.* Indianapolis, Hackett Publishing, p. 71.
49. Jefferson, 1993, p. 204.
50. Schrag, 2010, p. 31f.
51. Ibid, p. 60.
52. T. Sowell, *Race and Culture: A World View.* New York, Basic Books, 1995.
53. A. Nowrasteh and A. Forrester, 'Immigrants recognize American greatness: Immigrants and their descendants are patriotic and trust America's governing institutions', Immigation Research and Policy Brief no. 10, The Cato Institute, 4 February 2019.
54. R. Rumbaut, D. Massey and F. Bean, 'Linguistic life expectancies: Immigrant language retention in Southern California', *Population and Development Review, 32*(3), 2006.
55. A. Nowrasteh, 'Ethnic attrition: Why measuring assimilation is hard' [blog], The Cato Institute, 8 December 2015, https://www.cato.org/blog/ethnic-attrition-why-measuring-assimilation-hard（2020年3月9日アクセス）.
56. 'Remarks at the presentation ceremony for the Presidential Medal of Freedom', Ronald Reagan Presidential Library and Museum, 19 January 1989, https://www.reaganlibrary.gov/011989b（2020年3月9日アクセス）.
57. Legrain, 2007, p. 317.
58. S. Pinker, *Enlightenment Now: The Case for Reason, Science, Humanism and Progress.* London, Allen Lane, 2018, p. 227. 邦訳 S・ピンカー『21世紀の啓蒙：理性、科学、ヒューマニズム、進歩（上・下）』、橘明美他訳、草思社、2019、上巻p. 418. C. Welzel, *Freedom Rising: Human Empowerment and the Quest for Emancipation.* Cambridge, Cambridge University Press, 2013, ch. 4.
59. Pew, 2017.
60. D. Saunders, *The Myth of the Muslim Tide: Do Immigrants Threaten the West?* New York, Vintage Books, 2012.
61. 'A review of survey research on Muslims in Britain', Ipsos Mori Social Research Institute, 21 March 2016, https://www.ipsos.com/sites/default/files/ct/publication/documents/2018-03/a-review-of-survey-research-on-muslims-in-great-britain-ipsos-mori_0.pdf（2020年3月9日アクセス）.
62. 'Migrant WVS', Insitute for Future Studies, https://www.iffs.se/world-values-survey/migrant-wvs/（2020年3月9日アクセス）.
63. E. Kaufmann, *White Shift: Populism, Immigration and the Future of White Majorities.* London, Allen Lane, 2018.
64. B. Duffy, *Why We're Wrong About Nearly Everything: A Theory of Human Misunderstanding.* New York, Basic Books, 2019, ch. 4.
65. G. Borjas, *Immigration Economics.* Cambridge, Harvard University Press, 2014, p. 120. A. Nowrasteh, 'Wage effects of immigration are small' [blog], The Cato Institute, 10 April 2017, https://www.cato.org/blog/wage-effects-immigration-are-small（2020年3月9日アクセス）. R. Lowenstein, 'The immigration equation', interview with George Borjas, *New York Times,* 6 July 2006.
66. F. Jaumotte, K. Koloskova and S. C. Saxena, 'Impact of migration on income levels in advanced economies', The International Monetary Fund, 24 October 2016.
67. Kerr and Kerr, 2011.
68. 'The way forward for immigration to the West', *The Economist,* 25 August 2018.

23. E. Gibbon, *The History of the Decline and Fall of the Roman Empire*. Philadelphia, Claxton, Remsen & Haffelfinger, 1875, p. 34. 邦訳 E・ギボン『ローマ帝国衰亡史（全10巻)』中野好夫他訳、ちくま学芸文庫、1995、第1巻p.76.
24. Chua, 2007, p. 33. 邦訳 2011, p. 64.
25. Chua, 2007, p. 47. 邦訳 2011, p. 84.
26. V. Traverso, 'How pants went from banned to required in the Roman Empire', Atlas Obscura, 19 September 2017, https://www.atlasobscura.com/articles/trousers-pants-roman-history-banned-trajan（2020年3月9日アクセス).
27. P. J. Geary, *The Myth of Nations: The Medieval Origins of Europe*. Princeton, Princeton University Press, 2002, p. 85. 邦訳P・ギアリ『ネイションという神話：ヨーロッパ諸国家の中世的起源』鈴木道也他訳、白水社、2008.
28. Montesquieu, 1965.
29. J. Weatherford, *Genghis Khan and the Making of the Modern World*. New York, Broadway Books, 2004, p. 233.
30. Ibid, p. 157f.
31. Ibid, p. 172f.
32. C. M. Reinhart and K. S. Rogoff, *This Time is Different: Eight Centuries of Financial Folly*. Princeton, Princeton University Press, 2011, ch. 6. 邦訳 C・ラインハート＆K・ロゴフ『国家は破綻する：金融危機の800年』村井章子訳、日経BP、2011. 過去のGDPの数字はMaddison Project, https://www.rug.nl/ggdc/historicaldevelopment/maddison/releases/maddison-project-database-2018（2020年3月9日アクセス）より.
33. J. M. Anderson, *Daily Life During the Spanish Inquisition*. Westport, Greenwood Publishing, 2002, p. 98.
34. Chua, 2007, p. 170. 邦訳 2011, p. 233.
35. H. Hitchings, *The Secret Life of Words: How English Became English*. New York, Farrar, Straus and Giroux, 2009, p. 197.
36. J. de Vries and A. van der Woude, *The First Modern Economy: Success, Failure, and Perseverance of the Dutch Economy, 1500–1815*. Cambridge, Cambridge University Press, 1997.
37. G. J. Tellis and S. Rosenzweig, *How Transformative Innovations Shaped the Rise of Nations*. London, Anthem Press, 2018, ch. 8.
38. I.Kramnick and R. L. Moore, *The Godless Constitution: A Moral Defense of the Secular State*. New York, W. W. Norton & Company, 2005, ch. 2.
39. P. Schrag, *Not Fit For Our Society: Immigration and Nativism in America*. Berkeley, University of California Press, 2010, p. 23.
40. T. Jefferson, *The Life and Selected Writings of Thomas Jefferson*, edited by A. Koch and W. Peden. New York, The Modern Library, 1993, pp. 273f and 488f.
41. T. West, *Vindicating the Founders: Race, Sex, Class, and Justice in the Origins of America*. Lanham, Rowman & Littlefield, 1997, p. 149.
42. Kramnick and Moore, 2005, p. 38.
43. Ibid, p. 40f.
44. F. Waldinger, 'Bombs, brains, and science: The Role of human and physical capital for the creation of scientific knowledge', *Review of Economics and Statistics, 98*(5), 2016.
45. P. Offit, *Pandora's Lab: Seven Stories of Science Gone Wrong*. Washington, DC, National Geographic Books, 2017, p. 90. 邦訳 P・オフィット『禍いの科学：正義が愚行に変わるとき』大沢基保他訳、日経ナショナルジオグラフィック、2020、p. 103.
46. C. P. Snow, *The Physicists*. Loee, *House of Stratus*, 2010, p. 42.

アイデアに満ち、常に最先端で、常に世界を次のフロンティアへと導く国となっているのです」
——ロナルド・レーガン、1989年

1. M. A. Clemens, 'Economics and emigration: Trillion-dollar bills on the sidewalk?', *Journal of Economic Perspectives, 25*(3), 2011. もちろん引っ越しに伴う費用はあるが、目的国での低賃金の経済費用はこのモデルでは考慮されている。
2. Wengrow, 2018.
3. S. Rushdie, *Imaginary Homelands: Essays and Criticism 1981–1991*. London, Granta Books, 1992, p. 394.
4. 'ASHG denounces attempts to link genetics and racial supremacy', *The American Journal of Human Genetics, 103*, 2018, https://www.cell.com/ajhg/fulltext/S0002-9297(18)30363-X（2020年3月9日アクセス）.
5. R. N. Thompson, C.P. Thompson, O. Pelerman, S. Gupta and U. Obolski, 'Increased frequency of travel may act to decrease the chance of a global pandemic', *Philosophical Transactions of The Royal Society of London, 374* (1775), 2019. C. Wilson, 'Why air travel makes deadly disease pandemics less likely', *New Scientist*, 2018, https://ww.newscientist.com/article/2184266-why-air-travel-makes-deadly-disease-pandemics-less-likely/（2020年3月9日アクセス）.
6. M. Sikora et al., 'Ancient genomes show social and reproductive behaviour of early upper Paleolithic foragers', *Science, 358*(6363), 2017.
7. J. Jacobs, *The Death and Life of Great American Cities*. New York, Vintage Books, 1961, p. 30. 邦訳 J・ジェイコブズ『アメリカ大都市の死と生』山形浩生訳、鹿島出版会、p.45.
8. Watson, 2006, pp. 73 and 96.
9. Ridley, 2010, p. 6. 邦訳 2010, p.19.
10. M. Nielsen, *Reinventing Discovery:* The New Era of Networked Science. Princeton, Princeton University Press, 2012, pp. 1534ff.
11. J. L. Simon, *The Ultimate Resource 2*. Princeton, Princeton Univerity Press, 1998, p. 7.
12. J. L. Simon, *The Economic Consequences of Immigration*. Ann Arbor, The University of Michigan Press, 1999, p. 175.
13. S. Kerr and W. Kerr, 'Economic impacts of immigration: A survey', NBER Working Paper 16736, 2011.
14. K. Boyle, I. Goldin, B. Nabarro and A. Pitt, 'Migration and the economy: Economic realities, social impacts & political choices', Citi Global Perspectives and Solutions, September 2018.
15. T. Carlson, *Ship of Fools: How a Selfish Ruling Class Is Bringing America to the Brink of Revolution*. New York, Simon & Schuster, 2019, p. 11.
16. 21st Century Fox, Annual report, 2017.
17. C. Nemeth, *In Defense of Troublemakers*. London, Hachette, 2018.
18. P. Legrain, *Immigrants: Your Country Needs Them*. London, Little, Brown, 2007, p. 117. See also R. Guest, *Borderless Economics: Chinese Sea Turtles, Indian Fridges and the New Fruits of Global Capitalism*. New York, Palgrave Macmillan, 2011.
19. Chua, 2007, p. xxi. 邦訳 2011, p.4.
20. P. Briant, *Alexander and His Empire: A Short Introduction*. Princeton, Princeton University Press, 2010, p. 183.
21. Montesquieu, *Considerations on the Causes of the Greatness of the Romans and their Decline*, 1734/1965, https:// constitution.org/cm/ccgrd_l.htm（2020年3月9日アクセス）.
22. C. Freeman, *The Closing of the Western Mind: The Rise of Faith and the Fall of Reason*. New York, Vintage Books, 2005, p. 68.

2016. 邦訳 J・ノルベリ『進歩：人類の未来が明るい10の理由』山形浩生訳、晶文社、2018.
58. W. R. Cline, *Trade Policy and Global Poverty*. Washington, DC, Peterson Institute for International Economics, 2004.
59. J. Trump, Inaugural address, 20 January 2017, https://www.whitehouse.gov/briefings-statements/the-inaugural-address（2020年3月9日アクセス）.
60. D. Ben-Atar, *Trade Secrets: Intellectual Piracy and the Origins of American Industrial Power*. New Haven, Yale University Press, 2004.
61. US-China Business Council, 'Member survey', August 2019.
62. W. Beveridge, *Tariffs: The Case Examined*. London, Longmans, Green & Cooo, 1931, p. 110.
63. S. C. Bradford, P. L. E. Grieco and G. C. Hufbauer, 'The payoff to America from global integration', *The World Economy*, *29*(7), 2005.
64. M. Perry, 'Three charts based on today's census report show that the US middle-class is shrinking… because they're moving up' [Carpe Diem blog], American Enterprise Institute, 10 September 2019, https://www.aei.org/carpe-diem/three-charts-based-on-todays-census-report-show-that-the-us-middle-class-is-shrinking-because-theyre-moving-up/（2020年3月9日 アクセス）.
65. 'Wages with benefits' [blog], FRED Economic Data, 19 September 2016, https://fredblog.stlouisfed. org/2016/09/wages-with-benefits/（2020年3月9日アクセス）.
66. Z. Wang, S. J. Wei, X. Yu and K. Zhu, 'Re-examining the effects of trading with China on local labor markets: A supply chain perspective', Working Paper 24886, National Bureau of Economic Research, 2018.
67. D. Boudreaux, 'Trump's trade cluelessness' [blog], Cafe Hayek, 12 February 2019, https://cafehayek.com/2019/02/trumps-trade-cluelessness.html（2020年3月9日 アクセス）. 'Manufacturing sector: Real output', FRED Economic Data, https://fred.stlouisfed.org/series/OUTMS（2020年3月9日アクセス）.
68. M. Hicks and S. Devaraj, 'The myth and reality of manufacturing in America', Center for Business and Economic Research, Ball State University, 2015.
69. P. D. Fajgelbaum and A. K. Khandelwal, 'Measuring the unequal gains from trade', *The Quarterly Journal of Economics*, *131*(3), 2016.
70. S. Alder, D. Lagakos and L. Ohanian, 'Competitive pressure and the decline of the Rust Belt: A macroeconomic analysis', Working Paper 20538, National Bureau of Economic Research, 2014.
71. 'Automotive industry: Employment, earnings, and hours', US Bureau of Labor Statistics, https://www.bls.gov/iag/tgs/iagauto.htm（2020年3月6日にデータ取得）.
72. L. Ohanian, 'Competition and the decline of the Rust Belt', Federal Reserve Bank of Minneapolis, 20 December 2014, https://www.minneapolisfed.org/article/2014/competition-and-the-decline-of-the-rust-belt（2020年3月9日アクセス）.
73. G. C. Hufbauer and S. Lowry, 'US tire tariffs: Saving a few jobs at high cost', Policy brief, Peterson Institute for International Economics, 2012.
74. M. Peters, 'Trump wants to restrict trade and immigration. Here's why he can't do both', *Washington Post*, 11 September 2017.

第2章 オープンな門戸

「この機会の地への新たな到着の波のおかげで、私たちは絶えず若く、絶えず活力と新しい版、2017、下巻p. 71.
34. Watson, 2006, p. 90.
35. D. Wengrow, *What Makes Civilization? The Ancient Near East and the Future of the West*. Oxford, Oxford University Press, 2018, ch. 4.
36. W. J. Bernstein, *A Splendid Exchange: How Trade Shaped the World*. New York, Grove Press, 2008, p. 28. 邦訳W・バーンスタイン『交易の世界史（上・下)』鬼澤忍訳、筑摩書房、2019.
37. P. Kriwaczek, *Babylon: Mesopotamia and the Birth of Civilization*. London, Atlantic Books, 2012, p. 140. また N. Sanandaji, *The Birthplace of Capitalism – the Middle East*. Stockholm, Timbro, 2018 も参照.
38. M. A. Edey, *The Sea Traders*. New York, Time-Life Books, 1974, p. 7.
39. D. Jacoby, 'Silk economics and cross-cultural artistic interaction: Byzantium, the Muslim world, and the Christian west', *Dumbarton Oaks Papers*, *58*(210), 2004.
40. P. D. Smith, *City: A Guidebook for the Urban Age*. London, Bloomsbury, 2012, p. 217. 邦訳 P・D・スミス『都市の誕生: 古代から現代までの世界の都市文化を読む』中島由華訳、河出書房新社、2013、p. 276.
41. D. A. Irwin, *Against the Tide: An Intellectual History of Free Trade*. Princeton, Princeton University Press, 1998, p. 11.
42. Wright, 2010, ch. 6.
43. Smith, 2012, p. 209. 邦訳 p.265.
44. I. Morris, *Why the West Rules – For Now: The Patterns of History, and What They Reveal About the Future*. London, Profile Books, 2010, p. 288f. 邦訳 I・モリス『人類5万年 文明の興亡：なぜ西洋が世界を支配しているのか（上・下)』北川知子訳、筑摩書房、2014、上巻p. 363f.
45. B. Ward-Perkins, *The Fall of Rome and the End of Civilization*. Oxford, Oxford University Press, 2006, ch. 5.
46. A. Chua, *Day of Empire: How Hyperpowers Rise to Global Dominance and Why They Fall*. New York, Anchor Books, 2007, p. 39. 邦訳 A・チュア『最強国の条件』徳川家広訳、講談社、2011, p. 73.
47. Irwin, 1998, p. 15f.
48. J. R. McConnell et al., 'Lead pollution recorded in Greenland ice indicates European emissions tracked plagues, wars, and imperial expansion during antiquity', *Proceedings of the National Academy of Sciences*, *115*(22), 2018.
49. Ward-Perkins, 2006.
50. J. Henrich, 'Demography and Cultural Evolution: How Adaptive Cultural Processes can Produce Maladaptive Losses: The Tasmanian Case,' *American Antiquity*, 69 (2), 2004.
51. R. Jones, 'The Tasmanian paradox: Change, evolution and complexity', in R. Wright (ed.), *Stone Tools As Cultural Markers: Change, Evolution And Complexity*. Australian Institute of Aboriginal Studies, Canberra, 1977, p. 194.
52. R. Boyd, P. Richerson and J. Henrich, 'The cultural niche: Why social learning is essential for human adaptation', *Proceedings of the National Academy of Sciences*, *108*(2), 2011.
53. Henrich, 2004.
54. Wright, 2001, p. 102.
55. S. Redding and A. Venables, 'Economic geography and international inequality', *Journal of International Economics*, *62*(1), 2004.
56. T. Paine, *The Writings of Thomas Paine*. Altenmünster, Jazzybee Verlag, 1967, p. 218f.
57. J. Norberg, *Progress: Ten Reasons to Look Forward to the Future*. London, Oneworld,

17. F. A. Hayek, *Law, Legislation and Liberty: A New Statement of the Liberal Principles of Justice and Political Economy*. London, Routledge, 1982, p. 15. 邦訳F・A・ハイエク『法と立法と自由 I』矢島鈞次訳、春秋社、2007、p. 24.
18. F. de Waal, 'Food sharing and reciprocal obligations among chimpanzees', *Journal of Human Evolution, 18*(5), 1989.
19. von Hippel, 2018. 邦訳フォン・ヒッペル、2019.
20. R. Horan, E. Bulte and J. Shogren, 'How trade saved humanity from biological exclusion: An economic theory of Neanderthal extinction', *Journal of Economic Behavior & Organisation, 58*(1), 2005. S. Kuhn and M. Stiner, 'What's a mother to do? The division of labor among Neandertals and modern humans in Eurasia', *Current Anthropology, 47*(6), 2006. Henrich, 2016.
21. R. Wrangham, *The Goodness Paradox: How Evolution Made Us More and Less Violent*. London, Profile Books, 2019. 邦訳 R・ランガム『善と悪のパラドックス：ヒトの進化と〈自己家畜化〉の歴史』依田卓巳訳、NTT出版、2020.
22. Sandgathe, H. Dibble, P. Goldberg, S. J. P. McPherron, A. Turq, L. Niven and J. Hodgkins, 'On the role of fire in Neanderthal adaptations in Western Europe: Evidence from Pech de L'Aze and Roc de Marsal, France', *PaleoAnthropology*, 2011. D. Sandgathe, H. Dibble, P. Goldberg, S. J. P. McPherron, Turq, L. Niven and J. Hodgkins, 'Timing of the appearance of habitual fire use', *Proceedings of the National Academy of Sciences, 108*(29), 2011.
23. K. Marx and F. Engels, *Manifesto of the Communist Party*. 1848, https://www.marxists.org/archive/marx/works/1848/communist-manifesto/ch01.htm（2020年3月9日アクセス）邦訳マルクス&エンゲルス『共産党宣言』https://www.libral.jp/1402（2021年10月31日アクセス）ほか多数.
24. J. Henrich et al., '"Economic man" in cross-cultural perspective: Behavioral experiments in 15 small-scale societies', *Behavioral and Brain Sciences, 28*(6), 2005. J. Henrich et al., 'Markets, religion, community size, and the evolution of fairness and punishment', *Science, 327*(5972), 2010.
25. R. Bailey, 'Do markets make people more generous?', *Reason Magazine*, 27 February 2002, https://reason.com/2002/02/27/do-markets-make-people-more-ge/（2020年3月9日アクセス）.
26. Henrich, 2016.
27. S. Hejeebu and D. McCloskey, 'The reproving of Karl Polanyi', *Critical Review, 13*(3–4), 1999.
28. Y. N. Harari, *Sapiens: A Brief History of Humankind*. New York, Harper, 2015, p. 123.
29. R. Wright, *Nonzero: History, Evolution & Human Cooperation*. London, Abacus, 2001, p. 93.
30. P. Watson, *Ideas: A History of Thought and Invention, From Fire to Freud*. New York, Harper, 2006, ch. 4.
31. J. Jacobs, *The Economy of Cities*. New York, Knopf Doubleday, 2016, p. 36. 邦訳 J・ジェイコブズ『都市の原理』中江利忠他訳、鹿島出版会、1971, p.2.
32. N. Crafts, 'The "death of distance"', *World Economics, 3*, 2005. S. Johnson, *Where Good Ideas Come From: The Seven Patterns of Innovation*. London, Penguin Books, 2011, Introduction. 邦訳 S・ジョンソン『イノベーションのアイデアを生み出す七つの法則』松浦俊輔訳、日経BP、2013、p. 15f. L. Bettencourt, J. Lobo, D. Helbing, C. Kühnert and G. B. West, 'Growth, innovation, scaling, and the pace of life in cities', *Proceedings of the National Academy of Sciences, 104*(17), 2007.
33. J. Diamond, *The World Until Yesterday*. London, Penguin Books, 2013, p. 280. 邦訳 J・ダイアモンド『昨日までの世界：文明の源流と人類の未来（上・下）』倉骨彰訳、日本経済新聞出

それは、すべて同じ運命の織物に結びついています。（中略）朝、朝食を食べ終わる時点で、
みんなすでに世界の半分に依存しているのです」
——マーチン・ルーサー・キング、1967年

1. B. Woodward, *Fear: Trump in the White House*. New York, Simon & Schuster, 2018, p. 208. 邦訳 B・ウッドワード『恐怖の男：トランプ政権の真実』伏見威蕃訳、日本経済新聞社、2018、p. 300.
2. M. Ridley, *The Rational Optimist: How Prosperity Evolves*. London, Fourth Estate, 2010, p. 91. 邦訳 M・リドレー『繁栄：明日を切り拓くための人類10万年史（上・下）』大田直子他訳、早川書房、2010、上巻p. 135.
3. C. Wheelan, *Naked Economics: Undressing the Dismal Science*. New York, W. W. Norton & Company, 2002, p. 187. 邦訳 C・ウィーラン『経済学をまる裸にする：本当はこんなにおもしろい』山形浩生他訳、日本経済新聞社、2014、p.335.
4. A. Smith, *An Inquiry Into the Nature and Causes of the Wealth of Nations* in *The Glasgow Edition of the Works and Correspondence of Adam Smith*. Indianapolis, Liberty Fund, 1776/1981, p. 29. 邦訳 A・スミス『国富論（上・下）』高哲男訳、講談社学術文庫、2020、上巻p. 49.
5. S. Brooks et al., 'Long-distance stone transport and pigment use in the earliest Middle Stone Age', *Science*, *360*(6384), 2018.
6. P. Farb, *Man's Rise to Civilization: As Shown by the Indians of North America From Primeval Times to the Coming of the Industrial State*. New York, Dutton, 1968, p. 43.
7. スウェーデンのあるポストモダンのマナー本によれば、一緒に旅行に行ったり車に乗ったりするのに同意したら、その申し出相手と性交しなければならず、その人が森に死体を埋めるのを手伝うはめにもなるとのこと。N. Espinoza and J. Holmström, *Protokoll: Grundkurs I Normalt Beteende*. Stockholm, Hydra, 2009.
8. S. Pinker, 'The cognitive niche: Coevolution of intelligence, sociality, and language', *Proceedings of the National Academy of Sciences*, *107*(2), 2010.
9. W. von Hippel, *The Social Leap: The New Evolutionary Science of Who We Are, Where We Come From, and What Makes Us Happy*. New York, Harper Wave, 2018. 邦訳 W・フォン・ヒッペル『われわれはなぜ嘘つきで自信過剰でお人好しなのか：進化心理学で読み解く、人類の驚くべき戦略』濱野大道訳、ハーパーコリンズ・ジャパン、2019.
10. M. Tomasello, M. Carpenter, J. Call, T. Behne and H. Moll, 'Understanding and sharing intentions: The origins of cultural cognition', *Behavioral and Brain Sciences*, 28(5), 2005.
11. K. Popper and J. C. Eccles, *The Self and Its Brain*. London, Routledge, 1984, p. 48. 邦訳 K・ポパー＆J・C・エクルズ『自我と脳（上・下）』、大村裕他訳、思索社、1986、上巻p.81.
12. J. Henrich, *The Secret of Our Success: How Culture is Driving Human Evolution, Domesticating Our Species and Making Us Smarter*. Princeton, Princeton University Press, 2016, p. 20. 邦訳 J・ヘンリック『文化がヒトを進化させた：人類の繁栄と〈文化 - 遺伝子革命〉』今西康子訳、白揚社、2019、p. 45.
13. Ibid, p. 41. 邦訳 pp. 73-4.
14. M. Wollstonecraft, *A Vindication of the Rights of Women*. New York, Cosimo, 2008, p. 157. 邦訳 M・ウルストンクラフト『女性の権利の擁護：政治および道徳問題の批判をこめて』白井堯子訳、未来社、1980、p. 281.
15. Powell, S. Shennan and M. G. Thomas, 'Late Pleistocene demography and the appearance of modern human behavior', *Science*, *324*(5932), 2009.
16. Darwin, *The Descent of Man, and Selection in Relation to Sex*. New York, D. Appleton, 1878, p. 50.

原　注

はじめに：交易者と部族人

「ミクロコスモス（たとえば親族の小さな集団や一隊）の掟を、本能や感情的な渇望が
しばしば要求するように、改変なしで手控えもせずに、
マクロコスモス（もっと広い文明）に適用するなら、そのマクロコスモスは破壊されてしまう。
だが拡張された秩序の掟をもっと親密な集団に常に適用すれば、その集団が潰されてしまう。
だから我々は２種類の世界に同時に生きるよう学ばねばならないのだ」
――フリードリッヒ・ハイエク、1989年

1. U. Wierer, S. Arrighi, S. Bertola, G. Kaufmann, B. Baumgarten, A. Pedrotti et al., 'The Iceman's lithic toolkit: Raw material, technology, typology and use', *PLoS ONE 13*(6), 2018. G. Artioli, I. Angelini, G. Kaufmann, C. Canovaro, G. Dal Sasso and I. M. Villa, 'Long distance connections in the Copper Age: New evidence from the Alpine iceman's copper axe', *PLoS ONE 12*(7), 2017.
2. 'Ebola: Economic impact already serious; Could be "catastrophic" without swift response', World Bank [press release], 17 September 2014.
3. K. A. Appiah, *The Lies That Bind: Rethinking Identity*. London, Profile Books, 2018, pp. 195ff.
4. K. Popper, *The Open Society and Its Enemies*. London, Routledge, 1966, vols. 1 and 2. 邦訳 カール・ポパー『開かれた社会とその敵（第1部・2部）』内田詔夫他訳、未来社、1980.
5. F. A. Hayek, *The Constitution of Liberty*. London, Routledge, 2011, p. 81. 邦訳 F・A・ハイエク『自由の条件 1』気賀健三他訳、春秋社、2007、pp.46-7.
6. J. Mokyr, 'Cardwell's Law and the political economy of technological progress', *Research Policy, 23*(5), 1994.
7. C. Lakatos, D. Laborde and W. Martin, 'Reacting to food price spikes: Commodity of errors' [Let's Talk Development blog], World Bank, 5 February 2019, https://blogs.worldbank.org/developmenttalk/reacting-food-price-spikes-commodity-errors（2020年3月9日アクセス）.
8. R. Bailey, *Liberation Biology*. New York, Prometheus Books, 2005. R. Bailey, 'No more pandemics?', *Reason Magazine*, 17 January 2020, https://reason.com/2020/01/17/no-more-pandemics/（2020年3月9日アクセス）.
9. T. Snyder, *The Road to Unfreedom: Russia, Europe, America*. New York, Tim Duggan Books, 2018, p. 236. 邦訳 T・スナイダー『自由なき世界：フェイクデモクラシーと新たなファシズム（上・下）』池田年穂訳、慶應義塾大学出版会、2021、下巻p. 113.
10. T. G. Palmer, 'A new, old challenge: Global anti-libertarianism', Cato Policy Report, November/December 2016.

第1章 オープンな交流

「私たちはだれしも、相互性のネットワークにしっかりとらわれているのです。

著者紹介

ヨハン・ノルベリ (Johan Norberg)

歴史学者。米ワシントンDC拠点のシンクタンク、ケイトー研究所シニアフェロー。1973年スウェーデン・ストックホルム生まれ。ストックホルム大学にて歴史学の修士号を取得。著作は25か国語に翻訳され、『進歩:人類の未来が明るい10の理由』(晶文社)は各国で高い評価を獲得した。スティーブン・ピンカー、マット・リドレー、ハンス・ロスリングらと並んで、歴史学、経済学、統計学、進化生物学など幅広い領域の最新知見をもとに「楽観的な未来」を構想する、現代を代表するビッグ・シンカーの1人。本書『OPEN』は、前著『進歩』に続いて「エコノミスト」誌ブック・オブ・ザ・イヤー賞を受賞した。

訳者紹介

山形浩生 (やまがた・ひろお)

評論家、翻訳家、開発コンサルタント。2018年まで野村総合研究所研究員。開発援助関連調査のかたわら、経済、環境問題からSFまで幅広い分野での翻訳と執筆を行う。東京大学大学院工学系研究科都市工学科修士課程およびマサチューセッツ工科大学不動産センター修士課程修了。著書に『新教養主義宣言』『要するに』(共に河出文庫)、『経済のトリセツ』(亜紀書房)など。訳書にピケティ『21世紀の資本』(みすず書房)、クルーグマン『クルーグマン教授の経済入門』(ちくま学芸文庫)、ケインズ『雇用、利子、お金の一般理論』(講談社学術文庫)、ノルベリ『進歩』(晶文社)ほか多数。

森本正史 (もりもと・まさふみ)

翻訳家。山形浩生との共訳書にピケティ『21世紀の資本』、トゥーズ『ナチス 破壊の経済』(以上みすず書房)、ウェスト『スケール』(早川書房)、ケンリック『野蛮な進化心理学』(白揚社)ほか多数。

装幀……小口翔平+畑中茜(tobufune)
本文デザイン・DTP……朝日メディアインターナショナル
校正……鷗来堂
営業……岡元小夜・鈴木ちほ・多田友希
進行管理……中野薫・小森谷聖子
編集……富川直泰

オープン
OPEN
――「開く」ことができる人・組織・国家だけが生き残る

2022年4月27日　第1刷発行
2022年5月23日　第2刷発行

著者……………ヨハン・ノルベリ

訳者……………山形浩生・森本正史

発行者…………金泉俊輔

発行所…………株式会社ニューズピックス

〒100-0005 東京都千代田区丸の内 2-5-2 三菱ビル
電話 03-4356-8988 ※電話でのご注文はお受けしておりません。
FAX 03-6362-0600 FAXあるいは下記のサイトよりお願いいたします。
https://publishing.newspicks.com/

印刷・製本……シナノ書籍印刷株式会社

ISBN 978-4-910063-20-1

本書に関するお問い合わせは下記までお願いいたします。
np.publishing@newspicks.com

希望を灯そう。

「失われた30年」に、
失われたのは希望でした。

今の暮らしは、悪くない。
ただもう、未来に期待はできない。
そんなうっすらとした無力感が、私たちを覆っています。

なぜか。
前の時代に生まれたシステムや価値観を、今も捨てられずに握りしめているからです。

こんな時代に立ち上がる出版社として、私たちがすべきこと。
それは「既存のシステムの中で勝ち抜くノウハウ」を発信することではありません。
錆(さ)びついたシステムは手放して、新たなシステムを試行する。
限られた椅子を奪い合うのではなく、新たな椅子を作り出す。
そんな姿勢で現実に立ち向かう人たちの言葉を私たちは「希望」と呼び、
その発信源となることをここに宣言します。

もっともらしい分析も、他人事のような評論も、もう聞き飽きました。
この困難な時代に、したたかに希望を実現していくことこそ、最高の娯楽(エンタメ)です。
私たちはそう考える著者や読者のハブとなり、時代にうねりを生み出していきます。

希望の灯を掲げましょう。
1冊の本がその種火となったなら、これほど嬉しいことはありません。

令和元年
NewsPicksパブリッシング 編集長
井上 慎平